MICRO

MICHAEL CRICHTON

MICRO

EN

RICHARD PRESTON

UITGEVERIJ LUITINGH

Uitgeverij Luitingh en Drukkerij HooibergHaasbeek vinden het belangrijk om op milieuvriendelijke en verantwoorde wijze met natuurlijke bronnen om te gaan.

© 2012 Nederlandse vertaling
Uitgeverij Luitingh ~ Sijthoff B.V., Amsterdam
Alle rechten voorbehouden
Oorspronkelijke titel: *Micro*
Vertaling: Gert van Santen
Omslagontwerp: DPS/Davy van der Elsken
Omslagbeeld: I-stock

ISBN 978 90 245 3275 9
NUR 332

www.uitgeverijluitingh.nl
www.boekenwereld.com
www.watleesjij.nu

Voor Jr.

Het krioelt op aarde van nietige schepsels... voorwerp van wellicht eindeloze studie en verwondering – mits we genegen zijn onze blik te verruimen en niet alleen naar de horizon te turen, maar ook de wereld op een armlengte afstand te observeren. Dan kan een mensenleven worden besteed aan een magelhãese reis rond de stam van een boom.

– E.O. WILSON

Inleiding

IN WAT VOOR WERELD LEVEN WE?

In 2008 uitte de beroemde natuurkenner David Attenborough zijn bezorgdheid over het feit dat moderne schoolkinderen niet in staat waren om algemeen in de natuur voorkomende planten en insecten te herkennen, terwijl vorige generaties dat moeiteloos konden. Het was alsof kinderen van de natuur waren afgesneden en niet meer in de vrije natuur speelden. Er passeerden allerlei factoren de revue die een rol zouden spelen, zoals de verstedelijking, het verdwijnen van de open ruimte, computers en het internet en de toegenomen huiswerkdruk. Hoe dan ook, de strekking was dat kinderen niet langer met natuur in aanraking kwamen en er daarom geen persoonlijke ervaring mee konden opbouwen. Het was ironisch dat dit juist in een tijd gebeurde waarin de westerse wereld zich meer en meer om het milieu ging bekommeren en steeds ambitieuzere plannen bedacht om het te beschermen.

Het milieubewust maken van kinderen was een belangrijke doelstelling van de groene organisaties, en zo werd kinderen geleerd iets te beschermen waarmee ze absoluut niet bekend waren. Het bleef niet onopgemerkt dat dit precies het recept was dat de natuur in het verleden – ondanks alle goede bedoelingen – schade had toegebracht. Een goed voorbeeld is het verval van de Amerikaanse nationale parken door het Amerikaanse beleid met betrekking tot de preventie van bosbranden. Dat beleid zou er nooit zijn gekomen als de mensen werkelijk kennis hadden gehad van het milieu dat ze probeerden te beschermen.

Het probleem was dat ze dachten die kennis wel te bezitten, en de kans bestaat dat nieuwe generaties schoolkinderen alleen nog maar zelfverzekerder zullen worden op dat punt. De scholen leren hun in elk geval dat er op elke vraag een antwoord is. Pas wanneer ze op eigen benen staan, ontdekken jonge mensen dat veel dingen in het leven onzeker, mysterieus en zelfs onkenbaar zijn. Als je een paar uur in de natuur doorbrengt en je bespoten wordt door een kever, wanneer de kleur van een vlindervleugel afgeeft op je vingers of als je een rups zijn cocon ziet spinnen – dan bekruipt je een gevoel van ontzag en verbazing. Hoe langer je kijkt, des te geheimzinniger de natuur wordt en des te meer je begint te beseffen hoe weinig je ervan weet. Behalve haar schoonheid zul je misschien ook haar creativiteit, spilzucht, agressiviteit, meedogenloosheid, parasitisme en gewelddadigheid ervaren. Deze eigenschappen worden in studieboeken nauwelijks belicht.

De belangrijkste les die door persoonlijke ervaring kan worden geleerd, is misschien wel het feit dat de natuur – met al haar elementen en onderlinge afhankelijkheden – een complex systeem vormt dat we niet kunnen begrijpen en waarvan we het gedrag niet kunnen voorspellen. Het is een illusie om te doen alsof dat wel zo is, net zoals het een illusie is om te denken dat we de beursnoteringen kunnen voorspellen; ook zo'n complex systeem. Als iemand beweert dat hij kan voorspellen wat een aandeel de komende dagen gaat doen, is het duidelijk dat de persoon in kwestie ofwel een oplichter is, ofwel een grootspreker. Maar als een milieudeskundige vergelijkbare beweringen over het milieu of een ecosysteem doet, beseffen we blijkbaar nog niet dat het hier om een valse profeet of een dwaas gaat.

Mensen hebben een heel succesvolle en voortdurende interactie met complexe systemen. Maar die bestaat er vooral uit dat we die systemen manipuleren – we begrijpen ze niet. Managers beïnvloeden een systeem, kijken vervolgens naar wat er gebeurt en doen dan iets wat hopelijk het gewenste resultaat oplevert. Dit eindeloze proces van iteratieve interactie geeft aan dat we eigenlijk niet goed weten wat het systeem zal gaan doen – we zullen moeten afwachten. Misschien hebben we een voorgevoel. En het is mogelijk dat we het meestal bij het juiste eind hebben. Maar zeker weten doen we het nooit. Interactie met de natuur is per definitie onzeker. En dat zal altijd zo blijven.

Maar hoe kunnen jonge mensen dan uit de eerste hand ervaring opdoen in de natuur? Idealiter door een verblijf in het regenwoud: een uitgestrekt, onbehaaglijk, onheilspellend en overweldigend ecosysteem dat elk vastgeroest denkbeeld zal doen verdwijnen.

ONVOLTOOID
MICHAEL CRICHTON
28 augustus, 2008

Inhoud

DE ZEVEN DOCTORAALSTUDENTEN

Rick Hutter Etnobotanicus gespecialiseerd in medicijngebruik bij inheemse volkeren.

Karen King Arachnologe (expert op het gebied van spinnen, schorpioenen en mijten). Ervaren vechtsportster.

Peter Jansen Expert op het gebied van gifstoffen en vergiftiging.

Erika Moll Entomologe en coleopterologe (keverdeskundige).

Amar Singh Botanicus. Doet onderzoek naar plantenhormonen.

Jenny Linn Biochemica. Doet onderzoek naar feromonen: door dieren en planten gebruikte geurstoffen.

Danny Minot Doctoraalstudent die aan een scriptie werkt over 'wetenschappelijke linguïstische codes en paradigmatransformatie'.

DEEL I
TENSOR

Proloog

NANIGEN
9 OKTOBER, 23:55

Hij reed ten westen van Pearl Harbor over de Farrington Highway langs velden met suikerriet die donkergroen kleurden in het maanlicht. Dit was lang een landbouwgebied van Oahu geweest, maar sinds kort waren er dingen gaan veranderen. Aan zijn linkerhand zag hij de platte stalen daken van het nieuwe bedrijventerrein Kalikimaki die als zilveren spiegels in het omringende groen lagen. In werkelijkheid, zo wist Marcos Rodriguez, was het niet echt een bedrijventerrein; de meeste gebouwen werden als goedkope pakhuizen gebruikt. Verder waren er nog een winkel met scheepsbenodigdheden, een knul die surfplanken op bestelling maakte, een stel machinewerkplaatsen en een metaalbewerker. Dat was het wel zo'n beetje.

En natuurlijk de reden voor zijn bezoek vanavond: Nanigen Micro Technologies, een nieuw bedrijf van het vasteland dat in een groot gebouw aan de andere kant van het complex was gevestigd.

Rodriguez verliet de hoofdweg en reed tussen stille gebouwen door. Het was bijna middernacht; het bedrijventerrein was verlaten. Hij parkeerde voor Nanigen.

Van buiten leek het gebouw op alle andere: geen verdiepingen, en een stalen gevel met een dak van golfplaten. In feite gewoon een grote loods met een goedkope constructie. Maar Rodriguez wist dat het daar niet ophield. Voordat het bedrijf dit gebouw had neergezet, was er diep in het lavagesteente een put gegraven die vol was gezet met elektronische apparatuur. Pas toen was deze onopvallende façade opgetrokken, die inmiddels bedekt was onder fijn rood stof van de nabijgelegen akkers.

Rodriguez trok zijn rubberen handschoenen aan en liet zijn digitale camera met infraroodfilter in zijn zak glijden. Vervolgens stapte hij uit zijn auto. Hij droeg een bewakersuniform. Hij trok zijn pet omlaag voor het geval er camera's waren geplaatst die de straat in de gaten hielden. Hij haalde de sleutel tevoorschijn die hij een paar weken eerder van de receptioniste had gepikt toen ze na haar derde Blue Hawaï onder zeil was gegaan. Hij had hem laten kopiëren en had hem teruggebracht voordat ze wakker was geworden.

Van haar was hij te weten gekomen dat Nanigen bestond uit een kleine vierduizend vierkante meter laboratoria en hightechvoorzieningen waar volgens haar aan geavanceerde roboticaprojecten werd gewerkt. Wat voor soort projecten dat waren, was haar niet helemaal duidelijk, behalve dat de robots extreem klein waren. 'Ze doen een of ander onderzoek met chemicaliën en planten,' had ze enigszins vaag uitgelegd.

'Zijn daar robots voor nodig?'

'Blijkbaar.' Ze had haar schouders opgehaald.

Maar ze had ook verteld dat het gebouw zelf niet beveiligd was: geen alarmsysteem, geen bewegingssensoren en geen bewakers, camera's of laserdetectors. 'Maar wat gebruiken jullie dan?' had hij gevraagd. 'Honden?'

De receptioniste had haar hoofd geschud. 'Niks,' had ze gezegd. 'Alleen een slot op de voordeur. Ze zeggen dat ze geen beveiliging nodig hebben.'

In eerste instantie had Rodriguez sterk het vermoeden gehad dat Nanigen pure nep was; een of andere constructie om de belasting te ontduiken. Een bedrijf dat geavanceerde technologie maakt, is niet gevestigd in een stoffige loods ver buiten Honolulu op grote afstand van de universiteit, waar alle hightechondernemingen mee samenwerkten. Als Nanigen helemaal hier zat, hadden ze vast iets te verbergen.

Dat was ook de mening van de cliënt die Rodriguez om die reden had ingehuurd. Eigenlijk was rondgluren in technologiebedrijven niet zijn normale werk. Meestal kreeg hij opdracht van advocaten om mannen te fotograferen die in Waikiki hun echtgenotes bedrogen. En ook in dit geval was hij ingehuurd door een plaatselijke advocaat, Willy Fong. Maar Willy was niet de cliënt, en hij had geweigerd een naam te noemen.

Rodriguez had zijn vermoedens. Nanigen had blijkbaar miljoenen dollars uitgegeven aan elektronica uit Sjanghai en Osaka. Enkelen van die leveranciers wilden waarschijnlijk weten wat er met hun producten werd gedaan. 'Is het dat soms, Willy? Zijn het de Chinezen of de Japanners?'

Willy Fong had zijn schouders opgehaald. 'Je weet dat ik daar niks over kan zeggen, Marcos.'

'Ik snap er niks van,' had Rodriguez gezegd. 'Ze hebben daar geen beveiliging. Je klant kan net zo goed zelf een keer inbreken om te zien wat ze aan het doen zijn. Daar hebben ze mij niet voor nodig.'

'Zal ik de klus dan maar aan een ander geven?'

'Ik wil gewoon weten wat hier gaande is.'

'Ze willen dat je uitzoekt wat er in dat gebouw gebeurt en dat je wat foto's maakt. Dat is alles.'

'Het bevalt me niks. Volgens mij is het een nepbedrijf.'

'Dat zit er wel in.'

Willy had hem een vermoeide blik geschonken alsof hij wilde zeggen: Wat interesseert jou dat nou? 'Je hebt in elk geval geen last van bewakers die je de hersens inslaan.'

'Dat is ook weer waar.'

Willy had zijn stoel naar achteren gerold en zijn armen over zijn machtige pens gevouwen. 'Oké, Marcos. Wat gaat het worden?'

Nu hij midden in de nacht in de richting van de voordeur liep, voelde Rodriguez zich plotseling nerveus. *Ze hebben geen beveiliging nodig.* Waar sloeg dat in godsnaam op? Iedereen had tegenwoordig beveiliging nodig – en niet zo'n beetje ook – zeker rond Honolulu. Je had gewoon geen keus.

Er zaten geen ramen in het gebouw, er was alleen een metalen deur. Op een bordje ernaast stond: NANIGEN MICROTECHNOLOGIES, INC. En daaronder: ALLEEN OP AFSPRAAK.

Hij stak de sleutel in het slot en draaide hem om. De deur klikte open.

Veel te simpel, dacht hij terwijl hij een blik op de lege straat wierp en naar binnen glipte.

De nachtverlichting zorgde voor een zachte gloed in een hal met glazen wanden, een receptie en een wachtruimte met zitbanken, tijdschriften en bedrijfsliteratuur. Rodriguez deed zijn zaklamp aan en begaf zich in de richting van de gang verderop. Aan het einde van de gang waren twee deuren. Hij opende de eerste en betrad een volgende gang met glazen wanden. Aan weerszijden bevonden zich laboratoria met lange zwarte werkbanken vol apparatuur en daarboven schappen met potten. Om de tien meter stond een zoemende roestvrijstalen koelkast en iets wat op een wasmachine leek.

Volgeprikte mededelingenborden, Post-its op de koelkast, whiteboards waarop formules waren gekrabbeld – de algehele indruk was nogal rommelig, maar Rodriguez kreeg sterk het gevoel dat dit een echt bedrijf was; dat Nanigen hier inderdaad wetenschappelijk werk verrichtte. Waar hadden ze robots voor nodig?

En toen zag hij ze. Maar het waren verrekt rare dingen. Doosachtige zilvermetalen apparaten met mechanische armen en rupsbanden en allerlei aanhangsels. Ze leken op de apparaten die ze naar Mars stuurden. Ze waren er in allerlei vormen en maten. Sommige hadden de afmetingen van een schoenendoos, maar andere waren een stuk groter. Toen zag hij dat naast elk exemplaar een kleinere versie van dezelfde robot stond. De kleinste hadden het formaat van een duimnagel: minuscuul, maar uiterst gedetailleerd. Op de werkbanken stonden enorme loepen opgesteld waarmee het personeel de robots kon zien. Hij vroeg zich alleen af hoe ze zulke kleine dingen konden bouwen.

Rodriguez kwam aan het einde van de gang en zag een deur met daarop TENSORKERN. Hij duwde hem open en voelde een koel briesje. De ruimte erachter was groot en donker. Rechts zag hij lange rijen met rugzakken die aan haken aan de muur hingen, alsof hier regelmatig mensen kwamen die gingen kamperen. Voor de rest was het vertrek leeg. Er klonk luid gebrom van een of ander elektrisch apparaat, maar verder hoorde hij niets. Het viel hem op dat in de vloer diepe groeven met een hexagonale vorm waren aangebracht. Of misschien waren het grote hexagonale tegels; in het schemerduister kon hij dat niet beoordelen.

Aan de andere kant, zo besefte hij plotseling, bevond er zich iets onder de vloer. Hij kon vaag een ingewikkelde wirwar van hexagonale slangen en koperdraad zien. De vloer was van een soort doorzichtig plastic, en nu hij erdoorheen keek, begon hij langzaam de enorme elektronische constructie te ontwaren die beneden hem was ingegraven.

Rodriguez ging op zijn hurken zitten om beter te kunnen zien. Terwijl hij naar de hexagonen beneden zich tuurde, zag hij een druppel bloed op de vloer spatten. En toen nog een. Rodriguez staarde er verbaasd naar, en het duurde even voordat hij eraan dacht een hand naar zijn voorhoofd te brengen. Hij bloedde, vlak boven zijn rechterwenkbrauw.

'Wat zullen we–' Hij had op een of andere manier een snee opgelopen. Hij had niets gevoeld, maar er zat bloed op zijn handschoen, en zijn voorhoofd bloedde nog steeds. Hij kwam overeind. Het bloed druppelde langs zijn wang en zijn kin op het uniform. Hij bracht opnieuw zijn hand omhoog en haastte zich het dichtstbijzijnde lab binnen, op zoek naar tissues of een doekje. Hij vond een doos Kleenex, liep naar een fonteintje met een spiegel erboven en depte zijn gezicht droog. Het bloeden begon al minder te worden. Het wondje stelde weinig voor, maar het was messcherp. Hij had geen idee hoe het was gebeurd, maar het zag eruit als een papiersnee.

Hij wierp een blik op zijn horloge. Het was tien voor halfeen. Tijd om weer aan de slag te gaan. Het volgende moment zag hij op de rug van zijn hand een rode snijwond verschijnen. De huid vouwde zich open van zijn pols tot aan zijn knokkels en begon te bloeden. Rodriguez slaakte een gil van ontzetting. Hij griste nog een stapel tissues uit de doos en pakte vervolgens een handdoek die aan de wasbak hing.

Hij scheurde er een reep vanaf en wikkelde die om zijn hand. Plotseling voelde hij pijn in zijn been. Toen hij omlaag keek, zag hij dat er halverwege zijn dij een snee in zijn broek zat, en daar bloedde hij ook.

Rodriguez dacht niet verder meer na. Hij draaide zich om en zette het op een lopen.

Hij rende trekkebenend de gang door, terug naar de voordeur. Hij was zich ervan bewust dat hij genoeg bewijsmateriaal achterliet om hem later te kunnen identificeren, maar dat interesseerde hem niet. Hij wilde alleen maar zo snel mogelijk weg.

Even voor één uur parkeerde hij voor het kantoor van Fong. Het licht op de eerste verdieping brandde nog. Rodriguez liep achterom en strompelde de trap op. Hij was verzwakt door bloedverlies, maar verder was hij in orde. Hij klopte niet aan en ging via de achterdeur naar binnen.

Fong was in gesprek met een man die Rodriguez nog nooit had gezien. Het was een Chinees van in de twintig die een zwart pak droeg en een sigaret rookte. Fong draaide zich om. 'Wat heb jij in godsnaam gedaan? Je ziet er niet uit.' Fong stond op, deed de deur op slot en kwam terug. 'Heb je gevochten?'

Rodriguez leunde zwaar op het bureau. Hij bloedde nog steeds. De Chinese man, die ook was opgestaan, deed een stap achteruit en zei niets. 'Nee, ik heb niet gevochten.'

'Wat is er dan gebeurd?'

'Geen idee. Het gebeurde gewoon.'

'Wat sta je nou te lullen, man?' zei Fong kwaad. 'Dat slaat nergens op. Wat is er gebeurd?'

De Chinese man hoestte. Rodriguez keek naar hem en zag dat onder zijn kin een gebogen rode lijn was verschenen. Langs zijn witte overhemd sijpelde bloed omlaag. De man keek ontzet. Hij bracht zijn hand naar zijn keel, en het bloed stroomde tussen zijn vingers door. Hij viel achterover.

'Godsammelazarus,' zei Willy Fong. Hij haastte zich naar voren en keek naar de man die sidderend op de grond lag; de hakken van zijn schoenen trommelden op de vloer. 'Heb jij dat gedaan?'

'Nee,' zei Rodriguez, 'dat zeg ik net.'

'Jezus, wat een ellende,' zei Fong. 'Moet dat nou met alle geweld in mijn kantoor? Ben je wel helemaal fris? Want als ik dit moet opruimen–'

Aan de linkerkant van Fongs gezicht sproeide een fonteintje van bloed omhoog. De doorgesneden slagader in zijn hals pompte straaltjes naar buiten. Hij drukte zijn hand op de wond, maar het spoot tussen zijn vingers door.

'Godverdomme,' zei hij, en hij liet zich in zijn stoel zakken. Hij staarde naar Rodriguez. 'Wat is dit?'

'Geen flauw idee,' zei Rodriguez. Hij wist wat er ging komen. Hij hoefde er alleen maar op te wachten.

Hij voelde het sneetje in zijn hals vrijwel niet, maar de duizeligheid kwam snel, en hij viel voorover. Hij lag op zijn zij in een kleverige plas van zijn eigen bloed en staarde naar Fongs bureau. Die smeerlap heeft me niet eens betaald, dacht hij. En toen werd hij omringd door duisternis.

De koppen meldden DRIE DODEN BIJ BIZARRE ZELFMOORDACTIE. Het verhaal stond in geuren en kleuren in de *Honolulu Star-Advertiser*. Inspecteur Dan Watanabe schoof de krant opzij. Hij keek op naar zijn chef, Marty Kalama. 'Ik word suf gebeld,' zei Kalama. Hij droeg een bril met een metalen montuur en knipperde voortdurend met zijn ogen. Hij zag er meer uit als een leraar dan als een politieman. Maar hij was *akamai*, een slimme vent die wist wat hij deed. Kalama zei: 'Ik hoor dat er problemen zijn, Dan.'

'Met die zelfmoord?' Watanabe knikte. 'Zeker weten. En niet zo'n beetje ook. Volgens mij zit er een luchtje aan.'

'Waar hebben de kranten het vandaan?'

'Waar ze alles vandaan hebben,' zei Watanabe. 'Hun grote duim.'

'Laat maar horen,' zei Kalama.

Watanabe hoefde zijn aantekeningen er niet op na te slaan. Een paar dagen na zijn bezoek aan de plaats delict stonden de beelden nog helder op zijn netvlies. 'Willy Fong heeft een kantoor op de eerste verdieping van een van die kleine gebouwtjes aan Pu'uhui Lane, niet ver van Lillihi Street, ten noorden van de snelweg. Houten pandje met vier kantoren, beetje smoezelig. Willy is zestig, je kent hem waarschijnlijk wel. Hij verdedigt mensen uit de stad die dronken achter het stuur hebben gezeten. Kleine zaakjes. Nooit ergens voor opgepakt. Andere mensen in het gebouw klaagden over de stank die uit Willy's kantoor kwam, dus wij eropaf. Drie overleden mannen. Volgens de lijkschouwer waren ze al een dag of twee, drie dood; nauwkeuriger konden ze het niet maken. De airconditioning was uit, dus het stonk er als de pest. Ze zijn alle drie overleden aan steekwonden. Willy had een doorgesneden halsslagader en is leeggebloed in zijn stoel. Aan de andere kant van het vertrek lag een jonge Chinese knul, nog niet geïdentificeerd, mogelijk een Chinees staatsburger. Halsader en slagader doorgesneden; die is snel doodgebloed. Het derde slachtoffer was die Portugees met die camera, Rodriguez.'

'Is dat niet die kerel die foto's maakt van mannen die vreemdgaan met hun secretaresse?'

'Precies. Kreeg regelmatig klappen. Hoe dan ook, die was er ook bij, en hij had steekwonden over zijn hele lichaam – gezicht, voorhoofd, handen, benen, nek. Ik heb nog nooit zoiets gezien.'

'Heeft hij die zelf veroorzaakt?'

Watanabe schudde zijn hoofd. 'Nee. En volgens de lijkschouwer ook niet. De wonden zijn door iemand anders toegebracht binnen een tijdsbestek van ongeveer een uur. Op de trap aan de achterkant is zijn bloed gevonden, en zijn voetafdrukken lopen omhoog. Er zat ook bloed in de auto die naast het gebouw geparkeerd stond, dus hij bloedde al voordat hij naar binnen ging.'

'Wat is er volgens jou dan gebeurd?'

'Geen idee,' zei Watanabe. 'Als dit zelfmoord is, zitten we met drie mannen zonder afscheidsbriefje, en dat is erg onwaarschijnlijk. Er is ook geen mes gevonden, en we hebben het kantoor tot op de laatste vierkante centimeter onderzocht. Het was trouwens aan de binnenkant afgesloten, dus er kan niemand weg zijn gegaan. En de ramen waren vergrendeld. We hebben de kozijnen en lijsten wel op vingerafdrukken onderzocht voor het geval er iemand door naar binnen is gekomen. Maar rond de ramen zijn geen verse vingerafdrukken gevonden, alleen een hoop stof.'

'Heeft er misschien iemand een mes door de wc gespoeld?' vroeg Kalama.

'Nee,' antwoordde Dan Watanabe. 'We hebben geen bloed in het toilet gevonden. Dat betekent dat er vanaf het begin van de steekpartij niemand meer is geweest. We zitten dus met drie mannen die in een afgesloten ruimte zijn doodgestoken. Geen motief, geen wapen, niks.'

'En nu?'

'Die Portugese detective is eerst nog ergens anders geweest. Daar moet hij zijn verwondingen hebben opgelopen. Ik ga maar eens uitzoeken waar dat is gebeurd – waar het is begonnen.' Watanabe haalde zijn schouders op. 'Hij had een bonnetje bij zich van Kelo's in Kalepa, een Mobil-benzinestation. Daar heeft hij om tien uur 's avonds de tank volgegooid. We weten hoeveel benzine hij heeft verbruikt en dat hij vanaf zijn bestemming terug is gereden naar Willy. Aan de hand daarvan kunnen we bepalen binnen welk gebied de locatie ligt die hij na Kelo's heeft bezocht.'

'Dat is een enorm gebied. Waarschijnlijk bijna het hele eiland.'

'We kunnen dingen uitsluiten. Er zitten verse kiezelsteentjes in het bandenprofiel. Verpulverd zandsteen. De kans is groot dat hij op een of ander bouwterrein is geweest. Het gaat misschien een tijdje duren, maar we komen er wel achter.' Watanabe schoof de krant naar de andere kant van het bureau. 'En ondertussen... zou ik zeggen dat de kranten gelijk hebben. Een drievoudige zelfmoord, en daarmee is de kous af. Voorlopig, tenminste.'

1

DIVINITY AVENUE, CAMBRIDGE
18 OKTOBER, 13:00

In het biologielab op de eerste verdieping liet Peter Jansen, drieëntwintig, langzaam de metalen tang in de glazen bak zakken. Vervolgens greep hij de cobra met een snelle beweging achter zijn schild. De slang siste nijdig. Jansen stak zijn hand in de bak, pakte het dier stevig vast en bracht de kop naar de melkbeker. Hij veegde het membraan schoon met een in alcohol gedrenkt wattenstaafje, drukte de tanden erdoor en zag hoe geelachtig gif omlaag sijpelde langs het glas.

De opbrengst was teleurstellend: maar een paar milliliter. Als hij voldoende gif voor zijn onderzoek wilde verzamelen, had hij minstens zes cobra's nodig, maar het lab had geen plaats voor meer dieren. Er was een reptielenkwekerij in Allston, maar de dieren daar waren vaak ziek. Peter wilde zijn slangen in de buurt hebben om hun gezondheid in de gaten te kunnen houden.

Gif raakte gemakkelijk verontreinigd met bacteriën. Daarom gebruikte hij een wattenstaafje met alcohol en stond de melkbeker op ijs. Peters onderzoek betrof de bioactiviteit van bepaalde polypeptiden in cobragif. Zijn werk maakte deel uit van een uitgebreid researchprogramma op het gebied van onder andere slangen, kikkers en spinnen, die neuroactieve gifstoffen produceerden. Zijn ervaring met slangen had hem tot 'gifexpert' gemaakt. In die hoedanigheid werd hij af en toe ingeschakeld door ziekenhuizen die advies nodig hadden aangaande exotische beten. Dat had tot enige jaloezie geleid onder de andere doctoraalstudenten in het lab. Ze waren erg competitief ingesteld en hadden het direct door als iemand van hen aandacht kreeg uit de buitenwereld. Hun oplossing was klagen dat het te gevaarlijk was om een cobra in het lab te houden en dat het dier daar eigenlijk helemaal niet thuishoorde. Ze spraken over Peters onderzoek als 'werken met enge onderkruipsels'.

Maar dat interesseerde Peter allemaal niet. Hij gedroeg zich opgewekt en neutraal. Hij kwam uit een academisch gezin en nam alle kwaadsprekerij met een korrel zout. Zijn ouders leefden niet meer. Ze waren omgekomen toen hun vliegtuigje was gecrasht in de bergen van Noord-Californië. Zijn vader was professor in de geologie geweest aan de universiteit van Davis en zijn moeder had gedoceerd aan de medische faculteit in San Francisco. Zijn oudere broer was natuurkundige.

Peter had juist de cobrabak weer afgesloten toen Rick Hutter naast hem kwam staan. Hutter was vierentwintig en etnobotanicus. Hij deed onderzoek naar analgetica in de bast van regenwoudbomen. Rick droeg zoals gewoonlijk gebleekte jeans, een denim shirt en zware laarzen. Hij had een getrimde baard en een eeuwige frons. 'Ik zie dat je geen handschoenen aanhebt,' zei hij.

'Nee,' zei Peter, 'ik ben ondertussen behoorlijk vertrouwd–'

'Toen ik veldwerk deed, waren handschoenen verplicht,' zei hij. Rick Hutter liet geen gelegenheid voorbijgaan om anderen in het lab eraan te herinneren dat hij zelf ook veldwerk had verricht. Hij liet het klinken alsof hij jaren in een uithoek van het Amazonegebied had doorgebracht. In werkelijkheid had hij vier maanden onderzoek gedaan in een nationaal park in Costa Rica. 'Een drager in ons team droeg geen handschoenen en wilde een steen oppakken. Bam! Gebeten door een *terciopelo. Fer-de-Lance,* twee meter lang. Ze moesten zijn arm amputeren. Hij heeft geluk gehad dat hij het überhaupt heeft overleefd.'

'Uh-huh,' zei Peter in de hoop dat Rick weer zou vertrekken. Hij mocht Rick, ondanks het feit dat hij de neiging had iedereen zijn mening op te dringen.

Iemand in het lab die echt een pesthekel aan Rick had, was Karen King. Karen, een lange jonge vrouw met donker haar en hoekige schouders, studeerde spinnengif en spinnenwebben. Ze hoorde hoe Rick Peter de les las over slangenbeten in de jungle en kon zich niet beheersen. Ze stond te werken achter een laboratoriumtafel en snauwde over haar schouder: 'Je zat in een vakantiehuisje in Costa Rica, Rick. Weet je nog?'

'Bullshit. We hebben in het regenwoud gekampeerd–'

'Wel twee hele nachten,' onderbrak Karen, 'totdat de muskieten jullie het huisje weer injoegen.'

Rick schonk Karen een dreigende blik, en zijn gezicht werd rood. Hij opende zijn mond om wat te zeggen, maar bedacht zich. Want er viel niets te zeggen. Het was waar. De muskieten waren verschrikkelijk geweest. Hij was bang geweest om malaria of dengue op te lopen, daarom was hij teruggegaan naar het huisje.

In plaats van ruzie te maken met Karen, richtte Rick zich tot Peter: 'Hé, trouwens, ik heb gehoord dat je broer vandaag komt. Is hij niet rijk geworden met een of ander nieuw bedrijf?'

'Als ik hem moet geloven wel.'

'Ach, geld is ook niet alles. Ik zou nooit in de privésector willen werken. Je vindt er bijna geen intellectuelen. Echt knappe koppen blijven op de universiteit; daar hoeven ze zichzelf tenminste niet te prostitueren.'

Peter had geen behoefte om in discussie te gaan met Rick, die altijd star vasthield aan zijn mening, ongeacht het onderwerp. Maar entomologe Erika Moll, die pas terug was uit München, zei: 'Wat ben jij inflexibel, zeg. Ik zou het geen punt vinden om voor een private onderneming te werken.'

Hutter wierp zijn handen in de lucht. 'Zie je wel? Prostitutie.'

Erika had het bed gedeeld met een aantal mensen van de vakgroep biologie, en het leek haar niet te deren dat anderen dat wisten. Ze stak haar middelvinger naar hem op en zei: 'Krijg de klere, Rick.'

'Ik hoor dat je de vaktaal al aardig onder de knie hebt,' zei Rick, 'onder andere.'

'Jij weet niks van dat onder andere,' zei ze. 'En dat gaat niet gebeuren ook.' Ze richtte zich tot Peter. 'Hoe dan ook, ik zie niks verkeerds in werken voor een privébedrijf.'

'Maar wat is het dan precies voor bedrijf?' zei een zachte stem. Peter draaide zich om naar Amar Singh, expert op het gebied van plantenhormonen. Amar stond bekend om zijn praktische kijk op de wereld. 'Ik bedoel, wat doet zo'n bedrijf dat het zo waardevol maakt? En is het een biologisch bedrijf? Je broer is toch natuurkundige? Hoe zit dat?'

Op dat moment zei Jenny Linn aan de andere kant van het lab: 'Wauw, moet je dat zien!' Ze staarde uit het raam naar de straat beneden haar, waar het ronken van krachtige motoren klonk. Jenny zei: 'Peter, kijk eens – is dat je broer?'

Iedereen in het lab was naar het raam gelopen.

Peter zag zijn broer, die stralend als een kind naar hen zwaaide. Eric stond naast een felgele Ferrari convertible met zijn arm om een knappe blonde vrouw. Achter hen stond een tweede Ferrari, glimmend zwart. Iemand zei: 'Twee Ferrari's! Daar staat voor een half miljoen dollar.' Het ronkende motorgeluid kaatste heen en weer tussen de laboratoria aan weerszijden van Divinity Avenue.

Er stapte een man uit de zwarte Ferrari. Hij had een energieke uitstraling en een dure kledingsmaak, hoewel hij er sportief uitzag.

'Dat is Vin Drake,' zei Karen King terwijl ze naar buiten staarde.

'Hoe weet je dat?' vroeg Rick Hutter, die naast haar stond.

'Hoe zou ik dat níét moeten weten?' antwoordde Karen. 'Vincent Drake is waarschijnlijk de meest succesvolle durfkapitalist in Boston.'

'Als je het mij vraagt, is het een schande,' zei Rick. 'Ze hadden die auto's al jaren geleden moeten verbieden.'

Maar niemand luisterde naar hem. Ze haastten zich allemaal naar de trap om buiten te komen. 'Vanwaar al die drukte?' zei Rick.

'Heb je het niet gehoord?' zei Amar terwijl hij langs Rick liep. 'Ze komen rekruteren.'

'Rekruteren? Hoezo?'

'Iedereen die goed werk verricht op de terreinen waarin wij geïnteresseerd zijn,' zei Vin Drake tegen de studenten die zich om hem heen hadden verzameld. 'Microbiologie, entomologie, chemische ecologie, etnobotanica, fytopathologie – met andere woorden, al het natuuronderzoek op micro- of nanoniveau. Daar zijn we naar op zoek, en we nemen per direct mensen aan. Je hoeft niet afgestudeerd te zijn. Dat interesseert ons niet. Als je talent hebt, kun je voor ons je scriptie schrijven. Je zult alleen wel naar Hawaï moeten verhuizen, want daar staan de laboratoria.'

Peter, die zich een beetje afzijdig hield, boog zich naar zijn broer en vroeg: 'Is dat zo? Nemen jullie nu al mensen aan?'

De blonde vrouw antwoordde: 'Ja, dat klopt.' Ze stak haar hand uit en stelde zichzelf voor als Alyson Bender, financieel directeur van het bedrijf. Alyson had een koele handdruk en een kordate uitstraling, vond Peter. Ze ging gekleed in een reebruin mantelpakje, en om haar hals hing een ketting met echte parels. 'We hebben aan het einde van het jaar minstens honderd eersteklas onderzoekers nodig,' zei ze. 'En dat is een hele klus, ondanks het feit dat we waarschijnlijk de beste onderzoeksomgeving in de geschiedenis van de wetenschap bieden.'

'O? Hoezo dat?' vroeg Peter. Het was een nogal gewaagde bewering.

'Het is echt waar,' zei Eric. 'Vin legt het wel uit.'

Peter keek naar de auto van zijn broer. 'Mag ik...' Hij kon het niet helpen. 'Is het goed als ik er even in ga zitten? Alleen om te kijken?'

'Natuurlijk. Ga je gang.'

Hij schoof achter het stuur en sloot de deur. De kuipstoel sloot zich strak om zijn lichaam; het leer rook duur; de instrumenten waren groot en zakelijk; het stuur was klein met een stel onduidelijke rode knoppen erop. Het zonlicht deed de gele lak glimmen. Alles was zo luxueus dat hij zich een beetje ongemakkelijk voelde. Hij vroeg zich af of hij dat gevoel prettig vond of niet. Hij schoof heen en weer in de stoel en voelde iets onder zijn dij. Het was een wit voorwerp dat eruitzag als een stukje popcorn. En het was ook zo licht als popcorn. Maar het was steen. De ruwe randjes zouden wel eens krassen in het leer kunnen maken. Hij liet het steentje in zijn zak glijden en stapte uit.

Een paar meter verderop zag hij Rick Hutter een norse blik op de zwarte Ferrari werpen terwijl Jenny Linn de auto bewonderde. 'Als je maar weet,' zei Rick, 'dat een auto die zoveel hulpbronnen verkwist een misdaad is tegen Moeder Aarde.'

'Echt waar?' zei Jenny. 'Heeft ze dat tegen je gezegd?' Ze liet haar vingers over de motorkap lopen. 'Ik vind hem mooi.'

In een vertrek in het souterrain met een formica tafel en een koffiemachine had Vin Drake plaatsgenomen aan de tafel. Eric Jansen en Alyson Bender – de twee directeuren van Nanigen – zaten aan weerszijden van hem. De doctoraalstudenten dromden om hen heen. Sommige zaten aan tafel, andere leunden tegen de muur.

'Jullie zijn allemaal jonge wetenschappers die net komen kijken,' zei Vin Drake. 'Jullie zullen dus moeten leren omgaan met de realiteit van jullie vakgebied. Waarom is er zoveel nadruk op de allernieuwste ontwikkelingen in de wetenschap? Waarom wil iedereen er een graantje van meepikken? Omdat alle prijzen en alle erkenning naar die nieuwe ontwikkelingen gaan. Dertig jaar geleden, toen moleculaire biologie nog nieuw was, zag je een hoop Nobelprijzen en belangrijke ontdekkingen in die sector. Later waren de ontdekkingen minder fundamenteel en minder grensverleggend. Ondertussen zaten de beste mensen bij genetica en promeotica, of ze werkten op gespecialiseerde terreinen: hersenfuncties, bewustzijn, celdifferentiatie, waar nog veel grote en onopgeloste problemen waren. Was dat een goede strategie? Niet echt, want de problemen bleven onopgelost. Het is blijkbaar niet voldoende dat een werkterrein nieuw is, er moeten ook nieuwe tools zijn. Neem de telescoop van Galileo – een nieuwe blik op het universum. Of van Leeuwenhoeks microscoop – een nieuwe blik op het leven. En zo kunnen we doorgaan tot aan de dag van vandaag; radiotelescopen hebben onze astronomische kennis explosief doen toenemen. Onbemande ruimtesondes hebben onze kennis van het zonnestelsel compleet herschreven. De elektronenmicroscoop heeft de celbiologie veranderd. En ga zo maar door. Nieuwe tools zorgen voor grote vooruitgang. Jullie zijn jonge onderzoekers. Jullie zouden je dus moeten afvragen – wie heeft die nieuwe tools?'

Er volgde een korte stilte. 'Oké, ik hap,' zei iemand. 'Wie heeft die nieuwe tools?'

'Wij,' zei Vin. 'Nanigen MicroTechnologies. Ons bedrijf beschikt over tools die de grenzen voor nieuwe ontdekkingen in de eerste helft van de eenentwintigste eeuw gaan bepalen. En dat is geen grapje. Ik overdrijf niet. Ik vertel jullie gewoon de waarheid.'

'Dat is een behoorlijk gewaagde uitspraak,' zei Rick Hutter. Hij leunde met zijn armen over elkaar tegen de muur en omklemde een papieren koffiebekertje.

Vin Drake keek Rick rustig aan. 'Wij doen geen gewaagde uitspraken zonder reden.'

'En wat zijn dat dan voor tools?' vervolgde Rick.

'Dat is geheim,' zei Vin. 'Als je het wilt weten, teken je een geheimhoudingsovereenkomst en kom je naar Hawaï, dan kun je het zelf zien. Wij betalen je vliegticket.'

'Wanneer?'

'Zodra je tijd hebt. Morgen, als je wilt.'

Vin Drake had haast. Nadat hij zijn presentatie had afgerond, liepen ze achter elkaar het souterrain uit naar Divinity Avenue, waar de Ferrari's geparkeerd stonden. Het was een middag in oktober. De lucht voelde scherp aan en de bomen leken in vuur en vlam te staan door hun oranje en roodbruine bladertooi. Hawaï leek een miljoen kilometer van Massachusetts verwijderd.

Het viel Peter op dat Eric niet luisterde. Hij had zijn arm rond Alyson Bender en glimlachte, maar zijn gedachten waren elders.

Peter zei tegen Alyson: 'Mag ik mijn broer even van je lenen?' Hij greep Eric bij de arm en liep een stukje weg van de anderen.

Peter was vijf jaar jonger dan Eric. Hij had zijn broer altijd bewonderd en wilde dat de dingen hem ook zo moeiteloos afgingen, van sport via meisjes tot en met zijn universitaire studie. Eric werkte zich nooit uit de naad en leek zich nooit ergens druk over te maken. Of het nu om een beslissingswedstrijd van het lacrosseteam ging of een mondeling examen voor zijn doctoraal – Eric leek altijd precies te weten hoe hij de dingen moest spelen. Hij was vol zelfvertrouwen en deed nooit ergens moeilijk over.

'Leuke meid, die Alyson,' zei Peter. 'Hoe lang hebben jullie al wat?'

'Een paar maanden,' zei Eric. 'Ja, ze is leuk.' Op een of andere manier klonk hij niet enthousiast.

'Hoor ik daar een maar?'

Eric haalde zijn schouders op. 'Nee, ik ben gewoon realistisch. Alyson heeft bedrijfseconomie gestudeerd. Ze is eerlijk gezegd ontzettend zakelijk, en ze kan keihard zijn. Je kent het type wel – haar vader wilde een jongetje.'

'Ik vind haar anders behoorlijk knap voor een jongetje, Eric.'

'Knap is ze zeker.' Weer dat toontje.

Peter stak zijn voelhoorns uit en vroeg: 'En hoe loopt het met Vin?' Vincent Drake had een wat onfrisse reputatie en was twee keer bijna voor het gerecht gedaagd. Hij was er beide keren in geslaagd om het OM op andere gedachten te brengen, maar niemand wist precies hoe de vork in de steel zat. Drake stond bekend als onverzettelijk, slim en gewetenloos, maar vooral succesvol. Peter had zich erover verbaasd dat Eric zich met hem had ingelaten.

'Vin weet als geen ander hoe hij aan geld moet komen,' zei Eric. 'Zijn presentaties zijn briljant. En hij slaagt er altijd in om de vis binnen te halen, zoals ze dat noemen.' Eric haalde zijn schouders op. 'Ik accepteer de schaduwzijde – Vin is bereid om alles te zeggen wat nodig is om de deal rond te krijgen. Maar de laatste tijd is hij voorzichtiger en gedraagt hij zich meer als directeur.'

'Dus hij is algemeen directeur, Alyson is financieel directeur en jij bent?'

'Adjunct-directeur technologie,' zei Eric.

'Klopt dat eigenlijk wel?'

'Voor mij werkt het perfect. Ik wil me met de technologie bezighouden.' Hij glimlachte. 'En in een Ferrari rijden...'

'Ja. Hoe zit dat eigenlijk met die Ferrari's?' zei Peter terwijl ze de auto's naderden. 'Wat is daar de bedoeling van?'

'We maken een ritje langs de Oostkust,' zei Eric. 'We gaan langs bij alle grote universitaire biologielabs en voeren ons toneelstukje op om kandidaten te ronselen. En daarna leveren we de auto's in Baltimore weer in.'

'Jullie leveren ze weer in?'

'Ze zijn gehuurd,' zei Eric. 'Gewoon een trucje om wat extra aandacht te krijgen.'

Peter wierp een blik op het groepje studenten rond de auto's. 'Het werkt wel.'

'Ja, dat idee hadden wij ook.'

'Dus jullie nemen nu echt mensen aan?'

'Echt waar.' Peter bespeurde opnieuw een gebrek aan enthousiasme in de stem van zijn broer.

'Wat is er dan aan de hand, broer?'

'Niks.'

'Kom op, Eric.'

'Niks, echt waar. Het bedrijf loopt als een trein, we boeken enorme voor-uitgang en de technologie is geniaal. Er is niks aan de hand.'

Peter zei niks. Ze liepen even zwijgend verder. Eric stak zijn handen in zijn zakken. 'Alles is in orde. Maak je geen zorgen.'

'Oké.'

'Echt.'

'Ik geloof je.' Ze bereikten het einde van de straat, maakten rechtsom-keert en begaven zich weer in de richting van het groepje rond de auto's.

'Oké,' zei Eric, 'en welke meid uit het lab heb jij aan de haak geslagen?'

'Ik? Niemand.'

'Maar je hebt toch wel iemand?'

'Momenteel niet,' zei Peter op zachte toon. Eric had altijd meisjes gehad, maar Peters liefdesleven verliep nogal grillig en niet bepaald bevredigend. Er was een meisje van antropologie geweest. Ze werkte even verderop in het Peabody Museum. Maar aan die relatie was een einde gekomen toen ze het had aangelegd met een professor uit Londen die op bezoek was.

'Die Aziatische is best leuk,' zei Eric.

'Jenny? Ja, inderdaad. Maar die speelt voor de tegenpartij.'

'Ah, jammer.' Eric knikte. 'En die blonde?'

'Erika Moll,' zei Peter. 'Uit München. Niet geïnteresseerd in een relatie.'

'Je zou natuurlijk–'

'Vergeet het maar, Eric.'

'Maar als je–'

'Heb ik al gedaan.'

'Oké. En wie is die lange meid met dat donkere haar?'

'Dat is Karen King,' zei Peter. 'Arachnologe. Bestudeert de formatie van spinnenwebben. Maar ze heeft ook meegewerkt aan een studieboek, *Living Systems*. En dat moet iedereen weten.'

'Beetje verwaand?'

'Een beetje maar.'

'Ze ziet er behoorlijk afgetraind uit,' merkte Eric op met zijn blik nog steeds op Karen gericht.

'Ze is helemaal gek van fitness en vechtsporten.'

Ze naderden de groep. Alyson zwaaide naar Eric. 'Ben je klaar, schat?'

Eric antwoordde bevestigend. Hij nam Peter even in zijn armen en schudde zijn broer de hand.

'En waar gaan jullie nu naartoe?' zei Peter.

'Een paar kilometer verderop. We hebben een afspraak bij het MIT. Te-gen het einde van de middag doen we de universiteit hier in Boston aan, en daarna rijden we verder.' Hij gaf Peter een gemoedelijke stomp tegen de schouder. 'Kom eens een keer langs. Ik zie je nooit.'

'Afgesproken,' zei Peter.

'En neem je collega's mee. Ik weet zeker dat jullie niet teleurgesteld zullen zijn.'

2

**GEBOUW BIOWETENSCHAPPEN
18 OKTOBER, 15:00**

Terug in het lab kwam de vertrouwde omgeving hun plotseling gewoontjes en ouderwets voor. De ruimte voelde bovendien overbevolkt. Er broeiden al tijden spanningen in het lab. Rick Hutter en Karen King haalden de neus al voor elkaar op vanaf het moment waarop ze waren gearriveerd; Erika Moll had onrust gebracht door de geliefden die ze koos; bovendien waren ze concurrenten, net als veel andere doctoraalstudenten elders. En ze waren moe van het werk. Het was alsof ze het allemaal zo voelden, en het bleef een tijdlang stil nadat ze terug waren gekeerd naar hun laboratoriumtafel en zonder veel enthousiasme weer aan de slag waren gegaan. Peter pakte zijn melkbeker van het ijs, voorzag hem van een etiket en plaatste hem in de koelkast. Hij hoorde iets tegen de muntjes in zijn broekzak tikken en haalde het voorwerp gedachteloos tevoorschijn. Het was het steentje dat hij in de gehuurde Ferrari van zijn broer had gevonden. Hij gooide het op de werkbank en het begon te tollen.

Amar Singh, de botanicus, keek ernaar. 'Wat is dat?'

'O, dat komt uit de auto van mijn broer. Een of ander afgebroken onderdeeltje. Ik was bang dat het leer erdoor zou beschadigen.'

'Mag ik even kijken?'

'Tuurlijk.' Het was iets groter dan zijn duimnagel. 'Hier,' zei Peter zonder er aandacht aan te schenken.

Amar plaatste het voorwerp op zijn handpalm en bekeek het van dichtbij. 'Dit ziet er niet uit als een auto-onderdeel.'

'Nee?'

'Nee. Het lijkt meer op een vliegtuig.'

Peter bestudeerde het. Het was zo klein dat er nauwelijks details waren te zien, maar nu hij beter keek, leek het inderdaad op een minuscuul vliegtuigje. Iets uit zo'n bouwpakket waarvan hij er als kind verschillende in elkaar had gezet. Misschien was het een straaljager die op een vliegdekschip moest worden gelijmd. Maar dan was het wel een straaljager van een type dat hij nooit eerder had gezien. Dit model had een stompe neus, een open cockpit, geen kap en een doosvormig achtergedeelte met korte dikke vleugels.

'Mag ik even...'

Amar nam het voorwerp mee naar zijn werkbank, hield het onder de grote loep en draaide het langzaam om. 'Dit is geniaal,' zei hij.

Peter duwde zijn collega weg om te kijken. Onder de loep leek het vliegtuigje – of wat het dan ook was – werkelijk levensecht en vol met details. De cockpit bezat verbazingwekkend complexe instrumenten die zo minutieus waren aangebracht dat het moeilijk was om je voor te stellen hoe ze waren uitgesneden.

Amar dacht blijkbaar hetzelfde. 'Misschien laserlithografie,' zei hij. 'Net zoals ze computerchips maken.'

'Maar is het een vliegtuig?'

'Geen idee. Ik zie geen voortstuwingssysteem. Misschien is het een of ander model.'

'Model?' zei Peter.

'Vraag het anders aan je broer,' zei Amar terwijl hij aanstalten maakte weer met zijn werk verder te gaan.

Peter belde Eric op zijn mobiele telefoon. Hij hoorde luide stemmen op de achtergrond. 'Waar zit je?' vroeg hij.

'Memorial Drive. Ze vinden ons geweldig bij het MIT. Ze begrijpen precies waar we het over hebben.'

Peter omschreef het kleine voorwerp dat hij had gevonden.

'Dat zou je eigenlijk helemaal niet horen te hebben,' zei Eric. 'Het is geheim.'

'Maar wat is het?'

'Het is een test,' zei zijn broer. 'Een van de eerste tests van onze robottechnologie. Het is een robot.'

'Het is net alsof dat ding een cockpit heeft met een stoeltje en instrumenten – alsof er iemand in kan zitten...'

'Nee, dat is een contactdoosje voor de voeding en de besturingseenheid. Daarmee kunnen we hem op afstand bedienen. Ik zeg het je, Peter – het is een *bot*. Een van onze eerste werkende testmodellen. Het bewijst dat we in staat zijn om machines te miniaturiseren voorbij alles wat tot nu toe is gedaan. Ik wilde het je laten zien als we tijd hadden, maar – luister, ik zou het op prijs stellen als je dit even voor je hield, in elk geval voorlopig.'

'Best, geen probleem.' Het had geen zin om hem over Amar te vertellen.

'Neem het maar mee wanneer je langskomt,' zei Eric, 'in Hawaï.'

Het hoofd van het lab, Ray Hough, kwam binnen en bracht de rest van de dag in zijn kantoor door om papers te beoordelen. Het werd als onkies gezien als de doctoraalstudenten over ander werk zouden praten wanneer professor Hough aanwezig was. Daarom hadden ze om vier uur afgesproken in Lucy's Deli op Mass Ave. Ze namen plaats rond een paar kleine tafeltjes en staken de koppen bij elkaar. Er ontstond een levendige discussie. Rick Hutter bleef van mening dat de universiteit de enige plek was waar je ethisch onderzoek kon doen. Maar er luisterde eigenlijk niemand naar hem; ze waren meer geïnteresseerd in de beweringen die Vin Drake had gedaan. 'Hij was echt goed,' zei Jenny Linn, 'maar het was wel een typisch verkooppraatje.'

'Precies,' zei Amar Singh, 'maar het was wel voor een deel waar. Het klopt dat nieuwe tools door ontdekkingen worden gevolgd. Als die jongens het equivalent van een nieuw soort microscoop hebben, of een nieuwe PCR-techniek, dan gaan ze de komende tijd een hoop ontdekkingen doen.'

'Maar zou het echt het beste researchcomplex van de wereld zijn?' zei Jenny Linn.

'Dat kunnen we zelf gaan bekijken,' zei Erika Moll. 'Ze zeiden dat ze de vliegtickets zouden betalen.'

'Hoe is het deze tijd van het jaar in Hawaï?' zei Jenny.

'Ik snap niet dat jullie hierin trappen,' zei Rick.

'Hawaï is altijd top,' zei Karen King. 'Ik heb mijn taekwondotraining in Kona gedaan. Geweldig.' Karen was verslaafd aan vechtsport en droeg inmiddels een joggingpak voor haar avondtraining.

'Ik hoorde die financieel directeur zeggen dat ze voor het einde van het jaar honderd mensen willen inhuren,' zei Erika Moll in een poging de conversatie bij het oorspronkelijke thema te houden.

'Moeten we daar bang van worden of is het als lekkermakertje bedoeld?'

'Of allebei?' zei Amar Singh.

'Om wat voor nieuwe technologie gaat het eigenlijk?' zei Erika. 'Heb jij enig idee, Peter?'

'Als ik jou was, zou ik mijn carrière op de eerste plaats zetten,' zei Rick Hutter. 'Je zou wel gek zijn als je niet eerst zou afstuderen.'

'Geen idee,' zei Peter. Hij wierp een blik op Amar, die niets zei en alleen knikte.

'Ik zou eerlijk gezegd dat researchcomplex wel eens willen zien,' zei Jenny.

'Ik ook,' zei Amar.

'Ik heb hun website bekeken,' zei Karen. 'Nanigen MicroTech. Ze maken specialistische robots op micro- en nanoschaal. Dan spreek je over millimeters tot en met duizendste millimeters. Ze hebben tekeningen van robots die eruitzien alsof ze vier of vijf millimeter lang zijn. En nog andere die half zo groot zijn. Ze ogen heel gedetailleerd, maar er staat niet bij hoe ze gemaakt zijn.'

Amar keek naar Peter. Peter zei niets.

'Heeft je broer er niks over gezegd, Peter?' vroeg Jenny.

'Nee. Hij zei dat het geheim was.'

'Ik heb geen idee wat ik me daarbij moet voorstellen – robots op nanoschaal,' vervolgde Karen. 'Dat is minder dan de doorsnede van een mensenhaar. Niemand kan zulke kleine dingen maken. Dan zou je zo'n robot atoom voor atoom in elkaar moeten zetten. Dat bestaat gewoon niet.'

'Ze zeggen dat ze het kunnen,' zei Rick. 'Maar volgens mij is het gewoon onzin.'

'Die auto's zijn anders geen onzin.'

'Die auto's zijn gehuurd.'

'Ik moet naar de sportschool,' zei Karen, en ze stond op van het tafeltje. 'Ik zal jullie één ding zeggen. Nanigen houdt zich misschien op de achtergrond, maar ze worden sinds een jaar op zakelijke websites genoemd. Ze hebben bijna een miljard dollar aan fondsen binnengehaald via een consortium dat is samengesteld door Davros Venture Capital–'

'Een miljard!'

'Ja. En dat consortium bestaat voor het grootste gedeelte uit internationale geneesmiddelenfabrikanten.'

'Geneesmiddelenfabrikanten?' Jenny Linn fronste haar wenkbrauwen. 'Waarom zouden die in microbots geïnteresseerd zijn?'

'Het wordt steeds interessanter,' zei Rick. 'Dus achter de schermen trekken de grote farmaceuten aan de touwtjes.'

'Misschien verwachten ze nieuwe systemen voor medicijntoediening?' opperde Amar.

'Nee, die zijn er al – nanobolletjes. Daar hoeven ze geen miljard dollar voor over de balk te smijten. Ik denk eerder dat ze nieuwe medicijnen verwachten.'

'Maar hoe...' begon Erika. Ze schudde haar hoofd en keek niet-begrijpend.

'En dan nog wat,' zei Karen King. 'Van die zakelijke websites. Vlak nadat ze het geld binnen hadden, zijn ze voor de rechter gedaagd door een bedrijf in Palo Alto. Volgens hen had Nanigen het geld onder valse voorwendselen opgehaald en beschikte Nanigen helemaal niet over de bewuste technologie. Dat andere bedrijf ontwikkelde ook microscopische robots.'

'Uh-huh...'

'En toen?'

'De aanklacht is ingetrokken. Het bedrijf in Palo Alto is failliet gegaan, en daarmee was de kous af. De directeur van dat bedrijf schijnt nog wel te hebben gezegd dat Nanigen toch over de bewuste technologie beschikte.'

'Dus volgens jou is dit allemaal echt?' zei Rick.

'Ik moet ervandoor, anders kom ik te laat op mijn training,' zei Karen.

'Volgens mij is het allemaal echt,' zei Jenny Linn. 'En ik ga naar Hawaï om te zien of het wat is.'

'Ik ook,' zei Amar.

'Niet te geloven,' zei Rick Hutter.

Peter liep met Karen King over Mass Avenue in de richting van Central Square. Het was laat in de middag, maar de zon voelde nog warm. Karen droeg met één hand haar sporttas zodat de andere vrij was.

'Ik word niet goed van die Rick,' zei ze. 'Hij doet alsof hij zo verantwoord bezig is, maar hij is alleen maar lui.'

'Hoe bedoel je?'

'Op de universiteit blijven is veilig,' zei Karen. 'Hij kiest gewoon voor een risicoloos, comfortabel leventje. Hij wil het alleen niet toegeven. Zeg, Peter,' voegde ze eraan toe, 'ga even aan mijn andere kant lopen.'

Peter ging links van Karen lopen. 'Waar is dat voor nodig?'

'Dan heb ik mijn hand vrij.'

Peter keek naar haar rechterhand. Ze had haar autosleutels in haar vuist. De kant die in het slot hoorde, stak tussen haar knokkels naar buiten als het lemmet van een mes. Aan het kettinkje hing een busje pepperspray.

Peter moest glimlachen. 'Denk je dat we hier gevaar lopen?'

'Er kan overal wat gebeuren.'

'Maar op Mass Ave? Om vijf uur 's middags?' Ze bevonden zich in het centrum van Cambridge.

'Universiteiten melden nooit het werkelijke aantal verkrachtingen onder hun studenten,' zei Karen. 'Dat is slechte reclame. Dan sturen rijke alumni hun dochters er niet naartoe.'

Hij keek opnieuw naar de samengebalde vuist met de naar buiten priemende sleutel. 'Wat ben je met die sleutels van plan?'

'Regelrecht in zijn luchtpijp. Dan crepeert hij van de pijn, en met een beetje pech zit er een gat in zijn trachea. En als dat niet genoeg is: pepperspray, vol in het gezicht. Een harde trap tegen een knieschijf – grote kans dat die verbrijzelt. Ik denk niet dat iemand dan nog wat flikt.' Ze klonk heel serieus, bijna agressief. Peter onderdrukte de neiging om te lachen. De straat waarin ze liepen was vertrouwd, alledaags. Mensen kwamen uit hun werk en begaven zich huiswaarts voor het avondeten. Ze passeerden een gekweld uitziende professor in een verfomfaaid corduroy jasje die een stapel blauwe examenpapieren tegen zich aan klemde, gevolgd door een oud vrouwtje met een looprek. Even verderop draafde een groepje joggers.

Karen reikte in haar tasje, haalde een vouwmes tevoorschijn en knipte het open. Het lemmet was dik en gekarteld. 'Ik heb ook mijn Spyderco nog. Als het nodig is, weet ik precies wat ik ermee moet doen.' Ze keek op en zag de uitdrukking op zijn gezicht. 'Volgens mij denk je dat ik niet goed wijs ben.'

'Nee,' zei hij. 'Alleen – zou je echt iemand een mes tussen zijn ribben steken?'

'Luister,' begon ze. 'Mijn halfzus is advocate in Baltimore. Op een dag loopt ze om twee uur 's middags naar haar auto in de garage en wordt ze door een of andere gast aangevallen. Ze klapt tegen de grond, raakt bewusteloos en wordt in elkaar geslagen en verkracht. Als ze bijkomt, heeft ze geheugenverlies. Ze kan zich niet meer herinneren hoe haar belager eruitzag en wat er precies is gebeurd. Op een gegeven moment wordt ze uit het ziekenhuis ontslagen.

Op het kantoor waar ze werkt, blijkt dat een van de partners schrammen op zijn keel heeft, dus ze denkt dat hij het misschien is geweest. Stel je voor – iemand van je eigen bedrijf die achter je aan komt en je verkracht. Maar omdat ze het zich niet herinnert, kan ze niks doen. Dus ze voelt zich vreselijk rot. Uiteindelijk verhuist ze naar DC, waar ze weer onder aan de ladder kan beginnen tegen een lager salaris.' Karen stak haar vuist omhoog. 'Alleen omdat ze haar sleutels niet zó had. Ze was te aardig om zichzelf te beschermen. Bullshit.'

Peter vroeg zich af of Karen King werkelijk iemand zou neersteken met haar autosleutel of haar mes. Iets gaf hem het onbehaaglijke gevoel dat ze het inderdaad zou doen. Hoewel er in het universiteitswereldje voornamelijk werd gepraat, was zij er klaar voor om in actie te komen.

Even later bleven ze staan voor de sportschool. De vensters waren afgeplakt met kranten. Peter kon horen hoe binnen in koor woeste kreten werden geslaakt. 'Dat is mijn klasje,' zei Karen. 'Luister, als je je broer spreekt,

vraag dan waarom geneesmiddelenfabrikanten zoveel geld in die microbots steken, oké? Ik wil wel eens weten hoe dat zit.' En vervolgens liep ze
door de klapdeuren naar binnen.

Peter kwam 's avonds in het lab terug. Hij moest de cobra om de drie dagen
voeren, en dat deed hij meestal na zonsondergang omdat cobra's van nature nachtdieren waren. Het was acht uur, en er brandde weinig licht in
het lab. Nadat hij een kronkelende witte rat in de bak had laten zakken,
schoof hij de glazen plaat terug. De rat rende naar een hoek van de bak en
verstijfde. Alleen zijn neus bewoog. Langzaam draaide de slang zijn kop
in de richting van de prooi en ontrolde zich.

'Ik vind het maar niks,' zei Rick Hutter. Hij was achter Peter gaan staan.

'Hoezo?'

'Het is zo wreed.'

'Iedereen moet eten, Rick.'

De cobra sloeg toe en begroef zijn giftanden diep in het lichaam van de
rat. Het diertje sidderde, trappelde met zijn pootjes en verslapte. 'Daarom
ben ik vegetariër,' zei Rick.

'Denk je dat planten geen gevoel hebben?' zei Peter.

'Daar gaan we weer,' zei Rick. 'Jij en Jenny.' Jens onderzoek betrof de
communicatie tussen planten en insecten via feromonen – chemicaliën die
door organismen worden afgegeven om een bepaalde respons teweeg te
brengen. Er was gedurende de afgelopen twintig jaar enorme vooruitgang
geboekt op dit terrein. Jenny hield vol dat planten als actieve, intelligente
schepsels moesten worden beschouwd die weinig van dieren verschilden.
En Jenny genoot ervan om Rick tegen de haren in te strijken. 'Belachelijk,'
zei Rick tegen Peter. 'Erwten en bonen hebben geen gevoel.'

'Logisch,' antwoordde Peter met een glimlach. 'Die plant is dan al dood
omdat jij zo nodig het zaad moet opeten. Je doet gewoon alsof je hem niet
hebt horen schreeuwen van ellende toen je hem om zeep hielp, alleen omdat je de consequenties van je laffe plantenmoord niet onder ogen wilt
zien.'

'Wat een onzin.'

'Speciësisme,' zei Peter, 'dat weet je net zo goed als ik.' Hij glimlachte,
maar er zat een kern van waarheid in wat hij zei. Hij zag tot zijn verbazing
dat Erika ook in het lab was, evenals Jenny. Er waren maar weinig doctoraalstudenten die 's avonds werkten. Wat was hier gaande?

Erika Moll stond aan een ontleedtafel en sneed met grote precisie een kever
open. Erika was coleopterologe: een entomologe die zich in kevers had ge-

specialiseerd. Het was volgens haar een slecht gespreksonderwerp voor feestjes. ('Wat doe jij?' 'Ik doe onderzoek naar kevers.') Feit was dat kevers erg belangrijk waren voor het ecosysteem van de aarde. Jaren terug had een verslaggever de beroemde bioloog J.B.S. Haldane gevraagd wat hij aan de hand van de schepping over de Schepper kon vertellen. Haldane had geantwoord: 'Hij heeft een enorm zwak voor kevers.'

'Wat heb je daar?' vroeg Peter aan Erika.

'Dit is een bombardeerkever,' zei ze. 'Zo'n Australische Pheropsophus die vieze chemische stofjes afschiet.'

Terwijl ze sprak, ging ze verder met ontleden. Ze verplaatste haar gewicht naar haar andere been waarbij ze zijn lichaam aanraakte. Het leek een toevallig contact; ze liet in elk geval niet blijken dat ze het zelf had gemerkt. Maar ze was dan ook een ontzettende flirt. 'Wat is er zo bijzonder aan die bombardeer?' vroeg Peter.

Bombardeerkevers danken hun naam aan het feit dat ze in staat zijn om met behulp van een soort ronddraaiende spuitkop op hun achterlijf een hete, giftige nevelstraal in de richting van een aanvaller te sproeien. De spray was dermate onplezierig dat hij padden en vogels ervan weerhield hen op te eten en voldoende giftig om kleinere insecten er onmiddellijk mee te doden. Hoe bombardeerkevers dit voor elkaar kregen, was sinds het begin van de twintigste eeuw uitgebreid bestudeerd, en tegenwoordig kende het mechanisme geen geheimen meer.

'Deze kevers produceren een kokendhete benzochinonspray,' legde ze uit, 'die ze maken van precursors die in het lichaam zijn opgeslagen. In het achterlijf zitten twee zakjes – ik snijd ze nu open, zie je ze? Het eerste zakje bevat hydrochinon in combinatie met het oxidant, waterstofperoxide. Het tweede zakje is meer een soort kamer die van een harde stof is gemaakt en enzymen, katalasen en peroxidasen bevat. Als de kever wordt aangevallen, perst hij met behulp van speciale spieren de inhoud van het eerste zakje in het tweede. Daar worden alle componenten bij elkaar gevoegd zodat er een explosie van benzochinonspray volgt.'

'En deze specifieke soort?'

'Die heeft een extraatje in de wapenkamer,' zei ze. 'Hij produceert ook nog een keton: 2-tridecanone. Het keton heeft afwerende eigenschappen, maar het reageert ook als surfactant, een bevochtigingsmiddel dat het verspreiden van de benzochinon versnelt. Ik wil weten waar dat keton vandaan komt.' Ze legde haar hand even op zijn arm.

Peter zei: 'Denk je niet dat het gewoon door de kever wordt aangemaakt?'

'Niet per se, nee. Het keton kan gemaakt worden door bacteriën die hij binnen heeft gekregen.' Dat gebeurde regelmatig in de natuur. Chemicaliën maken voor verdedigingsmechanismen kostte energie, en als een dier dat werk door bacteriën kon laten doen – des te beter.

'Komt dit keton ergens anders voor?' vroeg Peter. Dat zou erop wijzen dat de bacteriën misschien van buiten kwamen.

'Ja, in sommige rupsen.'

'Trouwens,' vroeg hij, 'waarom ben je zo laat nog aan het werk?'

'We zijn allemaal aan het werk.'

'Hoezo?'

'Ik wil niet achter raken op mijn schema,' zei ze, 'en ik ga ervan uit dat ik volgende week ergens anders zit. In Hawaï.'

Jenny Linn hield met een stopwatch in haar hand een ingewikkelde installatie in de gaten: een grote glazen stolp met daaronder bladplanten die werden opgegeten door rupsen. De stolp stond via een luchtslang in verbinding met drie andere exemplaren waarin zich eveneens planten bevonden, maar geen rupsen. Een pompje reguleerde de luchtstroming tussen de stolpen.

'We kennen de uitgangssituatie,' zei ze. 'Er zijn op aarde 300.000 plantensoorten en 900.000 insectensoorten. Veel insecten eten planten. Waarom zijn de planten ondertussen niet kaalgevreten en verdwenen? Omdat elke plantensoort lang geleden zijn eigen afweersysteem heeft ontwikkeld. Dieren kunnen wegrennen voor hun natuurlijke vijand, maar planten niet. In plaats daarvan voeren ze een chemische oorlog. Planten produceren hun eigen pesticiden; ze genereren toxines die ervoor zorgen dat hun bladeren vies smaken, of ze geven vluchtige stoffen af om natuurlijke vijanden van het insect te lokken. En soms wasemen ze chemicaliën uit die andere planten een signaal geven om hun bladeren giftiger en minder goed eetbaar te maken. Wat ik in deze opstelling meet is de onderlinge communicatie tussen planten.'

Doordat de rupsen in de eerste stolp de planten opeten, wordt een chemisch stofje afgegeven – een plantenhormoon – dat via de lucht in de andere kolven terechtkomt. Daardoor verhogen de andere planten de productie van nicotinezuur. 'Ik wil de responssnelheid bepalen,' zei ze. 'Daarom heb ik drie kolven. Ik snijd op een aantal plaatsen bladeren af om de hoeveelheid nicotinezuur te meten, maar zodra ik een blad van de volgende plant snijd...'

'Reageert die plant alsof hij wordt aangevallen en gaat hij ook hormonen afscheiden.'

'Precies. Daarom staan de kolven in eerste instantie niet met elkaar in verbinding. We weten dat de responstijd vrij snel is, een kwestie van minuten.' Ze wees op een kastje aan de zijkant. 'Ik meet de concentratie plantenhormonen in de lucht met een ultrasnelle gaschromatograaf, en het afknippen van de bladeren gaat heel snel.' Ze keek op haar stopwatch. 'Oké, ik moet weer verder...'

Ze tilde de eerste stolp op en begon bladeren af te knippen. Ze startte onderaan en legde ze zorgvuldig in de juiste volgorde weg.

'Hé, hé, hé, wat is hier gaande?' Danny Minot kwam zwaaiend met zijn handen het lab binnen. Hij was corpulent, had een rood gezicht en ging gekleed in een tweed sportcolbertje met elleboogstukken, een diagonaal gestreepte das en een slobberbroek. Hij zag eruit als het prototype van een Engelse professor – wat niet ver bezijden de waarheid was. Minot deed een doctoraal in *science studies*: een combinatie van psychologie en sociologie, royaal overgoten met een sausje van Frans postmodernisme. Hij had biochemie en comparatieve literatuur gestudeerd, maar de laatste discipline had gewonnen. Hij citeerde Bruno Latour, Jacques Derrida, Michel Foucault en anderen die geloofden dat er geen objectieve waarheid bestond, alleen de waarheid zoals die door macht werd bepaald. Minot werkte in het lab aan zijn scriptie over 'linguïstieke codes en de transformatie van paradigmata'. In de praktijk kwam het erop neer dat hij zich verschrikkelijk irritant gedroeg, mensen lastigviel en gesprekken met de andere doctoraalstudenten opnam terwijl ze aan het werk waren.

Iedereen kon hem wel schieten, en een tijdlang hadden ze zich afgevraagd waarom Ray Hough hem eigenlijk had binnengehaald. Uiteindelijk had iemand het aan Ray gevraagd, en hij had gezegd: 'Hij is een neef van mijn vrouw, en niemand wilde hem hebben.'

'Kom op, mensen,' zei Minot, 'niemand werkt zo laat nog op het lab, maar iedereen is er.' Hij zwaaide opnieuw met zijn handen.

Jenny snoof minachtend. 'Handenzwaaier.'

'Dat heb ik gehoord,' zei Minot. 'En wat wou je daarmee zeggen?'

Jenny keerde hem de rug toe.

'Wat wou je daarmee zeggen? En draai je niet om.'

Peter liep naar Danny toe. 'Een handenzwaaier,' zei hij, 'is iemand die zijn ideeën niet heeft uitgewerkt en ze niet kan verdedigen. Als hij een colloquium geeft en hij komt bij een gedeelte waarover hij niet goed heeft nagedacht, begint hij met zijn handen te zwaaien, snel te praten en dingen te zeggen als "et cetera, et cetera". In de wetenschap betekent zoiets dat je niks te melden hebt.'

'Dat klopt wel wat mijn onderzoek betreft,' zei Minot met een handzwaai. 'De semiotiek is een puinhoop.'

'Uh-huh.'

'Maar Derrida zei het al: technovertaling is een crime. Ik doe momenteel een poging om jullie allemaal binnen een non-verbale inclusiviteitsstructuur in te passen. Wat is er aan de hand?'

'Niet zeggen,' zei Rick, 'anders wil hij ook mee.'

'Natuurlijk wil ik mee,' zei Minot. 'Ik ben de kroniekschrijver van het leven in dit lab. Ik moet wel mee. Waar gaan we naartoe?'

Peter vertelde hem in het kort het hele verhaal.

'Reken maar dat ik meega. Naar het kruispunt van wetenschap en commercie? De verwording van de gouden jeugd? Zeker weten – ik ben jullie man.'

Peter wachtte op een kop koffie van de machine in de hoek van het lab toen Erika bij hem kwam staan. 'Wat ga jij straks doen?'

'Geen idee, hoezo?'

'Ik vroeg me af – misschien is het een idee als ik vanavond even langswip.'

Ze keek hem recht in de ogen. Iets in haar directheid bracht hem van de wijs. 'Ik weet het niet, Erika,' zei hij, 'het wordt waarschijnlijk vrij laat.' Ondertussen dacht hij: Ik heb je drie weken niet gezien sinds de vorige keer.

'Ik ben bijna klaar,' zei ze. 'En het is pas negen uur.'

'Ik weet het niet. We zien wel.'

'Bevalt mijn aanbod je dan niet?' Ze keek hem nog steeds aan en bestudeerde zijn gezicht.

'Ik dacht dat je wat met Amar had.'

'Ik mag Amar heel graag. Hij is erg intelligent. En ik mag jou ook. Ik heb je altijd gemogen.'

'Misschien hebben we het er straks nog over,' zei hij. Hij schonk een wolkje melk in zijn koffie en draaide zich zo snel om dat hij een beetje morste.

'Ik hoop het,' zei ze.

'Problemen met je koffie?' vroeg Rick Hutter. Hij keek op naar Peter en grinnikte. Rick hield een rat ondersteboven onder een halogeenlamp en mat met een schuifmaat de omvang van het gezwollen achterpootje.

'Nee,' zei Peter, 'ik schrok alleen even van hoe heet het was.'

'Uh-huh. Flink heet, blijkbaar.'

'Is dat een carrageenpreparaat?' vroeg Peter om een ander onderwerp aan te snijden. Inoculatie van carrageen was de gebruikelijke procedure om oedeem te veroorzaken in de poot van een laboratoriumdier. De methode werd over de hele wereld in laboratoria toegepast om ontstekingen te bestuderen.

'Klopt,' zei Rick. 'Ik heb carrageen geïnjecteerd om het pootje te laten opzwellen. Vervolgens heb ik het in een extract van de bast van *Himatanthus sucuuba* gewikkeld – dat is een middelgrote boom uit het regenwoud. En nu hoop ik aan te tonen dat de ontsteking daardoor verdwijnt. Het werkt in elk geval voor de latex. De *Himatanthus* is een enorm veelzijdige boom; hij geneest wondjes en zweren. Volgens de sjamanen in Costa Rica heeft de boom ook antibiotische, koortswerende, en antiparasitaire eigenschappen en kun je er kanker mee bestrijden, maar dat heb ik nog niet onderzocht. Het extract van de bast heeft de zwelling in elk geval heel snel verminderd.'

'Heb je uitgezocht welke chemicaliën verantwoordelijk zijn voor de ontstekingsremmende werking?'

'Onderzoekers in Brazilië schrijven het toe aan alfa-amyrine en andere cinnamaten, maar daar heb ik me nog niet mee beziggehouden.' Rick, die klaar was met de rat, zette het dier in zijn kooi terug en toetste zijn meting en het tijdstip in op zijn laptop. 'Maar ik zal je één ding zeggen: de extracten van die boom zijn volgens mij volledig non-toxisch. Misschien kan dit in de toekomst zelfs door zwangere vrouwen worden gebruikt. Hé, moet je kijken.' Hij wees op de rat, die vrolijk door zijn kooi trippelde. 'Hij trekt niet eens meer met zijn pootje.'

Peter klopte hem op de schouder. 'Pas maar op,' zei hij, 'straks is een of ander farmaceutisch bedrijf je nog voor met de resultaten.'

'Ik maak me geen zorgen. Als die gasten zich echt met het ontwikkelen van medicijnen bezighielden, waren ze al veel eerder met dit boompje aan de slag gegaan,' zei Rick. 'Maar waarom zouden ze zich moe maken? Ze laten het onderzoek liever door de Amerikaanse belastingbetaler financieren. Het is een stuk relaxter om een doctoraalstudent maandenlang te laten ploeteren en dan voor een habbekrats de resultaten over te nemen van de universiteit. Daarna verkopen ze het gewoon aan ons terug – maar dan wel voor de hoofdprijs. Slimme jongens.' Hij begon zich op te warmen voor een van zijn tirades. 'Ik zweer het, die verdomde farma–'

'Hoor eens, Rick,' zei Peter, 'ik moet weer aan het werk.'

'O, ja, logisch. Dat wil geen mens horen, ik weet het.'

'Ik moet mijn najagif centrifugeren.'

'Geen probleem.' Rick aarzelde en wierp een blik over zijn schouder naar Erika. 'Luister, het zijn mijn zaken niet–'

'Precies, het zijn–'

'Maar ik zou het vervelend vinden als een goeie vent als jij in de klauwen van iemand die... nou ja... Enfin, je kent mijn vriend Jorge toch, die computerwetenschappen studeert aan het MIT? Als je wilt weten hoe het precies met Erika zit, bel dit nummer dan–' hij overhandigde Peter een kaartje – 'dan checkt Jorge haar telefoonarchieven voor je, inclusief voicemail en sms'jes. Dan kom je er vanzelf achter hoe het zit met haar, eh, promiscue levenswandel.'

'Is dat wel legaal?'

'Nee. Maar het is verrekte handig.'

'Bedankt,' zei Peter, 'maar–'

'Nee, hou het maar,' drong Rick aan.

'Ik gebruik het toch niet.'

'Je weet maar nooit,' zei Rick. 'Telefoongegevens liegen niet.'

'Oké.' Het was gemakkelijker om het visitekaartje aan te nemen dan te blijven discussiëren. Hij stopte het in zijn zak.

'Trouwens,' zei Rick, 'nog even over je broer...'

'Wat is daarmee?'

'Is hij eerlijk?'

'Over zijn bedrijf?'

'Ja, Nanigen.'

'Ik denk het wel,' zei Peter. 'Maar ik moet bekennen dat ik er weinig over weet.'

'Heeft hij niks verteld?'

'Hij doet er behoorlijk geheimzinnig over.'

'Maar denk je dat het echt innovatief is?'

Ja, ik denk dat het echt innovatief is, dacht Peter terwijl hij door de microscoop tuurde. Hij bestudeerde opnieuw het witte kiezelsteentje – of de microbot of wat het dan ook mocht zijn. Zijn broer had uitgelegd dat het geen cockpit was, maar gewoon een contactdoosje voor een voeding en een besturingsunit. Het zag er alleen helemaal niet uit als een contactdoos. Het leek meer op een stoel in combinatie met een minuscuul en uiterst gedetailleerd controlepaneel.

Terwijl hij hierover nadacht, besefte hij dat het plotseling doodstil was geworden in het lab. Hij keek op en zag dat het beeld van de microscoop op een groot flatscreen werd geprojecteerd dat aan de muur was bevestigd. Iedereen in het lab staarde ernaar.

'Wat is dat in godsnaam?' zei Rick.

'Geen idee.' Peter zette de monitor uit. 'En we komen er alleen achter als we naar Hawaï gaan.'

3

MAPLE AVENUE, CAMBRIDGE
27 OKTOBER, 6:00

Uiteindelijk besloten alle zeven doctoraalstudenten het aanbod van Vin Drake aan te nemen. Ze verzamelden data, schreven een samenvatting van hun onderzoek en stuurden een brief met informatie naar Alyson Bender van Nanigen. De een na de ander kreeg bericht dat Nanigen voor een ticket naar Hawaï zou zorgen. Om het eenvoudiger te maken, zouden ze als groep reizen. Tegen het einde van oktober was iedereen druk bezig met de voorbereidingen voor het vertrek. Ze hadden alle zeven veel te doen – experimenten afronden, onderzoeksprojecten tijdelijk stopzetten en uiteraard pakken voor de reis. Ze zouden op een zondagochtend vroeg vertrekken vanaf Logan Airport in Boston. Er stond een tussenstop in Dallas gepland, waarna ze diezelfde middag in Honolulu zouden arriveren. Ze hadden met elkaar afgesproken dat ze vier dagen zouden blijven en aan het einde van de week weer zouden vertrekken.

Vroeg op een grijze, koude zaterdagochtend – de dag voor de vlucht – zat Peter Jansen in zijn flat te werken achter zijn computer. Erika Moll was er ook. Ze maakte gebakken eieren met spek en zong 'Take a chance on me'. Peter besefte plotseling dat hij was vergeten zijn telefoon weer aan te zetten. Hij had hem de avond ervoor uitgezet toen Erika hem met een onverwacht bezoekje had vereerd. Hij hield het knopje ingedrukt en legde de telefoon op zijn bureau. Een minuut later begon het ding te zoemen. Het was een sms'je van zijn broer, Eric – KOM NIET.

Hij staarde even naar het bericht. Was dit soms een grap? Was er iets gebeurd? Hij antwoordde: WAAROM NIET? Hij bleef naar het schermpje kijken, maar er kwam geen reactie. Na een paar minuten draaide hij Erics nummer in Hawaï, maar hij kreeg de voicemail. 'Eric, met Peter. Wat is er aan de hand? Bel even terug.'

Vanuit de keuken zei Erika: 'Met wie praat je?'

'O, niemand. Ik probeerde mijn broer even te bellen.'

Hij scrolde naar het bericht van zijn broer. Het was om 21:49 binnengekomen – gisteravond! Halverwege de middag in Hawaï.

Peter draaide het nummer van zijn broer nog een keer, maar kreeg opnieuw de voicemail. Hij verbrak de verbinding.

'Het ontbijt is bijna klaar,' zei Erika.

Hij nam de telefoon mee naar de eettafel en legde hem naast zijn bord. Erika trok haar neus op; ze hield niet van telefoons tijdens het eten. Ze begon eieren op zijn bord te scheppen en zei: 'Dit is een recept van mijn oma, met melk en bloem–'

De telefoon ging.

Hij nam onmiddellijk op. 'Hallo?'

'Peter?' Een vrouwenstem. 'Peter Jansen?'

'Ja, dat ben ik.'

'Met Alyson Bender,' zei ze. 'Van Nanigen.' In gedachten zag hij de blonde vrouw met haar arm rond Erics middel voor zich. 'Luister,' zei ze, 'hoe snel kun je naar Hawaï komen?'

'We vliegen morgen,' zei hij.

'Kun je vandaag komen?'

'Geen idee, ik–'

'Het is belangrijk.'

'Tja, ik kan even kijken welke vluchten–'

'Ik ben zo vrij geweest om een vlucht voor je te reserveren die over twee uur vertrekt. Red je dat?'

'Ja, ik denk het wel. Wat is er aan de hand?'

'Ik ben bang dat ik vervelend nieuws heb, Peter.' Ze zweeg even. 'Het gaat over je broer.'

'Wat is er met hem?'

'Hij wordt vermist.'

'Vermist?' Hij voelde zich plotseling duizelig; hij begreep het niet. 'Hoezo, vermist?'

'Sinds gisteren,' zei Alyson. 'Hij heeft een ongeluk gehad met de boot. Ik weet niet of hij je verteld heeft dat hij een boot heeft gekocht, een Boston Whaler. Enfin, hij was gisteren op zee aan de noordkant van het eiland toen hij in de problemen raakte... er stonden enorme golven. De motoren wilden niet meer starten en de boot kwam steeds dichter bij de klippen...'

Peter voelde zich licht in het hoofd. Hij duwde het bord met eieren van zich af, en Erika keek hem aan. Haar gezicht was bleek. 'Hoe ben je erachter gekomen?' vroeg hij.

'Er stonden mensen op de klippen die alles hebben gezien.'

'En wat is er met Eric gebeurd?'

'Hij heeft geprobeerd de motoren weer aan de praat te krijgen, maar dat lukte niet. De branding was gewoon te sterk en de boot kwam steeds dichter bij de klippen. Toen is hij in zee gedoken om naar de kust zwemmen. Maar de stroming... hij heeft het niet gered...' Ze haalde adem. 'Het spijt me vreselijk, Peter.'

'Eric kan goed zwemmen,' zei Peter. 'En hij heeft een prima uithoudingsvermogen.'

'Ik weet het. Daarom blijven we hopen dat hij terugkomt,' zei ze. 'Maar, eh, de politie heeft gezegd dat, nou ja... De politie wil je graag spreken en de zaak met je doornemen zodra je hier bent.'

'Ik vertrek nu,' zei hij, en hij hing op. Erika was naar de slaapkamer gelopen en bracht hem zijn tas, die al gepakt was voor de volgende dag.

'We moeten meteen weg,' zei ze, 'als je die vlucht nog wilt halen.' Ze sloeg haar arm om zijn schouder en ze haastten zich naar beneden, naar de auto.

4

MAKAPU'U POINT, OAHU
27 OKTOBER, 16:00

Het heette een echt toeristisch plekje te zijn: Makapu'u Point, de hoge kliffen op het noordoostelijke puntje van Oahu, met naar alle windrichtingen een spectaculair uitzicht over de Grote Oceaan. Maar toen hij er eenmaal was, voelde Peter zich overvallen door de extreme troosteloosheid van het landschap. Een bijtende wind ranselde de groene struiken rond zijn voeten en rukte aan zijn kleren zodat hij gedwongen was om voorovergebogen te lopen. Hij moest hard praten: 'Is het hier altijd zo?'

De politieman naast hem, Dan Watanabe, zei: 'Nee, soms is het echt lekker. Maar de passaat is vannacht toegenomen in kracht.' Watanabe droeg een Ray-Ban. Hij wees op de vuurtoren rechts van hen. 'Dat is Makapu'u Lighthouse,' zei hij. 'Jaren geleden geautomatiseerd. Er woont niemand meer.'

Ze bleven staan bij de steile zwarte lavakliffen. Zestig meter beneden hen was de ziedende oceaan. De branding bulderde en beukte tegen de rotsen. 'Is dit de plek waar het is gebeurd?' vroeg Peter.

'Ja,' zei Watanabe. 'De boot is daar op de rotsen gelopen' – hij wees naar links – 'maar de kustwacht heeft hem vanochtend weggehaald voordat de branding er vat op kon krijgen.'

'Dus de boot was nog een stuk van de kust vandaan toen hij in de problemen raakte?' Peter keek naar de woeste zee met zijn hoge golven en witte schuimkoppen.

'Ja. Volgens de getuigen heeft hij een tijdje stuurloos in het water gedobberd.'

'Terwijl hij probeerde de motor te starten...'

'Ja. En ondertussen dreef hij in de richting van de rotsen.'

'En wat voor problemen waren het eigenlijk?' vroeg Peter. 'Ik had begrepen dat het een nieuwe boot was.'

'Klopt. Een paar weken oud.'

'Mijn broer wist een hoop over boten,' zei Peter. 'Mijn ouders hadden een boot op de Long Island Sound; daar gingen we elke zomer naartoe.'

'Het water is hier anders,' zei Watanabe. 'De oceaan is heel diep.' Hij wees. 'Het dichtstbijzijnde land in die richting is bijna vijfduizend kilometer verderop – het vasteland. Maar daar gaat het niet om. Het is duidelijk dat je broer in de problemen is geraakt door ethanol.'

'Ethanol?' vroeg Peter.

'De staat Hawaï doet tien procent ethanol bij alle benzine die hier wordt verkocht, maar dat spul zorgt bij kleine motoren voor problemen. Er zijn goedkope pompen die veel te veel ethanol in de benzine doen – soms wel dertig procent. De brandstofleidingen raken verstopt, en alles van rubber of neopreen lost gewoon half op. We hebben er een hoop ellende mee gehad. De mensen hebben nieuwe stalen brandstoftanks en leidingen moeten inbouwen. Enfin, we denken dat dat met de boot van je broer is gebeurd. De carburateurs zijn verstopt geraakt of de brandstofpomp is ermee opgehouden. Hoe dan ook, hij is er niet in geslaagd om de motoren weer op tijd te starten.'

Peter staarde naar het water beneden zich. Vlak bij de kust was het groen, maar verderop werd het donkerblauw met witte schuimkoppen.

'Hoe is de stroming hier?' vroeg hij.

'Hangt ervan af,' zei Watanabe. 'Een goede zwemmer zal het over het algemeen wel redden. Het probleem is dat je een plek moet zien te vinden om uit het water te komen voordat je je hele lichaam openhaalt aan de lava. Je kunt het beste naar Makapu'u Beach proberen te zwemmen, daar.' Hij wees op een strook zand een meter of achthonderd verderop.

'Mijn broer was een geoefend zwemmer,' zei Peter.

'Ik heb het gehoord, maar de getuigen zeiden dat ze hem niet meer hebben gezien nadat hij in het water was gesprongen. Er was die dag een sterke branding, en hij is verdwenen in het schuim. Ze zijn hem direct uit het oog verloren.'

'Hoeveel mensen hebben hem gezien?'

'Twee. Een stel dat bij de rand van het klif zat te picknicken. Er waren ook nog wandelaars en wat andere mensen, maar die hebben we nog niet kunnen achterhalen. Ik stel trouwens voor dat we vertrekken – wat een wind.' Hij begon weer heuvelopwaarts te lopen, en Peter volgde hem. 'Oké, dan denk ik dat we klaar zijn,' zei Watanabe. 'Tenzij je natuurlijk de video nog wilt zien.'

'Welke video?'

'De picknickers hebben hun camera gepakt toen ze beseften dat de boot in de problemen zat. Ze hebben een minuut of vijftien gefilmd, inclusief het moment waarop je broer van de boot sprong. Ik was er niet zeker van of je dat wilde zien.'

'Ik wil het zien,' zei Peter.

Ze bevonden zich op de eerste verdieping van het politiebureau en keken naar een klein schermpje op een videocamera. Het was lawaaierig en druk, en Peter moest moeite doen om zich te concentreren. De eerste beelden toonden een man van een jaar of dertig die op het groene gras van de heuvel zat en een sandwich at. Daarna verscheen een vrouw van ruwweg dezelfde leeftijd die een colaatje dronk, lachte en de camera probeerde weg te duwen.

'Dat is het stel,' zei Watanabe. 'Grace en Bobby Choy. In het begin zie je alleen hen. Duurt een minuut of zes.' Hij spoelde een stuk vooruit, drukte vervolgens op de pauzeknop en zei: 'Er staat een tijdcode op.' De tijdcode op het beeldschermpje gaf 3:50:12 p.m. aan. 'Kijk, hier zie je Bobby wijzen – hij heeft gezien dat de boot in de problemen zit.'

De camera draaide en de zee kwam in beeld. De witte romp van de Boston Whaler danste tegen de blauwe horizon. De boot bevond zich nog een kleine honderd meter van de kust; te ver om zijn broer te kunnen herkennen. De camera draaide terug naar Bobby Choy, die nu een verrekijker aan zijn ogen had.

Toen de boot opnieuw in beeld kwam, zag Peter dat hij een stuk dichter bij de kust was. Nu zag hij de voorovergebogen gestalte van zijn broer die achtereenvolgens verdween en weer verscheen. 'Ik denk dat hij probeert de verstopte leidingen schoon te blazen,' zei Watanabe. 'Daar lijkt het in elk geval wel op.'

'Ja,' zei Peter.

Grace Choy verscheen op het schermpje. Ze schudde haar hoofd terwijl ze probeerde een telefoongesprek te voeren.

Opnieuw de boot, die zich nu nog dichter bij het witte schuim van de branding bevond.

Terug naar Grace Choy. Ze sprak in de telefoon en schudde opnieuw haar hoofd. 'Mobiele telefoons hebben hier nauwelijks bereik,' zei Watanabe. 'Ze probeert 911 te bellen, maar ze komt er niet meteen door. De verbinding wordt steeds verbroken. Als het was gelukt, hadden ze meteen de kustwacht gebeld.'

Het camerawerk was klungelig, maar plotseling zag Peter iets...

'Stop!'

'Wat?'

'Druk op pauze, druk op pauze!' zei Peter gehaast. Het beeld bevroor en hij wees op het schermpje. 'Wie is dat daar op de achtergrond?'

Op het beeldscherm was een vrouw te zien. Ze was gekleed in het wit en stond een paar meter boven de Choys op de heuvel. De vrouw tuurde ingespannen in de richting van de zee en leek op de boot te wijzen.

'Dat is een van de andere getuigen,' zei Watanabe. 'Er waren ook drie joggers. We hebben alleen nog niemand kunnen identificeren. Ik betwijfel alleen of ze ons dingen kunnen vertellen die we nog niet weten.'

Peter zei: 'Heeft die vrouw iets in haar hand?'

'Volgens mij wijst ze gewoon op de boot.'

'Ik weet het niet,' zei Peter. 'Volgens mij heeft ze iets in haar hand.'

Watanabe bestudeerde het beeldscherm. 'Nu je het zegt. Ik zal de jongens van het av-team er even naar laten kijken.'

'Wat doet ze hierna?' vroeg Peter.

Watanabe drukte op de afspeelknop. 'Ze gaat meteen weg. Ze loopt de heuvel op en verdwijnt. Kijk – daar gaat ze. Zo te zien heeft ze haast. Het lijkt alsof ze hulp gaat halen, maar niemand heeft haar daarna nog gezien. En er heeft ook niemand meer naar 911 gebeld.'

Even later was op de tape te zien hoe Eric van de Boston Whaler in de kolkende branding sprong. Het was moeilijk om het exact te beoordelen, maar zo te zien was hij nog ongeveer vijfentwintig meter van de kust. Hij dook niet, maar sprong met zijn voeten omlaag in het witte schuim.

Peter tuurde ingespannen om te zien of zijn broer weer bovenkwam, maar dat gebeurde niet. En Eric had een domme, verontrustende vergissing begaan: hij had geen reddingsvest aangetrokken. Eric was verstandig genoeg om zoiets in noodgevallen te doen. 'Hij heeft geen reddingsvest aangetrokken,' merkte Peter op.

'Dat was mij ook opgevallen,' zei Watanabe. 'Misschien was hij vergeten er een mee te nemen. Zoiets kan gebeuren–'

'Heeft hij een noodoproep gedaan?' vroeg Peter aan de inspecteur. De Whaler had ongetwijfeld een vhf-marifoon aan boord gehad, en als ervaren schipper zou Eric zeker een sos hebben verzonden via kanaal 16, dat onafgebroken werd afgeluisterd door de kustwacht.

'De kustwacht heeft niks opgevangen.'

Dat was heel vreemd. Geen reddingsvest, geen noodsignaal. Zou Erics radio het hebben begeven? Peter staarde naar het rijzen en dalen van de schuimende zee... geen spoor van zijn broer. Na nog een minuut zei hij: 'Zet maar uit.'

Watanabe zette de camera uit. 'Waarschijnlijk is hij in het knekelveld terechtgekomen.'

'Het wat?'

'Het knekelveld. Dat is het schuim dat ontstaat als de golven breken. Waar je geen hand voor ogen kunt zien. Misschien is hij tegen de stenen gesmakt. Er zitten daar verraderlijke rotspartijen een paar meter onder het oppervlak. We weten het gewoon niet.' Hij zweeg even. 'Wil je nog iets terugzien?'

'Nee,' zei Peter. 'Ik heb genoeg gezien.'

Watanabe klapte het schermpje dicht en zette de camera uit. 'Die vrouw op de heuvel,' zei hij terloops. 'Enig idee wie dat is?'

'Ik? Nee. Ik zou het niet weten.'

'Ik vroeg me af... Je reageerde nogal sterk.'

'Nee, sorry. Ik was alleen verrast omdat– het was net alsof ze vanuit het niets tevoorschijn kwam. Maar ik heb geen idee wie het is.'

Watanabe zweeg opnieuw. 'Je zou het toch wel vertellen als je haar kende?' zei hij.

'Ja, natuurlijk. Zeker weten.'

'Goed. In elk geval bedankt voor je tijd.' Watanabe gaf hem zijn visitekaartje. 'Ik zal een van de rechercheurs vragen of hij je bij je hotel wil afzetten.'

Peter zei weinig op de terugweg. Hij had geen zin om te praten, en de rechercheur drong niet aan. De beelden van zijn broer die in de golven verdween, waren inderdaad schokkend. Maar niet zo schokkend als de vrouw op de heuvel; de vrouw in het wit die met een of ander voorwerp in haar hand op de boot had gewezen. Want die vrouw was Alyson Bender, de financieel directeur van Nanigen, en haar aanwezigheid daar veranderde alles.

5

WAIKIKI
27 OKTOBER, 17:45

Terug in zijn hotelkamer liet Peter Jansen zich achterover op het bed vallen. Hij bespeurde een gevoel van onwerkelijkheid, en hij wist niet wat hij nu moest doen. Waarom had hij Watanabe niet verteld wie Alyson Bender was? Hij voelde zich uitgeput, maar hij was niet in staat om zich te ontspannen. De video bleef maar door zijn hoofd spoken. Hij zag hoe Alyson iets in haar hand hield terwijl ze toekeek hoe Eric zijn dood tegemoet ging, alsof het haar niet raakte. En vervolgens was ze snel weggelopen. Waarom?

Hij herinnerde zich iets wat Rick Hutter had gezegd over Erika Moll. Over hoe je iemands gangen kon nagaan. Hij haalde zijn portemonnee tevoorschijn en begon erin te zoeken en er visitekaartjes en geld uit te halen. Daar was het – het kaartje dat Rick hem had gegeven in het lab, ruim een week geleden. Er stond iets op in Rick Hutters handschrift: het woord JORGE en een nummer.

De knul die zich toegang kon verschaffen tot telefoonarchieven. De telefoonhacker van het MIT.

Het was een kengetal uit Massachusetts. Hij toetste het nummer in. Het ging een paar keer over. En nog een tijdje. Hij werd niet doorverbonden met de voicemail, en hij liet de telefoon maar gewoon overgaan. Eindelijk werd er opgenomen. Het klonk als een soort grommen: 'Ja?'

Peter zei wie hij was en legde uit wat hij wilde. 'Ik ben een vriend van Rick Hutter. Kun je me een overzicht sturen van recente telefoontjes van en naar een bepaald nummer?'

'Hè? Hoezo?'

'Rick zei dat je dat kon. Ik betaal je vraagprijs.'

'Geld interesseert me niet. Ik doe alleen iets als het... interessant is.' Hij had een zachte stem en een vaag Latijns-Amerikaans accent.

Peter legde de situatie uit. 'Het gaat om een vrouw die misschien betrokken is bij de... dood... van mijn broer.' Dood. Het was de eerste keer dat hij het woord had gebruikt in verband met Eric.

Het bleef een tijdje stil.

'Luister – ik heb het nummer waarmee die vrouw me heeft gebeld. Kun jij achterhalen wie ze nog meer heeft gesproken met die telefoon? Ik neem tenminste aan dat het haar telefoon is.' Hij las Alysons nummer op.

Aan de andere kant van de lijn klonk geen reactie; de stilte duurde voort. Peter hield zijn adem in. Ten slotte zei Jorge: 'Geef me–' een korte pauze – 'een paar uur de tijd.'

Peter ging met bonkend hart weer op bed liggen. Hij hoorde het verkeer op Kalakaua Avenue, want zijn kamer keek landinwaarts – *mauka* – in de richting van de stad en de bergen.

De dag verstreek; de zon begon onder te gaan; de kamer vulde zich met schaduwen. Misschien had Eric toch de kust bereikt; misschien had hij geheugenverlies en zou hij boven water komen in een of ander ziekenhuis; misschien was er iets afschuwelijk misgegaan... Peter wilde met alle geweld hopen en geloven dat Eric toch nog op een of andere manier ergens zou opduiken – er bestond altijd nog een kans, hoe klein ook. Of was Eric misschien... vermoord? Plotseling kon hij het niet langer uithouden in zijn kamer, en hij besloot een ommetje te maken.

Hij ging op het strand voor zijn hotel zitten en zag de rode strepen van de ondergaande zon langzaam donkerder en uiteindelijk zwart worden boven zee. Waarom had hij Watanabe niet verteld dat hij haar in de video had herkend? Hij had instinctief het gevoel gehad dat het beter was om zijn mond te houden. Maar waarom? Waarom had hij het gedaan? Toen hij en Eric nog jonge jongens waren geweest, hadden ze elkaar altijd geholpen. Eric was er altijd voor hem geweest en hij voor Eric...

'Zo, daar ben je!'

Hij draaide zich om en zag Alyson Bender naderen in het avondlicht. Ze droeg een blauwe jurk met Hawaïaanse opdruk en sandalen, en ze zag er heel anders uit dan in Cambridge, toen ze een mantelpakje met een parelketting had gedragen. Ze leek ineens een onschuldig jong meisje.

'Waarom heb je niet gebeld? Ik dacht dat je meteen contact zou opnemen nadat je bij de politie was geweest. Hoe ging het?'

'Wel oké,' zei Peter. 'Ze hebben me meegenomen naar Makapu'u Point en me laten zien waar het is gebeurd.'

'Oké. En is er nog nieuws? Ik bedoel over Eric?'

'Ze hebben hem nog steeds niet gevonden. En er is ook geen lichaam.'

'En de boot?'

'Wat is daarmee?'

'Heeft de politie de boot onderzocht?'

'O, geen idee.' Hij haalde zijn schouders op. 'Dat hebben ze niet gezegd.'

Ze kwam naast hem op het zand zitten en legde haar hand op zijn schouder. De hand was warm. 'Het spijt me zo dat je dat hebt moeten doormaken, Peter. Het moet vreselijk voor je zijn geweest.'

'Het was niet makkelijk. De politie had trouwens een video.'

'Een video? Echt? Heb je hem gezien?'

'Ja.'

'En? Was er nog wat op te zien?'

Had ze werkelijk de videocamera van het picknickende stel vlak beneden haar op de heuvel niet gezien? Was het mogelijk dat ze alleen naar de boot had gekeken? Ze bestudeerde zijn gezicht in de avondschemering, en Peter zei: 'Ik zag Eric springen... maar hij is niet meer boven water gekomen.'

'Wat verschrikkelijk,' zei ze zacht.

Ze kneep met haar hand in zijn schouder en begon hem te masseren. Hij wilde zeggen dat ze moest stoppen, maar hij vertrouwde zijn stem niet. De zaak begon nogal luguber te worden.

'En wat denkt de politie?' vroeg ze.

'Waarvan?'

'Van wat er is gebeurd. Ik bedoel op de boot.'

'Ze denken dat het een verstopte–'

Zijn telefoon ging. Hij viste hem uit zijn borstzak en klapte hem open. 'Hallo.'

'Met Jorge.'

'Momentje.' Hij stond op en zei tegen Alyson: 'Sorry. Ik moet dit even afhandelen.' Hij liep een stukje het strand op. Boven hem verschenen de eerste sterren aan de steeds donkerder wordende hemel. 'Ga je gang, Jorge.'

'Ik heb de informatie over het nummer dat je me hebt gegeven. Het staat geregistreerd op naam van Nanigen MicroTechnologies Corporation in Honolulu. Het nummer hoort bij een werknemer die Alyson F. Bender heet.'

Hij wierp een blik over zijn schouder; Alyson was een duister silhouet op het zand. 'Ga verder,' zei hij.

'Gistermiddag om drie uur zevenenveertig lokale tijd heeft ze drie keer achter elkaar het nummer 646-673-2682 gebeld.'

'Van wie is dat nummer?'

'Het is een ongeregistreerd nummer van een wegwerptelefoon; zo'n ding dat je kunt gebruiken totdat het saldo op is.'

'En dat heeft ze drie keer gebeld?'

'Ja, maar heel kort – eerst drie seconden, daarna twee seconden en ten slotte nog een keer drie seconden.'

'Oké... Dus ze dacht dat ze geen verbinding kreeg?'

'Nee, er was in elk geval contact, en niet met een antwoordapparaat. Ze ging door tot aan de pieptoon. Ze wist dat ze verbinding had. Er zijn twee mogelijkheden. Ofwel ze bleef bellen omdat ze verwachtte dat er iemand zou opnemen, of ze heeft een of ander apparaat geactiveerd.'

'Een apparaat...?'

'Yep. Je kunt een mobiele telefoon zo aanpassen dat hij een apparaat inschakelt zodra er een gesprek binnenkomt.'

'Oké, dus drie telefoontjes op een rij. Verder nog wat?'

'Om drie uur vijfenvijftig heeft ze een ander nummer van Nanigen gebeld dat op naam staat van ene Vincent A. Drake. Wil je het gesprek horen?'

'Zeker weten.'

De telefoon ging over en er werd opgenomen.

VIN: Ja?

ALYSON: (hijgend) Met mij.

VIN: Ja?

ALYSON: Luister, ik maak me zorgen, ik weet niet of het is gelukt. Je zou toch iets van rook moeten zien–

VIN: Wacht even.

ALYSON: Maar ik maak me zorgen–

VIN: Laat me even uitpraten.

ALYSON: Maar je snapt niet–

VIN: Ja, ik snap het helemaal. Luister. Dit is een telefoongesprek. Je moet... duidelijker praten.

ALYSON: O.

VIN: Begrijp je wat ik bedoel?

ALYSON: (pauze) Ja.

VIN: Oké. Waar is het voorwerp?

ALYSON: (pauze) Niet beschikbaar. Verdwenen.

VIN: Oké. Dan zie ik geen problemen.

ALYSON: Maar ik maak me toch zorgen.

VIN: Het voorwerp is toch niet teruggekomen?

ALYSON: Nee.

VIN: Dan lijkt het me duidelijk dat er geen probleem is. We bespreken de rest straks wel. Kom je meteen terug?

ALYSON: Ja.

VIN: Oké. Dan zie ik je zo.

Klik.

Jorge zei: 'Er zijn nog twee andere gesprekken. Wil je ze horen?'

'Misschien later.'

'Oké. Ik heb ze als WAV-bestanden naar je e-mailadres gestuurd. Je kunt ze op je computer beluisteren.'

'Bedankt.' Peter keek naar Alyson en huiverde. 'Kan ik hiermee naar de politie?'

'Ben je helemaal belazerd,' zei Jorge. 'Je hebt normaal gesproken een gerechtelijk bevel nodig om dit soort gegevens boven tafel te krijgen. Als je dit aan de politie geeft, kun je vervolging wel vergeten. Onrechtmatig verkregen bewijs. En je zou mij ook in de problemen brengen.'

'Wat moet ik dan doen?'

'Hm – tja,' gromde Jorge. 'Geen idee – zorg ervoor dat ze bekennen.'

'Hoe?'

'Sorry, daar kan ik je niet mee helpen,' zei Jorge. 'Als je nog een keer om informatie verlegen zit, weet je me te vinden.' Hij hing op.

Peter liep terug naar Alyson met het koude zweet op zijn lichaam. Het begon donker te worden, en het was onmogelijk om haar gezichtsuitdrukking te lezen. Ze zat stilletjes op het zand. Hij hoorde haar zeggen: 'Alles oké?'

'Ja, niks bijzonders.'

Maar in werkelijkheid voelde Peter zich alsof hij werd bedolven onder de gebeurtenissen van de afgelopen uren. Hij had altijd gestudeerd en had een heldere – zelfs wat cynische – kijk op datgene waartoe zijn medemens in staat was. Door de jaren heen had hij te maken gehad met frauderende studenten, studenten die seks aanboden in ruil voor een goed cijfer, studenten die onderzoeksresultaten vervalsten en professoren die zich het werk van studenten toe-eigenden. Hij had zelfs een studiebegeleider meegemaakt die aan de heroïne was. Op zijn drieëntwintigste had hij het gevoel gehad dat hij alles wel zo'n beetje had gezien.

Maar dat was nu in één klap verleden tijd. De gedachte aan moord – het idee dat iemand heel berekenend zou proberen zijn broer om zeep te helpen – die gedachte vervulde hem van walging en ontzetting. Het koude zweet brak hem uit. Hij mocht niet het risico lopen dat hij iets verkeerds zou zeggen tegen deze vrouw, die zich als de vriendin van zijn broer had voorgedaan, maar klaarblijkelijk tegen hem had samengespannen. Geen tranen van deze vriendin – ze leek absoluut niet overstuur.

Ze zei: 'Je bent erg stil, Peter.'

'Ik heb een lange dag achter de rug.'

'Heb je zin in een borrel?'

'Nee, bedankt.'

'De Mai Tais hier zijn wereldberoemd.'

'Ik denk dat ik maar naar bed ga.'

'Heb je al gegeten?'

'Geen trek.'

Ze stond op en veegde het zand van haar jurk. 'Ik begrijp dat je overstuur bent. Dat ben ik ook.'

'Dat snap ik.'

'Waarom doe je zo kil tegen me? Ik probeer alleen maar–'

'Sorry,' zei hij haastig. Hij wilde niet dat ze iets zou vermoeden. Dat zou onverstandig zijn, gevaarlijk zelfs. 'Het is echt een enorme schok.'

Ze bracht een hand omhoog en raakte zijn wang aan. 'Bel me als ik iets voor je kan doen.'

'Oké. Bedankt.'

Ze gingen terug naar het hotel en liepen naar binnen. 'Je vrienden komen morgen aan,' zei ze. 'Ze zijn allemaal aangeslagen door wat er met Eric is gebeurd. Maar de rondleiding door het complex is geregeld. Wil je ook mee?'

'Zeker weten,' zei hij. 'Alles is beter dan niks doen en duimendraaien.'

'De rondleiding begint in het Waipaka Arboretum in Manoa Valley. Dat is hier vlakbij in de bergen,' zei ze. 'We halen er een hoop regenwoudmateriaal vandaan voor onderzoek. Morgenmiddag om vier uur. Zal ik je ophalen?'

'Niet nodig,' zei Peter. 'Ik neem wel een taxi.' Hij slaagde er op een of andere manier in haar op de wang te kussen. 'Fijn dat je even langs bent gekomen, Alyson. Ik stel het echt op prijs.'

'Ik wil je alleen maar helpen.' Ze schonk hem een onzekere blik.

'Dat doe je ook,' zei hij. 'Echt waar. Geloof me.'

Niet in staat om te slapen of te eten, en gekweld door de informatie van

Jorge, stapte Peter Jansen het balkon van zijn hotelkamer op. Hij keek uit over de stad met daarachter het duistere silhouet van ruige zwarte bergtoppen tegen een met sterren bezaaide nachthemel. Alyson Bender had drie korte telefoontjes gepleegd naar hetzelfde nummer, en om een of andere reden slaagde hij er niet in om het tijdstip van die telefoontjes uit zijn hoofd te zetten – 15:47. Halverwege de middag. Hij herinnerde zich dat op de video van de picknickers een tijdcode te zien was geweest. Hij probeerde het zich te herinneren. Hij was goed met getallen; hij maakte er voortdurend gebruik van in zijn datasets. In gedachten zag hij de tijdcode 3:50 en nog wat. Drie minuten nadat Alyson de telefoontjes had gepleegd, was Erics boot op de video in de problemen geraakt.

Wacht eens even. En hoe zat dat met Erics sms'je? Wanneer was dat binnengekomen? Hij liep naar binnen, pakte zijn telefoon en scrolde door de berichtenlijst. Het sms'je – KOM NIET – was binnengekomen om 21:49 Eastern Time. Er bestond een tijdsverschil van zes uur tussen de Oostkust en Hawaï. Dat betekende... Dat betekende dat Eric zijn bericht om 15:49 had verzonden. Dat was twee minuten nadat Alyson Bender drie keer achter elkaar een wegwerptelefoon had gebeld. Het bericht bestond uit maar twee woorden: KOM NIET. Dat was omdat Eric zich in een levensbedreigende situatie had bevonden en geen tijd had gehad om meer tekst in te toetsen. Hij had het bericht vanaf zijn boot verstuurd terwijl hij alles op alles had gezet om de motoren weer aan de praat te krijgen, en even later was hij overboord gesprongen.

Peters handen voelden klam aan en de telefoon gleed bijna uit zijn vingers. Hij staarde naar het bericht: KOM NIET. Het waren de laatste woorden van zijn broer.

6

ALA WAI, HONOLULU
28 OKTOBER, 8:00

Akamai Boat Services bevond zich aan Ala Moana Boulevard, naast het Ala Wai Boat Basin, aan het einde van Waikiki Beach. De taxi zette Peter om acht uur in de ochtend af, maar op de scheepswerf werd al druk gewerkt. Het was geen grote werf – er stonden een stuk of tien, twaalf boten op het droge – en het kostte hem geen enkele moeite om de Boston Whaler eruit te pikken.

Hij was hier vanwege Alysons vraag van de avond ervoor: Heeft de politie de boot onderzocht?

Waarom zou ze zoiets vragen? Je zou verwachten dat ze zich zorgen maakte om haar vriendje, maar ze vond de boot blijkbaar belangrijker.

Peter liep om de boot heen en gaf zijn ogen goed de kost.

Hoewel de Boston Whaler heel wat te verduren moest hebben gehad, leek de boot verrassend weinig averij te hebben opgelopen. Oké, de witte romp van glasvezel zat vol met krassen, alsof reusachtige klauwen hem hadden vastgegrepen, en aan stuurboordzijde zat een grillige scheur van zeker een meter lengte. Er was bovendien een flink gat in de boeg geslagen. Maar Whalers stonden bekend om hun drijfvermogen, zelfs als de romp aan stukken was. En Eric had jaren ervaring met deze boten. Hij moest hebben geweten dat de Whaler geen gevaar liep te zinken. De schade aan de boot rechtvaardigde in elk geval niet zijn sprong in het duister. Het zou verstandiger zijn geweest als hij aan boord was gebleven.

Waarom was hij dan gesprongen? Paniek? Verwarring? Iets anders?

Aan de andere kant van de boot stond een houten ladder, en hij klom op het achterschip. Alle luiken en de deur naar de kajuit waren verzegeld met gele politietape. Hij wilde naar de buitenboordmotoren kijken, maar die waren ook verzegeld.

'Kan ik je ergens mee helpen?' riep een man vanaf de werf naar hem. Zwaargebouwd, grijs haar en vegen smeerolie op zijn werkkleding. Zijn ogen bevonden zich in de schaduw van een smerige baseballcap.

'O, hallo,' zei Peter. 'Ik ben Peter Jansen. Dit is de boot van mijn broer.'

'Uh-huh. En wat doe je hier?'

'Eh, ik wilde zien–'

'Ben je soms analfabeet?' vroeg de man.

'Nee, ik–'

'Gek. Je zou het wel zeggen, want op dat bord daar staat heel duidelijk dat bezoekers zich moeten melden bij het hoofdkantoor. Je ben toch een bezoeker?'

'Dat zal dan wel.'

'Waarom heb je je dan niet gemeld?'

'Ik dacht dat ik–'

'Verkeerd gedacht. Wat moet je daar in godsnaam?'

'Dit is de boot van–'

'Van je broer. Dat had ik de eerste keer al gehoord. Zie je die gele tape? Ik weet zeker dat je die ziet, en ik weet ook dat je kunt lezen wat erop staat, want je hebt net gezegd dat je geen analfabeet bent. Dat klopt toch?'

'Ja.'

'Dat is een plaats delict, en je hebt er niks te zoeken. En nu als de bliksem van die boot af en naar het kantoor om je te melden en een identiteitsbewijs te laten zien. Je hebt toch wel een identiteitsbewijs bij je?'

'Ja.'

'Oké, opzouten dan in plaats van mijn tijd te verdoen.' De man beende met grote stappen weg.

Peter klom omlaag via de ladder aan de andere kant van de boot. Toen hij vlak bij de grond was, hoorde hij een norse mannenstem zeggen: 'Kan ik je misschien helpen, jongedame?'

Een vrouwenstem antwoordde: 'Ja, ik ben op zoek naar een Boston Whaler die hier door de kustwacht naartoe is gebracht.'

Het was de stem van Alyson.

Peter verstijfde. Gelukkig was hij aan het zicht onttrokken door de romp van de boot.

'Jezus,' zei de man. 'Wat is dat toch met die klereboot? Dat ding heeft meer aanloop dan mijn rijke oom op zijn sterfbed.'

'Hoezo?' vroeg Alyson.

'Gisteren was er een of andere gast die beweerde dat het zijn boot was.

Hij kon zich alleen niet legitimeren, dus ik heb hem weggestuurd. Wat de mensen niet verzinnen! En vanochtend kwam er een knul langs die beweerde dat het de boot van zijn broer was. Ik moest hem uit de kajuit halen. En nou jij weer. Wat is hier in vredesnaam aan de hand?'

'Ik zou het niet weten,' zei Alyson. 'Ik heb alleen iets op de boot laten liggen en dat wilde ik even ophalen.'

'Vergeet het maar. Alleen als je een brief bij je hebt met toestemming van de politie. Heb je zo'n brief?'

'Eh, nee...'

'Tja, dan heb je pech. Dit is een plaats delict. Dat heb ik ook tegen die knul gezegd.'

'Waar is hij?' vroeg ze.

'Bezig omlaag te klimmen. Waarschijnlijk is hij nog aan de andere kant van de boot. Hij zal zo wel tevoorschijn komen. Zullen we even naar het kantoor lopen?'

'Wat moet ik daar?'

'De politie bellen om toestemming, dan kun je je spullen van de boot halen.'

'Dat lijkt me een hoop gedoe. Het is gewoon – nou ja, het is maar een horloge. Ik had het afgedaan...'

'Het is een kleine moeite.'

'Ik kan ook gewoon een nieuw kopen. Het kostte wel wat–'

'Uh-huh.'

'Ik dacht dat het minder ingewikkeld zou zijn.'

'Ik kan er ook niks aan doen. Maar het is beter om je even te melden.'

'Ik zie niet in waarom.'

'Gewoon omdat het moet.'

'Ik dacht het niet,' zei ze. 'Ik heb geen zin om met de politie in aanraking te komen.'

Peter bleef nog een paar minuten waar hij was en hoorde de man vervolgens zeggen: 'Je kunt wel tevoorschijn komen, knul.'

Hij kwam achter de romp vandaan. Alyson was nergens te bekennen. De zwaargebouwde man keek hem vragend aan en hield zijn hoofd een beetje schuin. 'Wou je haar niet zien?'

'We kunnen niet goed met elkaar overweg,' zei Peter.

'Zoiets dacht ik al.'

'Moet ik me nog melden?'

De man knikte loom. 'Ja, graag.'

Peter ging het kantoortje binnen en noteerde zijn naam. Het maakte nu toch niet meer uit. Alyson Bender wist dat hij bij de boot was geweest en blijkbaar iets vermoedde. Hij zou snel moeten handelen. Aan het einde van de dag, zo overwoog hij, moest alles achter de rug zijn.

Hij ging terug naar zijn hotelkamer, waar hij een e-mail van Jorge op zijn laptop vond. Het bericht bevatte geen tekst, maar drie bijlagen in de vorm van WAV-bestanden. Het eerste was een opname van Alyson Benders gesprek met Vin Drake. De twee andere bestanden waren nieuw. Hij luisterde ze af. Het waren opnames van gesprekken die Alyson had gevoerd in de uren nadat Eric was verdwenen. Beide gesprekken leken zakelijk van aard. In het eerste verzocht Alyson iemand – mogelijk een inkoper van Nanigen – om een nieuwe uitsplitsing van de begroting. Het tweede gesprek – met een man die als een accountant klonk – ging over het inboeken van kosten.

ALYSON: Omicron heeft weer twee, eh, prototypes verloren.
ANDERE PERSOON: Wat is er gebeurd?
ALYSON: Dat hebben ze niet gezegd. Vin Drake wil dat jullie dit als gewone onderzoekskosten boeken, niet als kapitaalafschrijving.
ANDERE PERSOON: Twee Hellstorms? Maar dat is een enorme kostenpost. De mensen van Davros...
ALYSON: Boek het nou maar gewoon onder research, oké?
ANDERE PERSOON: In orde.

Nadat Peter de gesprekken had beluisterd, sloeg hij de bestanden op, hoewel hij niet direct dingen had gehoord die hij kon gebruiken. Hij sloeg ook het gesprek tussen Alyson en Vin op; dat zou goed van pas komen. Hij kopieerde het naar een USB-stick, stopte de stick in zijn zak en brandde het gesprek bovendien op een cd. Vervolgens ging hij met de cd naar het business-center van het hotel, waar hij een professioneel etiket liet printen met de tekst 'NANIGEN DATA 5.0 28-10'. Toen hij klaar was, keek hij op zijn horloge. Het was even na elf uur in de ochtend.

Hij begaf zich naar het terras voor een laat ontbijt en om even in de zon te zitten. Terwijl hij zijn koffie en zijn eieren naar binnen werkte, besefte hij dat hij wel erg veel veronderstellingen maakte. De belangrijkste was dat Nanigen over een vergaderruimte beschikte die met de gebruikelijke elektronische apparatuur was uitgerust. Dat leek voor de hand te liggen. Alle hightechbedrijven hadden zulke zaaltjes.

Vervolgens ging hij ervan uit dat de doctoraalstudenten tijdens de excursie bij elkaar zouden blijven en niet in kleinere groepjes zouden worden opgesplitst of zelfs individueel zouden worden rondgeleid. Maar hij verwachtte dat Vin Drake zelf zou meegaan, en Vin was dol op het publiek – hoe meer mensen, hoe beter. Bovendien, als iedereen bij elkaar zou blijven, zou het voor Nanigen eenvoudiger zijn om de informatie exact te doseren. Voor Peter was het belangrijk dat de studenten bij elkaar bleven. Hij had zo veel mogelijk getuigen nodig voor wat hij van plan was. Of zou hij een poging wagen het in aanwezigheid van maar één of twee getuigen te doen? Nee... zijn hersenen draaiden op topsnelheid... nee, het was beter om de bom te laten barsten met zo veel mogelijk mensen erbij. Dat was de beste manier, zo overwoog hij, om Drakes façade neer te halen en eventueel te onthullen wat Drake en Alyson met zijn broer hadden gedaan. En tot slot hoopte hij dat Drake zijn zelfbeheersing zou verliezen – of in elk geval Alyson – zeker als het hem zou lukken om ze al van tevoren van hun à propos te brengen. En hij dacht te weten hoe hij dat moest doen. Als hij in zijn opzet slaagde, zou Drake of Alyson woest worden ten overstaan van de doctoraalstudenten. En dat was precies wat hij wilde.

7

WAIPAKA ARBORETUM
28 OKTOBER, 15:00

De taxi reed weg van het strand en de zee, en even later kronkelden ze via een steile weg de heuvels in. Aan weerszijden stonden brede acaciabomen.

'Dat is de universiteit, links en rechts van je,' zei de chauffeur. Hij wees op strakke grijze gebouwen die eruitzagen als appartementen. Peter zag geen studenten.

'Waar is iedereen?'

'Dat zijn studentenflats. Ze zijn nu naar college.'

Ze reden langs een honkbalveld, een woonwijk en kleine bungalows. Naarmate de tijd verstreek, kwamen ze minder huizen tegen en werden de bomen groter. Voor hen verrees een dicht beboste groene bergwand van een meter of zeshonderd hoog.

'Dat is de Ko'olau Pali,' zei de taxichauffeur.

'Staan daar geen huizen?'

'Nee, je kunt daar niet bouwen. Het is bros vulkanisch gesteente dat steil omhooggaat. Je kunt er niet eens klimmen. Als je uit de stad wegrijdt, zit je meteen in de wildernis. Er valt te veel regen aan de mauka-kant van de berg. Hier wonen geen mensen.'

'En waar is het arboretum?'

'Nog geen kilometer verderop,' zei de chauffeur. De weg was inmiddels zo smal geworden dat er maar één auto kon rijden; een donker lint onder het dichte bladerdak van de hoge bomen. 'Maar er komt nooit iemand. De mensen gaan naar Foster of naar de andere arboretums. Weet je zeker dat je hiernaartoe wilt?'

'Ja,' zei Peter.

De weg werd steeds smaller en klom zigzaggend omhoog langs de steile, met jungle overwoekerde bergwand.

Achter hen naderde een auto over de kronkelweg. De bestuurder claxonneerde en reed hen voorbij terwijl de inzittenden joelden en naar hem zwaaiden. Hij keek nog eens goed: het waren de doctoraalstudenten van het lab die zich zo te zien met moeite in de auto hadden weten te persen – een donkerblauwe Bentley convertible sedan. De taxichauffeur mompelde iets over maffe kreeften.

'Kreeften?' vroeg Peter.

'Toeristen. Altijd zonnebrand.'

Even later arriveerden ze bij een tunnel met een nieuw uitziende massief stalen veiligheidsdeur. De deur stond open, en een bord waarschuwde onbevoegden dat het verboden was om de tunnel binnen te gaan.

De chauffeur trapte op de rem en stopte voor de tunnel. 'Zo te zien zijn er wat dingen veranderd. Waarom wil je hier in vredesnaam naar binnen?' zei hij.

'Zaken,' zei Peter, hoewel hij zich niet helemaal op zijn gemak voelde. De stalen poort wekte de indruk dat er geen weg terug was, en Peter vroeg zich af of het ding was bedoeld om mensen buiten te houden – of om ze op te sluiten.

De chauffeur zuchtte, zette zijn zonnebril af en reed de tunnel binnen. Het was een korte passage ter breedte van één rijstrook door een smalle uitloper van de berg. De weg kwam uit in een dicht bebost dal met aan weerszijden de hellingen en kliffen van de Ko'olau Pali, waar watervallen omlaag waaierden van de mistige junglebergen. Ze reden omlaag naar een open plek waar een grote loods met een glazen dak stond. Voor de loods bevonden zich enkele parkeerplaatsen in de modder. Vin Drake en Alyson Bender waren er al en stonden naast een rode BMW sportwagen. Ze droegen laarzen en wandelkleding. De studenten kropen uit de Bentley. Hun uitgelatenheid verdween toen Peter uit de taxi stapte.

'Sorry, Peter...'

'Wat erg van je broer...'

'Ja, wat rot, man...'

'Is er nog nieuws?' Erika kuste hem op de wang en pakte zijn arm beet. 'Het spijt me zo.'

'De politie is nog bezig met het onderzoek,' zei Peter.

Vin Drake schudde hem krachtig de hand. 'Ik hoef je niet te zeggen dat dit een afschuwelijke tragedie is. Als het allemaal klopt – en ik hoop echt van niet – dan is dit een groot persoonlijk verlies voor ons allemaal. En dan heb ik het nog niet over de regelrechte ramp voor het bedrijf. Eric was enorm belangrijk voor ons. Het spijt me vreselijk, Peter.'

'Bedankt,' zei Peter.

'Het is goed dat de politie nog bezig is met het onderzoek.'

'Ja,' zei Peter.

'Dat betekent dat ze nog hoop hebben...'

'Integendeel,' zei Peter. 'Ik heb begrepen dat ze vooral in Erics boot zijn geïnteresseerd. Iets met een vermist mobieltje dat blijkbaar kapot is gegaan in het motorhuis. Ik begreep eerlijk gezegd niet echt waar ze het over hadden.'

'Een mobieltje in het motorhuis?' Vin fronste zijn wenkbrauwen. 'Ik vraag me af wat–'

'Precies, ik snapte het ook al niet,' zei Peter. 'Waarom zouden ze denken dat daar een telefoon was? Of misschien heeft mijn broer die van hem laten vallen... nou ja, ik weet het niet. Ze gaan in elk geval de telefoongegevens controleren.'

'Telefoongegevens? O, natuurlijk. Heel goed. Ze laten geen middel onbeproefd.'

Was Vins gezicht wat bleker geworden? Peter kon het niet zeggen.

Alyson likte nerveus langs haar lippen. 'Heb je een beetje geslapen, Peter?'

'Ja, bedankt. Ik heb wat ingenomen.'

'O, gelukkig.'

'Goed.' Vin Drake wreef in zijn handen en richtte zich tot de andere aanwezigen. 'Welkom in Manoa Valley dan maar. Ik stel voor dat we gaan beginnen. Als jullie even wat dichterbij komen, zal ik in het kort uitleggen wat we hier bij Nanigen doen.'

Drake loodste hen van de parkeerplaats naar het bos. Ze kwamen langs een lage loods met graafwerktuigen, en Drake vermeldde erbij: 'Jullie hebben waarschijnlijk nooit eerder dit soort machines gezien. Kijk maar eens hoe klein ze zijn.' Peter vond ze eruitzien als golfkarretjes met kleine graafarmen en een antenne op het dak. 'Deze *diggers*,' vervolgde Drake, 'worden speciaal voor ons vervaardigd door Siemens Precision AG, een Duits bedrijf. Ze zijn in staat om op de millimeter nauwkeurig grond uit te graven – die vervolgens achter in de loods wordt opgeslagen. De monsters hebben een oppervlak van dertig vierkante centimeter en zijn of drie of zes centimeter diep.'

'En wat is dat voor antenne?'

'Zoals je ziet hangt de antenne over de graafbak. Daarmee kunnen we exact bepalen waar we moeten graven en kunnen we in een databestand opslaan waar de grondmonsters vandaan komen. Het wordt allemaal duidelijk naarmate de dag vordert. Laten we eerst het terrein maar eens verkennen.'

Ze liepen het bos in, en de grond werd plotseling ongelijkmatig onder hun voeten. Het pad werd een steeds smaller spoor dat zich tussen de indrukwekkende bomen door kronkelde die zich boven hun hoofden verhieven. De reusachtige stammen waren overwoekerd met klimop en de grond was tot kniehoogte bezaaid met planten en struiken in duizend groentinten. Het licht dat door het bladerdak filterde had de geelachtige kleur van appelvruchtvlees.

Drake begon: 'Dit ziet er misschien uit als een natuurlijk regenwoud...'

'Nee hoor,' zei Rick Hutter. 'En dat is het ook niet.'

'Correct. Dat is het niet. Dit gebied wordt al gecultiveerd sinds de jaren twintig van de vorige eeuw, toen het door de agrariërs van Oahu voor experimenten werd gebruikt. Meer recentelijk heeft de universiteit er ecologisch onderzoek verricht. Maar de laatste tijd interesseert niemand zich er meer voor, dus de natuur heeft het weer opgeëist. We noemen dit gebied Fern Gully.' Hij draaide zich om en liep verder. De studenten volgden hem zonder zich te haasten, uitgebreid om zich heen kijkend en af en toe pauzerend om een plant of bloem te bestuderen.

'Als we doorlopen,' sprak Drake op enthousiaste toon, 'zien we dat het hier vol staat met varens. Grote boomvarens, *Cibotium* en *Sadleria*; dichter bij de grond de kleinere *Blechnum*, lycopodium; en daarboven natuurlijk–' hij zwaaide met een hand in de richting van de bergwand – 'de uluhe-varen, die je tegenkomt op alle berghellingen in Hawaï.'

'Je hebt die uluhe-varen vlak voor je voeten gemist,' zei Rick Hutter. 'Dat is een *Dicranopteris* uit de orde van de *Gleicheniales*.'

'Dat zou wel eens kunnen kloppen,' zei Vin Drake, die een lichte ergernis niet kon verhullen. Hij bleef staan en ging op een knie zitten. 'De pe'ahi-varens groeien langs het pad, en de grotere zijn maku'e-varens, waarop je vaak spinnen ziet. Er zijn hier trouwens veel spinnen. Minstens drieëntwintig soorten, alleen al in dit kleine gebiedje.'

Even later bleef het groepje staan op een open plek waar ze tussen de bomen door de berghellingen konden zien die het dal vormden. Vin Drake wees op een bergtop die over het dal uitkeek. 'Die bergtop is de Tantalus, een uitgedoofde vulkaan. We hebben onderzoek gedaan in de krater en hier in het dal.'

Alyson Bender kwam naast Peter Jansen lopen. 'Heb je vandaag nog wat van de politie gehoord?' vroeg ze.

'Nee,' zei hij. 'Hoezo?'

'Ik vroeg me af hoe je wist dat ze bezig waren met de boot... en die telefoongegevens.'

'O, dat.' Dat laatste had hij verzonnen. 'Dat was op het nieuws.'

'Echt? Ik heb niks gehoord. Welke zender?'

'Geen idee. Vijf, geloof ik.'

Rick Hutter kwam erbij en zei: 'Het spijt me, Peter. Echt waardeloos, man.'

Jenny Linn, die vlak achter Vin Drake liep, zei tegen hem: 'Maar ik snap niks van dat researchprogramma – ik bedoel, wat doen jullie nou eigenlijk in dit bos?'

Drake schonk haar een glimlach en antwoordde: 'Dat komt omdat ik dat nog niet heb uitgelegd. De simpele versie is: we nemen een representatieve steekproef van het Hawaïaanse ecosysteem, van de Tantaluskrater tot aan het Manoadal, waar we nu staan.'

'Wat voor steekproef?' vroeg Rick Hutter met zijn handen in zijn zij. Hij droeg de gebruikelijke Rick-outfit: jeans en een sportief overhemd met opgerolde mouwen dat inmiddels nat was van het zweet waardoor hij eruitzag alsof hij zich zojuist met een kapmes een weg door de jungle had gebaand. Op zijn gezicht stond de bekende strijdlustige blik met de opeengeklemde kaken en de half dichtgeknepen ogen.

Drake glimlachte en antwoordde: 'Het komt erop neer dat we monsters verzamelen van elke soort die in dit ecosysteem voorkomt.'

'Waarom?' vervolgde Rick. Hij keek Vin Drake strak aan.

Drake schonk Rick een kille blik. Maar vervolgens glimlachte hij. 'Een regenwoud is de grootste vergaarbak van actieve chemische substanties in de natuur. We staan hier midden in een goudmijn van potentieel nieuwe geneesmiddelen. Geneesmiddelen die ontelbare mensenlevens kunnen redden. Geneesmiddelen die miljarden dollars kunnen opbrengen. Dit bos, eh–'

'Rick.'

'Dit weelderige regenwoud, Rick, bevat de sleutel tot de gezondheid en het welzijn van elke mens op deze planeet. En toch is dit regenwoud nauwelijks onderzocht. We hebben er geen idee van welke chemische verbindingen hier eigenlijk voorkomen, in de planten, in de dieren en in de microscopische levensvormen. Dit regenwoud is terra incognita. Het is even uitgestrekt en rijk en onverkend als de Nieuwe Wereld was voor Christopher Columbus. Ons doel, Rick, is simpel. We zijn op zoek naar nieuwe geneesmiddelen, en wel op een immense schaal – voorbij alles wat de wereld zich ooit heeft kunnen voorstellen. We zijn bezig om dit bos integraal te screenen op biologische bestanddelen, van de top van de Tantalus tot aan de bodem van dit dal. We zitten hier op een goudmijn.'

'"Een goudmijn,"' echode Rick. '"De Nieuwe Wereld." Het gaat dus gewoon om het geld, nietwaar, meneer Drake? Dit is puur winstbejag.'

'Dat is wel erg kort door de bocht,' antwoordde Drake. 'Geneesmiddelen zijn in de eerste plaats bedoeld om mensenlevens te redden. Ze zijn bedoeld om een einde te maken aan het lijden en kunnen iedereen helpen om het beste uit zichzelf te halen.' Hij richtte zich tot de anderen en begon verder te lopen. Daarbij creëerde hij wat afstand tot Rick Hutter, die hem zichtbaar ergerde.

Rick, die met zijn armen over elkaar bleef staan, mompelde tegen Karen: 'Die gast is een moderne Spaanse conquistador. Hij plundert dit ecosysteem om er rijk van te worden.'

Karen schonk hem een geringschattende blik. 'En wat doe jij dan met je natuurlijke extracten, Rick? Jij bent bezig boomschors te sudderen om nieuwe geneesmiddelen te vinden. Waarom is dat dan anders?'

'Het verschil,' zei hij tegen haar, 'ligt in de enorme hoeveelheden geld die hiermee gemoeid zijn. En je weet net zo goed als ik waar het geld in dit soort producten zit – in de patenten. Nanigen gaat binnenkort patenten aanvragen op duizenden substanties die hier worden gevonden. Vervolgens gaan grote farmaceutische bedrijven die patenten exploiteren waarmee ze miljarden verdienen–'

'Je bent gewoon jaloers omdat jij geen patenten hebt.' Karen keerde Rick de rug toe en Rick schonk haar een dreigende blik.

Hij riep haar na: 'Ik bedrijf geen wetenschap om er rijk van te worden – jij blijkbaar wel...' Maar het was duidelijk dat ze hem negeerde. Heel bewust.

Danny Minot worstelde in de achterhoede om mee te komen met de groep. Hij had om een of andere reden zijn tweedjasje meegenomen naar Hawaï, en dat droeg hij nu. Hij glibberde door de modder op zijn klassieke stappers met kwastjes terwijl het zweet over zijn rug gutste en zijn overhemd doorweekte. Hij depte zijn gezicht met een pochet en deed alsof er niks aan de hand was. 'Meneer Drake,' zei hij, 'als u bekend bent met de poststructuralistische theorie – eh – bent u zich er waarschijnlijk wel van bewust dat we – kuch – oei! – dat we eigenlijk niets over dit bos kunnen weten... Wijzelf zijn namelijk degenen die betekenis creëren, meneer Drake. In de natuur bestaat geen betekenis...'

Drake liet zich niet door Danny uit het lood slaan. 'Zoals ik de natuur zie, Danny, is het absoluut niet zo dat we ergens de betekenis van moeten kennen om er gebruik van te kunnen maken.'

'Ja, maar...' vervolgde Danny.

Alyson Bender liet zich ondertussen een paar stappen terugvallen, en Peter kreeg Rick naast zich. Rick knikte naar Vin Drake. 'Vertrouw jij die gast? Volgens mij is het een wandelende biopiraat.'

'Dat heb ik gehoord, Rick,' zei Drake, die zijn hoofd plotseling omdraaide, 'en ik wil benadrukken dat je er volledig naast zit. Biopiraterij is het gebruikmaken van inheemse plantensoorten zonder het land van oorsprong daarvoor te compenseren. Dat is een aantrekkelijk concept voor slecht geïnformeerde wereldverbeteraars, maar er kleven allerlei praktische problemen aan. Neem bijvoorbeeld curare, een waardevolle stof die in moderne geneesmiddelen wordt gebruikt. De vraag is alleen: wie moet daarvoor gecompenseerd worden? Er bestaan tientallen recepten voor curare die ontwikkeld zijn door allerlei tribale groepen in Centraal- en Zuid-Amerika. Dat is een immens gebied. Die recepten variëren in samenstelling en bereidingstijd, afhankelijk van de lokale voorkeuren en wat ermee behandeld moet worden. Maar hoe compenseer je inheemse medicijnmannen? En hebben de Braziliaanse sjamanen waardevoller werk verricht dan die uit Panama of Colombia? Doet het ertoe dat de bomen die in Colombia worden gebruikt, gemigreerd zijn vanuit Panama – of daar misschien wel zijn weggehaald? En hoe zit het met de formule zelf? Is het belangrijk dat er strychnos in wordt verwerkt? En wat dacht je van een roestige spijker? En wat moeten we met het publieke domein? We geven een geneesmiddelenfabrikant twintig jaar de tijd om een product te exploiteren, en daarna wordt het vrijgegeven. Volgens sommigen is curare in 1596 naar Europa gebracht door sir Walter Raleigh. In de achttiende eeuw was het in elk geval algemeen bekend. Burroughs Wellcome verkocht in de jaren tachtig van de negentiende eeuw curaretabletten voor medische doeleinden. Hoe je het ook wendt of keert – curare behoort tot het publieke domein. Moderne chirurgen gebruiken sowieso geen curare meer die van inheemse planten is gemaakt, maar synthetische curare. Ik hoop dat je beseft hoe complex de situatie is.'

'Typische uitvluchten van iemand uit het bedrijfsleven,' zei Rick.

'Je geniet er blijkbaar van om voor advocaat van de duivel te spelen, Rick,' zei Drake. 'Maar ga gerust je gang. Ik word er alleen maar scherper van. In werkelijkheid is het gebruik van natuurlijke bestanddelen voor geneesmiddelen de normaalste zaak van de wereld. De ontdekkingen van elke cultuur zijn waardevol, en alle culturen spelen leentjebuur bij elkaar. Soms worden ontdekkingen verhandeld, maar niet altijd. Moeten we het gebruik van stijgbeugels voor paarden soms gaan regelen via licentiecontracten met de Mongoliërs, die ze hebben uitgevonden? Moeten we de Chinezen betalen voor de zijdeproductie in ons eigen land? Of voor opium? Of moeten we de moderne afstammelingen van neolithische boeren in de Vruchtbare Halvemaan opsporen en schadeloos stellen omdat hun voorouders tienduizend jaar geleden hebben bedacht hoe gewassen moeten worden verbouwd? En wat te denken van de middeleeuwse Britten die ontdekten hoe ze ijzer moesten smelten?'

'Laten we doorlopen,' zei Erika Moll. 'Het is helemaal duidelijk. Rick heeft gewoon een bord voor zijn kop.'

'Oké, het punt is dat biopiraterij van plantaardige materialen in Hawaï eigenlijk niet kan voorkomen omdat er strikt gesproken geen inheemse planten zijn. Dit zijn vulkanische eilanden midden in de Grote Oceaan die als een gloeiende lava-archipel boven water zijn gekomen, en alles wat hier groeit is ergens anders vandaan gekomen – met vogels, via de wind, door golfstromen en in de kano's van Polynesische krijgers. Niets is hier inheems, hoewel sommige soorten alleen hier voorkomen. De juridische situatie is trouwens een van de redenen waarom we ons bedrijf in Hawaï hebben gevestigd.'

'Om de wet te ontduiken,' mompelde Rick.

'We willen ons juist aan de wet houden,' zei Drake. 'Dat is het hele punt.'

Ze kwamen in een gebiedje met groene bladeren die tot borsthoogte reikten en Drake zei: 'Deze sector noemen we Ginger Lane, met witte, gele en kahili gember. Kahili heeft een lange rode stam van een centimeter of dertig. De bomen boven ons zijn grotendeels sandelbomen. Je herkent ze aan de donkerrode bloemen, maar er zijn ook zeepbomen en strandpopulieren met grote donkere bladeren.'

De studenten bleven staan en keken om zich heen.

'Ik neem aan dat jullie hier vertrouwd mee zijn, maar voor het geval dat niet zo is: deze puntige bladeren met strepen zijn van de oleander, en een mens kan eraan doodgaan. Er is laatst een man overleden omdat hij zijn vlees had gegrild op een vuurtje van oleandertakken. Kinderen snoepen soms van de vruchten, maar dat overleven ze niet. Trouwens, die grote boom aan jullie linkerhand is een strychnineboom of braaknoot. Hij komt oorspronkelijk uit India, en alle delen zijn dodelijk, met name de zaden.

Die hoge struik daarnaast met de stervormige bladeren is de ricinus, ook dodelijk. Maar in extreem lage doseringen kunnen de bestanddelen van de ricinus een medicinale werking hebben. Ik mag aannemen dat je daarmee bekend bent, Rick.'

'Uiteraard,' zei Rick. 'Ricinusextract kan de geheugenfunctie verbeteren en heeft antibiotische eigenschappen.'

Drake ging naar rechts bij een tweesprong en volgde het pad. 'En hier,' zei hij, 'hebben we dan Bromeliad Alley. Ongeveer tachtig variëteiten van de bromeliafamilie, waartoe zoals jullie weten ook de ananas behoort. Bromelia's herbergen allerlei soorten insecten. De bomen om ons heen zijn voor het grootste deel eucalyptussen en acacia's, maar verderop vinden we karakteristiekere regenwoudbomen als de *ohia* en de *koa*. Je kunt ze herkennen aan de gewelfde bladeren die op het pad zijn gevallen.'

'En waarom krijgen we dit allemaal te zien?' vroeg Jenny Linn.

Amar Singh kwam haar te hulp. 'Precies. Ik ben benieuwd naar de technologie, meneer Drake. Hoe nemen jullie monsters van zoveel verschillende soorten leven? Zeker als je bedenkt dat de meeste levende dingen enorm klein zijn. Bacteriën, wormen, insecten, ga zo maar door. Ik bedoel, hoeveel monsters verwerken jullie per uur. Of per dag?'

'Ons laboratorium stuurt elke dag een truck het regenwoud in,' zei Drake, 'om exact uitgesneden grondmonsters te verzamelen of een bepaalde selectie van planten of wat onze wetenschappers dan ook nodig hebben. Je kunt ervan uitgaan dat er elke dag nieuw onderzoeksmateriaal wordt aangeleverd en dat je krijgt waar je om vraagt.'

'En dat wordt dagelijks aangevoerd?' vroeg Rick.

'Klopt, om een uur of twee 's middags. We zijn ze net misgelopen.'

Jenny Linn ging op haar hurken zitten. 'Wat is dit?' zei ze, en ze wees op de grond. Het leek op een soort tentje ter grootte van haar handpalm dat over een klein betonnen bakje was geplaatst. 'Ik zag er een stukje terug ook al een.'

'O ja,' zei Drake. 'Goed gezien, Jenny. Die tentjes staan verspreid over het regenwoud in dit gebied. Het zijn bevoorradingsstations, maar dat leg ik later nog uit. Als jullie genoeg hebben gezien, denk ik dat het tijd wordt om jullie te vertellen wat Nanigen precies doet.'

Ze liepen in een boogje terug naar de parkeerplaats en passeerden een bruinachtig vijvertje met overhangende palmbladeren en kleine bromelia's langs de oever. 'Dit is de Pau Hana-vijver,' zei Drake. 'Dat betekent "het werk zit erop".'

'Vreemde naam voor een eendenvijver,' zei Danny. 'Veel meer is het denk ik niet. Ik heb hier net nog een paar eendenfamilies gezien.'

'En heb je ook zien wat er gebeurde?' vroeg Drake.

Danny schudde zijn hoofd. 'Ga ik hier spijt van krijgen?'

'Dat hangt ervan af. Kijk maar eens tussen de bladeren op ongeveer een meter boven het water.'

Het groepje bleef staan om te kijken. Karen King zag het als eerste. 'Een blauwe reiger,' fluisterde ze, en ze knikte. Een stofgrijze vogel van ongeveer een meter hoog met een lange snavel en doffe ogen. Het dier, dat er onverzorgd en loom uitzag, stond absoluut roerloos stil en ging perfect op in de schaduwen van de palmbladeren.

'Zo kan hij uren blijven staan,' zei Karen.

Ze bleven een paar minuten kijken en stonden op het punt om te vertrekken toen een van de eendenfamilies de oever van de vijver begon te verkennen. De dieren verscholen zich gedeeltelijk tussen het overhangende gras, maar dat mocht niet baten.

Met een snelle beweging dook de reiger tussen de eenden om onmiddellijk weer terug te keren naar zijn schuilplaats, ditmaal met de trappelende pootjes van een kuiken in zijn bek.

'Shit!' zei Danny.

'Getver!' zei Jenny.

De reiger wierp zijn kop in zijn nek, keek even recht omhoog en slokte het kuiken in één keer door. Vervolgens liet hij zijn snavel zakken om ten slotte zijn onbeweeglijke pose in de schaduw weer aan te nemen. Het had niet meer dan een paar seconden in beslag genomen en het was moeilijk te geloven dat het überhaupt was gebeurd.

'Walgelijk,' zei Danny.

'Zo gaat dat in de wereld,' zei Drake. 'Daarom is het arboretum ook niet afgeladen met eenden. Ah! Ik geloof dat ik daar de auto's al zie die ons terugbrengen naar de beschaving.'

8

BEDRIJVENTERREIN KALIKIMAKI
28 OKTOBER, 18:00

Op de terugweg naar het hoofdkantoor van Nanigen bestuurde Karen King de Bentley convertible met daarin het groepje dicht opeengepakte studenten. Alyson Bender en Vin Drake reden in de sportwagen. Ze waren nog niet vertrokken, of Danny Minot, de student *science* studies, schraapte zijn keel. 'Ik vind eerlijk gezegd,' zo zei hij boven het geraas van de wind, 'dat op Drakes ideeën over giftige planten wel het een en ander valt af te dingen.'

Minot deed niets liever dan 'afdingen' op ideeën van anderen.

'O? Hoezo?' zei Amar. Hij had een hartgrondige hekel aan Minot.

'Nou, zijn definitie van gifstoffen is niet eenduidig, vind je niet?' zei Minot. 'Een gif is een stof die ons letsel toebrengt. Of waarvan we denken dat het zo is. Terwijl het in werkelijkheid misschien helemaal niet klopt. Neem strychnine. In de negentiende eeuw was dat een gepatenteerd medicijn. Het werd als een versterkend middel gezien, en het wordt nog steeds gebruikt bij acute alcoholvergiftiging, geloof ik. Een boom zou niet al die moeite doen om strychnine aan te maken als het spul geen nut had voor bijvoorbeeld zelfverdediging. Daarbij zijn er nog meer planten die strychnine produceren, zoals de nachtschade. Het moet een functie hebben.'

'Ja,' Jenny Linn, 'voorkomen dat ze worden opgegeten.'

'Zo ziet de plant het.'

'Zo zien wij het ook, want wij eten hem ook niet.'

'Maar,' zei Amar tegen Minot, 'wil je dan beweren dat strychnine voor mensen niet schadelijk is? Dat het niet echt een gif is?'

'Precies. Als concept is het niet eenduidig. Je zou het zelfs vaag kunnen noemen. De term "gif" verwijst gewoon niet naar iets ondubbelzinnigs.'

Iedereen in de auto begon te kreunen.

'Kunnen we het niet over wat anders hebben?' stelde Erika voor.

'Ik zeg alleen dat de definitie van het concept gif ter discussie staat.'

'Hoor eens, Danny. Als het aan jou ligt, staat alles ter discussie.'

'In feite wel, ja,' zei hij, en hij knikte plechtig. 'Ik ga niet uit van een vast wereldbeeld met onveranderlijke wetenschappelijke waarheden.'

'Wij ook niet,' zei Erika. 'Maar bepaalde dingen zijn nu eenmaal bij herhaling verifieerbaar en rechtvaardigen ons geloof erin.'

'Dat zou de zaak een stuk eenvoudiger maken. Maar het is gewoon een fantasie die de meeste wetenschappers uit eigenbelang hebben opgebouwd. In werkelijkheid zijn het allemaal machtsstructuren,' zei Minot. 'En dat weet je best. Degene die in een samenleving aan de touwtjes trekt, bepaalt wat er bestudeerd, geobserveerd en gedacht kan worden. De wetenschap loopt netjes in de pas met de dominante machtsstructuur. En dat moet ook wel, want de machtsstructuur betaalt de rekening. Als je het spel niet meespeelt, krijg je geen geld voor onderzoek, geen aanstelling en word je niet gepubliceerd – kortom, dan lig je eruit en kun je evengoed dood zijn.'

Er viel een stilte in de auto.

'Jullie weten dat ik gelijk heb,' zei Minot. 'Jullie vinden het alleen niet leuk.'

'En nu we het toch hebben over het spel meespelen,' zei Rick Hutter, 'kijk daar eens. Volgens mij is dat Kalikimaki, het bedrijventerrein waar Nanigen is gevestigd.'

Jenny Linn haalde een geïsoleerd gore-tex-etui ter grootte van haar hand tevoorschijn en bevestigde het zorgvuldig aan haar riem. Karen King zei: 'Wat is dat? Heb je monsters meegenomen?'

'Ja,' zei Jenny. 'Als ze ons echt werk gaan aanbieden, lijkt het me...' Ze haalde haar schouders op. 'Dit zijn al mijn geëxtraheerde en gezuiverde vluchtige stoffen. Wat heb jij bij je?'

'*Benzo*'s,' zei Karen. 'Benzochinon in een spuitbus. Je huid gaat ervan bladderen en je ogen gaan ervan branden. Het komt dan wel van kevers, maar het is een ideaal chemisch stofje voor zelfverdediging. Het is veilig, organisch en het werkt maar even. Zoiets gaat lopen als een trein.'

'Natuurlijk, jij maakt er meteen een commercieel product van,' zei Rick Hutter tegen Karen.

'Dat komt omdat ik jouw scrupules niet heb, Rick,' zei Karen. 'Maar hoezo? Je wilt toch niet zeggen dat jij niks hebt meegenomen?'

'Nee, ik heb niks bij me.'

'Leugenaar.'

'Nou ja, oké.' Hij tikte op zijn borstzak. 'Ik heb een latexextract van mijn boom. Als je dat op je huid smeert, doodt het alle onderhuidse parasieten.'

'Dat klinkt mij als een commercieel product in de oren,' zei Karen terwijl ze aan het stuur draaide. De Bentley trok zichzelf door een haarspeldbocht en leek vastgelijmd aan de weg.

'Misschien verdien je er wel een miljard mee, Rick.' Ze nam haar blik even van de weg en schonk hem een boosaardige glimlach.

'Nee hoor, ik bestudeer alleen de onderliggende biochemische mechanismes–'

'Bewaar dat maar voor de durfkapitalisten.' Karen keek naar Peter, die naast haar op de passagiersstoel zat. 'En jij? Je hebt natuurlijk een hoop aan je hoofd, maar heb jij iets meegenomen?'

'Toevallig wel,' zei Peter.

Peter Jansen raakte de cd in zijn jaszak aan en voelde een nerveuze rilling door zijn lichaam trekken. Nu hij het gebouw van Nanigen binnenging, besefte hij dat hij zijn plan niet volledig had uitgewerkt. Hij moest Bender en Drake op een of andere manier zover zien te krijgen dat ze ten overstaan van de groep zouden bekennen, en dat hoopte hij te bewerkstelligen door Jorges opname van het telefoongesprek tussen Alyson Bender en Vin Drake af te spelen. Als alle doctoraalstudenten de bekentenis zouden horen, zou Drake niet in staat zijn om terug te slaan. Ze waren met zijn zevenen; hij kon ze niet allemaal tegelijk van zich afhouden.

Dat was tenminste het idee.

In gedachten verzonken liep Peter tussen de anderen het gebouw binnen. Het groepje werd aangevoerd door Alyson Bender. 'Deze kant op, mensen...' Ze bleven staan in de smaakvol met zwart leer ingerichte receptieruimte. 'Ik wil graag dat jullie alle mobiele telefoons, camera's en andere opnameapparatuur inleveren. Jullie krijgen alles bij vertrek weer terug. En mag ik jullie verzoeken eerst de geheimhoudingsverklaring in te vullen?'

Even later loodste ze hen via een gang naar een aantal biologische laboratoria waar Vin Drake stond te wachten. De labs, die zich aan weerszijden van de gang bevonden, hadden glazen wanden en waren ingericht met uiterst geavanceerde apparatuur. Peter zag dat in sommige labs een verrassende hoeveelheid elektronische instrumenten was opgesteld, bijna als in een technisch laboratorium. Het was rustig bij Nanigen. De werkdag liep ten einde en de meeste labs waren leeg, hoewel er nog enkele onderzoekers bezig waren met experimenten die pas 's avonds konden worden afgerond. Terwijl ze door de gang liepen, hield Vin Drake een praatje over de labs: 'Proteomie en genomie... chemische ecologie... fytopathologie, inclusief plantenvirussen... stochastische biologie... elektrische signaalwerking in planten... het ultrageluidlab voor insecten... fytoneurologie, onderzoek naar neurotransmitters in planten... Peter, hier heb je vergiffen en toxines... vluchtige stoffen van arachniden en coleoptera... gedragsfysiologie, dat zijn de exocriene secretie en sociale regulatie die mieren–'

'Waar is al die elektronica voor?' vroeg iemand.

'Voor de robots,' zei Drake. 'Ze moeten na elke trip in het veld worden geherprogrammeerd of gerepareerd.' Hij zweeg even en liet zijn blik over de leden van het groepje gaan. 'Ik zie een hoop verbaasde gezichten. Kom maar even mee, dan nemen we een kijkje.'

Ze betraden het laboratorium aan de rechterkant. Het rook vaag naar aarde, rottende planten en gedehydreerde bladeren. Drake ging hun voor naar een tafel waarop een aantal grondmonsters was uitgestald. Boven de bodemtapijtjes van dertig bij dertig hing een videocamera aan een scharnierende arm. 'Dit zijn voorbeelden van materialen die we uit het regenwoud halen,' zei hij. 'We werken voor elk exemplaar aan verschillende projecten, maar de robots doen al het werk.'

'Waar?' vroeg Erika. 'Ik zie niks–'

Drake regelde het licht en de videocamera af. Op een monitor zagen ze – sterk vergroot – een minuscuul wit voorwerp in de aarde. 'Zoals jullie zien, is dat een graaf- en vergaarmachine die op microscopische schaal werkt,' zei Drake. 'En hij heeft een hoop te doen, want een grondmonster van dat formaat is een immense wereld van met elkaar verbonden leven dat de mens nog niet kent. Er zijn biljoenen micro-organismen, tienduizenden soorten bacteriën en protozoën die voor het grootste deel niet gecatalogiseerd zijn. Een stukje grond van dit formaat kan duizenden kilometers ragdun schimmeldraad bevatten. Misschien leven er wel miljoenen microscopische geleedpotigen en andere insecten die onzichtbaar zijn voor het blote oog. Er bestaan duizenden wormensoorten van uiteenlopende grootte. Sterker nog: in dit stukje grond zitten meer kleine levende wezens dan er grote levende wezens zijn op het aardoppervlak. Denk daar maar eens over na. Mensen leven op het oppervlak. Wij gaan ervan uit dat het daar allemaal gebeurt. We denken dan aan mensen en olifanten en haaien en bossen met bomen. Maar onze perceptie is verkeerd. In werkelijkheid ziet het leven op onze planeet er heel anders uit. De basis van het leven bevindt zich hier, op dit niveau, waar het krioelt van organismen. En dit is waar de ontdekkingen zullen worden gedaan.'

Het was een indrukwekkende toespraak – Drake had hem al eerder ge-houden – en zijn publiek reageerde steevast met een gefascineerde stilte. Maar dit groepje niet. Rick Hutter vroeg onmiddellijk: 'En wat ontdekt de-ze robot?'

'Nematoden,' zei Vin Drake. 'Microscopische draadwormen waarvan wij denken dat ze belangrijke biologische eigenschappen bezitten. In een stukje grond als dit zitten ongeveer vier miljard nematoden, maar wij zijn alleen geïnteresseerd in de soorten die nog niet zijn ontdekt.'

Drake had zich omgedraaid naar een aantal vensters dat uitzicht bood op een laboratorium waar een handvol onderzoekers zat te werken aan een lange rij machines. Ingewikkelde machines. 'In die ruimte,' zei Drake, 'wor-den de monsters gescreend. We controleren op duizenden componenten door gebruik te maken van snelle fractionering en massaspectrometrie – dat zijn de machines die je ziet. We hebben inmiddels al tientallen nieuwe kandidaten voor medicijnen gevonden. En ze zijn natuurlijk. Het beste van Moeder Natuur.'

Amar Singh was erg onder de indruk van de technologie, maar er waren nog veel dingen die hij niet begreep. Een van die dingen betrof de robots. Ze waren ontzettend klein. Te klein, zo meende hij, om iets van een com-puter te kunnen bevatten. Amar zei: 'Hoe kunnen die robots de wormen eigenlijk onderscheiden en selecteren?'

'O, dat is heel simpel,' zei Drake.

'Hoe dan?'

'De robots bezitten de intelligentie om dat te doen.'

'Maar hoe werkt dat dan?' Amar wees op een monster waarin een mi-nuscule robot verwoed aan het graven was. 'Die machine kan niet veel lan-ger zijn dan een millimeter of acht, negen,' zei Amar. 'Dat is ongeveer het formaat van mijn pinknagel. Daar kun je onmogelijk iets in zetten wat ook maar een beetje rekenkracht heeft.'

'En toch kan dat.'

'Hoe dan?'

'Ik stel voor dat we naar de vergaderruimte gaan.'

Achter Vin Drake lichtten vier reusachtige flatscreens op. Ze toonden beel-den met donkerblauwe en paarse kleuren die een beetje op de golven van de zee leken zoals je ze vanuit een vliegtuig ziet. Drake klemde een revers-microfoontje op zijn jas en begon te praten. Zijn versterkte stem klonk hel-der terwijl hij naar de beeldschermen gebaarde. 'Wat jullie hier zien,' zei hij, 'zijn convectiepatronen in magnetische velden met een kracht van te-gen de zestig tesla. Het zijn de sterkste magnetische velden die door de mens kunnen worden gegenereerd. En om dat even in perspectief te plaatsen: een magnetisch veld van zestig tesla is twee miljoen keer krachtiger dan het magnetisch veld van de aarde. Zulke velden worden opgewekt met behulp van cryogene supergeleiding via niobiumlegeringen.'

Hij zweeg even om dit te laten doordringen. 'Het is al vijftig jaar bekend dat magnetische velden dierlijk weefsel op verschillende manieren beïnvloeden. Ik ga ervan uit dat iedereen bekend is met MRI-scans – driedimensionale afbeeldingen die met behulp van magnetische resonantie worden gemaakt. Jullie weten ook dat magnetische velden botbreuken sneller laten genezen, parasieten kunnen doden, het gedrag van bloedplaatjes kunnen veranderen en ga zo maar door. Maar dan gaat het alleen om geringe effecten van velden met een lage intensiteit. De situatie verandert volkomen wanneer extreem hoge veldkrachten worden aangewend van het type dat pas vrij recentelijk voor het eerst is gegenereerd. We noemen zulke velden ook wel tensorvelden om ze van de gewone magnetische velden te onderscheiden. Tensorvelden hebben een extreem hoge veldkracht. In een tensorveld kunnen dimensionale veranderingen in materie worden waargenomen. Tot voor kort had niemand enig idee van wat er onder dergelijke omstandigheden zou gebeuren.

Maar er was wel een aanwijzing. En die was afkomstig uit onderzoek dat in de jaren zestig was gedaan door het bedrijf Nuclear Medical Data. Dit onderzoek betrof de gezondheid van werknemers van nucleaire installaties. NMD ontdekte dat de werknemers over het algemeen een goede gezondheid hadden, maar constateerde ook dat mensen die over een periode van tien jaar aan krachtige magnetische velden waren blootgesteld ruim een halve centimeter waren gekrompen. De conclusie werd echter afgedaan als statistisch artefact.'

Drake zweeg opnieuw even om te zien of de studenten beseften welke richting zijn verhaal op ging. Ze leken niets te vermoeden. 'Het bleek geen statistisch artefact. In een Franse studie uit 1970 werd verslag gedaan van werknemers die na langdurige blootstelling aan sterke magnetische velden ongeveer acht millimeter waren gekrompen. Ook in dit onderzoek werd het resultaat afgedaan als "verwaarloosbaar".

Tegenwoordig weten we natuurlijk dat hier beslist geen sprake is van verwaarloosbare artefacten. DARPA, de Defence Advanced Research Projects Agency van het Amerikaanse ministerie van Defensie, raakte geïnteresseerd in het onderzoek en voerde in een geheim laboratorium in Huntsville, Alabama een aantal tests uit waarbij kleine honden werden blootgesteld aan krachtige magnetische velden – de krachtigste die indertijd konden worden opgewekt. Er zijn geen officiële documenten van de tests, alleen wat verschoten fotokopieën waarop melding wordt gemaakt van een pekinees ter grootte van een puntenslijper.'

Dat zorgde voor reacties. Sommige studenten gingen verzitten en keken elkaar aan.

'Blijkbaar,' zo vervolgde Drake, 'jankte de hond vreselijk. Hij gaf een minuscuul druppeltje bloed op en overleed na een paar uur. Al met al waren de resultaten niet eenduidig en niet overtuigend. Het project werd stopgezet op last van de toenmalige minister van Defensie, Melvin Laird.'

'Hoezo?' vroeg een van de studenten.

'Hij was bang dat de relatie met de Sovjet-Unie zou worden gedestabiliseerd,' zei Drake.

'Wat heeft dat er nou mee te maken?'

'Dat wordt zo meteen duidelijk,' zei Drake. 'Waar het om gaat is dat we tegenwoordig extreem krachtige magnetische velden kunnen opwekken – zoals gezegd, de tensorvelden. We weten nu dat zowel organisch als anorganisch materiaal onder invloed van een tensorveld een soort metamorfose ondergaat die analoog is aan een faseverandering. Met andere woorden: materie binnen het veld ondervindt een snelle compressie met factoren tussen tien tot de min eerste en tien tot de min derde. De kwantuminteractie blijft grotendeels symmetrisch en invariabel zodat gekrompen materie op een normale manier met gewone materie blijft interacteren – dat wil zeggen, meestal. De transformatie is metastabiel en reversibel onder inverse veldcondities. Kunnen jullie het tot zover volgen?'

De studenten waren een en al oor, maar op hun gezichten stonden uiteenlopende reacties te lezen: twijfel, puur ongeloof, fascinatie en zelfs verwarring. Dit had niks met biologie te maken – Drake had het over kwantumfysica.

Rick vouwde zijn armen voor zijn borst en schudde zijn hoofd. 'Wat is hier eigenlijk de bedoeling van?' zei hij op nogal luide toon.

Drake bleef onverstoorbaar. 'Een uitstekende vraag, Rick. Het wordt tijd dat je het met eigen ogen ziet.' De reusachtige schermen achter Drake werden donker en er werd een HD-video gestart.

Er verscheen een ei.

Het ei lag op een glad zwart oppervlak. Erachter rees een soort gele decorwand op.

Het ei bewoog. Het kwam uit. Een snaveltje tikte door de schaal. Er verscheen een barst die steeds langer werd, en de bovenkant van het ei brak af. Een kippenkuiken worstelde zich naar buiten, piepte, krabbelde onzeker overeind en fladderde even met zijn korte vleugeltjes.

De camera zoomde uit en de omgeving van de jonge kip werd zichtbaar.

De gele decorwand bleek in werkelijkheid de reusachtige geklauwde poot van een vogel. De poot van een kip. Het kuiken trippelde nu voor een monsterlijk grote kippenpoot langs. Naarmate er verder werd uitgezoomd, werd de complete volwassen kip zichtbaar – het dier leek reusachtig. Het kuiken en de restanten van de schaal waren weinig meer dan vlekjes bij de poot van de volwassen vogel.

'Krijg nou wat...' begon Rick, en vervolgens zweeg hij. Hij kon zijn ogen niet van het scherm houden.

'Dit,' zei Drake, 'is de technologie van Nanigen.'

'Die transformatie–' begon Amar.

'Ja, die werkt ook met levende organismen. We hebben het ei gekrompen in een tensorveld. De foetus is niet aangetast door de dimensionale veranderingen. Het kuiken is gewoon uitgekomen, zoals jullie hebben gezien. Dat bewijst dat zelfs uiterst complexe biologische systemen kunnen worden gecomprimeerd in een tensorveld en vervolgens normaal kunnen functioneren.'

'Wat waren die andere dingen die ik zag?' vroeg Karen.

In de video had het geleken alsof er op de vloer onder de reuzenkip vlekjes te zien waren geweest.

'Dat zijn de andere kuikens. We hebben het complete broedsel dimensionaal verschoven,' zei Drake. 'Alleen zijn ze zo klein dat de moeder er helaas zonder het te beseffen een paar heeft vertrapt.'

Er volgde een korte pauze. Amar was de eerste die sprak. 'Hebben jullie dit ook met andere organismen gedaan?'

'Natuurlijk,' antwoordde Drake.

'En... mensen?' zei Amar.

'Ja.'

'Die kleine robotgraafmachines die we in het arboretum zagen,' vervolgde Amar. 'Wilt u soms zeggen dat u geen intelligentie in die dingen programmeert?'

'Dat is niet nodig.'

'Omdat ze door mensen worden bediend.'

'Precies.'

'Mensen die een dimensionale transformatie hebben ondergaan.'

'*Holy* shit,' barstte Danny Minot uit. 'Dat is toch zeker een geintje?'

'Nee,' zei Drake.

Iemand barstte in lachen uit. Het was Rick Hutter. 'Dat is pure nep,' mopperde hij. 'Die gast verkoopt waardeloze aandelen – je moet wel gek zijn om daar in te trappen.'

Karen King geloofde er ook niks van. Ze zei: 'Wat een bullshit. Vergeet het maar. Videomanipulatie is tegenwoordig een fluitje van een cent.'

'Het is bestaande technologie,' zei Drake kalm.

Amar Singh zei: 'Dus u beweert dat u een dimensionale transformatie in een mens kan veroorzaken van maximaal tien tot de min derde.'

'Ja.'

'Dus dat zou betekenen dat iemand van, laten we zeggen, een meter tachtig... nul komma achttien millimeter groot zou worden.'

'Correct,' zei Drake. 'Net iets minder dan twee tiende millimeter.'

'Jezus,' zei Rick Hutter.

'En bij een factor tien tot de min tweede,' vervolgde Drake, 'is de betreffende persoon ongeveer twaalf millimeter lang.'

'Dat zou ik wel eens in het echt willen zien,' zei Danny Minot.

'Uiteraard,' zei Drake. 'En dat gaat ook gebeuren.'

9

**HOOFDKANTOOR NANIGEN
28 OKTOBER, 19:30**

Terwijl Drake met de studenten sprak, nam Peter Jansen Alyson Bender terzijde. 'Sommigen van ons hebben monsters en andere voorbeelden meegenomen om aan Vin te laten zien.'

'Geen probleem,' zei Alyson tegen hem.

'Ik heb zelf een cd bij me met informatie over mijn research,' zei Peter, en ze knikte. 'Het is een opname. Het heeft met mijn broer te maken,' voegde Peter eraan toe. Hij hoopte dat hij haar er nerveus mee kon krijgen. Ze knikte opnieuw en verliet de vergaderruimte. Zag hij heel even een schrikreactie in haar ogen?

Nadat ze was vertrokken, opende Peter de deur van de kabelkast om naar audioapparatuur te zoeken. Hij had iets nodig om zijn stem te versterken, en hij wilde niet dat Drake – of wie dan ook – hem zou overschreeuwen of de mond zou snoeren. Achter de deur waren laden ingebouwd. Hij opende ze een voor een en vond wat hij zocht: een *lavalier*. Deze draadloze microfoon zou zijn stem versterken en over de geluidsinstallatie laten horen. De lavalier was identiek aan het exemplaar dat Drake tijdens zijn praatje had gebruikt. Hij bestond uit een zender en een dasspeldmicrofoon die via een kabeltje met elkaar waren verbonden. Hij liet de zender in zijn broekzak glijden, gevolgd door de microfoon en het kabeltje.

Drake sloot zijn presentatie af, en het licht in de vergaderruimte ging aan. 'Ik heb begrepen dat sommigen van jullie wat materiaal wilden laten zien,' zei Drake, 'en daar zijn we erg in geïnteresseerd. Goed, als... ja, wat is er?'

Alyson Bender was teruggekomen. Ze boog zich naar Drake toe en fluisterde iets in zijn oor. Drake luisterde, keek naar Peter en wendde vervolgens zijn blik af. Hij knikte twee keer, maar zei niets. Ten slotte richtte hij zich tot Peter.

'Peter, ik begrijp dat je een opname hebt?'

'Klopt. Een cd.'

'Wat staat er op die cd, Peter?' Drake zag er allerminst verontrust uit.

'Iets waarin je vast wel geïnteresseerd bent.' Peters hart bonkte.

'Heeft het met je broer te maken?'

'Ja.'

Drake leek onverstoorbaar. 'Ik weet dat dit een moeilijke tijd voor je is,' zei hij, en hij legde een hand op Peters schouder. Op vriendelijke toon voegde hij eraan toe: 'Zou het niet beter zijn om dit privé te doen?'

Drake wilde hem isoleren van de rest zodat niemand kon horen wat er werd gezegd. Peter ging niet op het voorstel in. 'We kunnen hier praten,' antwoordde hij. In de vergaderzaal met iedereen erbij.

Drake klonk nu bezorgd. 'Ik zou je liever even onder vier ogen spreken, Peter – Eric was ook mijn vriend. Ik moet dit verlies ook zien te verwerken. Laten we even naar de kamer hiernaast gaan.'

Peter haalde zijn schouders op. Hij stond op en liep met Vin Drake en Alyson Bender naar een kleiner, aangrenzend vertrek – een soort voorbereidingsruimte. Drake sloot de deur achter zich en knipte met een soepele beweging het slot om. Vervolgens draaide hij zich naar Peter toe. Zijn blik was volledig getransformeerd en zijn gezicht was vertrokken van woede. Hij greep Peter pijnlijk bij de keel en drukte hem tegen de muur. Met zijn andere hand pakte hij Peters arm beet en boog hem zo dat Peter hem niet meer kon bewegen. 'Ik weet niet wat voor spelletje jij speelt, smeerlap–'

'Ik speel geen spelletje–'

'De politie is niet op zoek naar een telefoon op de boot–'

'O nee?'

'Nee. Ze zijn de hele dag niet op de werf geweest.'

Peters hersenen werkten op topsnelheid. 'De politie hoefde helemaal niet naar de werf te gaan,' zei hij, 'omdat ze de telefoon hebben gelokaliseerd via het *tracking*-signaal van de gps-ontvanger–'

'Leugenaar. Dat konden ze helemaal niet!' Drake liet Peters arm los en gaf hem een harde stomp in zijn maag. Peters adem stokte, en hij klapte dubbel. Tegelijkertijd greep Drake zijn arm vast, boog hem achter zijn rug en nam hem in een houdgreep waardoor hij geen kant meer op kon. 'Ik heb de gps onklaar gemaakt voordat ik de telefoon op de boot heb geïnstalleerd.'

Alyson zei nerveus: 'Vin...'

'Hou je kop.'

'Dus je hebt de gps gemold en de telefoon gebruikt om de brandstoflei-
ding van mijn broers boot te verstoppen?'

'Nee. Om de brandstofpomp te slopen, idioot... En de radio heb ik ook
vernield...'

Alyson probeerde het opnieuw: 'Vin, luister nou...'

'Alyson, bemoei je er niet mee–'

'Maar waarom in godsnaam?' zei Peter hoestend terwijl hij Drakes vingers los probeerde te trekken. 'Waar slaat dat nou op?'

'Je broer was niet goed bij zijn hoofd. Weet je wat hij wilde? Hij wilde
deze technologie gaan verkopen. Er is blijkbaar een of ander juridisch probleem over de eigendom; het is niet helemaal duidelijk wie de eigenaar is.
Volgens Eric moesten we de boel verkopen. Stel je voor – deze technologie
verkopen! Eric heeft Nanigen verraden. Hij heeft mij persoonlijk verraden.'

'Vin, in godsnaam–'

'Kop dicht–'

'Je microfoontje!' Alyson wees op de lavalier die op Drakes revers was
bevestigd. 'Het staat nog aan.'

'Ah, shit,' siste Drake. Hij deelde opnieuw een harde maagstoot uit en
liet Peter door zijn knieën op de grond zakken. Vervolgens schoof hij zijn
colbertje opzij om de zender aan zijn riem te bestuderen. Hij zette een
schakelaar om; het lampje was uit. 'Ik ben toch niet gek.'

Peter, die hoestend en kokhalzend op de grond zat, hapte naar lucht. Hij
besefte dat het microfoontje uit zijn zak was gekomen en nu aan het kabeltje bungelde. Met een beetje pech zou Drake het zien. Terwijl hij rond-
tastte in een poging het ding terug te stoppen, raakte zijn hand de zender.
Er klonk een harde bons uit de luidsprekers in de vergaderruimte.

Drake keek in de richting van het zaaltje; hij had het gehoord. Zijn blik
volgde Peters hand en vond het microfoontje. Hij deed een stap naar achteren, haalde uit en trapte Peter met zijn laars tegen de zijkant van zijn
hoofd. Peter zakte in elkaar. Drake trok het kabeltje van de lavalier uit Peters zak, rukte het microfoontje los en smeet het in een hoek. Peter rolde
kreunend over de vloer.

'En wat doen we nu?' zei Alyson tegen hem. 'Ze hebben alles gehoord–'

'Hou je kop!' Hij begon heen en weer te ijsberen. 'Godverdomme. Ze
hebben geen mobiele telefoons meer, hè?'

'Nee, die hebben ze bij de receptie–'

'Oké.'

'Wat ga je doen?' zei ze met trillende stem.

'Bemoei je er niet mee.'

Hij trok een beveiligingspaneel open en drukte op een rode alarmknop. Onmiddellijk begon een sirene luid te janken. Hij nam Peter onder zijn armen, trok hem overeind en zette hem weer op zijn benen. Peter, die veel pijn had en nog versuft was van de trap, zwaaide onvast heen en weer. 'Maak je borst maar nat, mannetje,' zei Drake. 'Tijd om je rotzooi op te ruimen.'

Drake deed de deur van het slot en beende de vergaderzaal in met een onvast lopende Peter aan zijn arm. Hij moest schreeuwen om boven het alarm uit te komen. 'Er is een veiligheidslek,' riep hij. 'Peter is gewond. De bewakingsbots zijn los, en die zijn levensgevaarlijk. Snel deze kant op, allemaal. We moeten naar de veilige ruimte.' Hij loodste hen de zaal uit zonder Peter los te laten. Alyson Bender greep Peters andere arm vast.

In de gang stuitten ze op onderzoekers die in de richting van de hoofdingang renden. 'Naar buiten!' riep een van hen. De meeste werknemers waren inmiddels naar huis.

Maar Drake haastte zich de andere kant op en voerde de studenten dieper het complex in.

'Waar gaan we in godsnaam naartoe?' riep Rick Hutter naar Drake.

'Het is te laat om naar buiten te gaan. We moeten de veilige ruimte zien te bereiken.'

De studenten waren in verwarring. Welke veilige ruimte? En wat was dat?

'Wat is de bedoeling, Vin?' riep Alyson tegen Drake.

Drake gaf geen antwoord.

Ze kwamen bij een zware deur waarop TENSORKERN stond. Drake toetste een code in op een wandpaneel. 'Vlug, naar binnen...'

De studenten haastten zich een grote ruimte binnen met hexagonale tegels op de vloer. De vloer was bijna transparant. Beneden zich konden ze machines zien, complexe machines die dieper de grond ingingen. 'Oké, even luisteren allemaal,' zei Drake. 'Ik wil dat iedereen op een hexagoon gaat staan. Elke hexagoon is een veilige plaats waar geen robots kunnen komen. Maar schiet wel een beetje op – we hebben niet veel tijd... goed zo.' Drake toetste iets in op een wandpaneel, en ze hoorden zware grendels op hun plaats schuiven. Ze waren opgesloten in de ruimte.

Erika Moll raakte in paniek. Ze slaakte een kreet en rende naar de deur.

'Niet doen!' riep Danny Minot haar na.

De deur was vergrendeld en Erika kon er niet uit.

Drake was een regelkamer binnengegaan en keek door een venster naar de studenten. Het volgende moment verdween hij. De deur van de regelkamer ging open en er werd een man – een onbekende – de grote ruimte binnen geduwd. Het was een werknemer van Nanigen. 'Schiet op en help ze!' brulde Drakes stem.

De man volgde het bevel op. Met een ontzette blik op zijn gezicht nam hij tussen de studenten plaats op een hexagoon.

De studenten schuifelden heen en weer om een optimale positie te kiezen. Erika was inmiddels teruggekomen. Peter Jansen zakte in elkaar. Rick Hutter greep hem vast en probeerde hem overeind te laten komen, maar Peter bleef op zijn knieën zitten. Karen King zag een rij rugzakken aan de muur hangen. Ze rende ernaartoe, rukte er een van de muur en gooide hem over haar schouder. Drake was inmiddels weer achter het venster verschenen en ze zagen hem in hoog tempo op allerlei knoppen drukken. Alyson stond naast hem.

'In godsnaam, Vin,' zei ze tegen hem.

'Ik heb geen andere keus,' zei Vin Drake, en hij drukte de laatste knop in.

Voor Peter Jansen, die nog duizelig was van het pak slaag dat hij had gekregen, gebeurde alles heel snel. De hexagonale vloer zonk onder hem weg en hij daalde een kleine drie meter af tussen de kaken van een of ander reusachtig elektronisch apparaat dat zich overal rondom hem leek te bevinden en bijna zijn huid raakte. De kaken waren in werkelijkheid bekabelde armaturen die op gezette afstanden met rode en witte strepen waren beschilderd. De lucht rook sterk naar ozon en er klonk een luid elektronisch zoemen. De haren op zijn armen gingen recht overeind staan. Een synthetische stem zei: 'Niet bewegen, alstublieft. Diep ademhalen... en vasthouden!' Er volgde een luid *kleng!* – macaber en mechanisch. En vervolgens keerde het elektronische zoemen terug. Een korte golf van misselijkheid. Hij had het gevoel dat hij zich op een of andere manier op een andere plaats in het apparaat bevond.

'U kunt nu normaal ademhalen. Een moment, alstublieft.'

Hij haalde adem en blies langzaam de lucht uit zijn longen.

'Niet bewegen, alstublieft. Diep ademhalen... en vasthouden!'

Kleng! Opnieuw het zoemen. Een golf van misselijkheid, erger dan de eerste keer.

Hij knipperde met zijn ogen.

Ditmaal wist hij zeker dat er dingen waren veranderd. Eerst had hij naar de strepen gekeken die zich halverwege de armaturen bevonden. Maar nu keek hij naar strepen die een stuk lager zaten. Hij was gekrompen. De armaturen zoemden en kwamen dichterbij. Logisch, zo dacht hij, het magnetisch veld was het sterkst van dichtbij. Hoe korter de afstand, hoe beter. De synthetische stem: 'Diep ademhalen... en vasthouden!'

Toen hij weer omhoogkeek, zag hij dat hij echt veel kleiner was. De bovenkant van de armaturen, die zich drie meter boven hem bevonden, leken nu even ver weg als het plafond van een kathedraal. Hoe klein was hij ondertussen?

'Niet bewegen, alstublieft. Diep ademhalen... en–'

'Ja, ja. Ik weet het...' Peters stem beefde.

'Niet praten. U riskeert ernstige verwondingen. En nu: diep ademhalen en vasthouden!'

Een laatste *kleng*, een knarsend geluid en een laatste vlaag van duizelingwekkende misselijkheid – maar nu bewogen de armaturen weg van hem, en hij voelde hoe de vloer beneden hem begon te trillen terwijl hij zich in opwaartse richting bewoog. Hij zag dat hij werd verlicht door een schijnsel van boven en voelde een koel briesje.

En toen bevond hij zich op gelijke hoogte met de rest van de vloer. Het trillen stopte. Hij stond op een egale zwarte vlakte die zich in alle richtingen uitstrekte. In de verte zag hij Erika en Jenny, die allebei als versuft om zich heen keken. Nog verder weg waren Amar, Rick en Karen. Maar op welke afstand bevonden ze zich in werkelijkheid? Peter wist het niet, want hij was zelf niet veel langer dan een centimeter. Stofjes en plukjes dood celmateriaal rolden over de vloer en kwamen als *tumbleweeds* tot stilstand tegen zijn knieën.

Hij keek verbijsterd omlaag. Hij voelde zich traag, onnozel en dom. Langzaam begon het tot hem door te dringen wat er was gebeurd. Hij keek naar Erika en Jenny. Ze zagen er even ontzet uit als hij zich voelde. Een centimeter lang!

Hij hoorde een knarsend geluid en draaide zich om; even verderop zag hij de punt van een reusachtige laars waarvan de zool even hoog was als hij. Peter keek op en zag Vin Drake die op een knie zat en ver boven hem uittorende. Zijn gezicht was enorm en de lucht die hij uitademde een harde, ongezonde windvlaag. En toen hoorde Peter een diep gerommel dat als een onweer door de ruimte galmde.

Het was het geluid van Vin Drake die lachte.

Hij had moeite met horen door de galmende klanken die de twee reuzen voortbrachten. Het geluid deed pijn aan zijn oren. Hun bewegingen en hun spraak leken traag, bijna alsof ze in slow motion werden afgespeeld.

Alyson Bender ging naast Drake op haar hurken zitten, en samen tuurden ze naar Peter. Alyson zei: 'Waar – ben – je – mee – bezig – Vin?' De woorden rolden over elkaar heen en leken zich op te lossen in een brij van geluid waaruit alleen nog met moeite een betekenis kon worden gedistilleerd.

Vin Drake lachte opnieuw. Hij vond de situatie blijkbaar vermakelijk. Maar zijn lach stuwde kwalijke riekende ademstoten in Peters richting, en hij kromp ineen toen de lucht van knoflook, rode wijn en sigaren hem bereikte.

Drake keek op zijn horloge. 'Het – is – al – laat,' zei hij, en hij glimlachte. 'Pau – bana, – zoals – ze – dat – hier – in – Hawaï – zeggen. – Het – werk – zit – erop.'

Alyson Bender staarde hem aan.

Drake hield zijn hoofd schuin, eerst naar links en vervolgens naar rechts, alsof er iets in zijn oren zat. Het leek een gewoonte van hem. De studenten hoorden zijn donderende stem zeggen: 'Na – werk – komt – ontspanning.'

10

NANIGEN PROEFDIERCOMPLEX
28 OKTOBER, 21:00

Vin Drake haalde een doorzichtig plastic zakje tevoorschijn. Verrassend behoedzaam pakte hij Peter Jansen op en liet hem in het zakje vallen. Peter gleed omlaag langs het plastic oppervlak en kwam onderin tot stilstand. Hij krabbelde overeind en keek toe terwijl Vin door het vertrek liep en achtereenvolgens alle doctoraalstudenten in hun kraag pakte en in het zakje deponeerde. Als laatste was de regelkamertechnicus van Nanigen aan de beurt. Ze hoorden de man roepen: 'Meneer Drake! Waar slaat dit op?'

Drake leek de man niet te horen en leek ook niet geïnteresseerd.

Hoewel iedereen over elkaar heen buitelde in het zakje, raakte niemand gewond. Blijkbaar hadden ze te weinig massa om schade te veroorzaken. 'We wegen bijna niks,' merkte Amar op. 'Veel meer dan een gram zal het niet zijn. Zo licht als een veertje.' Amars stem klonk beheerst en onaangedaan. Maar Peter dacht een trilling van angst te horen.

'Ik weet niet hoe het met jullie is, maar ik knijp 'm behoorlijk,' flapte Rick Hutter eruit.

'Dat geldt voor ons allemaal,' bekende Karen King.

'Volgens mij verkeren we in een shock,' zei Jenny Linn. 'Moet je die gezichten eens zien. Grauw van angst.' Verbleekte huid rond de mond was een klassiek teken van angst.

De man van Nanigen bleef maar zeggen: 'Dit moet een vergissing zijn.' Hij kon niet geloven wat Drake had gedaan.

'Wie ben jij eigenlijk?' vroeg iemand aan hem.

'Jarel Kinsky. Ik ben technicus. Ik bedien de tensorgenerator. Als ik gewoon even met meneer Drake zou kunnen praten–'

'Je hebt te veel gezien,' zei Rick Hutter op scherpe toon. 'Wat Drake met ons doet, gaat hij ook met jou doen.'

'Laten we even inventariseren,' snauwde Karen King. 'Vlug – wat voor wapens hebben we?'

Maar verder kwamen ze niet. Het zakje schudde heen en weer en het groepje kwam in een hoek terecht.

'O-o,' zei Amar terwijl hij worstelde om overeind te komen. 'Wat gaat er nu gebeuren?'

Alyson Bender bracht haar gezicht vlak voor het zakje en keek behoedzaam naar de studenten die erin gevangen zaten. Ze maakte zich blijkbaar zorgen om hen. Haar wimpers raakten het plastic. De poriën in de huid van haar neus waren schrikbarend grote roze pokken.

'Vin – ik – wil – niet – dat – hun – iets – overkomt.'

Er verscheen een glimlach op het gezicht van Vin Drake. Tergend traag zei hij: 'Ik – zou – er – niet – aan – moeten – denken.'

'Jullie beseffen toch wel,' zei Karen King, 'dat die man een psychopaat is? Hij is tot alles in staat.'

'Vertel mij wat,' zei Peter.

'Maar ik snap er niks van,' zei Jarel Kinsky. 'Hier moet toch een reden voor zijn?'

Karen negeerde hem en zei tegen Peter: 'Laten we ons geen illusies maken over wat Drake van plan is. We hebben zijn bekentenis gehoord – hij heeft je broer vermoord. En nu zijn wij aan de beurt.'

'Denk je?' zei Danny Minot op klaaglijke toon. 'We moeten niet meteen–'

'Ja, Danny, dat denk ik. Misschien ben jij wel de eerste.'

'Ik kan me alleen niet voorstellen–'

'Vraag maar aan Peters broer of hij–'

Vin liep de gang in met het plastic zakje in zijn hand en ruziede met Alyson Bender. Maar het was onmogelijk om hun woorden te verstaan; het klonk als de rollende donder.

Ze liepen langs een aantal labs, en vervolgens ging Drake er een binnen. Zelfs in het plastic zakje merkten ze onmiddellijk het verschil.

Er hing een scherpe, bijtende geur.

Houtsnippers en uitwerpselen.

Dieren.

'Een dierenlab,' zei Amar. En hoewel het plastic het uitzicht vervormde, konden ze ratten, hamsters, hagedissen en andere reptielen ontwaren.

Vin Drake legde het zakje op de afdekplaat van een glazen bak. Hij begon te praten. Het klonk alsof hij het tegen hen had, maar ze konden niet verstaan wat hij zei. Ze keken elkaar aan. 'Wat zegt hij?' 'Ik snap er niks van.' 'Die vent is niet goed wijs.' 'Ik versta het niet.'

Jenny Linn had het groepje de rug toegekeerd en concentreerde zich volledig op Drake. Even later draaide ze zich naar Peter om en zei: 'Jij bent de eerste.'

'Wat bedoel je?'

'Hij gaat jou eerst vermoorden. Wacht even.'

'Hè...?'

Ze ritste het etui aan haar riem open en onthulde zeker tien smalle glazen buisjes die waren afgesloten met een rubberen stop. 'Mijn vluchtige stoffen.' Het was onmogelijk om de emotie in haar stem te negeren; deze buisjes symboliseerden het werk van jaren. Ze haalde er een uit het etui. 'Ik vrees dat dit alles is wat ik kan doen.'

Peter schudde niet-begrijpend zijn hoofd. Ze opende het buisje en schonk de inhoud in een snelle beweging over zijn hoofd en zijn lichaam. Hij rook een scherpe geur, maar dat was alles. 'Wat is dat?' vroeg hij.

Voordat ze antwoord kon geven, stak Drake zijn hand in het zakje. Hij greep Peter bij een been en haalde hem er ondersteboven uit. Peter schreeuwde en zwaaide met zijn armen.

'Dat is *hexenol*,' riep ze. 'Van wespen. Veel succes.'

'Zo – zo – jongeman,' zei Drake met donderende stem. 'Je – hebt – me – flink – in – de – problemen – gebracht.' Hij hield Peter vlak voor zijn gezicht en kneep zijn ogen half dicht. 'Bang? Ik – durf – te – wedden – van – wel.'

Drake draaide zich om op zijn hakken. De snelle beweging maakte Peter duizelig. Het volgende moment schoof hij de glazen afdekplaat van een van de bakken een stukje open en liet Peter door de opening vallen. Hij schoof de afdekplaat weer terug en liet het plastic zakje met de mensen erop liggen.

Peter landde in zaagsel.

Alyson Bender zei: 'Hoor eens, Vin, dit was niet de afspraak. Ik ben het er niet mee eens–'

'De situatie is compleet veranderd–'

'Maar dit is gewetenloos.'

'Je mag me straks vertellen hoe het met je geweten zit,' zei Drake smalend.

Ze was ermee akkoord gegaan om Eric uit de weg te ruimen nadat Eric had gedreigd Nanigen kapot te maken. Ze had van Vin gehouden – en misschien hield ze nog steeds van hem. Vin was erg goed voor haar geweest. Hij had ervoor gezorgd dat haar carrière in een stroomversnelling was geraakt en haar grote sommen geld betaald terwijl Eric ontzettend rot tegen Vin had gedaan... Eric had Vin verraden. Maar dit waren gewoon studenten... De zaak begon uit de hand te lopen. Ze wist niet wat ze moest doen. Er was in korte tijd zoveel gebeurd. Ze moest Drake zien tegen te houden, maar hoe?

'Er is niks wreeds aan een roofdier,' zei Drake, die voor het terrarium stond. 'Het is juist een ontzettend humane oplossing. Dat zwart met wit gestreepte dier aan de andere kant van het glas is een Maleisische *krait*. Zijn beet betekent voor een schepsel van Peters formaat vrijwel onmiddellijk de dood. Hij voelt er nauwelijks iets van. Moeite met praten en slikken, verlamming van de ogen en daarna de rest van het lichaam – en dat allemaal binnen een paar seconden. Misschien leeft hij nog wanneer de slang hem naar binnen werkt, maar het lijkt me sterk dat hij zich daar dan nog druk over maakt...'

Drake nam het zakje tussen duim en wijsvinger en liet het heen en weer schommelen. De micromensen werden door elkaar geschud. Ze schreeuwden en vloekten van angst en ontzetting en buitelden over elkaar heen. Drake bestudeerde ze. 'Ze zijn behoorlijk actief,' zei hij tegen Alyson. 'Ik neem aan dat de krait er wel interesse in heeft. En anders hebben we de cobra en de koraalslang nog.'

Ze wendde haar blik af.

'We hebben geen keus, Alyson,' zei hij. 'De lichamen moeten verdwijnen. Er mag geen... bewijsmateriaal achterblijven.'

'Maar dat is niet alles,' zei ze. 'Wat moeten we met de auto, de hotelkamers, de vliegtickets–'

'Daar heb ik een plannetje voor.'

'Echt?'

'Vertrouw maar op mij.' Hij keek haar recht in de ogen. 'Zeg, Alyson,' zei hij na een korte pauze, 'je wilt toch niet zeggen dat je me niet vertrouwt?'

'Nee, natuurlijk niet,' zei ze haastig.

'Dat hoop ik dan maar, want zonder vertrouwen zijn we nergens. We zitten in hetzelfde schuitje, Alyson.'

'Ik weet het.'

'Goed zo.' Hij klopte haar op de hand. 'Ah, ik zie dat Peter het stof van zijn kleren heeft geslagen, en daar komt de krait al, op zoek naar een lekker hapje.' Kronkelende zwarte en witte strepen, deels verscholen in het zaagsel. Een zwarte tong die naar buiten schoot en weer naar binnen. 'Let goed op,' zei Drake tegen haar. 'Het gaat heel snel.' Maar Alyson had zich omgedraaid. Ze kon het niet aanzien.

Peter stond op en sloeg het stof van zijn kleren. Hij was niet gewond geraakt door de val, maar hij voelde nog steeds de pijn van Drakes trappen en vuistslagen, en op zijn shirt, dat aan zijn borst kleefde, zat geronnen bloed. Hij bevond zich in een glazen bak en stond tot aan zijn middel in het zaagsel. In de bak stond een korte tak waaraan wat bladeren zaten. Verder was er niets te zien.

Afgezien van de slang.

Vanaf de plek waar hij stond, zag hij een paar donkergrijze en witte banden. Waarschijnlijk een Maleisische krait – *Bungarus candidus*. Uit Maleisië of Vietnam. Kraits voedden zich hoofdzakelijk met andere slangen, maar hij kon er niet van uitgaan dat dit exemplaar kieskeurig was. Hij zag hoe de zwarte en witte ringen zich verplaatsten, en af en toe klonk een zacht sissen. De slang bewoog zich in zijn richting.

Peter kon de kop niet zien, en de rest van het lichaam bleef ook grotendeels verscholen. Hij was te klein om een indruk te krijgen van de situatie in de bak. Daarvoor zou hij op de tak moeten klimmen, wat hem geen goed idee leek. Het enige wat hij kon doen, was wachten totdat hij de slang tegenover zich had. Volkomen hulpeloos en zonder enige verdediging. Hij klopte op zijn zakken, maar die waren leeg. Zijn lichaam begon onbedwingbaar te trillen: was het de shock als gevolg van de aframmeling? Of was het angst? Waarschijnlijk allebei. Hij schuifelde achteruit in de richting van de hoek zodat hij aan weerszijden glas had. Misschien zou zijn lichaam een weerspiegeling veroorzaken waardoor de slang in de war raakte. Of misschien...

Toen zag hij de kop. Hij kwam tevoorschijn uit het zaagsel, en de tong flitste voortdurend naar buiten en weer naar binnen. De tong kwam zo dichtbij dat hij Peters lichaam bijna raakte. Hij sloot zijn ogen, niet in staat om te blijven kijken. Hij beefde zo erg dat hij bang was om van angst in elkaar te zakken.

Peter zoog een teug lucht naar binnen, hield zijn adem in en probeerde het beven te laten stoppen. Hij waagde het om een oog te openen.

De slang bevond zich op een paar centimeter van zijn borst terwijl de zwarte tong onafgebroken zijn bek in en uit flitste. Maar er klopte iets niet. De krait leek in de war of niet zeker van zijn zaak. En plotseling bracht het dier tot zijn stomme verbazing de kop omhoog om zich langzaam terug te trekken, weg van Peter.

De slang verdween in het zaagsel.

En kwam niet meer terug.

Peter zakte in elkaar op de grond, bevend van angst en uitputting, niet in staat zijn lichaam in bedwang te houden. Eén gedachte bleef door zijn hoofd spoken: wat is hier in godsnaam gebeurd?

'Godverdomme,' zei Vin Drake terwijl hij door het glas van het terrarium keek. 'Wat krijgen we nou? Waar slaat dat op?'

'Misschien had hij geen honger.'

'Dat beest heeft echt wel honger. Godsammelazarus! Ik heb geen zin in die flauwekul. Ik heb wel wat beters te doen.'

De intercom klikte. 'Meneer Drake, u hebt bezoek. Meneer Drake, bezoek bij de receptie.'

'Jezus, wat nu weer,' zei Drake, en hij gooide zijn handen in de lucht. 'Ik verwacht niemand vandaag.' Hij toetste het nummer van de receptie in. 'Wat is er, Mirasol?'

'Het spijt me, meneer Drake, maar ik stond na het alarm op het parkeerterrein, en toen kwam er iemand van de Honoluluaanse politie. Ik heb hem maar vast binnengelaten.'

'O. Oké.' Hij verbrak de verbinding. 'Geweldig. De politie.'

Alyson zei: 'Ik ga wel even kijken wat ze willen.'

'Niks daarvan,' zei hij. 'Ik praat met de politie. Jij gaat naar je kantoor en houd je gedeisd totdat hij weg is.'

'Best, als je dat–'

'Ja, dat wil ik.'

'Oké.'

Jenny Linn zag Vin Drake en Alyson Bender het proefdierlab verlaten. Ze zag ook dat Drake zo voorzichtig was om de deur te vergrendelen. Het plastic zakje lag boven op de slangenbak. Hoewel het zakje van boven gedraaid was, was het open. Jenny worstelde zich omhoog, duwde tegen het plastic en slaagde erin het zakje open te krijgen. 'Schiet op,' zei ze. 'Dan zijn we in elk geval vrij.' De anderen volgden Jenny en klommen uit het zakje. Even later stond het groepje op de doorzichtige glasplaat die het terrarium afsloot.

Jenny keek naar beneden in de bak. Peter, die zichtbaar aangeslagen was, was bezig overeind te krabbelen. Ze riep: 'Kun je me verstaan?'

Hij schudde zijn hoofd: Niet echt.

Rick Hutter zei: 'Waarom heeft die slang niet aangevallen?'

Jenny ging op haar knieën zitten, bracht haar handen als een toeter voor haar mond en riep: 'Peter, hoor je me nu?'

Hij schudde zijn hoofd.

'Probeer het eens met botgeleiding,' opperde Amar.

Jenny ging plat op de plaat liggen en drukte haar hoofd tegen het glas. Ze zei op luide toon: 'Peter? Kun je me nu horen?'

'Ja,' zei hij. 'Wat is er gebeurd?'

'Ik heb je overgoten met vluchtige stoffen van een wesp,' zei ze. 'Grotendeels hexenol. Het leek me dat er weinig dingen zijn waar een giftige slang een hekel aan heeft, maar een wespensteek is er waarschijnlijk wel een van.'

'Heel slim,' zei Amar. 'Slangen maken trouwens sowieso meer gebruik van hun reuk dan van hun gezichtsvermogen. En een krait heeft 's nachts–'

'Oké. Het heeft in elk geval gewerkt. Dat beest dacht dat ik een wesp was.'

'Ja. Maar dit spul is heel erg vluchtig, Peter.'

'Het verdampt dus snel.'

'Daar is het nu mee bezig.'

'Geweldig. Ik ben geen wesp meer.'

'Niet lang meer, in elk geval.'

'Hoe lang nog ongeveer?' vroeg hij.

'Geen idee. Een paar minuten.'

'En wat doen we nu?'

Karen King zei: 'Hoe staat het met je reflexen?'

'Slecht.' Peter stak een hand uit. Hij beefde.

'Wat heb je in gedachten?' vroeg Amar.

'Heb je toevallig wat van dat spinnenzijde bij je waar we aan hebben gewerkt?' Amar en Karen hadden gedurende ongeveer een halfjaar verschillende soorten synthetische spinnenzijde vervaardigd met uiteenlopende eigenschappen – sommige waren kleverig, andere sterk en weer andere waren even flexibel als een bungeekoord. Er waren er zelfs waarvan het ene uiteinde glad was en het andere kleverig doordat aan één kant een chemische stof was toegevoegd.

'Ik heb hier wel wat, ja,' zei Amar.

'Oké. Zie je die plastic slang achter het terrarium die aan één kant dicht is?'

'Zo te zien is hij op een waterdispenser aangesloten.'

'Precies. Dat bedoel ik. Kun je die slang omhoogtrekken met kleefdraad?'

'Ik weet het niet,' zei Amar onzeker. 'Dat ding weegt waarschijnlijk een gram of zestig. We zullen allemaal moeten helpen om–'

'Geen probleem. We moeten sowieso allemaal helpen. Om de bak open te krijgen.'

'De bak open te krijgen...' De bovenkant van het kraitterrarium bestond uit twee glazen platen waarvan de bovenste over de onderste gleed. 'Ik weet het niet, Karen. Dat betekent dat we de glasplaat opzij moeten schuiven.'

'Hooguit een centimeter of twee. Net genoeg om–'

'Om de slang erdoor omlaag te laten.'

'Precies.'

'Peter, kun je dit volgen?' zei Amar.

'Ja. Maar ik kan me niet voorstellen dat het lukt.'

'Ik zie geen alternatief,' zei Karen. 'We hebben maar één kans, en die mag je niet verprutsen.'

Amar had een plastic doosje geopend dat hij uit zijn zak had gehaald en was al bezig een kleverige zijden draad af te rollen. Hij liet de draad over de rand zakken en slaagde erin de slang eraan te bevestigen. De slang was verrassend licht. Amar en Rick wisten hem met gemak naar boven te krijgen.

Ze probeerden de glazen plaat opzij te schuiven, maar dat bleek een veel grotere uitdaging. 'We moeten beter coördineren,' zei Karen. 'Ik tel tot drie. Eén... twee... drie!' Het glas bewoog. Niet meer dan een paar millimeter, maar het bewoog. 'Oké, nog een keer! We hebben niet veel tijd meer!'

De krait begon actiever te worden. Of het nu kwam door de minimensjes die hij over de afdekplaat zag lopen, of dat het effect van de hexenol begon te verdwijnen, het dier begon weer in Peters richting te bewegen voor een nieuwe confrontatie.

'Hier met dat ding,' zei Peter met onvaste stem.

'Komt eraan,' zei Amar.

De draad schraapte over de glazen rand, wat een vreemd piepend geluid maakte.

'Kan dat geen kwaad?' zei Karen. 'Houdt hij het?'

'Die draad is heel sterk,' zei Amar.

'Lager, nog een beetje lager,' zei Peter. 'Oké... Houd hem op zijn plaats.' De plastic slang bevond zich op borsthoogte. Peter stond erachter en hield hem met zijn handen op zijn plaats. Maar zijn handen waren glibberig van het zweet en zijn grip was onzeker.

De krait bewoog en gleed sissend tussen de bladeren en het zaagsel door.

'Wat doe ik als hij van opzij aanvalt?' zei Peter.

'Je positie aanpassen,' zei Karen. 'Zo te zien–'

'Ja, hij is–'

'Verdomme, daar komt hij–'

'O, shit,' zei Peter.

De krait viel aan met een bijna onmogelijke snelheid. Zonder na te denken zwaaide Peter de plastic slang in de richting van het dier. De kop sloeg tegen zijn borst – de zijden draad knapte, en Peter viel achterover met de woest kronkelende krait boven op zich. Het dier probeerde Peter tegen de grond te drukken, maar zijn kop zat vast in de plastic slang, en de krait zou zich niet eenvoudig kunnen bevrijden.

'Hoe heb je dat voor elkaar gekregen?' zei Karen vol bewondering. 'Dat beest was bliksemsnel.'

'Geen idee,' zei Peter. 'Ik... ik reageerde gewoon.' Het was allemaal een stuk sneller gegaan dan hij had voorzien. Peter duwde de krait van zich af. De stank van het dier maakte hem misselijk van zo dichtbij. Even later was hij vrij, en hij slaagde erin overeind te krabbelen.

De krait keek hem aan met een dreigende blik. Het dier schudde woest met zijn kop en sloeg het plastic tegen het glas, maar tevergeefs. Zijn furieuze gesis werd versterkt en galmde in de slang.

'Mooi gedaan,' zei Rick. 'Maar nu moeten we je nog uit dat terrarium zien te krijgen.'

Vin Drake knarsetandde. Mirasol, de receptioniste, was oogverblindend, maar oliedom. De gespierde man in het blauwe uniform die voor hem stond, was geen politieagent maar een vaandrig van de kustwacht. Hij wilde weten op wiens naam Erics Boston Whaler geregistreerd stond omdat de werf de boot wilde verplaatsen, en daarvoor hadden ze toestemming nodig van de eigenaar.

'Ik dacht dat de politie nog steeds bezig was met het onderzoek,' zei Vin geërgerd. Als hij toch met deze nitwit moest praten, kon hij evengoed proberen wat informatie van hem los te peuteren.

'Daar weet ik niks van,' zei de vaandrig. Niet de politie was bij hem langs geweest, zo legde hij uit, maar de eigenaar van de scheepswerf.

'Ik hoorde dat ze op zoek waren naar een telefoon.'

'Niet dat ik weet. Volgens mij heeft de politie het onderzoek afgerond.' Drake sloot zijn ogen en slaakte een diepe zucht. 'Jezus.'

'Dat wil zeggen,' vervolgde de vaandrig, 'zodra ze zijn kantoor hebben doorzocht.'

Drake sperde zijn ogen open. 'Kantoor? Van wie?'

'Van Jansen. Zijn kantoor hier, in dit gebouw. Hij was toch adjunct-directeur van het bedrijf? Ik heb begrepen dat ze vandaag Jansens appartement hebben doorzocht en dat ze–' de vaandrig keek op zijn horloge – 'elk moment hier kunnen zijn. Het verbaast me trouwens dat ze er nog niet zijn.'

'Godsamme,' zei Vin Drake.

Hij richtte zich tot Mirasol. 'De politie komt zo,' zei hij, 'en iemand moet die mensen rondleiden.'

'Zal ik mevrouw Bender even bellen?'

'Nee,' zei Vin. 'Mevrouw Bender is – die is samen met mij aan het werk. Er moet wat laboratoriumspul de deur uit, en dat kan niet wachten.'

'Wie zal ik dan vragen?'

'Regel Don Makele maar, het hoofd van de beveiliging,' zei hij. 'Laat hem de agenten maar rondleiden. Ze willen het kantoor van meneer Jansen zien.'

'En alle andere plaatsen waar hij heeft gewerkt,' zei de vaandrig, die zijn ogen niet van de receptioniste af kon houden.

'En alle andere plaatsen waar hij heeft gewerkt,' herhaalde Drake. Buiten voor de ingang stopten auto's. Hij onderdrukte de neiging om ervandoor te gaan en schudde de vaandrig ontspannen de hand. 'U mag best even met de agenten meelopen,' zei hij. 'O, en Mirasol, bied ze even een kop koffie of iets dergelijks aan.'

'Ja, meneer Drake.'

'Ik denk dat ik hier blijf,' zei de vaandrig.

'Dan zult u me even moeten verontschuldigen,' zei Drake. Hij draaide zich om en liep de gang in. Zodra hij uit het zicht was verdwenen, begon hij te rennen.

Alyson Bender zat in haar kantoor en beet op haar lip. De monitor op haar bureau toonde de receptieruimte. Ze zag Drake met de jonge man in uniform praten. Mirasol, die met de knul stond te flirten, speelde met de bloem in haar haar.

Drake was zoals gewoonlijk ongeduldig en gehaast en maakte agressieve bewegingen. Bijna vijandig, eigenlijk. Hij stond natuurlijk onder druk, maar aan zijn bewegingen – puur de lichaamstaal – was duidelijk te zien hoe woest hij was. Hij had een ongezonde hoeveelheid woede in zich.

En hij stond op het punt om al die studenten te vermoorden.

Het was duidelijk wat hij van plan was. Peter Jansen had hem in de val gelokt, en Vin kon de dans maar op één manier ontspringen: door geen getuigen achter te laten. Zeven jonge mensen, slimme studenten met hun leven nog voor zich – het leek hem niet te interesseren. Het maakte hem gewoon niks uit.

Ze zaten hem alleen maar in de weg.

Het maakte haar bang. Haar handen beefden, zelfs toen ze ze plat op het bureaublad legde. Ze was bang voor hem en maakte zich grote zorgen over de situatie waarin ze terecht was gekomen. Ze kon hem daar natuurlijk niet rechtstreeks mee confronteren; dan zou hij haar ook uit de weg ruimen.

Maar ze moest ervoor zorgen dat hij de studenten in leven liet. Hoe dan ook. Ze wist wat ze had gedaan. Ze besefte maar al te goed dat ze betrokken was bij de dood van Eric Jansen. Ze had die nummers gebeld om het telefoontje te activeren. Maar om verantwoordelijkheid te dragen voor de moord op nog eens zeven mensen – nee, acht, met de man van Nanigen erbij die de pech had gehad in de regelkamer aanwezig te zijn toen Drake binnenkwam – ze wist niet of ze daartoe in staat was. Dat zou meervoudige moord zijn. Aan de andere kant, ze kon er misschien niet onderuit... als ze dit wilde overleven.

Ze zag op de monitor hoe Drake de receptioniste instructies gaf. De vaandrig grijnsde. Drake stond op het punt om weer te vertrekken.

Alyson stond op en haastte zich haar kantoor uit. Ze had niet veel tijd. Hij kon elk moment in het lab terug zijn om zich van de studenten te ontdoen.

De studenten, die zich inmiddels uit het plastic zakje hadden bevrijd, stonden op de glazen afdekplaat van het kraitterrarium en keken omlaag naar Peter Jansen. Op dat moment stormde Alyson Bender het vertrek binnen. Ze boog zich naar voren en haar gezicht zweefde boven hen. 'Ik – doe – jullie – niks,' zei ze. Haar opengesperde ogen stonden angstig. Ze stak haar hand uit met de palm naar boven, pakte voorzichtig Jenny Linn op en zette haar op haar hand. Ze gebaarde naar de anderen. 'Vlug. Ik – weet – niet – waar – hij – is.'

'Mevrouw Bender! Mag ik even met meneer Drake praten!' riep Jarel Kinsky naar haar, wuivend met zijn armen.

Ze leek het niet te horen of te begrijpen.

De anderen, die geen andere optie zagen, klommen op Alysons hand. Ze gingen de lucht in, en het vertrek begon te draaien terwijl een harde wind hen van de sokken blies. Alyson haastte zich naar een bureau en zette hen neer. Vervolgens liep ze naar de slangenbak, haalde Peter eruit en zette hem op het bureau bij de rest. Ze keek naar de studenten, niet wetend wat ze met hen moest doen. Haar adem klonk hard en onregelmatig.

Karen King zei: 'We moeten proberen met haar te praten.'

'Ik vraag me af of dat zin heeft,' zei Peter.

Alyson draaide zich om, en ze zagen haar door het vertrek lopen. Ze opende een kast, keek erin, haalde een bruin papieren zakje tevoorschijn en haastte zich terug naar het bureau. 'Verberg – je – hierin,' zei ze traag. 'Dan – kunnen – jullie – in – elk – geval – ademhalen.' Ze legde het zakje op het bureau met de opening naar hen toe en gebaarde dat ze naar binnen moesten. De studenten kropen in de zak. De rij werd gesloten door de man van Nanigen, die niet kon bevatten dat hij werkelijk in deze krankzinnige situatie verzeild was geraakt. Hij bleef maar roepen: 'Mevrouw Bender! Mevrouw Bender, alstublieft!'

Alyson vouwde de bovenkant van het zakje dicht en haastte zich het vertrek uit. Ze nam het mee naar haar kantoor en plaatste het voorzichtig in haar tasje, dat op de grond naast haar bureau stond. Ze sloot het tasje, duwde het met haar voet onder het bureau en rende vervolgens terug naar het dierenlab. Ze was net binnen toen Vin Drake arriveerde.

'Wat doe jij verdomme hier?' zei hij.

'Ik was naar jou op zoek.'

'Ik heb gezegd dat je in je kantoor moest blijven.' Drake liep naar de slangenbak en zag het lege plastic zakje. 'Ze zijn ontsnapt,' zei hij. Hij draaide zich om en vloekte, draaide zich nog een keer om en haalde uit naar een rek dat vol stond met chemicaliën. Met één beweging van zijn arm maaide hij alles uit het schap. Gebroken glas en vloeistoffen zeilden over de vloer. 'Waar zijn ze?'

'Vin, alsjeblieft, ik weet niet–'

'Maak dat de kat maar wijs,' grauwde hij, en hij keek in het terrarium, waar hij de krait zag met een plastic slang over zijn kop. Peter was nergens te zien. 'Wat zullen we? Nou ja, die Peter Jansen is er in elk geval geweest. De slang heeft hem te pakken gekregen.' Hij wierp Alyson een woeste blik toe. 'We gaan de rest zoeken. En ik zweer je, Alyson, als je me belazerd hebt, is dat het laatste wat je in je leven hebt gedaan.'

Ze kromp ineen. 'Ik begrijp het.'

'Dat is je geraden.' Op dat moment zag hij door de ramen van het lab Don Makele naderen. Hij had twee politieagenten bij zich. Ze waren allebei jong en niet in uniform, wat betekende dat het rechercheurs waren. Shit.

Drake rechtte zijn rug en trok abrupt zijn gezicht in de plooi. De metamorfose vond zo snel plaats dat het bijna griezelig was. Hij liep naar de deur en stapte met een warme glimlach de gang in. 'Hallo, Don,' zei Drake. 'Stel me eens aan onze gasten voor. We krijgen niet vaak bezoek bij Nanigen. Politie? Ik ben Vin Drake, directeur van dit bedrijf. Waarmee kan ik u van dienst zijn?'

De papieren zak zat verkreukeld in Alysons tasje, en het was er aardedonker. De studenten en de man van Nanigen zaten dicht opeengepakt bij elkaar.

'Ik heb geen idee of ze van plan is om ons te helpen,' zei Karen King.

'Ze is duidelijk doodsbang voor Drake,' zei Peter.

'Wie zou dat niet zijn?' zei Amar.

Rick Hutter zuchtte. 'Ik zei toch dat die Drake een smerig mannetje was, maar niemand wilde naar me luisteren.'

'Hou in godsnaam je kop, man!' schreeuwde Karen tegen hem.

'Hé, relax,' zei Amar met een rustige stem. 'Bewaar dat maar voor later.'

'Sorry,' zei Karen. En ze voegde eraan toe: 'Maar dit is niet zomaar een smerig mannetje. Drake is een psychopaat.' Ze voelde aan haar mes. Het was zinloos als verdediging. Waarschijnlijk zou Drake er nog geen schrammetje van krijgen.

Er klonk een donderend geluid, en alles begon te schudden. Plotseling lichtte de zak even op. Iemand had het tasje geopend. Er volgde opnieuw een zware dreun, waarna het weer donker werd. Ze bleven muisstil zitten en vroegen zich angstig af wat er hierna zou gebeuren.

De studenten, zo besefte Alyson Bender, moesten zo snel mogelijk naar de generator en tot hun oorspronkelijke grootte terug worden gebracht. Ze wist alleen niet hoe ze het apparaat moest bedienen. Het was al avond, en vrijwel al het personeel was naar huis. Er was bijna niemand meer.

Ze vond Drake in het dierenlab. Het gesprek met de politieagenten was achter de rug, en hij zocht nu in elk hoekje, in elke kast en in elke kooi naar de verdwenen studenten.

Hij keek haar strak aan, en zijn ogen stonden hard. 'Heb jij ze laten ontsnappen?'

'Nee, Vin. Ik zweer het.'

'Dit lab wordt morgen van onder tot boven schoongemaakt. Ik laat de dieren inslapen, het hele vertrek steriliseren met gas en alles schrobben met bleekmiddel.'

'Dat... dat is goed, Vin.'

'We hebben geen keus.' Hij raakte haar arm even aan. 'Ga jij maar naar huis om wat tot rust te komen. Ik ben hier voorlopig nog wel even.'

Ze schonk hem een dankbare blik, haastte zich naar haar kantoor om haar tasje te halen en begaf zich naar de uitgang. Mirasol was al naar huis. De receptieruimte was leeg. Een volle maan dreef tussen de sterren en leek de hemel te poetsen. Het was een prachtige avond, maar haar hoofd stond er niet naar. Ze stapte in de BMW – haar auto van de zaak – legde haar tasje op de passagiersstoel en reed weg.

Vin Drake liep door de verlaten lobby en bleef in de schaduwen. Toen hij Alysons auto hoorde wegrijden, rende hij naar buiten en startte de Bentley. Waar waren haar achterlichten? Hij kwam bij de Farrington Highway. Links of rechts? Hij sloeg links af in de richting van Honolulu; de kans was het grootst dat ze die kant op ging. Hij voegde in, gaf gas en voelde hoe zijn lichaam in de stoel werd gedrukt.

Daar was hij, de rode BMW. Ze reed snel. Hij liet zich iets terugvallen en concentreerde zich op haar achterlichten. Even later ging ze de snelweg op, de H-1. De donkerblauwe Bentley loste op in het duister, en de koplampen behoorden gewoon toe aan een van de auto's achter haar in het verkeer.

Hij was er niet in geslaagd de studenten te vinden. Er was maar één mogelijkheid: Alyson had ze meegenomen in de auto. Hij kon er niet volledig zeker van zijn, maar zijn instinct vertelde hem dat het zo was.

Misschien moest hij zich van haar ontdoen. Hij kon haar in elk geval niet langer vertrouwen, dat was duidelijk. Ze was bang geworden en begon terug te krabbelen. Maar het werd wel ingewikkeld met al die vermiste personen. Alyson Bender was de financieel directeur van Nanigen, en als ze nu zou verdwijnen, zou er een diepgaand onderzoek worden ingesteld.

Dat kon hij zich niet veroorloven. Bij een onderzoek naar Nanigen zou op een gegeven moment iets boven water komen wat hij had gedaan. Dat was onvermijdelijk. Als ze maar lang genoeg zochten... zouden ze erachter komen.

Nee, er mocht geen onderzoek komen.

Hij begon te beseffen dat hij een afschuwelijke fout had begaan. Hij kon haar niet uit de weg ruimen. Dat kon hij zich niet veroorloven – voorlopig nog niet, in elk geval. Hij moest haar weer een tijdje voor zich zien te winnen.

Hoe kon hij haar voor zich winnen?

Alyson bevond zich op de snelweg rond Pearl Harbor en moest moeite doen om niet naar haar tasje te kijken. Misschien had Vin gelijk. Misschien was er geen andere mogelijkheid. Ze nam de afslag in de richting van het centrum van Honolulu en vroeg zich af waar ze naartoe zou gaan. Ze koos voor Waikiki. Even later zat ze vast in het verkeer op Kalakaua Avenue. Het zag er zwart van de toeristen en mensen die een avondje uitgingen. Ze sloeg af, reed Diamond Head Road op en passeerde de vuurtoren van Diamond Head. Ze besloot de papieren zak mee te nemen naar een strand aan de windzijde van Oahu of misschien de noordkust. Daar zou ze de zak ergens in de branding gooien. Geen overlevenden. Geen bewijs.

Drake bleef haar auto in de gaten houden, maar hield voldoende afstand. Ze passeerden Makapu'u Point en reden door Waimanalo en Kailua. Maar plotseling draaide ze om, ging de snelweg weer op en reed terug in de richting van Honolulu. Waar ging zijn financieel directeur in godsnaam naartoe? zo vroeg hij zich af.

Na via de oostkant van Oahu weer in Honolulu te zijn beland, koos Alyson Manoa Valley Road, die tussen de bergen omhoogkronkelde door het regenwouddal.

Ze arriveerde bij de stalen poort en de tunnel. De poort was afgesloten. Ze toetste de beveiligingscode in en reed naar binnen. De tunnel kwam uit in een fluweelduister dal.

Het dal was verlaten en de kassen glinsterden zwakjes in het maanlicht. Ze parkeerde de auto, opende haar tasje om de zak tevoorschijn te halen en stapte uit de auto. Maar ze durfde de zak niet te openen. Ze waren waarschijnlijk al dood – verpletterd of gestikt. En wat moest ze doen als dat niet zo was; als ze haar smeekten om hen te laten leven? Dat zou nog erger zijn dan als ze dood waren. Ze keek om zich heen op het verlaten parkeerterrein.

Een lichtgloed. In de tunnel.

Iemand was haar gevolgd.

Verstijfd van angst, met de zak in haar handen, stond ze in het schijnsel van de koplampen van de Bentley.

11

**WAIPAKA ARBORETUM
28 OKTOBER, 22:45**

'Wat doe jij hier, Alyson?' vroeg Drake terwijl hij uit de Bentley stapte. Hij liet de koplampen aanstaan.

Alyson knipperde met haar ogen tegen het felle licht. 'Waarom ben je me gevolgd?'

'Ik maak me ernstig zorgen om je, Alyson.'

'Ik voel me best.'

'We hebben een hoop te doen.' Hij kwam dichterbij.

'Zoals?' Ze deed een stap naar achteren en zoog snel een teug lucht naar binnen. 'Wat ben je van plan?'

Hij kon het zich niet veroorloven de schuld te krijgen. Het was geen punt als Alyson verantwoordelijk werd gehouden, maar hij moest erbuiten blijven. In zijn hoofd begon zich langzaam een idee te vormen. Er was een manier om dit op te lossen. 'Weet je, er is een reden voor hun verdwijning,' zei hij tegen haar.

'Hoe bedoel je?'

'Een geloofwaardige reden voor het feit dat ze zijn verdwenen. Een reden die niets met jou en mij te maken heeft.'

'En wat voor reden is dat?'

'Alcohol.'

'Hè?'

Hij pakte haar hand vast, nam haar mee naar de broeikas die aan de parkeerplaats grensde en zei: 'Dit zijn straatarme studenten. Ze hebben nooit geld en draaien elke cent drie keer om voordat ze hem uitgeven. Ze willen een avondje aan de boemel, zich bezatten, maar ze hebben geen geld. En wat doen arme studenten die dronken willen worden?'

'Nou?'

'Die gaan naar het lab voor gratis alcohol!' Hij stak een sleutel in een slot, opende een deur en zette een schakelaar om. De lichtbakken boven hun hoofd gingen een voor een aan over de complete lengte van de kas. Het stond vol met exotische planten; orchideeën in potten onder vernevelingsapparatuur. In een hoek stonden schappen vol bekers en potten met reagentia. Hij nam er een plastic jerrycan van een gallon uit waarop een etiket was geplakt waarop 98% ETHANOL stond.

'Wat is dat?' zei ze.

'Laboratoriumalcohol,' zei hij.

'En dat is je idee?'

'Ja,' zei hij. 'Als je wodka of tequila in de winkel koopt, krijg je veertig procent alcohol. Dit spul is meer dan twee keer zo sterk: zesennegentig procent. Bijna pure alcohol.'

'En?'

Vin haalde een aantal plastic bekers tevoorschijn en overhandigde ze aan haar. 'Alcohol zorgt voor ongelukken. Vooral met jongeren in de auto.'

Ze kreunde. 'Eh, Vin...'

Hij bestudeerde haar zorgvuldig. 'Oké. Laten we het beestje bij de naam noemen. 'Jij bent gewoon niet geschikt voor dit soort dingen.'

'Eh, nee—'

'En ik ook niet. Zo liggen de zaken nu eenmaal.'

Ze knipperde verbaasd met haar ogen. 'Jij ook niet?'

'Nee. Ik word er niet goed van, Alyson. Ik kan hier niet mee doorgaan,' zei hij. 'Ik wil dit niet op mijn geweten hebben.'

'Maar... Wat moeten we dan?' zei ze.

Hij stond zichzelf een besluiteloze blik toe. 'Ik weet het niet,' zei hij terwijl hij zijn hoofd schudde. 'We hadden hier nooit aan moeten beginnen, en nu... Ik weet het gewoon niet.' Hij hoopte dat de uitdrukking op zijn gezicht haar zou overtuigen. Hij wist dat hij overtuigend kon zijn. Hij zweeg even, pakte vervolgens haar hand en hield hem in het licht. Daar was de papieren zak, opgerold. 'Ze zitten hierin, hè?'

'Wat wil je dat ik doe?' Haar hand beefde.

'Ga naar buiten en wacht op me,' zei hij. 'Ik wil even een paar minuten nadenken. We moeten hier een oplossing voor zien te vinden, Alyson. Er wordt niet meer gemoord.'

Laat Alyson ze maar uit de weg ruimen. Ze hoeft het tenslotte zelf niet te weten.

Ze knikte stilletjes.

'Ik heb je hulp nodig, Alyson.'

'Oké,' zei ze. 'Ik help je. Echt.'

'Dank je wel.' Hij liet het oprecht klinken.

Ze ging naar buiten.

Hij liep naar een voorraadkast waar hij een doos met veiligheidshand-schoenen van nitril vond. Dit type was een stuk steviger dan gewoon rub-ber. Hij haalde er twee uit en stopte ze in zijn zak. Vervolgens haastte hij zich een kantoortje in om de bewakingscamera bij het parkeerterrein in te schakelen. Het was een systeem met nachtzichttechniek en het beeld was groen met zwart. Uiteraard werd alles ook opgenomen. Hij zag Alyson naar buiten lopen en bij de auto's gaan staan.

Ze wierp een blik op de papieren zak en begon heen en weer te lopen.

Hij kon bijna zien hoe het idee zich vormde in haar geest.

'Toe dan,' fluisterde Vin.

De veldteams hadden enorme problemen gehad. Alleen al in Fern Gully waren vier werknemers omgekomen – terwijl ze zwaarbewapend waren geweest. En dan was er nog het probleem van de decompressie. Die studentjes hielden het nog geen uur vol in deze biologische hel. Daarna was het een kwestie van Alyson paaien – tijdelijk.

Ze liep weg van de auto's.

Goed zo.

In de richting van het bos.

Ja.

Ze begaf zich heuvelafwaarts over het pad dat Fern Gully in liep.

Mooi. En nu door blijven lopen.

Haar silhouet op de monitor werd langzaam één met de zwartheid. Ze daalde af in de duisternis van het bos. En toen was ze verdwenen.

Het volgende moment zag hij een lichtpuntje.

Ze had een zaklamp. Die had ze blijkbaar ingeschakeld. Het licht danste heen en weer en werd steeds zwakker. Ze zigzagde over een bochtig paad-je.

Hoe dieper de biologische hel in, des te beter.

Plotseling hoorde hij een gil. Uit de duisternis van het bos klonken ang-stige kreten.

'Jezus.'

Hij wendde zich af van de monitor en rende naar buiten.

Hoewel de maan scheen, was het zo donker in het regenwoud dat hij haar nauwelijks kon zien. Hij haastte zich half struikelend en glibberend het pad over in de richting van haar zaklamp en hoorde haar zeggen: 'Ik snap het niet, ik snap het niet.' Haar stem klonk zacht in het duister, en de lichtbundel danste van hot naar her.

'Alyson?' Hij zweeg en wachtte totdat zijn ogen zich hadden aangepast. 'Wat snap je niet?'

'Ik snap niet hoe ze het hebben gedaan.'

Haar zwarte silhouet stak de papieren zak naar hem uit. Als een offer van een duistere god. 'Ik snap niet hoe ze weg zijn gekomen. Hier: kijk.'

Ze scheen met haar lamp op de zak. In de onderkant zat een scheurtje. Een flinterdun scheurtje.

'Ze hadden blijkbaar een mes,' zei hij.

'Dat moet haast wel.'

'En toen zijn ze gesprongen. Of gevallen.'

'Dat zal dan wel, ja.'

'Waar is het gebeurd?'

'Hier ergens. Ik merkte het op deze plek. Ik heb me sindsdien niet meer bewogen. Ik wilde niet op ze gaan staan.'

'Daar zou ik me geen zorgen over maken. Ze zijn waarschijnlijk al dood.'

Hij nam de zaklantaarn van haar over, ging op zijn hurken zitten en liet de lichtbundel over de toppen van de varens glijden. Hij zocht naar onregelmatigheden in de glinsterende dauwdruppels die op de bladeren lagen, maar hij kon niets vinden.

Ze begon te huilen.

'Het is niet jouw schuld, Alyson.'

'Ik weet het.' Ze snikte. 'Ik wilde ze vrijlaten.'

'Zoiets vermoedde ik al.'

'Het spijt me, maar ik was het echt van plan.'

Vin sloeg een arm om haar schouder. 'Je kunt er niks aan doen, Alyson. Dat is het belangrijkste.'

'Heb je nog iets gezien? Met de zaklamp?'

'Nee.' Hij schudde zijn hoofd. 'Het is een flinke val, en ze hebben niet veel massa. Misschien zijn ze een eind weggewaaid.'

'Dan zouden ze dus nog...'

'Dat zou kunnen, ja. Maar ik betwijfel het.'

'We moeten ze gaan zoeken!'

'Maar het is donker, Alyson. We zouden ze per ongeluk kunnen vertrappen...'

'We kunnen ze toch niet aan hun lot overlaten?'

'Weet je, ik ben er bijna zeker van dat ze de val niet hebben overleefd.

Maar ik geloof je; dat je de zak niet zelf open hebt gesneden en ze eruit hebt gegooid–'

'Hoezo, wat bedoel je–?'

'Ik geloof je verhaal, maar de politie is misschien niet zo enthousiast over die uitleg. Je bent mogelijk medeplichtig aan de dood van Eric, en nu dit weer – een stel studenten in een levensgevaarlijk bos gedropt – met opzet. Dat is moord, Alyson.'

'Maar jij vertelt de politie toch wat er is gebeurd?'

'Natuurlijk,' zei hij, 'maar waarom zouden ze jou niet geloven en mij wel? We kunnen maar één ding doen, Alyson, en dat is doorgaan op de ingeslagen weg. Hun verdwijning moet op een ongeluk lijken. En als ze later heel toevallig weer ergens opduiken – tja, Hawaï is een magische eilandengroep. Er gebeuren hier regelmatig wonderen.'

Ze stond roerloos in het duister. 'Dus we laten ze gewoon hier achter?'

'We kunnen wat mij betreft morgen gaan zoeken wanneer het licht is.' Hij kneep in haar schouder en trok haar dicht tegen zich aan. Vervolgens richtte hij de zaklamp omlaag. 'Oké. Laten we teruggaan. Als we over het pad gaan, kunnen we zien waar we lopen en zijn we zo weer veilig buiten het bos. We komen morgen wel terug. Maar nu moeten we het probleem met de auto oplossen. Oké? Eén ding tegelijk, Alyson.'

Nog nasnikkend liet ze zich het bos uit loodsen, terug naar het parkeerterrein. Vin Drake keek op zijn horloge: het was 23:14 uur. Er was nog tijd genoeg voor de volgende fase van zijn plan.

12

**WAIPAKA ARBORETUM
28 OKTOBER, 23:00**

D e studenten werden door elkaar geschud in de papieren zak. Elke beweging van Alyson werd vergroot en ging vergezeld van een hard raspend geluid wanneer ze heen en weer schuurden over het papier. Peter had nooit beseft dat gewoon bruin papier zo ruw was; het voelde bijna als schuurpapier op zijn huid. Hij zag dat alle anderen met hun rug op het papier lagen om te voorkomen dat ze tijdens het heen en weer glijden schaafwonden op hun gezicht zouden krijgen. Ze waren ergens naartoe gereden, en dat had heel wat tijd in beslag genomen, maar waar waren ze eigenlijk? En wat zou er met ze gaan gebeuren? Het was lastig om te praten omdat ze geen moment stillagen en het was ondoenlijk om een plan te maken als iedereen op hetzelfde moment zijn mond opendeed. De man van Nanigen, Jarel Kinsky, bleef er maar op hameren dat er een vergissing was gemaakt. 'Als ik op een of andere manier even met meneer Drake kon praten,' zei hij steeds opnieuw.

'Hou toch op, man,' beet Karen King hem toe.

'Maar ik kan er niet bij dat meneer Drake ons zomaar zou... vermoorden,' zei Kinsky.

'O, echt niet?' zei Karen.

Kinsky gaf geen antwoord.

Het belangrijkste probleem was dat ze niet wisten wat Vin en Alyson in hun schild voerden. Ze waren een tijdlang rondgereden in een auto, maar waar waren ze nu? Dat bleef volkomen onduidelijk. Vervolgens leek het erop dat Vin en Alyson tot een vergelijk waren gekomen (ze hadden de details van het gesprek niet kunnen volgen) en Alyson had de papieren zak mee naar buiten genomen, het donker in.

'Wat is dit nu weer?' zei Karen King verontrust toen ze verplaatst werden. 'Waar gaan we naartoe?'

Ze hoorden een dreunend geluid. Er snotterde iemand. Alyson Bender.

'Ik krijg de indruk dat ze ons wil redden,' zei Peter Jansen.

'Dat staat Vin nooit toe,' zei Karen.

'Ik weet het.'

'Volgens mij kunnen we het heft beter in eigen handen nemen,' zei Karen. Ze haalde haar mes tevoorschijn en knipte het open.

'Wacht eens even,' zei Danny Minot. 'Zo'n beslissing moeten we met z'n allen nemen.'

'Dat weet ik zo net nog niet,' zei Karen. 'Ik ben tenslotte degene met het mes.'

'Doe niet zo kinderachtig,' zei Minot.

'Doe niet zo laf. Als wij niet zelf in actie komen, doen zij het, en dan zijn we er geweest. Dus wat doen we?' Ze wachtte niet op een antwoord van Danny en richtte zich tot Peter. 'Hoe ver boven de grond zijn we volgens jou?'

'Geen idee. Een meter veertig?'

'En hoeveel wegen we?' zei Erika Moll.

Peter lachte. 'Niet echt veel.'

'Je lacht,' zei Danny Minot verbijsterd. 'Jullie zijn gestoord. Vergeleken met onze normale lengte is een val van een meter veertig het equivalent van, eh–'

'Honderdveertig meter,' zei Erika. 'Ruwweg de hoogte van een torenflat met vijfenveertig verdiepingen. Maar dat is in ons geval niet equivalent aan een val van een gebouw met vijfenveertig verdiepingen.'

'Natuurlijk wel,' zei Danny.

'Is het niet bizar dat mensen van science studies geen verstand hebben van wetenschap?' zei Erika.

Peter legde uit: 'Het heeft te maken met luchtweerstand.'

'Nee, dat doet er niet toe,' zei Danny met opeengeklemde kaken. Hij voelde zich duidelijk gekwetst door Erika's opmerking. 'Voorwerpen in een zwaartekrachtveld vallen altijd met dezelfde snelheid, ongeacht hun massa. Een munt en een piano vallen even snel en bereiken de grond op hetzelfde moment.'

'Die man is niet te helpen,' zei Karen. 'En we moeten nu een beslissing nemen.'

De heen en weer slingerende beweging van de zak was trager geworden; Alyson stond op het punt iets te gaan doen.

'Ik denk niet dat de afstand die we vallen veel zal uitmaken,' zei Peter Jansen. Hij had geprobeerd te bedenken hoe de wetten van de natuurkunde op hen zouden werken nu ze zo klein waren.

Het had alles met zwaartekracht te maken. En traagheid.

Peter zei: 'Het draait allemaal om Newtons wet van—'

'Genoeg gekletst! Ik stel voor dat we springen,' onderbrak Karen.

'Springen,' zei Jenny.

'Springen,' zei Amar.

'Jezus,' kreunde Danny. 'Maar we weten niet eens waar we zijn!'

'Springen,' zei Erika.

'Dit is onze enige kans,' zei Rick Hutter. 'Springen.'

'Springen,' zei Peter.

'Oké,' zei Karen. 'Ik ga langs deze naad de onderkant opensnijden. Probeer dicht bij elkaar te blijven. Doe maar alsof je een parachutesprong gaat maken. Armen en benen wijd, als een vlieger. Daar gaan we—'

'Maar wacht nou even—' gilde Danny.

'Te laat!' riep Karen. 'Succes allemaal!'

Peter voelde hoe ze langs hem liep met het mes in de hand. Even later begon het bruine papier weg te zakken onder zijn voeten en stortte hij in het duister.

De lucht was verrassend koel en vochtig, en de nacht was minder donker nu hij uit de zak was. Hij zag overal bomen, en beneden hem was de grond, die snel dichterbij kwam. Zijn valsnelheid was opmerkelijk hoog – verontrustend hoog – en heel even vroeg hij zich af of ze allemaal dezelfde inschattingsfout hadden gemaakt als gevolg van hun gezamenlijke afkeer van Danny.

Ze wisten natuurlijk dat de luchtweerstand altijd een rol speelde bij het berekenen van de valsnelheid. In het dagelijks leven dacht je daar niet zo over na omdat de meeste dingen ongeveer dezelfde luchtweerstand hadden. Een halter van tweeënhalve kilo en een van vijf kilo vielen met dezelfde snelheid. Hetzelfde gold voor een mens en een olifant. Die hadden ook ongeveer dezelfde valsnelheid.

Maar de studenten waren nu zo klein dat de luchtweerstand een rol ging spelen, en ze waren tot de conclusie gekomen dat het effect van de luchtweerstand groter zou zijn dan het effect van hun massa. Met andere woorden: ze zouden minder snel vallen dan met hun normale formaat.

Hoopten ze.

De wind floot in zijn oren en tranen vertroebelden zijn blik. Peter klemde zijn kaken op elkaar en wreef in zijn ogen om te zien wat er beneden hem lag. Hij keek om zich heen, maar zag geen van de anderen. Wel hoorde hij iemand zacht kreunen in het duister. Toen hij weer omlaag keek, zag hij dat hij een plant met brede bladeren naderde – een of andere reusachtige aronskelk. Hij probeerde bij te sturen door zijn armen uit te strekken zodat hij in het midden van het blad terecht zou komen.

De landing was perfect. Hij raakte de aronskelk – koud, nat, glibberig – en voelde hoe het blad onder zijn gewicht meegaf, terugveerde en hem lanceerde als een acrobaat op een trampoline. Hij slaakte een kreet van verbazing, en toen hij opnieuw neerkwam, was dat aan de zijkant van het blad, waar hij via het watergladde oppervlak naar het uiterste puntje gleed.

En over de rand viel.

In het duister kwam hij op een ander blad terecht, maar dat was moeilijk te zien, en hij rolde opnieuw omlaag naar de punt. Hij probeerde zich aan het groene oppervlak vast te grijpen in een poging zijn onvermijdelijke neergang een halt toe te roepen. Maar het was vergeefs – hij viel opnieuw – kwam op een volgend blad terecht – gleed ook daar weer af – en belandde ten slotte op zijn rug in een bed van zacht mos waar hij happend naar lucht bleef liggen om te bekomen van de schrik. Hoog boven hem bevond zich het bladerdak, dat de hemel aan het gezicht onttrok.

'Was je soms van plan een dutje te gaan doen?'

Hij opende zijn ogen. Karen King stond naast hem.

'Ben je gewond?' vroeg ze.

'Nee,' zei hij.

'Waarom sta je dan niet op?'

Hij wist met moeite overeind te krabbelen. Het viel hem op dat ze hem niet hielp. Hij stond onvast op zijn benen in het vochtige mos dat door zijn sportschoenen lekte. Zijn voeten waren koud en nat.

'Kom eens bij me staan,' zei ze. Het was alsof ze tegen een kind sprak.

Hij ging naast haar staan op een stukje droge grond. 'Waar zijn de anderen?'

'Ergens in de buurt. Het kan nog wel even duren.'

Peter knikte en keek naar de junglebodem. Vanuit zijn nieuwe perspectief, iets meer dan een centimeter boven de grond, zag de bodem er ontzettend ruig uit. Met mos overdekte stompjes van rottende takken rezen als wolkenkrabbers de lucht in en dorre twijgjes vormden onregelmatige bogen die zes of zeven meter hoog leken. Zelfs de dode bladeren waren groter dan hij, en wanneer hij een stap nam, kwamen ze overal rondom hem en onder zijn voeten tot leven. Het was alsof hij probeerde zich een weg te banen door een sloopbedrijf vol rottend organisch schroot. En natuurlijk was alles nat; alles was glibberig en zelfs slijmerig. Waar waren ze eigenlijk terechtgekomen? Ze waren vrij lang rondgereden. Ze konden overal op Oahu zijn – in elk geval overal waar bos was.

Karen sprong op een twijg en viel er bijna meteen weer af, maar ze wist haar evenwicht te bewaren. Ze ging zitten en liet haar benen omlaag bungelen. Vervolgens stak ze haar vingers in haar mond en produceerde een doordringend fluitsignaal. 'Dat zouden ze moeten horen.' Ze floot opnieuw.

Op dat moment klonk een krakend geluid. Uit de ondergroei kwam een donker gevaarte tevoorschijn. In eerste instantie konden ze niet zien wat het was, maar het maanlicht onthulde een reusachtige inktzwarte kever die op een zelfverzekerd drafje voorbijhuppelde. De facetogen fonkelden zwakjes. Het dier was bedekt met een geleed pantser en had borstelige haren op zijn poten.

Karen trok eerbiedig haar benen op toen de kever onder het takje doorkroop waar ze op zat.

Erika Moll kwam tevoorschijn tussen de plantenstengels. Ze droop van de dauw. 'Dat is waarschijnlijk een *Metromenus*. Een grondkruiper. Die vliegt niet. Maar maak hem niet kwaad – het is een carnivoor met flinke kaken en volgens mij ook een heel nare chemische spray.'

Niemand had behoefte aan een chemicaliëndouche of een uitnodiging voor de maaltijd. Ze stopten met praten en keken naar de kever, die in de grond wroette en blijkbaar op jacht was. Plotseling schoot het dier met een opmerkelijke snelheid naar voren. Het volgende moment had het iets kleins tussen zijn kaken dat wild spartelde. In het donker konden ze niet zien wat de kever had gevangen, maar ze hoorden krakende geluiden terwijl het dier zijn prooi aan stukken hakte. Ze roken een vleugje van iets scherps met een gemene geur.

'Dat is het verdedigingsmechanisme van de kever,' merkte Erika Moll op. 'Azijnzuur – gewoon azijn – en misschien decylacetaat. Die bittere stank is volgens mij benzochinon. De chemicaliën worden opgeslagen in zakjes in het achterlijf van de kever en kunnen ook door het bloed circuleren.'

Even later zagen ze de kever verdwijnen in de nacht, de prooi met zich meeslepend. 'Dat is een superieur evolutionair ontwerp. Beter dan het onze – in elk geval voor hier,' voegde Erika eraan toe.

'Pantser, kaken, chemische wapens en een heleboel poten,' zei Peter.

'Nou. Veel meer poten.'

Erika zei: 'De meeste dieren op aarde hebben minstens zes poten.' De extra ledematen maakten lopen over ruw terrein een stuk eenvoudiger, zo wist ze. Alle insecten hadden zes poten, en er waren bijna een miljoen bekende insectensoorten. Veel wetenschappers vermoedden dat er nog zeker dertig miljoen andere insectensoorten op een naam wachtten, wat de insecten tot de meest veelzijdige levensvorm op aarde maakte, afgezien van microscopische organismen als virussen en bacteriën. 'Insecten,' zei Erika tegen de anderen, 'zijn enorm succesvol als het gaat om het koloniseren van de landmassa's op aarde.'

'Wij vinden alleen dat ze er primitief uitzien,' zei Peter. 'Wij denken dat het hebben van minder poten een teken van intelligentie is. Omdat wij op twee benen lopen, denken we dat we een stuk slimmer en beter zijn dan een dier dat op vier of zes poten loopt.'

Karen wees op de ondergroei. 'Totdat we dit soort dingen tegenkomen. En dan zouden we maar al te graag meer poten hebben.'

Ze hoorde een krassend geluid, en vanonder een blad verscheen een bolrond wezen. Het leek op een mol, en het wreef zijn neus met zijn voorpootjes. Het wezen droeg ook een tweedjasje. 'Gadverdamme,' zei het, en het spuugde een mondvol aarde uit.

'Danny?'

'Ik baal ervan om maar een centimeter lang te zijn. Oké, de lengte is belangrijk. Maar dat wist ik al. Wat gaan we doen?'

'Je zou om te beginnen eens kunnen stoppen met jammeren,' zei Karen tegen Danny. 'We moeten een plan bedenken. En de inventaris opmaken.'

'Wat voor inventaris?'

'Onze wapens.'

'Wapens? Zijn jullie wel helemaal fris? We hebben helemaal geen wapens!' zei Danny, die begon te schreeuwen. 'We hebben niks.'

'Dat is niet waar,' zei Karen op kalme toon. Ze richtte zich tot Peter. 'Ik heb een rugzak.' Ze sprong van de twijg en pakte haar rugzak op. 'Ik kon hem nog net op tijd meenemen – vlak voordat Drake ons heeft gekrompen.'

'Heeft Rick het gered?' vroeg iemand.

'Zeker weten,' klonk een stem uit het duister, ergens links van Peter. 'Dit doet me niks. En de nachtelijke jungle kent voor mij ook geen geheimen. Toen ik veldonderzoek deed in Costa Rica–'

'Ja hoor, daar hebben we Rick,' zei Peter. 'Nog meer mensen?'

Boven hen klonk het *plop! plop!* van vallende waterdruppels. Het volgende moment gleed Jenny Linn van een blad omlaag om vlak voor hen in het mos te landen.

'Heb je soms een ommetje gemaakt?' vroeg Karen.

'Ik kwam vast te zitten op een tak. Een meter of drie hierboven. Ik heb mezelf eerst moeten bevrijden.' Jenny ging in kleermakershouding op de grond zitten en sprong direct weer op. 'Getver. Alles is nat.'

'Dit heet niet voor niks een regenwoud,' zei Rick Hutter terwijl hij uit de bladeren achter hen tevoorschijn kwam. Zijn spijkerbroek was doorweekt. 'Iedereen oké?' Hij grijnsde. 'Hé, Dannyboy, hoe staan de zaken?'

'Lazer op,' zei Danny. Hij wreef nog steeds over zijn neus.

'Relax, man,' zei Rick. 'Probeer je voordeel ermee te doen.' Hij wees naar boven op het maanlicht dat werd gefilterd door het bladerdak. 'Dit is science studies in optima forma! Vind je dit geen perfect conradiaans moment? Een existentiële confrontatie van de naakte mens en de ruige natuur, een natuur waarvan de onverzoenlijke realiteit niet door valse overtuigingen en literaire metaforen wordt gecamoufleerd–'

'Kan iemand die gast zijn mond laten houden?'

'Rick, laat hem maar met rust,' zei Peter.

'Ho, ho, niet zo snel,' zei Rick. 'Dit is belangrijk. Wat maakt de natuur eigenlijk zo beangstigend voor de moderne geest? Waarom is ze zo ondraaglijk? Omdat de natuur in essentie indifferent is. Ze is meedogenloos en ongeïnteresseerd. Of je blijft leven of doodgaat, of je succes hebt of faalt, of je pijn voelt of geniet – het maakt de natuur niks uit. Voor ons is zoiets ondraaglijk. Hoe kunnen we leven in een wereld die ons zo onverschillig gezind is? We noemen haar wel Moeder Natuur, maar ze is geen ouder in de ware zin van het woord. We stoppen goden in bomen, in de lucht en in zee, en we stoppen ze in onze huizen om ons te beschermen. We hebben die menselijke goden voor van alles nodig: geluk, gezondheid, vrijheid. Maar de goden moeten ons boven alles beschermen tegen eenzaamheid. En waarom is eenzaamheid dan zo ondraaglijk? Waarom kunnen we niet omgaan met het alleen-zijn? Omdat mensen kinderen zijn, daarom.

En daarom bedenken we allemaal vermommingen voor de natuur. Danny zegt altijd dat de wetenschap naar de pijpen van de machthebbers danst. Dat er geen objectieve waarheid bestaat, behalve voor degenen die het voor het zeggen hebben. De machthebbers vertellen een verhaal, en iedereen accepteert het als de waarheid omdat zij de lakens uitdelen.' Hij haalde adem. 'Maar wie deelt híér de lakens uit, Danny? Voel je het? Haal een keer diep adem. Voel je het nu? Nee? Dan zal ik het je vertellen. Hier worden de lakens uitgedeeld door de entiteit die altijd de macht in handen heeft – de natuur. De natuur, Danny. Niet wij. Het enige wat wij kunnen doen is ons goed vasthouden en hopen dat we de rit overleven.'

Peter sloeg een arm om Ricks schouder en loodste hem een paar meter van het groepje weg. 'Zo kan hij wel weer, Rick.'

'Ik word doodziek van die gast,' zei Rick.

'We zijn allemaal een beetje de kluts kwijt.'

'Ik niet,' zei Rick. 'Ik voel me prima. Het is geweldig om een centimeter lang te zijn. Een ideaal hapje voor een vogel – dat is wat ik ben. Ik ben godverdomme een hors-d'oeuvre voor een beo, en mijn kans om het nog zes uur te overleven is hooguit twintig, vijfentwintig procent–'

'We moeten een plan bedenken,' zei Karen op kalme toon.

Even verderop stapte Amar Singh achter een boomstronk vandaan. Hij zat onder de modder en zijn overhemd was gescheurd. Hij leek opvallend kalm. Peter vroeg: 'Alles goed?'

Amar antwoordde bevestigend.

'Heeft iemand trouwens die man van Nanigen gezien?' zei Peter. 'Hé, Kinsky! Waar zit je?'

'Hier,' antwoordde Jarel Kinsky met zachte stem van dichtbij. Hij had met opgetrokken benen onder een blad gezeten en zwijgend naar de anderen gekeken en geluisterd.

'Gaat het een beetje?' vroeg Peter aan hem.

'Jullie kunnen beter wat zachter praten,' zei Kinsky tegen de studenten. 'Ze kunnen beter horen dan wij.'

'Ze?' zei Jenny.

'Insecten.'

Het werd plotseling stil.

'Dat is een stuk beter,' zei Kinsky.

Ze begonnen op fluistertoon met elkaar te praten. Peter zei tegen Kinsky: 'Enig idee waar we zijn?'

'Ik denk het wel,' antwoordde Kinsky. 'Kijk daar maar eens.'

Ze draaiden zich om en volgden zijn vinger. In de verte, diep verborgen tussen de bomen, was een lichtschijnsel. Het wierp een zachte gloed op de hoek van een houten gebouw dat juist zichtbaar was door de bladeren, en het licht werd weerspiegeld in glazen vensters.

'Dat zijn de kassen,' vervolgde Kinsky. 'We zijn in het Waipaka Arboretum.'

'Mijn god,' zei Jenny Linn. 'Dan zitten we kilometers van Nanigen vandaan.' Ze ging op een blad zitten en voelde iets bewegen onder haar voeten. Het hield niet op, en plotseling kroop er iets kleins langs haar been omhoog. Ze trok het los en smeet het weg. Het was een grondmijt, een onschuldig diertje met acht poten. Ze besefte ineens dat de grond vol met kleine organismen zat die druk bezig waren met datgene waar ze altijd mee bezig waren. 'De grond leeft onder onze voeten,' zei ze.

Peter Jansen ging op zijn hurken zitten, veegde een wormpje van zijn knie en keek Jarel Kinsky aan. 'Wat weet je eigenlijk van dat krimpproces?'

'De juiste term is "dimensionale transformatie", antwoordde Kinsky. 'Ik ben zelf nooit dimensionaal getransformeerd – tot nu toe. Maar ik heb natuurlijk wel met de veldteams gesproken.'

Rick Hutter bemoeide zich ermee. 'Ik zou geen woord geloven van wat die vent zegt. Hij is loyaal aan Drake.'

'Wacht even,' zei Peter op rustige toon. 'Wat zijn die "veldteams"?' vroeg hij aan Kinsky.

'Nanigen stuurt al een tijdlang teams de microwereld in. Elk team heeft drie mensen,' legde Kinsky op fluistertoon uit. Hij leek erg bang om te veel geluid te produceren. 'Ze worden dimensionaal getransformeerd en verzamelen monsters. Ze wonen in de bevoorradingsstations.'

Jenny Linn zei: 'Bedoel je die kleine tentjes die we zagen?'

'Ja. De teams blijven nooit langer weg dan achtenveertig uur. Je wordt ziek als je langer zo klein blijft.'

'Ziek? Hoezo?' vroeg Peter.

'Je krijgt de microcaissonziekte,' zei Kinsky.

'Microcaissonziekte?' zei Peter.

'Een ziekte die voorkomt bij mensen die dimensionaal getransformeerd zijn. De eerste symptomen doen zich voor na drie tot vijf dagen.'

'Wat gebeurt er dan?'

'Tja – we hebben wel wat gegevens over de ziekte, maar niet veel. Ze zijn begonnen met het testen van dieren in de tensorgenerator. Eerst hebben ze muizen kleiner gemaakt. De gekrompen muizen hebben ze in kleine erlenmeyers geplaatst en bestudeerd onder de microscoop. Na een paar dagen waren alle getransformeerde muizen dood. Inwendige bloedingen. Vervolgens hebben ze konijnen laten krimpen en daarna honden. Alle dieren zijn gestorven aan inwendige bloedingen. Nadat ze terug waren gebracht tot hun oorspronkelijke grootte heeft necropsie uitgewezen dat in het bloed van de dieren stollingsfactoren misten. Om een lang verhaal kort te maken: de dieren zijn gestorven aan hemofilie – dat is een ziekte waarbij het bloed onvoldoende stolt. We denken dat door de transformatie enzymreacties in het stollingsproces worden verstoord, maar zeker weten doen we het niet. We hebben ook ontdekt dat een dier korte tijd in getransformeerde toestand kan overleven zolang het binnen een paar dagen weer naar zijn normale grootte terug wordt gebracht. We zijn de ziekte microcaissonziekte gaan noemen omdat hij doet denken aan de decompressieziekte die bij duikers kan optreden als ze te snel naar de oppervlakte komen. Zolang de dieren korte tijd in getransformeerde toestand doorbrengen, lijken ze gezond te blijven.

Vervolgens is er een aantal menselijke vrijwilligers getransformeerd, waaronder de man die de tensorgenerator heeft uitgevonden. Ik geloof dat hij Rourke heette. Het zag ernaar uit dat mensen ook een paar dagen zonder schadelijke bijwerkingen in de microwereld konden doorbrengen. Maar toen gebeurde er een... ongeluk. De generator ging kapot en we raakten drie wetenschappers kwijt. Ze zaten vast in de microwereld en konden niet naar hun oorspronkelijke grootte worden teruggebracht. Ondertussen hebben we nog meer... problemen gehad. Als iemand gestrest is of zwaargewond raakt, kan de caissonziekte acuut opkomen, en sneller dan normaal. Als gevolg daarvan zijn we... nog een stel werknemers kwijtgeraakt. Daarom had meneer Drake het werk stilgelegd. Hij wil uitzoeken hoe we kunnen voorkomen dat er mensen in de microwereld sterven. Meneer Drake is echt heel erg begaan met onze veiligheid...'

'Hoe verloopt de ziekte in mensen?' onderbrak Rick.

Kinsky vervolgde: 'Het begint met blauwe plekken, vooral op je armen en benen. En als je een wondje hebt kun je urenlang bloeden. Het is een soort hemofilie – je kunt doodgaan aan een klein sneetje. Tenminste, dat heb ik me laten vertellen. Maar ze houden de details geheim,' zei Kinsky. 'Ik bedien alleen de generator maar.'

'Is er een behandeling?' vroeg Peter.

'De enige behandeling is decompressie. Het slachtoffer zo snel mogelijk naar zijn oorspronkelijke grootte terugbrengen.'

'We zitten in de nesten...' mompelde Danny.

'We moeten nu echt onze spullen inventariseren,' zei Karen vastberaden. Ze plaatste de rugzak die ze uit de generatorruimte had meegenomen boven op een dood blad en opende hem in het maanlicht. Nadat ze een aantal voorwerpen op het blad had gelegd, verzamelden de studenten zich rond de provisorische tafel om de inhoud te bestuderen. De rugzak bevatte een eerstehulpkit inclusief antibiotica en basismedicatie, een mes, een kort stuk touw, een haspel die wel wat op een vismolen leek en aan een riem was bevestigd, een tegen wind bestendige aansteker, een thermische deken, een lichtgewicht waterdichte tent en een hoofdlamp. Ook waren er twee headsets met keelmicrofoon.

'Dat zijn tweewegradio's,' zei Kinsky. 'Voor communicatie met het hoofdkwartier.'

Er waren ook een zeer fijnmazige ladder en sleutels of een soort starter voor een of andere machine. Karen deed alles behalve de lamp terug in de rugzak en ritste hem dicht.

'Behoorlijk nutteloos,' zei Karen. Ze stond op, zette de hoofdlamp op en drukte op de schakelaar. De lichtbundel gleed over de planten en de bladeren. 'We hebben echt wapens nodig.'

'Je licht – doe uit, alsjeblieft–' mopperde Kinsky. 'Dat ding trekt van alles aan–'

'Wat voor wapens hebben we nodig?' vroeg Amar aan Karen.

'Hé,' onderbrak Danny alsof hij plotseling op een idee kwam. 'Zijn er eigenlijk giftige slangen in Hawaï?'

'Nee,' zei Peter. 'Er zijn hier helemaal geen slangen.'

'En ook niet veel schorpioenen, zeker niet in de regenwouden. Het is hier veel te nat voor ze,' voegde Karen eraan toe. 'Er is wel een Hawaïaanse duizendpoot die heel gemeen kan steken. Gezien onze huidige lengte zouden we dat waarschijnlijk niet overleven. Er zijn trouwens ontzettend veel dieren die ons nu als een lekker hapje zien. Vogels, padden, allerlei insecten: mieren, wespen, horzels–'

'Je had het over wapens, Karen,' zei Peter.

'We moeten iets hebben waarmee we projectielen kunnen afschieten,' zei Karen, 'een wapen dat op afstand kan doden–'

'Een blaaspijp,' onderbrak Rick.

Karen schudde haar hoofd. 'Nee, zo'n ding is hooguit een kwart centimeter lang. Dat wordt niks.'

'Wacht even, Karen. Ik kan een holle bamboestengel nemen. Die kan ik helemaal gebruiken – één en een kwart centimeter.'

Peter zei: 'Met een houten pijl erin.'

'Precies,' zei Rick. 'En de pijl kan worden geslepen met behulp van–'

'Warmte,' zei Amar. 'Warmte om te temperen. Maar voor het gif–'

'Curare,' zei Peter terwijl hij overeind kwam. Hij keek de anderen een voor een aan. 'Ik durf te wedden dat een hoop planten hier–'

Rick onderbrak hem. 'Dat is mijn specialiteit. Als we een vuurtje maken, kunnen we bast en plantenmateriaal koken en gif extraheren. En als we iets van metaal kunnen vinden, of ijzer... kunnen we een pijlpunt maken...'

'De gesp van mijn riem?' zei Amar.

'En dan?'

'Testen.'

'Dat kost een hoop tijd.'

'Het is de enige manier.'

'En als we het vel van een kikker gebruiken?' zei Erika Moll. Ze had in het donker overal kwakende geluiden gehoord van wat mogelijk brulkikkers waren.

Peter schudde zijn hoofd. 'We hebben hier de juiste soort niet. Wat je hoort zijn bufo's, grote padden. Ze zijn zo groot als je vuist – nou ja, je oude vuist. Ze hebben geen felle kleur, maar ze zijn grijs. Hun huid pro-

duceert wel gemene toxines, bufotenines, maar die zijn niet op curare ge-
baseerd zoals in de Centraal-Amerikaanse–'

'Oké, jezus!' beet Danny.

'Ik leg het alleen even uit...'

'Het is helemaal duidelijk!'

Erika sloeg een arm om Peters schouder en knikte naar Danny. Hij zat
nog steeds aan zijn neus en krabde eraan met de gekromde vingers van
beide handen, alsof het pootjes waren.

Alsof hij een mol was.

'Volgens mij staat hij op instorten,' fluisterde Erika bezorgd.

Peter knikte.

Amar zei: 'Oké, wat stel jij voor?'

Terwijl hij naar Danny keek, zei Peter: 'Bastschraapsel van de *Strychnos
toxifera*, voeg daar oleander bij – het sap, niet de bladeren – en *Chondro-
dendron tomentosum*, als je dat kunt vinden. Dat mengsel kook je minstens
vierentwintig uur.'

'Oké, aan de slag,' zei Karen.

'We vinden die planten een stuk sneller als het licht is,' zei Jenny Linn.
'Waarom zoveel haast?'

'Vanwege die halogeenlampen bij de ingang,' zei Karen. 'De kans is groot
dat Vin Drake onderweg is hiernaartoe om ons een kopje kleiner te maken.'
Ze zwaaide de rugzak over haar schouders en trok de riem stak. 'Aan de
slag dus.'

13

ALAPUNA ROAD
29 OKTOBER, 2:00 UUR

Door het felle schijnsel van de maan was er weinig dat hun beschutting bood. Het dichte struikgewas van de *hau*, dat zich aan de klifwand klampte, groeide tot aan het zandpad, en de twee auto's die over de smalle vulkanische bergkam reden, waren gemakkelijk te zien. Links van hen liep een flauwe helling omlaag in de richting van de landbouwgronden. Rechts eindigden de steile klippen in de woeste branding van de Oahuaanse noordkust.

De eerste auto, de Bentley convertible, werd bestuurd door Alyson Bender. Steeds wanneer ze aarzelde, gebaarde Vin Drake vanuit de tweede auto – de BMW – dat ze door moest rijden. Het was nog een aardig stuk tot aan de weggespoelde brug.

Eindelijk zag hij hem liggen in het maanlicht, met het roomkleurige beton uit de jaren twintig van de vorige eeuw; verbazingwekkend dat het ding het zo lang had uitgehouden.

Alyson stopte en wilde uitstappen. 'Nee, wacht even,' zei hij, en hij gebaarde dat ze in de auto moest blijven. 'Je moet het natuurlijk wel een beetje aankleden.'

'Aankleden?'

'Natuurlijk. Je moet het plaatje voor je zien. De studenten zitten met z'n allen op elkaar gepakt in de Bentley. Ze maken er een feestje van.' Hij had een waszak vol kleren en andere voorwerpen bij zich. Het waren spullen die de studenten hadden laten liggen op kantoor en in de Bentley die bij Nanigen voor de deur stond. Een stel mobieltjes, shorts, T-shirts, bikini's, zwembroeken, een handdoek, een paar opgerolde nummers van *Nature* en

Science en een tabletcomputer. Alyson begon de spullen in het wilde weg door de auto te verspreiden.

'Ho, stop' zei hij. 'Wacht even, Alyson. We moeten eerst bedenken waar iedereen zat.'

'Ik ben een beetje zenuwachtig.'

'Oké, maar het moet wel gebeuren.'

'Maar het wordt toch één grote ravage als de auto over de rand gaat.'

'Ik snap het, Alyson, maar we moeten het gewoon doen.'

'Maar de politie... ik bedoel, er zijn geen lichamen. Er zit niemand in de auto...'

'De zee zit vol met getijstromen. En haaien. Het water slokt alle doden op. Daarom doen we het op deze manier, Alyson.'

'Oké, oké,' antwoordde ze onzeker. 'Wie zat er achterin?'

'Danny.'

Ze haalde een sweater tevoorschijn en een beduimelde roman van Conrad, *Chance*. 'Weet je het zeker, Vin? Dat is wel erg doorzichtig.'

'Zijn naam staat erin.'

'Oké. Wie zit er naast hem?'

'Jenny. Ze heeft medelijden met hem.'

Een prachtig bedrukte sjaal en een witte riem van echt pythonleer.

'Beetje duur. Is dat niet illegaal?'

'Python? Alleen in Californië.'

Vervolgens de bril van Peter Jansen, die hij altijd kwijt was, een bikini van Erika Moll, en een board-short.

Ze vervolgde de aankleding met de voorstoelen, met Karen King aan het stuur. Vin Drake sprenkelde labalcohol over de achterbank. Vervolgens drukte hij de fles kapot en gooide hem voor de passagiersstoel onder het dashboard.

'Ik wil het niet overdrijven.' Hij keek om zich heen, naar de schapenwolkjes en de witte schuimkoppen in de diepte. 'Mooie nacht,' zei hij hoofdschuddend. 'Wat leven we toch in een heerlijke wereld.' Hij liep naar de linkerkant van de auto en keek er van een afstandje naar. 'Even verderop gaat de weg omlaag,' zei hij. 'Rij even een stukje verder totdat je over de bult bent. Als je daar uitstapt, duwen we de rest.'

'Ho, wacht eens even.' Alyson hield haar handen omhoog. 'Ik zet geen voet meer in die auto, Vin.'

'Stel je niet zo aan. Het is drie meter rijden. Wat is nou drie meter?'

'Maar stel dat er iets–'

'Er gebeurt niks.'

'Waarom rij jij de auto dan niet over de bult, Vin?'

'Alyson.' Een strenge blik in het duister. 'Ik ben langer. Ik moet de stoel naar achteren zetten, en dat zou er verdacht uitzien in het politieonderzoek.'

'Maar–'

'Afspraak is afspraak, Alyson.'

Ze stapte achter het stuur en huiverde, ondanks de warme nacht.

'Eerst de kap omhoog,' zei hij.

'De kap? Hoezo?' vroeg ze.

'Om ervoor te zorgen dat alles in de auto blijft.'

Ze startte de motor en drukte op een knop. De kap van de Bentley kwam omhoog en vouwde zich open. Vin, die van een afstandje toekeek, gebaarde met zijn hand dat ze over de bult moest rijden. Ze gehoorzaamde. De auto dook een stukje omlaag, gleed nog een meter verder – ze slaakte een gil – en kwam vervolgens met een schuiver tot stilstand.

'Oké, perfect,' zei Vin, en hij reikte in zijn zak naar de nitril-handschoenen. 'Laat daar maar staan. In de parkeerstand, motor aan.'

Drake begaf zich in de richting van het voorportier, en Alyson maakte aanstalten om uit te stappen. Ze hoorde het *snap! snap!* niet toen hij de handschoenen aantrok. Met één snelle beweging smeet hij het portier dicht, vergrendelde het, reikte naar binnen door het open raam en greep met beide handen haar haar vast. Vervolgens beukte hij haar hoofd tegen de metalen raamlijst op een plaats met weinig capitonnering. Ze begon te schreeuwen, maar hij ramde haar hoofd steeds opnieuw tegen het portier. Vervolgens sloeg hij haar voorhoofd nog een paar keer tegen het stuurwiel – voor de zekerheid. Ze was nog steeds bij bewustzijn, maar dat zou er niet lang meer toe doen. Hij reikte achter haar rug langs en zette de auto met een ruk van zijn hand in *drive*. Een pijnlijk moment. Hij liet zich achterover op de grond vallen terwijl de Bentley langzaam vaart maakte, over de kapotte brug reed en in een trage dans de diepte in stortte waar honderdtachtig meter lager het onstuimige water wachtte.

Drake krabbelde overeind. Hij was te laat om de klap te zien, maar hij hoorde hem wel; het scheurende geluid van metaal op steen. De convertible was ondersteboven neergekomen, en hij bleef even kijken om te zien of er nog iets bewoog. Een van de wielen draaide langzaam, maar dat was alles. 'Vertrouwen is alles, Alyson,' zei hij zachtjes terwijl hij zich omdraaide en de handschoenen uittrok.

Drake had zijn eigen auto een paar honderd meter terug laten staan, en het zandpad was droog en keihard; hij hoefde zich geen zorgen te maken over bandensporen. Hij stapte in en reed langzaam achteruit over het smalle pad – nu geen fouten maken! – totdat hij een plekje vond dat ruim genoeg was om de auto te keren. Vervolgens reed hij in zuidwaartse richting terug naar Honolulu. Het zou een paar dagen duren voordat de politie de Bentley zou ontdekken, en hij kon maar beter opschieten. Hij zou de volgende ochtend bellen om te melden dat zijn studenten vermist werden en dat hij zich zorgen maakte. Ze waren een avondje de stad in geweest met zijn oogverblindende financieel directeur Alyson Bender.

Wat de publiciteit op het vasteland betrof – met name in Cambridge en Boston – maakte Vin Drake zich geen zorgen. Hawaï zou wat dat betreft een steuntje in de rug zijn. De eilanden waren een toeristische bestemming en er werd in principe weinig losgelaten over het aantal bezoekers dat om het leven kwam door hoge golven, sterke branding, kronkelende wandelpaden en de andere attracties van het natuurparadijs. In Cambridge zou het verhaal waarschijnlijk een paar dagen groot nieuws zijn, vooral omdat er enkele aantrekkelijke studentes bij zaten. Maar de media-aandacht zou ongetwijfeld snel overspringen naar een volgende sappige scoop: Oostenrijkse prinses verongelukt tijdens helikopterskieën op Mount Rainier; Duikers vermist bij Tasmanië; Texaanse miljonair omgekomen in basiskamp Khumbu; Bizar ongeluk aan de Cinque Terra; Toerist verslonden door reusachtige komodovaraan.

Er was altijd spectaculairder nieuws. Het zou vanzelf overwaaien.

De situatie zorgde natuurlijk wel voor problemen binnen het bedrijf zelf. Het bezoek van de studenten had Nanigen een belangrijke personeelsinjectie moeten geven; een noodzakelijke uitbreiding, gezien de mensen die ze recentelijk kwijt waren geraakt. Het zou een mooie stimulans zijn geweest. Hij zou deze kwestie vakkundig moeten aanpakken.

De sportwagen schuurde en hobbelde over de zandweg, en hij greep het stuur wat steviger beet. Hij reed in de richting van Kaena Point ('waar zielen de planeet verlaten') en aan weerszijden van het pad ziedde de branding. Hij nam zich voor het zeewater van zijn auto en zijn banden te wassen. Of misschien kon hij beter naar een gewone wasserette in Pearl City.

Hij keek op zijn horloge. Halfvier in de ochtend.

Vreemd genoeg voelde hij zich niet opgefokt of nerveus. Er was tijd genoeg om aan de andere kant van het eiland te komen, in Waikiki, bij Diamond Head. En er was ook voldoende gelegenheid om de hotelkamers van de studenten te doorzoeken om te zien of ze misschien nog wetenschappelijke *objets* hadden meegenomen.

En daarna was er uiteraard nog ruim tijd om terug te rijden naar Kahala, waar zijn eigen luxueuze appartement lag, en lekker in bed te duiken. Zodat hij geschokt wakker kon worden bij het bericht dat zijn financieel directeur het in haar hoofd had gehaald om samen met zijn getalenteerde studenten de beest uit te gaan hangen.

DEEL II
EEN MENSENBENDE

14

MANOA VALLEY
29 OKTOBER, 4:00

De zeven studenten en Kinsky liepen achter elkaar door het bos; luisterend en loerend, gehuld in duisternis en diepe schaduwen en omringd door vreemdsoortige geluiden. Rick Hutter baande zich moeizaam een weg tussen op de grond gevallen bladeren en kroop onder dode takken door die groter leken dan sequoia's. Op zijn schouder balanceerde een zelfgemaakte grasstengelspeer. Karen King, die de rugzak droeg, omklemde met haar hand haar mes. Peter Jansen voerde het groepje aan en keek behoedzaam om zich heen, speurend naar de beste route. Peter was op een of andere manier – misschien door zijn kalme optreden – de leider geworden. Ze maakten geen gebruik van de hoofdlamp omdat ze geen roofdieren wilden aantrekken. Peter kon weinig zien van het terrein dat voor hem lag. 'De maan is ondergegaan,' zei hij.

'Dan zal het zo wel licht–' begon Jenny Linn.

Een ijzingwekkende kreet maakte de rest van haar zin onverstaanbaar. Het begon als een zacht huilen en zwol aan tot een reeks hese kreten die van ergens ver boven hen kwamen. Het was een huiveringwekkend geluid waar het geweld van af droop.

Rick draaide zich om en bracht zijn speer in de aanslag. 'Wat was dat in vredesnaam?'

'Ik denk een zangvogel,' zei Peter. 'Vergeet niet dat we geluid op een lagere frequentie horen.' Hij keek op zijn horloge: 4:15. Het was een digitaal horloge, en het liep normaal, ondanks de transformatie. 'Het gaat schemeren,' zei hij.

'Als we een bevoorradingsstation kunnen vinden, kunnen we proberen

Nanigen op te roepen via de radio,' opperde Jarel Kinsky. 'Als ze het nood-signaal horen, komen ze ons redden.'

'Drake zou ons meteen vermoorden,' zei Peter.

Kinsky ging er niet op in, maar het was duidelijk dat hij het niet met Peter eens was.

Peter vervolgde: 'We moeten de tensorgenerator zien te bereiken zodat we de transformatie kunnen omkeren. Daarvoor zullen we op een of andere manier terug moeten naar Nanigen. Maar volgens mij is het een slecht idee om Drake om hulp te vragen.'

'Kunnen we het alarmnummer niet bellen?' stelde Danny voor.

'Geweldig idee, Danny. Als jij weet hoe dat moet,' zei Rick schamper.

Jarel Kinsky legde uit dat de radio's in de bevoorradingsstations maar een bereik van ongeveer dertig meter hadden. 'Als er iemand van Nanigen in de buurt is en op de juiste frequentie luistert, kan hij met ons communiceren. Maar verder kan niemand het signaal ontvangen.' Bovendien, zo legde hij uit, zonden de radio's niet op frequenties die door politie of hulp-diensten werden gebruikt. 'De microradio's van Nanigen werken op ongeveer zeventig gigahertz,' vervolgde Kinsky. 'Dat is een ontzettend hoge frequentie. Ideaal voor veldteams en op korte afstanden, maar onbruikbaar voor communicatie in een groter gebied.'

Jenny Linn zei: 'Toen Drake ons door het arboretum rondleidde, had hij het over een shuttle die vanuit Manoa Valley naar Nanigen ging. We zouden ons in die truck kunnen verstoppen.'

Iedereen stopte met praten. Het klonk als een goed idee. En nu ze erover nadachten: Vin Drake had het inderdaad over een shuttletruck gehad. Maar als de veldteams terug waren gehaald uit de microwereld, zou de shuttle dan nog rijden? Peter draaide zich om naar Jarel Kinsky. 'Weet jij of die shuttletruck nog steeds naar Nanigen rijdt?'

'Ik heb geen idee.'

'Hoe laat arriveert de truck normaal gesproken in het arboretum?'

'Om twee uur,' antwoordde Kinsky.

'En waar stopt hij?'

'Op de parkeerplaats. Naast de broeikas.'

Iedereen liet de informatie even tot zich doordringen.

'Volgens mij heeft Jen gelijk. We moeten op die truck zien te komen,' zei Peter. 'Eerst terug naar Nanigen en dan proberen in de tensorgenerator–'

'Wacht eens even – hoe moeten we in godsnaam aan boord van die truck komen als we zo klein zijn?' vroeg Rick Hutter op scherpe toon. Hij ging recht tegenover Peter Jansen staan. 'Dit is een idioot plan. Wat doen we straks als er geen truck is? Nanigen is hier vijfentwintig kilometer vandaan.'

Denk eens even na. We zijn honderd keer zo klein als we waren. Dat betekent dat elke kilometer voor óns honderd kilometer is. Als het inderdaad vijfentwintig kilometer van hier naar Nanigen is, dan is dat voor ons vijfentwintighonderd kilometer. In feite staan we voor dezelfde expeditie als die van Lewis en Clark naar de westelijke kust van Amerika. Zij deden er alleen twee jaar over terwijl wij het in minder dan vier dagen moeten doen, anders bezwijken we aan de caissonziekte. Ik geef ons weinig kans, mensen.'

'Rick stelt voor om bij de pakken neer te gaan zitten en op te geven,' zei Karen.

Rick keek haar kwaad aan. 'Ik vind gewoon dat we praktisch–'

'Jij bent zelf anders ook niet bepaald praktisch. Je loopt alleen maar te zeiken,' zei Karen tegen hem.

Peter deed een poging de lont uit het kruitvat te halen. Hij ging tussen Rick en Karen staan met de gedachte dat het tweetal zich beter op hem kon afreageren dan dat ze op elkaar bleven vitten. 'Luister,' zei hij terwijl hij zijn hand op Ricks schouder legde. 'Ruziemaken lost niks op. Laten we het gewoon stap voor stap doen.'

Het groepje zette zich weer in beweging en liep zwijgend verder.

Omdat ze maar een centimeter lang waren, was hun zicht vanaf de bosbodem beperkt, zelfs toen de zon opkwam. Overal groeiden weelderige varens die het zicht blokkeerden en diepe schaduwen wierpen. Ze verloren de broeikas uit het oog en slaagden er niet in herkenbare oriëntatiepunten te vinden. Toch bleven ze doorlopen. De zon brak door, en smalle lichtbundels filterden door het bladerdak.

In het daglicht konden ze een stuk beter zien waar ze liepen. De bodem krioelde van kleine organismen – nematoden, grondmijten en ontelbare andere minuscule schepsels. Dat was wat Jenny in het donker onder haar voeten had gevoeld. De grondmijten waren kleine, spinachtige wezens in allerlei soorten en maten die in het wilde weg rondkropen of zich in scheuren in de bodem verstopten. De mijten zouden voor personen van normale omvang nagenoeg onzichtbaar zijn geweest, maar in de wereld van de micromensen leek hun grootte te variëren van die van een rijstkorrel tot die van een golfbal. Veel mijten hadden een klein, eivormig lichaam dat bedekt was met een dik pantser en puntige haren. De mijten behoorden tot de spinachtigen, en Karen, de arachnologe, bleef regelmatig even staan om ze te bestuderen. Ze herkende niet één soort, en ze kon er niet over uit hoe overvloedig de natuur was; dit was biodiversiteit zo ver het oog reikte. De mijten waren overal. Ze deden haar denken aan krabben op een rotsachtige kust; klein en onschuldig, onafgebroken druk in de weer met hun kleine, verborgen leven. Ze pakte een mijt op en plaatste hem in haar handpalm. Het dier leek zo broos, zo perfect. En plotseling besefte Karen tot haar verbazing dat ze zich blij voelde. 'Ik weet niet hoe het komt,' zei ze, 'maar ik heb het gevoel dat ik al mijn hele leven naar een wereld als deze heb gezocht. Het is net alsof ik thuiskom.'

'Fijne thuiswereld,' zei Danny.

De mijt klauterde omhoog om Karens arm te verkennen.

'Kijk maar uit,' waarschuwde Jenny. 'Straks bijt hij je nog.'

'Niet dit kereltje,' zei Karen. 'Zie je hoe zijn bek open- en dichtgaat? Deze soort heeft zich aangepast aan het opzuigen van detritus – dood organisch materiaal. Hij eet afval.'

'Hoe weet je dat het een hij is?'

Karen wees op het achterlijf van de mijt. 'Penis.'

'Een man is een man, hoe klein hij ook is,' merkte Jenny op.

Hoe langer ze liepen, des te enthousiaster Karen begon te worden. 'Mijten zijn geweldig. Ze zijn extreem gespecialiseerd. Veel soorten zijn parasieten en heel kieskeurig wat hun gastheer betreft. Zo is er een mijt die alleen op de oogbollen van een specifieke vliegendehondensoort voorkomt – en verder nergens. En er is ook een soort die alleen op de anus van een luiaard leeft–'

'Doe me een lol, Karen!' viel Danny uit.

'Stel je niet aan, Danny, dat is de natuur. Ongeveer de helft van alle mensen op aarde heeft mijten in zijn wimpers. En veel insecten hebben ook mijten op hun lichaam. Sterker nog – er zijn zelfs mijten die op andere mijten leven, dus ook mijten hebben mijten.'

Danny ging zitten en plukte een mijt van zijn enkel. 'Dat kreng heeft een gat in mijn sok gevreten.'

'Dat zal dan wel zo'n detrituseter zijn,' grapte Jenny.

'Wat zijn we weer lollig.'

'Wil iemand mijn huidcrème met natuurzuivere latex proberen?' vroeg Rick Hutter. 'Misschien houdt dat spul de mijten op een afstand.'

Ze bleven staan, en Rick haalde een plastic laboratoriumpot tevoorschijn die hij rond liet gaan. Iedereen smeerde wat crème op zijn gezicht, handen en polsen. Het spul had een penetrante geur. En het werkte. Het leek de mijten in elk geval op een afstand te houden.

Voor Amar Singh leek de realiteit van de microwereld een aanval op zijn zintuigen. Hij ontdekte dat het klein-zijn ook de gewaarwordingen veranderde die hij op zijn huid voelde. Zijn eerste indruk van de microwereld was het gevoel van lucht die over zijn gezicht en zijn handen stroomde, aan zijn shirt trok en door zijn haar woelde. De lucht leek dikker, bijna stroopachtig, en hij voelde zelfs het geringste briesje rond zijn lichaam wervelen. Hij maakte een zwaaiend gebaar met zijn arm en voelde hoe de lucht tussen zijn vingers door fladderde. Bewegen in de microwereld leek wel wat op zwemmen. Omdat hun lichaam zo klein was, was de luchtweerstand duidelijker merkbaar. Amar wankelde even omdat een zuchtje lucht hem opzij duwde. 'We zullen wel zeebenen krijgen,' zei hij tegen de rest. 'Ik heb het gevoel dat ik hier opnieuw moet leren lopen.' De anderen hadden vergelijkbare problemen: onvast op je benen staan, het gevoel dat de lucht aan je trok en soms je voeten op de verkeerde plaats neerzetten. Als je ergens op probeerde te springen, sprong je meestal te ver. Hun lichaam was duidelijk sterker in de microwereld, maar ze wisten nog niet goed hoe ze ermee om moesten gaan.

Het was alsof ze op de maan liepen.

'We kennen onze eigen kracht niet,' zei Jenny. Ze concentreerde zich, nam een enorme sprong en greep met beide handen de rand van een blad vast. Ze bleef even aan twee handen hangen en haalde er vervolgens een weg – het stelde niks voor. Ze liet zich vallen en kwam weer op de grond terecht.

Rick Hutter had de rugzak overgenomen. Hoewel die vol met apparatuur zat, ontdekte Rick dat hij moeiteloos op en neer kon springen, ondanks de rugzak. Zelfs zonder veel inspanning wist hij vrij hoog te komen. 'Ons lichaam is hier sterker en lichter omdat de zwaartekracht bijna geen rol meer speelt.'

'Klein zijn heeft zo zijn voordelen,' merkte Peter op.

'Ik zie ze anders niet,' mopperde Danny Minot.

Maar Amar Singh bekroop langzaam een gevoel van angst. Wat leefde er eigenlijk onder al die bladeren? Vleeseters. Het waren veelpotige dieren met een geleed pantser en uitzonderlijke manieren om hun prooi te doden. Amar was opgegroeid in een vroom hindoegezin. Zijn ouders, immigranten uit India die zich in New Jersey hadden gevestigd, aten geen vlees. Hij had gezien hoe zijn vader een venster opende en een vlieg naar buiten joeg; liever dat dan het insect dood te slaan. Amar was altijd vegetariër geweest; hij had nooit dieren kunnen eten om eiwitten binnen te krijgen. Hij geloofde dat dieren ook in staat waren om te lijden, inclusief insecten. In het laboratorium werkte hij met planten, nooit met dieren. Maar hier in de jungle vroeg hij zich af of hij een dier zou moeten doden en opeten om zelf te kunnen overleven. Of dat een dier hém zou opeten. 'We bestaan uit eiwit,' zei Amar. 'Veel meer zijn we eigenlijk niet. Alleen maar eiwit.'

'Waar slaat dat nou weer op?' vroeg Rick hem.

'We zijn gewoon wandelend vlees.'

'Dat klinkt behoorlijk luguber, Amar.'

'Ik ben alleen maar realistisch.'

'Het is in elk geval wel, eh... interessant,' merkte Jenny op. Het was haar opgevallen dat de microwereld een eigen geur had. Een complex, gronderig aroma vulde haar neus, en het stond haar niet tegen. Eigenlijk was het op een bepaalde manier zelfs lekker. In deze klamme lucht hing een geur van aarde vermengd met duizend aroma's die ze nog nooit had geroken, deels zoet, deels muskusachtig. Veel van de geuren waren prettig, heerlijk zelfs, als uitgelezen parfums.

'We ruiken feromonen, de signaalstoffen die dieren en planten voor communicatie gebruiken,' zei Jenny tegen de anderen. 'Dit is de onzichtbare taal van de natuur.' Ze werd er blij van – hier kon ze voor het eerst het volledige spectrum van geuren in de natuur ervaren. Het was een openbaring die haar tegelijkertijd aangreep en beangstigde.

Jenny pakte een stukje aarde op en rook eraan. Het krioelde van nematoden, mijten en corpulent uitziende schepsels die beerdiertjes werden genoemd. In de verte rook het bovendien zwak naar antibiotica. Ze wist waarom: de grond zat vol met bacteriën, en veel van die bacteriën waren uiteenlopende soorten *Streptomyces*. 'Streptomyces kun je ruiken,' zei Jenny tegen de anderen. 'Het is een bacteriesoort die antibiotica maakt. Moderne antibiotica zijn ervan afgeleid.' De aarde was doorregen met dunne schimmeldraden die *hyphae* werden genoemd. Jenny trok een draad uit de aarde; hij was stug, maar tegelijkertijd een beetje elastisch. Een kubieke centimeter aarde kon een paar honderd meter van deze zwamdraden bevatten.

Er zweefde iets voor Jenny's gezicht langs wat omlaag viel door de dikke lucht. Het was een bolletje ter grootte van een peperkorrel met knobbels erop. 'Wat is dat in vredesnaam?' zei ze, en ze bleef abrupt staan om het te bestuderen. Het bolletje landde voor haar voeten op de grond. Een tweede exemplaar dreef traag voorbij. Ze stak haar hand uit, ving het op en rolde het tussen duim en wijsvinger. Het bolletje was taai en hard; een beetje als een noot. 'Stuifmeel,' zei ze verbaasd. Ze keek omhoog en zag een hibiscusboom met een overvloed aan witte bloemen; het leek wel een wolk. Om een reden die ze niet kon verklaren, maakte haar hart een sprongetje toen ze het zag. Op dat moment voelde Jenny Linn zich even blij dat ze zo klein was.

'Ik vind het hier... prachtig,' zei Jenny met haar blik op de bloemenwolk terwijl ze langzaam een rondje draaide in een sneeuwbui van stuifmeel. 'Ik had nooit gedacht dat het zo was.'

'Jenny, we moeten doorlopen.' Peter Jansen was blijven staan om op haar te wachten en loodste de mensen verder.

Entomologe Erika Moll was helemaal niet blij. Ze werd een toenemend gevoel van angst gewaar. Ze wist voldoende over insecten om er op dit moment doodsbang van te zijn. Zij hebben een pantser, en wij niet, dacht Erika. En dat pantser is van chitine. Het is een pantser van bioplastic, licht en supersterk. Ze liet haar vingers over haar arm glijden en voelde haar tere huid, de donzige haartjes. Wij zijn zacht, dacht ze. Wij zijn eetbaar. Ze zei niets tegen de anderen, maar ze voelde hoe zich achter haar schijnbare kalmte een verstikkende paniek opbouwde. Ze was bang dat haar angst haar zou verraden, dat ze haar zelfbeheersing zou verliezen.

Erika zette zich weer in beweging. Ze beet op haar lip, balde haar vuisten en probeerde haar angst in bedwang te houden.

Peter Jansen stelde voor een rustpauze in te lassen, en iedereen zocht een plekje op de rand van een blad. Peter wilde Jarel Kinsky uithoren. Kinsky wist een hoop over de tensorgenerator aangezien hij degene was die de machine bediende. Als ze op een of andere manier Nanigen wisten te bereiken en in de generatorruimte konden komen, zouden ze dan in staat zijn het apparaat te bedienen? Hoe moesten ze dat voor elkaar krijgen als ze zo klein waren? Peter vroeg aan Kinsky: 'Hebben we geen hulp nodig van iemand met een normale lengte om de generator te bedienen?'

Kinsky keek onzeker. 'Ik weet het niet,' zei hij terwijl hij in de aarde prikte met een grasspeer. 'Het gerucht gaat dat de man die de tensorgenerator heeft ontworpen een bedieningspaneel in microformaat heeft geplaatst dat door een micromens kan worden bediend. Het lijkt mij dat zo'n micropaneel zich ergens in de regelkamer moet bevinden. Ik heb er een paar keer naar gezocht, maar ik heb nooit wat gevonden. En op de ontwerptekeningen staat ook niks. Hoe dan ook – als we dat micropaneel vinden, kan ik ermee overweg.'

'We hebben hoe dan ook je hulp nodig,' zei Peter.

Kinsky trok zijn speer uit de grond en staarde naar een mijt die met wuivende voorpoten omhoogklauterde via het provisorische wapen. 'Het enige wat ik wil is naar huis, naar mijn gezin,' zei hij zachtjes. Hij schudde zijn speer, en de mijt viel op de grond.

'Je baas interesseert zich geen bal voor je gezin,' snauwde Rick Hutter naar Kinsky.

'Rick heeft geen familie,' fluisterde Danny Minot tegen Jenny Linn. 'Hij heeft niet eens een vrien–'

Rick nam een sprong in de richting van Danny, die maakte dat hij wegkwam en riep: 'Problemen los je niet op met geweld, Rick!'

'Het zou jou anders wél oplossen,' mompelde Rick.

Peter nam Rick bij de schouder en kneep erin om hem te kalmeren, alsof hij wilde zeggen: Maak je niet druk. Tegen Kinsky zei hij: 'Zijn er nog andere mogelijkheden om Nanigen te bereiken? Behalve de shuttletruck, die misschien niet meer rijdt.'

Kinsky boog zijn hoofd om na te denken. Na een tijdje zei hij: 'Tja – we zouden kunnen proberen basis Tantalus te bereiken.'

'Wat is basis Tantalus?'

'Dat is een bioprospectiecomplex in de Tantaluskrater op de bergkam boven dit dal.' Kinsky wees bij benadering in de richting van de berg, waarvan door het dichte regenwoud weinig meer te zien was dan een groene massa. 'De basis is ergens daarboven.'

Jenny Linn zei: 'Vin Drake heeft het tijdens de rondleiding over de Tantalus gehad.'

'Ik herinner het me nog,' zei Karen.

'Is die basis open?' vroeg Peter aan Kinsky.

'Ik denk het niet. Er zijn daar mensen omgekomen. Er waren roofdieren.'

'Wat voor soort?' vroeg Karen op scherpe toon.

'Wespen, heb ik gehoord. Maar,' vervolgde Kinsky peinzend, 'er waren wel microvliegtuigen op basis Tantalus.'

'Microvliegtuigen?'

'Kleine vliegtuigjes. Ons formaat.'

'Zouden we daarmee naar Nanigen kunnen vliegen?'

'Ik weet niet wat het bereik van die vliegtuigen is,' antwoordde Kinsky. 'Ik weet trouwens niet eens of die vliegtuigen er nog staan.'

'Hoe ver boven ons ligt basis Tantalus?'

'De basis ligt zeshonderd meter boven Manoa Valley,' antwoordde Kinsky.

'Zeshonderd meter!' barstte Rick Hutter uit. 'Dat is... onmogelijk voor mensen van ons formaat.'

Kinsky haalde zijn schouders op. De anderen zeiden niets.

Peter Jansen nam de touwtjes in handen. 'Oké, volgens mij moeten we het volgende doen. We moeten om te beginnen een bevoorradingsstation zien te vinden en meenemen wat we kunnen dragen. Vervolgens moeten we naar het parkeerterrein. Daar wachten we op de shuttletruck. We moeten zo snel mogelijk naar Nanigen terug.'

'We gaan er allemaal aan,' zei Danny Minot met een gebroken stem.

'We kunnen het ons niet veroorloven om niks te doen, Danny,' zei Peter, die probeerde zijn stem zo rustig mogelijk te laten klinken. Hij had het gevoel dat Danny op het punt stond een zenuwinzinking te krijgen, en dat zou gevaarlijk zijn voor de complete groep.

De anderen gingen akkoord met Peters plan – sommigen met tegenzin, maar niemand had een beter idee. Ze dronken om beurten van een dauwdruppel op een blad en vervolgden hun weg, op zoek naar een pad, een tent of een ander spoor van menselijke aanwezigheid. Kleine planten dicht bij de grond bogen over hen heen en vormden soms tunnels. Ze baanden zich er een weg doorheen en liepen langs stammen van reusachtige bomen. Maar nergens zagen ze ook maar iets wat op een bevoorradingsstation wees.

'Oké, dus als we niet als de donder uit dit bos weten te komen, bloeden we straks dood,' zei Rick Hutter tijdens het lopen. 'En dat bevoorradingsstation kunnen we ook wel op onze buik schrijven. Verder zit er een psychopathische reus achter ons aan die ons dood wil hebben. En ik heb een blaar. Is er nog iets waar ik me zorgen om moet maken?' vroeg hij op sarcastische toon.

'Mieren,' antwoordde Kinsky kalm.

'Mieren?' onderbrak Danny Minot met bevende stem. 'Wat is er met mieren?'

'Mieren kunnen een probleem vormen, heb ik gehoord,' antwoordde Kinsky.

Rick Hutter bleef staan voor een grote gele vrucht die op de grond lag. Vervolgens keek hij omhoog. 'Yes!' zei hij. 'Een kralenboom. *Melia azederach.* De bes is uiterst giftig, met name voor insecten en insectenlarven. Hij bevat ongeveer vijfentwintig vluchtige stoffen, hoofdzakelijk 1-*cinnamoyl*-verbindingen. Deze bes is absoluut dodelijk voor insecten. Ik kan het als ingrediënt voor mijn curare gebruiken.' Hij deed de rugzak af en stopte de bes erin. De eivormige vrucht nam een groot deel van de ruimte in beslag en stak aan de bovenkant naar buiten als een reusachtige meloen.

Karen keek hem dreigend aan. 'Gaat dat ding geen gif lekken?'

'Nee.' Rick grijnsde en tikte op de gele bes. 'Taaie schil.'

Karen schonk Rick een sceptische blik. 'Het is jouw leven,' zei ze nors. De groep vervolgde zijn weg.

Danny Minot had moeite om de anderen bij te houden. Zijn gezicht was rood, en hij wiste voortdurend zijn voorhoofd met zijn handen. Uiteindelijk trok hij zijn sportjasje uit en smeet het op de grond. Zijn dure schoenen zaten onder de modder. Hij ging op een blad zitten, stak een hand onder zijn overhemd en begon zich te krabben. Even later haalde hij een stuif-meelkorrel tevoorschijn. Hij hield hem tussen duim en wijsvinger. 'Weet iemand hier toevallig dat ik vreselijk allergisch ben? Als ik zo'n ding in mijn neus krijg, kan ik in een shock raken.'

Karen lachte schamper. 'Zo allergisch ben je echt niet! Anders was je al-lang dood geweest.'

Danny gaf de stuifmeelkorrel een tik, en het bolletje danste vrolijk weg door de lucht.

Amar Singh kon er niet over uit dat de microwereld zo vol leven was en dat zelfs in de kleinste hoekjes en gaatjes minuscule schepsels rondtrip-pelden. 'Shit! Ik wou dat we een camera hadden. Wat zou ik dit graag vast-leggen.'

Ze waren jonge wetenschappers, en de microwereld onthulde een won-derland vol onbekend leven. Ze vermoedden dat ze soorten zagen die nooit eerder waren waargenomen of benoemd. 'Je zou een proefschrift kunnen schrijven over elke vierkante meter hier,' merkte Amar op. Hij begon lang-zaam te overwegen om dat inderdaad te doen. Op basis van deze trip kon hij een geweldig promotieonderzoek doen. Als ik het tenminste overleef, overwoog hij.

Over de grond kropen torpedovormige diertjes met zes poten en een geleed lichaam. Ze waren ontzettend klein en alomtegenwoordig. Sommi-ge zogen slierten schimmel op alsof ze spaghetti aten. Soms, als er mensen voorbijliepen, schrok een van de diertjes. Het produceerde dan een hard *snap!* om vervolgens hoog in de lucht te springen en vreemde buitelingen te maken.

Erika Moll bleef staan om een van de diertjes te bestuderen. Ze pakte het op en hield het spartelende schepseltje tussen duim en wijsvinger. Het maakte happende bewegingen met zijn staart en produceerde daarbij klik-kende geluiden.

'Wat zijn dat voor dingen?' vroeg Rick terwijl hij er een uit zijn haar haalde.

'Dat zijn springstaartjes,' zei Erika. In de normale wereld, zo legde ze uit, zijn springstaartjes ontzettend klein. 'Niet groter dan de punt op een i in een boek,' zei ze. Het dier had een veermechanisme in zijn achterlijf waar-mee het grote afstanden kon afleggen en aan zijn vijanden kon ontsnappen. Alsof het was afgesproken, sprong het springstaartje van haar hand, schoot de lucht in en verdween uit het zicht achter een varen.

Ze liepen verder, en er bleven springstaartjes de lucht in springen, ver-stoord door hun voetstappen. Peter Jansen voerde opnieuw het groepje aan. Het zweet liep over zijn lichaam. Hij besefte dat ze veel vocht verloren.

'We moeten voldoende water drinken,' zei hij tegen de rest. 'Anders drogen we uit.' Ze vonden een kluit mos die behangen was met dauwdruppels, en ze gingen eromheen staan. Ze vormden kommetjes met hun handen en dronken van de dauw. Het oppervlak van het water was taai, en ze moesten er een tik op geven om de oppervlaktespanning te doorbreken. Terwijl Peter wat water naar zijn mond bracht, vormde het zich tot een bolletje in zijn handen.

Ze kwamen bij een reusachtige boomstam die vanuit een massale steunbeer van wortels naar de hemel reikte. Terwijl ze zich een weg tussen de bogen en bruggen door baanden, raakte de lucht doortrokken van een scherpe geur. Ze begonnen trommelende geluiden te horen, een soort tikken, alsof het regende. Peter, die ook nu weer vooropliep, klom op een wortel en zag twee lage muurtjes die door het landschap slingerden en verdwenen in de verte. De muurtjes waren gemaakt van stukjes zand en grond die met een of andere opgedroogde substantie aan elkaar waren geplakt.

Tussen de muren marcheerden twee colonnes mieren in tegengestelde richting – een mierensnelweg. Even verderop kwamen de muren op een tunnel uit.

Peter ging op zijn hurken zitten en gebaarde naar de anderen dat ze geen geluid moesten maken. Hij ging behoedzaam op zijn buik liggen en keek omlaag naar de mierencolonne. Waren de mieren gevaarlijk? Ze hadden ongeveer het formaat van zijn onderarm. Dat viel nog mee, dacht Peter. Hij voelde zich opgelucht omdat hij op een of andere manier had verwacht dat mieren veel groter zouden zijn. Maar het waren er wel veel. Ze marcheerden in een stevig tempo over hun weg en door de tunnel die ze hadden gebouwd.

De mieren waren roodachtig bruin van kleur en overdekt met stekelhaar. Hun gitzwarte koppen glommen in het licht. De geur van de dieren hing boven hun snelweg als een deken van uitlaatgassen over een drukke autoweg. De lucht was weliswaar zurig, maar verrijkt met een verfijnd aroma. 'Die scherpere geur is mierenzuur – een verdedigingsmechanisme,' legde Erika Moll uit terwijl ze op haar hurken ging zitten en geconcentreerd naar de mieren keek.

Jenny Linn zei: 'Die zoete lucht is een feromoon. Waarschijnlijk de geur van de kolonie. Mieren gebruiken zo'n geur om elkaar te identificeren als lid van dezelfde kolonie.'

Erika vervolgde: 'Het zijn allemaal vrouwtjes – dochters van één koningin.'

Sommige mieren droegen dode insecten of delen van uiteengereten insecten met zich mee. De voedseldragers begaven zich allemaal in dezelfde richting aan de linkerkant van de snelweg. 'De ingang van het nest is die kant op. Daar dragen ze het voedsel naartoe,' voegde Erika eraan toe terwijl ze naar links wees.

'Weet je wat voor soort het is?' vroeg Peter haar.

Erika dacht na. 'Ehm... Hawaï kent geen inheemse mieren. Alle mieren in Hawaï zijn van elders. Ze zijn hier gekomen met mensen. Ik ben er vrij zeker van dat dit *Pheidole megacephala* is.'

'Hebben ze ook nog een normale naam?' vroeg Rick. 'Ik ben maar een domme etnobotanicus.'

'Deze soort wordt glimmende dikkop genoemd,' vervolgde Erika. 'Hij is voor het eerst aangetroffen op het eiland Mauritius, in de Indische Oceaan, maar inmiddels heeft hij zich over de hele wereld verspreid. Het is de meest voorkomende mierensoort in Hawaï.' De glimmende dikkop was een van de meest destructieve insecten op aarde gebleken, zo legde Erika uit. 'De dikkoppen hebben een hoop schade aangericht aan het ecosysteem van de eilanden,' zei ze. 'Ze vallen inheemse Hawaïaanse insecten aan en maken ze af. Sommige Hawaïaanse insectensoorten zijn daardoor bijna uitgestorven. Ze grijpen zelfs jonge vogels die nog in het nest zitten.'

'Geen prettig vooruitzicht,' zei Karen. Een jong vogeltje, zo overwoog ze, was een stuk groter dan een micromens.

'Ik vind hun koppen helemaal niet zo dik,' merkte Danny op.

Erika zei: 'Dit zijn ondergeschikte werksters. De prominenten hebben de grote koppen.'

'Prominenten?' vroeg Danny nerveus. 'Wat zijn dat dan?'

'Soldaten,' vervolgde Erika. 'De glimmende dikkop kent twee kasten – ondergeschikten en prominenten. De ondergeschikten zijn werksters. Die zijn klein, en er zijn er een heleboel van. De prominenten zijn de krijgers, de bewakers. Die zijn groot en zie je minder vaak.'

'En hoe zien die dikkoppen er dan uit?'

Erika haalde haar schouders op. 'Dikke koppen.'

Er waren zoveel mieren, en elke mier leek boordevol bovenmenselijke energie. Een enkele mier vormde zeker geen bedreiging, maar duizend exemplaren... opgefokt... uitgehongerd. Ondanks de dreiging die ervan uitging, staarden de jonge wetenschappers gefascineerd naar de insecten. Twee mieren bleven staan en maakten contact via hun voelsprieten. Vervolgens begon een van hen met zijn achterlijf te wiebelen en een ratelend geluid te maken. De andere mier spuwde behulpzaam een druppel vloeistof in de bek van haar collega. Erika legde uit wat er gebeurde: 'Ze vroeg om voedsel van haar nestgenoot. Dat bewegen met haar achterlijf en die krassende geluiden waren bedoeld om aan te geven dat ze honger had. Het is de mierenversie van het huilen van een hond–'

Danny onderbrak haar. 'Ik zie de lol er niet van in om te kijken naar een mier die haar lunch in de bek van een andere mier kotst. Laten we liever verder gaan.'

De mierensnelweg was niet breed. Ze hadden er gemakkelijk overheen kunnen springen, maar ze besloten geen risico te nemen en de colonne uit de weg te gaan. Zoals Peter het zei: 'Ik heb geen zin om straks een mier van iemands enkel los te trekken.'

Jarel Kinsky was blijven staan en staarde naar de takken van de reusachtige boom boven hun hoofd. 'Ik ken deze boom,' zei hij. 'Het is een *albesia*. Ik weet bijna zeker dat er aan de andere kant een bevoorradingsstation ligt.' Hij klauterde op een wortel, liep een stukje omhoog en sprong vervolgens weer op de grond. 'Ja,' zei hij. 'Ik denk dat we in de buurt zitten.' Kinsky nam het voortouw en begon via de linkerkant rond de albesia te lopen, zich een weg banend tussen dode varenbladeren door, meppend naar dingen met zijn grasstengelspeer en bladeren en planten opzij trappend.

Peter Jansen liet zich terugvallen naar de achterhoede. Hij was niet gerust op de mieren en wilde ze in de gaten houden terwijl de groep zich verplaatste. Rick Hutter was de hekkensluiter. Hij liep langzaam omdat hij behalve zijn speer de rugzak met de bes droeg. 'Hé, Rick, zal ik je speer een tijdje overnemen? Dan ga ik wel achter je lopen,' zei Peter.

Rick knikte en overhandigde hem tijdens het lopen zijn wapen.

Kinsky was ondertussen bezig een blad opzij te trekken en zei op luide toon: 'Als het lukt om in het Nanigencomplex te komen, moeten we op zoek naar de verborgen console om de generator mee te bedienen. Als meneer Drake geen toestemming–'

Op dat moment bleef Jarel Kinsky als aan de grond genageld staan. In de verte, voorbij de wortels van de boom, was de bovenkant van een tent te zien.

'Een station! Een station!' riep Kinsky, en hij begon in de richting van de tent te rennen.

Door zijn opwinding zag hij de ingang van het mierennest niet.

Het was een kunstmatige tunnel onder een palmboom, gemaakt van stukjes aan elkaar gelijmde grond en aarde. Kinsky rende vlak langs de opening. Rond de tunnel stonden tientallen glimmende dikkoppen op wacht – soldaatmieren. De soldaten waren twee tot drie keer zo groot als de werksters. Hun lichamen waren dofrood met her en der wat borstelige haren. De bovenmaatse zwarte koppen glommen in het licht. Ze waren zwaar gespierd en gepantserd, en uitgerust met kaken die waren gemaakt om te vechten. Hun ogen waren als zwarte knikkers.

Ze zagen Kinsky naar de tent rennen.

Alle soldaten vielen op hetzelfde moment aan. Kinsky zag de reuzen-mieren op zich afkomen en vluchtte een andere kant op, maar de soldaten hadden zich al verspreid. Ze omsingelden Kinsky en naderden hem vanuit alle richtingen; een strategie die de ontsnappingsroute van de technicus afsneed. Kinsky bleef staan en deed een stap naar achteren in een steeds kleiner wordende mierencirkel. 'Nee!' schreeuwde hij met zijn grasspeer boven zijn hoofd. Hij haalde uit naar een soldaat, maar het dier greep het wapen met zijn kaken en brak de punt af. Verschillende soldaten sprongen nu boven op Kinsky en begonnen hem tegen de grond te duwen terwijl een mier zich vastbeet in Kinsky's pols. De technicus schreeuwde en rukte aan zijn hand zodat de mier heen en weer begon te slingeren. Maar het dier weigerde los te laten en schudde met zijn kop als een buldog. Het vol-gende moment scheurde de hand los. De mier schoot naar achteren en viel op de grond met het lichaamsdeel tussen zijn kaken. Kinsky schreeuwde het uit en zakte door zijn knieën met zijn goede hand om de stomp, die kleine fonteintjes bloed spoot. Een soldaat klom op Kinsky's rug, zette zijn kaken in zijn oor en begon Kinsky's hoofdhuid los te trekken. Kinsky viel kronkelend achterover. Een paar seconden later lag hij met uitgestrekte ar-men en benen op de grond terwijl de soldaten van verschillende kanten aan zijn armen en benen rukten; ze probeerden hem te vierendelen. Een soldaat slaagde erin zijn kaken vast te zetten onder de kin van de technicus. Er klonk een verstikte schreeuw, gevolgd door een schor gegorgel toen bloed uit zijn hals tegen de kop van de soldaat spoot. Ook kleinere werk-sters gingen nu meedoen met de aanval, en Kinsky leek te verdwijnen on-der een berg uitzinnige mieren.

Peter Jansen was naar voren gerend, zwaaiend met zijn speer en schreeu-wend naar de mieren in een poging ze bij Kinsky weg te jagen, maar het was te laat. Peter bleef staan en keek vervuld van afgrijzen naar de wrie-melende massa soldaten. Hij kon proberen tijd te winnen zodat de anderen konden vluchten, dacht hij, en hij wilde juist opnieuw in de aanval gaan toen hij zag dat Karen King naast hem kwam staan. Ze had haar mes in haar hand. 'Maak dat je wegkomt,' zei Peter tegen haar.

'Nee,' zei ze tegen hem. Ze ging op haar hurken zitten, keek naar de mie-ren en hield haar mes voor zich. Misschien was ze in staat om de mieren een tijdje tegen te houden zodat de anderen in de gelegenheid waren te ontsnappen. Ondertussen stroomden er nieuwe soldaten uit het nest – op zoek naar vijanden. Een soldaat kwam op Peter en Karen af met zijn bek wijd open.

Peter wierp zijn speer naar de mier, maar het dier ontweek het wapen en viel op hoge snelheid aan.

'Laat mij maar, Peter!' riep Karen. Ze deed een paar stappen naar achteren en sprong vervolgens in de lucht. Ze ging veel hoger dan een normaal mens ooit zou kunnen springen en landde als een kat op een – tijdelijk – veilige afstand van de mieren. Vervolgens haalde ze het spuitflesje met afwerende chemicaliën uit haar riem dat ze aan Vin Drake had willen laten zien. Benzo's. Mieren hielden niet van benzo's, daar was ze vrij zeker van. Ze sproeide het spul in de richting van de naderende mier. Het dier stopte onmiddellijk, draaide zich om... en rende weg.

'Yes!' riep ze. De spray werkte. Ze gingen er als een haas vandoor.

Uit een ooghoek zag ze de anderen wegrennen van het mierennest. Goed zo. Nu hadden ze wat tijd. Ze bleef sproeien. De spray hield de mieren op een afstand en maakte een einde aan de aanvallen. Maar het flesje bevatte slechts een kleine hoeveelheid vloeistof, en er kwamen steeds meer soldaatmieren uit het nest. Er was blijkbaar groot alarm geslagen. Een van de mieren wierp zich op Karen, landde op haar borst en begon naar haar hals te happen.

'Hai!' schreeuwde ze, en ze greep de mier in zijn nek, hield hem in de lucht en ramde met haar andere hand het mes in de kop van het dier. Het lemmet doorboorde het dikke chitinepantser, en er spoot een heldere vloeistof naar buiten – *hemolymfe* of insectenbloed. Ze smeet de mier onmiddellijk van zich af. Het dier belandde stuiptrekkend en met gesloopte hersenen op de grond. Maar de mieren kenden geen angst, geen drang tot zelfbehoud, en er kwamen er steeds meer. Toen de mieren dichterbij kwamen, sprong Karen als een circusacrobaat weg met een achterwaartse salto. En opnieuw kwam ze op haar beide benen terecht.

Dat was het moment om te vluchten.

Even verderop zag ze hoe de anderen alles op alles zetten om de mieren voor te blijven. Gedreven door angst sprongen ze over bladeren en varenstammen, ontweken ze wortels en stenen en vluchtten ze als een kudde gazelles voor de leeuwen. Hoe kan ik ooit zo snel zijn? Ik heb nog nooit eerder zo snel gerend... dacht Karen. Maar hun lichaam was een stuk sterker en sneller in de microwereld. Het gaf Karen het gelukzalige gevoel dat ze over bovenmenselijke krachten beschikte. Ze sprong over hindernissen als een hordeloper en ging met onvoorstelbare sprongen klompjes aarde en kleine steentjes uit de weg. Ze besefte dat ze snelheden haalde van rond de tachtig kilometer per uur – op de schaal van de microwereld. Ik heb een mier afgemaakt. Met een mes en mijn blote handen.

Ze waren al snel buiten het gezichtsbereik van de mieren. In de verte stond de tent.

Ondertussen waren werksters bezig Kinsky's lichaam aan stukken te scheuren. Ze beten zijn armen en benen eraf en sneden hompen van de romp, ze produceerden krakende geluiden bij het doorklieven van de ribben en de wervelkolom en ze rukten de inwendige organen eruit. Er klonken zuigende geluiden toen ze het vergoten bloed dronken. Terwijl de mieren de buit naar hun vesting begonnen te transporteren, verschenen rond het lichaam restanten van verscheurde kleren, bloed en ingewanden.

Karen King bleef even staan om te kijken en zag hoe de mieren Kinsky's hoofd door de opening naar binnen droegen. Het afgerukte hoofd staarde terug terwijl het verdween. Het leek een verraste blik uit te stralen.

15

HOOFDKANTOOR NANIGEN
29 OKTOBER, 10:00

Het was een zonnige dag in het binnenland van Oahu en het panorama vanuit de vergaderruimte van Nanigen bestreek het halve eiland. Je keek er uit over de suikerrietvelden tot aan de Farrington Highway, Pearl Harbor – waar marineschepen als grijze geesten in het water dreven – en de witte torens van Honolulu. Voorbij de stad was langs de horizon een grillige lijn van bergtoppen getekend waarin mistgroene en -blauwe tinten waren aangebracht. Het waren de Ko'olau Mountains, de Pali van Oahu. Boven de bergen waren zich wolken gaan vormen.

'Het zal straks wel gaan regenen op de Pali. Dat doet het meestal,' mompelde Vincent Drake tegen niemand in het bijzonder terwijl hij dacht: De regen lost het probleem wel op, als de mieren het al niet hebben gedaan. Aan de andere kant: als er overlevenden waren, zouden die misschien hun toevlucht zoeken in een bevoorradingsstation. Hij nam zich voor dat detail niet over het hoofd te zien.

Drake wendde zich af van het venster en nam plaats aan een lange tafel van glimmend hout waar enkele mensen op hem wachtten. Tegenover hem zat Don Makele, het hoofd van de beveiliging. Ook de persvoorlichter van Nanigen, Linda Wellgroen, en haar assistent waren aangeschoven, evenals een aantal andere mensen van verschillende afdelingen.

Aan het hoofd van de tafel zat een slanke man die een bril zonder montuur droeg. Edward Catel, MD, PhD, was de belangrijkste contactpersoon van het Davros Consortium, de groep van farmaceutische bedrijven die in Nanigen had geïnvesteerd. Het Davros Consortium had een miljard dollar in Nanigen gestoken, en Edward Catel hield voor de investeerders van

Davros toezicht op de ontwikkelingen bij de onderneming.

Drake zei: '... zeven doctoraalstudenten. We wilden ze aannemen om veldwerk te doen in de microwereld. Ze zijn verdwenen. Onze financieel directeur Alyson Bender wordt ook vermist.'

Don Makele, het hoofd van de beveiliging, opperde: 'Misschien zijn ze naar de kust gegaan om naar de branding te kijken.'

Drake keek op zijn horloge. 'Ze hadden hoe dan ook allang contact moeten opnemen.'

Don Makele zei: 'Dan lijkt het me het beste om aangifte van vermissing te doen.'

'Goed idee,' zei Drake.

Drake vroeg zich af wanneer de politie de Bentley met het lichaam van Alyson en de kleren van de studenten zou vinden. De auto was in een getijdeninham terechtgekomen. Hij had niet de indruk dat de politie slim genoeg was om te achterhalen wat er was gebeurd. De agenten kwamen uit Hawaï, zo overwoog hij. Hawaïanen maken zich niet druk en zoeken naar simpele oplossingen omdat daar het minste werk in zit. Aan de andere kant: hij wilde niet dat de politie al te veel geïnteresseerd zou raken. Daarom instrueerde hij Don Makele en zijn publiciteitsmensen: 'Nanigen kan zich op dit moment geen aandacht van de media veroorloven. We bevinden ons in een kritieke fase van explosieve groei. We moeten ongestoord kunnen werken om de plooien in de tensorgenerator glad te strijken, met name het probleem van de microcaissonziekte.' Hij richtte zich tot Linda Wellgroen. 'Het is jouw taak om publiciteit over dit incident te voorkomen.'

Wellgroen knikte. 'In orde.'

'Als je vragen van de media krijgt, wees dan vriendelijk en behulpzaam, maar vertel ze niks,' vervolgde Drake. 'Wees saai.'

'U hebt het gelezen in mijn cv,' zei Wellgroen met een glimlach. '"Ervaren in het masseren van de media tijdens realtime crisissituaties." Als de boel compleet in het honderd loopt, kan ik even interessant zijn als een episcopaalse predikant die uitlegt hoe je een boterham roostert.'

'Die studenten zijn toch hopelijk niet in de generator beland?' zei Don Makele.

Drake zei resoluut: 'Natuurlijk niet.'

Linda Wellgroen schreef iets in een notitieblok. 'Enig idee wat er met mevrouw Bender is gebeurd?'

Drake keek bezorgd. 'We maken ons eerlijk gezegd al een paar dagen zorgen om Alyson. Ze was erg depressief, alsof ze aan het eind van haar Latijn was. Ze had een affaire met Eric Jansen, en aangezien Eric zo tragisch om het leven is gekomen... nou ja... laten we maar zeggen dat Alyson worstelde met haar demonen.'

'Denkt u dat mevrouw Bender zelfmoord heeft gepleegd?' vroeg Linda Wellgroen.

Drake schudde zijn hoofd. 'Ik zou het niet weten.' Hij richtte zich tot Don Makele. 'Vertel de politie ook maar over Alysons psychische problemen.'

De vergadering werd geschorst. Linda Wellgroen nam haar notitieblok onder de arm en liep tussen de anderen het vertrek uit. Op het allerlaatste moment tikte Vin Drake Don Makele op de arm en zei: 'Nog een momentje, Don.'

Het hoofd van de beveiliging bleef staan terwijl Drake de deur sloot. Alleen Makele en Drake bevonden zich nu in het vertrek, alsmede de adviseur van Davros, dr. Catel, die aan het hoofd van de tafel was blijven zitten. Hij had tijdens de vergadering geen woord gezegd.

Drake en Catel kenden elkaar al heel lang. Ze hadden veel geld verdiend met de deals waar ze samen aan hadden gewerkt. Vin Drake vond dat Ed Catels grootste kracht lag in het feit dat hij geen emoties toonde. De man had absoluut geen gevoelens van welke aard dan ook. Catel was arts, maar hij had al jaren geen patiënten behandeld. Hij was alleen maar geïnteresseerd in geld, deals en groei. Als mens was dr. Catel even warm als een blok leisteen in januari.

Drake liet de stilte even voortduren en zei ten slotte: 'De situatie ligt anders dan ik onze mediamensen zojuist heb geschetst. De studenten zijn de microwereld binnengegaan.'

'Wat is er gebeurd, meneer?' vroeg Makele.

'Het zijn bedrijfsspionnen,' zei Drake.

Catel nam voor de eerste keer het woord. 'Waarom denk je dat, Vin?' Hij had een zachte, rustige stem.

'Ik heb Peter Jansen op heterdaad betrapt op de afdeling van Project Omicron. Die is verboden voor onbevoegden. Jansen had een *memory stick* in zijn hand. Toen ik binnenkwam, wist hij zich geen houding te geven. Ik moest hem er meteen uitzetten, anders hadden de bots hem te pakken genomen.'

Catel trok een wenkbrauw op. Hij was een van die mensen die elk spiertje in hun gezicht onder controle leken te hebben. 'De Omicronzone klinkt niet echt veilig als een doctoraalstudent er zo naar binnen kan lopen.'

Drake reageerde geërgerd. 'Er is niks mis met de beveiliging. Maar we kunnen de bots niet permanent geactiveerd laten – dan kan er geen mens naar binnen. Ik kan beter vragen of jij je zaakjes wel onder controle hebt, Ed. Je hebt professor Ray Hough een hoop geld betaald om ervoor te zorgen dat wij zijn doctoraalstudenten konden rekruteren.'

'Ik heb hem geen cent betaald, Vin. Hij heeft aandelen in Nanigen. Onderhands.'

'Nou en? Jij bent verantwoordelijk voor het gedrag van die studenten, Ed! Jij hebt de situatie in Cambridge gemanipuleerd om die lui hier te krijgen.'

'Je hebt het probleem van de caissonziekte nog niet opgelost,' antwoordde dokter Catel op effen toon. 'Je was van plan ze de microwereld in te sturen hoewel dat levensgevaarlijk is. Heb ik gelijk of niet?'

Drake negeerde hem en begon door het zaaltje te ijsberen. 'Het kopstuk is Peter Jansen,' vervolgde hij. 'Hij is de broer van onze omgekomen onderdirecteur, Eric Jansen. Het lijkt erop dat Peter ons om een of andere reden de schuld van Erics dood in de schoenen wil schuiven. Hij zint op wraak. Hij wil onze bedrijfsgeheimen stelen. Misschien is hij wel van plan om onze technologie te verkopen–'

'Aan wie?' vroeg Catel op scherpe toon.

'Doet dat ertoe?'

Catel kneep zijn ogen half dicht. 'Alles doet ertoe.'

Drake leek hem niet te horen. 'Er is ook een medewerker van Nanigen bij de spionage betrokken,' vervolgde Drake. 'Een technicus uit de regelkamer, Jarel Kinsky.'

'Waarom denk je dat?' vroeg Catel.

Drake haalde zijn schouders op. 'Kinsky is ook verdwenen. Volgens mij zit hij in de microwereld, in het Waipaka Arboretum. Waarschijnlijk werkt hij als gids voor de studenten. Ik denk dat ze proberen uit te zoeken hoe we opereren en wat we hebben ontdekt.'

Dokter Catel perste zijn lippen op elkaar, maar zei verder niets meer.

'Wilt u dat ik een reddingsoperatie–?' begon Don Makele.

Drake kapte hem af. 'Te laat. Ze zijn allang dood.' Hij schonk zijn beveiligingschef een scherpe blik. 'Nanigen is aangevallen terwijl jij erbij stond te kijken, Don. Je hebt niks gemerkt. Kun je dat uitleggen?'

Don Makele klemde zijn kaken op elkaar. Hij droeg een alohashirt. Hij had een indrukwekkende pens, maar aan zijn onbedekte armen zat geen gram vet. Drake zag hoe de spieren van zijn beveiligingsman zich spanden. Makele was een voormalig officier van de Marine Inlichtingendienst. Een beveiligingslek als dit – spionnen die recht onder zijn neus bedrijfsgeheimen hadden ontvreemd – was onvergeeflijk. 'Ik bied bij deze mijn ontslag aan, meneer,' zei hij tegen Drake. 'Per direct.'

Drake glimlachte. Hij stond op, legde een hand op Don Makeles schouder en voelde het vocht dat door het rayon-hemd van de man werd opgezogen. Het deed hem genoegen te zien dat een paar welgekozen woorden een ex-marineman het zweet konden doen uitbreken. 'Daar komt niks van in.' Drake kneep zijn ogen tot spleetjes en bestudeerde Makeles gezicht. Hij had zijn beveiligingschef in een hoek gedreven, maar hem vervolgens een nieuwe kans gegeven. De man zou voor hem door het vuur gaan. 'Ga naar het Waipaka Arboretum en verzamel de bevoorradingsstations, Don. Allemaal. Ze moeten gereinigd en gerenoveerd worden.'

Dat zou voorkomen dat eventuele overlevenden zich er konden schuilhouden.

Dr. Catel had zijn aktetas gepakt en begaf zich in de richting van de deur. Hij wierp een blik op Drake, gaf hem een knikje en vertrok zonder een woord te zeggen.

Vin Drake begreep precies wat Catels knikje betekende: zorg ervoor dat je direct dat probleem uit de wereld helpt, dan hoeft het Davros Consortium er niets van te weten.

Hij liep naar het venster en keek naar buiten. Zoals altijd waaide de passaat door de bergen, eindeloos in mist en regen woelend. Hij hoefde zich nergens zorgen om te maken. Voor mensen zonder wapens en beschermende kleding moest de overlevingstijd in minuten of uren worden gemeten, niet in dagen. Zachtjes mompelend zei hij tegen zichzelf: 'Laat de natuur haar beloop maar hebben.'

16

STATION ECHO
29 OKTOBER, 10:40

De zeven doctoraalstudenten verzamelden zich voor de ingang van de tent. Een bord boven de deur vermeldde: BEVOORRADINGS- STATION ECHO. EIGENDOM VAN NANIGEN MICROTECHNOLOGIES. Ze verkeerden in een shock na de gewelddadige dood van Kinsky. Daarbij kwam dat ze enorm verrast waren door de snelheid waarmee ze door het bos hadden gerend. Danny Minot had zijn dure schoenen verloren. Ze waren van zijn voeten gewaaid tijdens een spectaculaire sprint die een olympisch atleet het schaamrood op de kaken zou hebben bezorgd. Nu stond Danny hoofdschuddend en met blote voeten in de modder. En ze hadden gezien hoe Karen King tegen de mieren had gevochten; haar motoriek, haar uithalen en haar enorme sprongen hadden iedereen versteld doen staan.

Het was duidelijk dat ze in de microwereld tot dingen in staat waren die ze anders nooit hadden durven dromen.

Ze doorzochten haastig het bevoorradingsstation aangezien er elk moment een plunderende colonne mieren kon opduiken. De tent, waar stapels met kisten stonden opgeslagen, was op een betonnen vloer geplaatst. In het midden van de vloer bevond zich een rond stalen luik. Dit luik werd bediend met een wiel, zoals een deur in een waterdicht schot van een onderzeeër. Peter Jansen draaide aan het wiel en opende het luik. Er liep een ladder omlaag, het donker in. 'Ik ga wel even kijken.' Peter zette de hoofdlamp op, schakelde hem in en klauterde de ladder af.

Even later stond hij midden in een donkere ruimte. Hij keek om zich heen, en de lichtbundel van de hoofdlamp gleed over tafels en stapelbedden. Hij zag een wandpaneel met schakelaars. Toen hij ze omzette, ging de verlichting aan.

Het was een betonnen bunker, spartaans ingericht als woonverblijf. Tegen twee wanden stonden stapelbedden. Hij zag laboratoriumtafels met eenvoudige labbenodigdheden. Er was ook een eetgedeelte met een tafel, houten banken en een fornuis. Een deur voerde naar de energievoorziening van de bunker: twee enorme zaklampbatterijen van het type D, hoog boven zijn hoofd. Een tweede deur kwam uit op een toilet met douche. Verder was er nog een kast waarin wat pakjes met voedselrepen lagen. De bunker was veilig tegen roofdieren; een soort schuilkelder in een gevaarlijke biologische omgeving.

'Het is daarbuiten niet bepaald een pretpark,' zei Peter Jansen, die onderuitgezakt aan de tafel in de bunker zat. Hij was uitgeput en voelde zich niet in staat om helder te denken. De beelden van Kinsky's dood spookten nog steeds door zijn hoofd.

Karen King leunde tegen de muur. Ze zat onder het mierenbloed. Het spul was doorzichtig en kleverig, had een lichte geelachtige kleur en droogde snel.

Danny Minot zat voorovergebogen aan de eettafel. Hij prutste weer met zijn vingertoppen aan zijn gezicht en neus.

Op de laboratoriumtafel stond een computer. 'Misschien worden we hier iets wijzer van,' zei Jenny, en ze zette hem aan. De computer startte op, maar er verscheen een venster waarin een wachtwoord moest worden ingevoerd. Dat kenden ze natuurlijk niet. En Jarel Kinsky was er niet meer om hen met dat soort dingen te helpen.

'We zijn hier niet veilig,' merkte Rick Hutter op. 'Het zit er dik in dat Drake hier vroeg of laat zijn gezicht laat zien.'

Amar Singh was het met hem eens. 'Ik stel voor dat we zo veel mogelijk eten en spullen meenemen en meteen weer vertrekken.'

'Ik heb geen zin om naar buiten te gaan,' zei Erika Moll met bevende stem terwijl ze op een bed ging zitten. Ze vroeg zich af waarom ze ooit uit München was weggegaan. Ze verlangde terug naar de veilige wereld van het Europese onderzoek. Amerikanen speelden met vuur. Waterstofbommen, megalasers, moordende drones, gekrompen micromensen... Amerikanen waren een gevaar voor de wereld. Ze creëerden technologische monsters die ze niet onder controle hadden. Vreemd genoeg schenen ze te genieten van hun macht.

'We kunnen hier niet blijven,' zei Karen op warme toon tegen haar. Ze zag hoe bang Erika was. 'Het gevaarlijkste organisme dat we tegenover ons kunnen krijgen is geen insect, maar een mens.'

Karen had een punt. Peter Jansen opperde dat ze zich het beste aan het oorspronkelijke plan konden houden: naar de parkeerplaats gaan, op de truck naar Nanigen klimmen en vervolgens op de een of andere manier in de tensorgenerator zien te komen. 'We moeten zo snel mogelijk onze normale lengte terug zien te krijgen. We hebben niet veel tijd.'

'Maar we weten niet hoe we de generator moeten bedienen,' zei Jenny Linn.

'Dat zien we dan wel weer.'

Rick zei: 'We hebben goed gereedschap om op de truck te komen, plus de touwladder die we in de rugzak hebben gevonden.' Hij had rondgesnuffeld in de voorraadkisten en er iets uit gehaald: een koffertje met nog twee radioheadsets. Dat betekende dat ze nu over vier radio's beschikten waarmee ze konden communiceren.

'Dan hoeven we dus nog maar één ding te doen,' zei Danny Minot. 'Om hulp vragen.' Hij stak een headset omhoog.

'Als je Nanigen belt,' zei Rick tegen hem, 'kun je er vergif op innemen dat Vin Drake straks voor de deur staat. En niet met een vergrootglas, maar met de hakken van zijn laarzen.'

Peter stelde voor dat ze de radio alleen in noodsituaties zouden gebruiken voor het geval Drake meeluisterde.

'Ik snap het niet,' zei Danny. 'We kunnen toch veel beter iemand om hulp vragen?'

Jenny Linn deed niet mee aan het gesprek. In plaats daarvan opende ze een voor een alle kastjes in de hoop dat er iets bruikbaars in zou liggen. Ze vond een notitieblok. Ze klapte het open en begon erdoorheen te bladeren. Iemand had een aantal pagina's volgeschreven met aantekeningen – grotendeels gegevens over weersomstandigheden en activiteiten die met het verzamelen van grondmonsters te maken hadden. De informatie leek niet echt bruikbaar, totdat ze de plattegrond zag.

'Hé, jongens, kijk eens wat ik hier heb,' zei Jenny, en ze legde het notitieblok op tafel.

Iemand had een ruwe plattegrond getekend van Manoa Valley. Op de plattegrond stonden de locaties van tien bevoorradingsstations die verspreid waren over Fern Gully en een deel van de berghellingen tot aan de top van de Tantalus. De bevoorradingsstations hadden de namen gekregen van de letters van het NAVO-alfabet, van Alfa, Bravo en Charlie tot en met Kilo. Er was ook een pijl in de plattegrond getekend waarbij stond: NAAR BASIS TANTALUS – GREAT BOULDER. De Tantaluskrater stond niet op de plattegrond aangegeven en ook de basis niet.

Hoewel de plattegrond onnauwkeurig en incompleet was, bevatte hij waardevolle informatie. Zo toonde hij de locatie van alle bevoorradingsstations. De locaties waren verduidelijkt met oriëntatiepunten die zich in de buurt bevonden – bomen, rotsen, varenclusters – wat het mogelijk maakte een station te vinden zodra je het bijbehorende oriëntatiepunt had herkend. Er bevond zich een station naast de parkeerplaats. Dat was station Alfa, en volgens een aantekening op de plattegrond bevond het zich in een bos van witte siergember.

'We kunnen naar station Alfa gaan,' zei Peter Jansen. 'Misschien niet om er te blijven, maar we kunnen in elk geval de voorraden aanvullen en zien of we nieuwe informatie kunnen vinden.'

'Waarom zouden we überhaupt ergens naartoe gaan,' zei Danny. 'Kinsky had gelijk. We moeten met Vin onderhandelen.'

'Als je dat maar uit je hoofd laat!' Rick schreeuwde bijna.

'Hou nou eens op, mensen!' zei Amar Singh. Hij kon niet tegen conflicten. Eerst was er ruzie geweest tussen Rick en Karen, en nu zat Rick weer te bekvechten met Danny. 'Luister, Rick, iedereen heeft zijn eigen stijl. Je kunt best wat verdraagzamer zijn tegenover Danny...'

'Lul niet, Amar. Die gast wordt nog onze ondergang met zijn achterlijke–'

Peter Jansen voelde dat de situatie uit de hand ging lopen. Als er iets was wat hun zeker de das om zou doen, was het wel ruzie binnen de groep. Ze moesten een team worden, anders zouden ze dit avontuur niet overleven. Hij moest dit nukkige stel twistzieke intellectuelen aan hun verstand zien te peuteren dat ze moesten samenwerken. Hij stond op, liep naar het hoofd van de tafel en wachtte totdat iedereen zijn mond hield. Eindelijk werd het stil.

'Is iedereen klaar met kibbelen?' vroeg hij, en hij keek de tafel rond. 'Mooi. Dan wil ík nu graag wat zeggen. We zijn hier niet in Cambridge. In het academische wereldje hebben jullie je opgewerkt door je van je rivalen te onderscheiden en te bewijzen dat je slimmer bent dan de rest. Maar hier in het regenwoud maakt het niet uit of je de beste bent – het enige wat ertoe doet is dat je blijft leven. We zullen moeten samenwerken om hier uit te komen. En we zullen alles wat een bedreiging vormt uit de weg moeten ruimen, anders gaan we er zelf aan.'

'O, dus het is doden of zelf gedood worden,' zei Danny smalend. 'Een achterhaalde pseudodarwinistische filosofie uit de victoriaanse tijd.'

'Luister, Danny, we zullen alles uit de kast moeten halen om hier levend uit te komen,' zei Peter. 'En dat betekent niet alleen dat we onze eventuele vijanden moeten doden. Denk eens aan wie we zijn als mensen. Een miljoen jaar geleden wisten onze voorouders in de Afrikaanse savannes te overleven door in teams te werken. Of eigenlijk is "bendes" een beter woord. We waren toen mensenbendes. Een miljoen jaar geleden stonden we niet boven aan de voedselketen. Er waren allerlei dieren die het op ons hadden gemunt – leeuwen, luipaarden, hyena's, wilde honden, krokodillen. De mens heeft al heel lang met roofdieren te maken. Wij overleven dankzij onze hersenen, wapens en samenwerking – teamwerk. Volgens mij zijn wij voor deze expeditie gemáákt. Laten we dit beschouwen als een unieke kans om de natuur te zien zoals niemand anders haar ooit heeft gezien. Maar wat we ook besluiten, we zullen moeten samenwerken, anders kunnen we het wel vergeten. We zijn zo sterk als de zwakste schakel van ons team.' Peter zweeg. Hij vroeg zich af of hij te ver was gegaan en of hij misschien te prekerig had geklonken.

Er volgde een korte stilte waarin de anderen Peters oratie verwerkten.

Danny Minot was de eerste die sprak. Hij keek Peter aan. 'Met "zwakste schakel" bedoel je mij zeker?'

'Dat zei ik niet, Danny–'

Danny onderbrak hem. 'Sorry hoor, Peter. Ik ben niet zo'n hominide met grote lippen en borstelwenkbrauwen die met een grote kei in zijn harige hand fluitend een stel luipaardschedels inslaat. Ik ben een ontwikkeld mens dat gewend is aan een stedelijke omgeving. En dit is niet Harvard Square. Dit is een groene hel die krioelt van mieren zo groot als pitbulls. Ik blijf in deze bunker en wacht op hulp.' Hij bonsde met zijn vuist op de muur. 'Hij is in elk geval mierbestendig.'

'Denk maar niet dat er iemand komt om je te helpen,' zei Karen tegen Danny.

'We zullen zien.' Hij liep van tafel weg en ging in een hoek staan mokken.

Amar zei tegen de anderen: 'Peter heeft gelijk.' Hij richtte zich tot Peter. 'Ik doe mee.' Vervolgens leunde hij achterover en sloot zijn ogen, alsof hij ergens over nadacht.

Karen zei: 'Ik ook.'

Erika Moll nam een beslissing. 'Ik ben het met Peter eens.'

'Ik vind dat we een leider nodig hebben,' zei Jenny Linn. 'Ik stem voor Peter.'

'Peter is de enige die met iedereen in de groep overweg kan,' zei Rick, en hij wendde zich tot Peter. 'Jij bent de enige die het team kan aanvoeren.'

De keuze werd bevestigd bij hoofdelijke stemming. Danny weigerde mee te doen.

Nu ging het erom orde op zaken te stellen.

'We moeten eerst wat eten,' zei Rick. 'Ik sterf van de honger.'

Iedereen rammelde inderdaad van de honger. Ze waren de hele nacht in de weer geweest zonder iets te eten. En vervolgens hadden ze moeten vluchten voor de mieren.

'We hebben vast een hoop calorieën verbrand,' zei Peter.

'Ik heb nog nooit van mijn leven zoveel honger gehad,' zei Erika Moll.

'We hebben maar een klein lichaam. Waarschijnlijk verbranden we calorieën een stuk sneller. Net als een kolibrie,' zei Karen.

Ze haalden de voedselrepen uit de kast, scheurden ze open en begonnen te eten. Er was niet veel, en het was op voordat ze er erg in hadden. Ze vonden nog een enorme plak chocola, en Karen hakte hem in zeven stukken met haar mes. Ook de chocola was in een mum van tijd verdwenen.

Tijdens het doorzoeken van de bunker op alles wat ook maar enigszins van pas kon komen bij hun expeditie naar de parkeerplaats, vonden ze een aantal plastic laboratoriumpotten met schroefdoppen die ze op de tafel zetten. De potten konden voor water worden gebruikt en om chemische stoffen te verzamelen die ze mogelijk op hun weg zouden tegenkomen. 'We hebben chemische wapens nodig, net als insecten en planten,' zei Jenny Linn.

'Precies, en ik heb een potje nodig voor mijn curare,' voegde Rick eraan toe.

'Curare,' zei Karen. 'Ja hoor.'

'Geweldig spul,' zei Rick.

'Als je weet hoe je het moet maken.'

'Toevallig weet ik dat!' zei Rick verontwaardigd.

'En van wie heb je dat geleerd? Een of andere jager?'

'Ik heb wat artikelen gelezen–'

'Artikelen over curare.' Karen ging met iets anders verder en Rick ontplofte bijna.

In een van de kasten had Karen drie stalen machetes gevonden. De kapmessen zaten in een holster aan een riem met in een speciaal vakje een diamanten slijpsteen. Peter Jansen haalde een van de messen tevoorschijn en liet zijn duim langs de snede gaan. 'Wauw, dat ding is vlijmscherp.' Als experiment tikte hij ermee op de rand van de houten tafel. Het metaal zonk in het hout alsof het roomkaas was. De machete was nog scherper dan een scalpel.

'Dat ding is net een microtoom,' zei hij. 'We hadden er een in het lab – weet je nog? – om weefselpreparaten te maken.'

Peter haalde met een snelle beweging de diamanten slijpsteen langs de rand van de machete. De steen was blijkbaar bedoeld om het mes in top-conditie te houden. 'De snede is erg dun, dus het zal wel snel bot worden. Maar we kunnen de messen altijd slijpen als het nodig is.' De machete zou goed van pas komen bij het kappen van de vegetatie als ze zich een weg moest banen door het bos.

Karen King zwaaide een machete boven haar hoofd rond. 'Mooie balans,' zei ze. 'Niet gek als wapen.'

Rick Hutter was geschrokken een paar stappen opzij gegaan toen Karen met de machete begon te zwaaien. 'Hé, kijk een beetje uit! Straks hak je iemands hoofd eraf,' zei hij tegen haar.

Ze keek hem meesmuilend aan. 'Ik weet wat ik doe. Hou jij je nou maar bij je bessen en je pijltjes.'

'Zit me toch niet zo te zieken!' barstte Rick uit. 'Wat heb jij toch?'

Peter Jansen kwam tussenbeide. Hoewel ze hadden beloofd om als team te werken, was dat gemakkelijker gezegd dan gedaan. 'Jongens – Rick – Karen – het zou fijn zijn als jullie geen ruzie zouden maken. Daar heeft niemand wat aan.'

Jenny Linn gaf Rick een vriendschappelijk klopje op de schouder en zei tegen hem: 'Karen laat alleen maar zien dat ze bang is.'

Daar stoorde Karen zich weer aan, maar ze hield wijselijk haar mond. Jenny had gelijk. Karen wist heel goed dat je tegen sommige dieren – zoals roofvogels – niets met machetes kon beginnen. Ze zat Rick alleen te stangen omdat ze bang was. De anderen wisten dat ze in de rats zat, en ze schaamde zich ervoor. Ze klom de ladder op, opende het luik en ging naar buiten om zich wat te ontspannen. In de tent begon ze de kisten te onderzoeken die er opgeslagen stonden. In één kist vond ze voedselpakketten en in een andere een hoop potten en monsters – waarschijnlijk achtergelaten door een van de teams. Onder een stuk zeildoek vond ze een stalen staaf. De staaf was langer dan ze zelf was. Aan een van de uiteinden zat een punt. Het andere uiteinde leek op een rond tafelblad. In eerste instantie zag ze niet wat het enorme metalen ding moest voorstellen, maar plotseling besefte ze dat de schaal van het voorwerp niet klopte en ging er in haar hoofd een schakelaar om. Ze klauterde de ladder af en vertelde de anderen wat ze had gevonden. 'Het is een punaise!' zei ze.

Het was onduidelijk wat de punaise in de tent deed. Misschien was hij gebruikt om iets vast te prikken op de grond. Hoe dan ook, de punaise was van staal, en er kon een wapen van worden gemaakt. 'We kunnen de slijpstenen gebruiken om de punt scherp te maken,' zei Karen. 'En we kunnen een inkeping in de punt vijlen, dan hebben we een weerhaak en laat hij niet meer los – net als een harpoen.'

Ze moesten in de tent aan de punaise werken aangezien het ding te lang was om via de ladder naar de bunker te kunnen worden verhuisd. Met behulp van de slijpsteen kon het staal worden vormgegeven. Eerst zaagden ze de afgeplatte kop van de punaise af. Het toekomstige wapen werd hierdoor korter en kreeg een betere balans zodat iemand het kon dragen en werpen. Vervolgens gingen ze om beurten aan de slag om de punt te slijpen en de weerhaak uit te vijlen. Het staal liet zich gemakkelijk bewerken door de diamanten steen. Nadat de klus achter de rug was, pakte Peter de harpoen op en woog hem in zijn hand. De speer was mooi in balans en glansde in het licht. En toch voelde het massief stalen wapen aan alsof het bijna niets woog. In de microwereld was een stuk staal van dit formaat net zwaar genoeg om er een insect mee uit te schakelen – mits je krachtig genoeg toestootte en de punt scherp genoeg was.

Danny Minot weigerde hen te helpen bij de voorbereidingen. Hij zat met opgetrokken knieën en zijn armen over elkaar op een bed in de bunker en keek zwijgend naar alle bedrijvigheid. Peter Jansen, die medelijden met hem had, ging naar hem toe en zei zacht: 'Waarom kom je niet gewoon met ons mee, Danny? Het is hier echt niet veilig.'

'Je zei dat ik de zwakste schakel was,' antwoordde Danny.

'We hebben je hulp nodig, Danny.'

'Voor een zelfmoordactie zeker,' zei hij verbitterd. Hij weigerde zich gewonnen te geven.

Rick Hutter was ondertussen begonnen met het maken van zijn blaaspijltjes. Hij liep een paar stappen de tent uit om wat grashalmen af te snijden met de machete – die hij ook bij zich had om zich tegen mieren te verdedigen. Terug in de bunker sneed hij een stengel in de lengte open om de houtige kern te strippen. Het gras was zo hard als bamboe. Van de splinters maakte hij enkele tientallen pijltjes. Die moesten nog wel worden gehard. Hij liep naar het fornuis en zette een van de verwarmingselementen aan. Vervolgens hardde hij de punten door ze boven het hete element te houden. Toen hij klaar was, scheurde hij een matras open en haalde hij wat van het opvulsel tevoorschijn.

Hij moest een 'prop' van zacht materiaal aan het uiteinde van de pijltjes bevestigen zodat er druk kon worden opgebouwd om ze weg te blazen. Om de vezelprop aan de schacht te kunnen bevestigen, had hij draad nodig. 'Zeg, Amar – heb jij nog wat van die spinnenzijde?'

Amar schudde zijn hoofd. 'Ik heb alles opgemaakt om Peter te helpen met die slang.'

Geen probleem. Rick doorzocht de kasten en vond een rol touw. Hij sneed er een stuk van af en trok met zijn vingers de strengen uit elkaar. Dat leverde een stapeltje sterke draden op. Hij drukte een pluk dons uit het matras op het uiteinde van een pijltje en wond er een draadje om zodat de prop op zijn plaats bleef zitten. Nu had hij een onvervalste blaaspijl met een geharde punt en een staartprop. Hij hoefde alleen het gif er nog maar op aan te brengen.

Toch kon hij er als wetenschapper niet zomaar van uitgaan dat de pijltjes zouden werken. Hij moest ze testen. Van een van de grasstengels maakte Rick een blaaspijp. Hij schoof een pijltje in de pijp, richtte op de houten ombouw van een stapelbed en blies. Het pijltje schoot door de kamer, raakte het bed... en ketste af.

'Shit,' mompelde hij. Het pijltje was niet hard genoeg om in het hout te dringen. Dat betekende dat hij er het exoskelet van een insect ook niet mee zou kunnen doorboren.

'Mis,' merkte Karen op.

'Ik heb metalen punten nodig,' zei Rick.

Maar waar moest hij metaal vandaan halen?

Bestek. Roestvrijstalen bestek. Rick pakte een vork uit een la in de keuken en boog een van de tanden naar achteren. Hij sneed de tand af met de rand van een diamanten slijpsteen en schuurde de punt naaldscherp. Vervolgens zette hij de stalen punt op een graspijl vast en schoot die in de ombouw van het bed. Ditmaal boorde het pijltje zich met een geruststellend *pok* in het hout en bleef trillend zitten. 'Daar hebben die krengen niet van terug,' zei Rick. Een voor een sneed hij de tanden van alle in de bunker aanwezige vorken af totdat hij ongeveer vijfentwintig pijltjes had en meerdere blaaspijpen. De pijltjes borg hij op in een plastic doosje dat hij in het lab had gevonden – tegen eventuele beschadiging en om ze droog te houden.

Er moest nog wel curare worden gemaakt, maar daarvoor had hij meer ingrediënten nodig. Een goede curare bevatte, net als een verfijnde saus, een verscheidenheid aan bestanddelen die samen moesten worden gekookt – een echt horrorbrouwsel. Het enige ingrediënt waarover hij momenteel beschikte, was de bes van de kralenboom, die boven lag, in de tent. Niemand wilde ze in de bunker. Ze gaven misschien kwalijke dampen af waarvan ze ziek konden worden. Om dezelfde reden kon hij zijn curare niet op het fornuis maken. Maar hij had toch geen ingrediënten, en zelfs als hij ze wel had, zou hij iedereen kunnen vergiftigen door curare in de bunker te maken. Waarschijnlijk zouden ze bezwijken aan de uitwasemingen.

Hij zou boven open vuur moeten werken.

Ze vonden ook een verrekijker en nog twee hoofdlampen en borgen die in een van de plunjezakken die ze in de bunker hadden aangetroffen. Amar Singh duikelde een rol *duct* tape op. 'In een superjungle kun je onmogelijk overleven zonder duct tape,' grapte Amar.

Rick Hutter trok een kast open en riep: 'Eureka!' Hij haalde een laboratoriumjas, rubberen handschoenen en een veiligheidsbril tevoorschijn. 'Precies wat ik nodig heb om curare te maken. Helemaal geweldig!' Hij propte alles in een plunjezak. Hij zou de curare ergens in moeten koken. In het kleine keukentje van de bunker vond hij op de onderste plank van een kastje een grote aluminium pan. Hij knoopte de pan aan zijn plunjezak en gooide het ding over zijn schouder om het gewicht te testen. Hij was verrast. Hoewel de plunjezak enorm was, voelde hij heel licht aan. 'Ik ben zo sterk als een mier,' zei Rick.

Jenny Linn, die bezig was een voorraadkist overhoop te halen, ontdekte een militair kompas. Het instrument, dat vol met deuken en krassen zat, was van het type dat Amerikaanse soldaten al sinds de Koreaanse Oorlog bij zich droegen. Het was een ideaal hulpmiddel om ervoor te zorgen dat de groep zich in een rechte lijn zou verplaatsen. Niemand kwam in het station een gps-unit tegen.

'Dat komt omdat we hier niks aan zo'n ding hebben,' legde Peter uit. 'Een gps-unit is nauwkeurig op tien meter. Omdat we zo klein zijn, wordt dat voor ons dus een kilometer – in elke richting. Een kompas is in ons geval een stuk nauwkeuriger dan gps.'

Door de maaltijd en al het werk begon iedereen langzaam maar zeker slaap te krijgen. Volgens Peters horloge was het even voor twaalf uur 's middags.

'Ik stel voor dat we de boel straks inpakken,' opperde Karen. Ze hadden de nacht ervoor niet geslapen, hoewel het in het lab geen uitzondering was dat er een nacht werd doorgewerkt. Karen, die altijd zo trots was op haar onvermoeibaarheid, kon haar ogen bijna niet meer openhouden. Waarom ben ik ineens zo moe? dacht ze. Misschien had het iets te maken met hun kleine lichaam en het feit dat ze zoveel calorieën hadden verbrand... Maar ze kon zich niet concentreren... En ze kon de verleiding niet weerstaan om in een van de bedden te kruipen, waar ze onmiddellijk in slaap viel.

Niet veel later lag iedereen op één oor.

17

MANOA VALLEY
29 OKTOBER, 13:00

E en open bestelauto, zwart en nieuw, draaide het parkeerterrein op
dat aan de broeikassen in het Waipaka Arboretum grensde. Don Makele, het hoofd van de beveiliging van Nanigen, stapte uit. Hij hees
een rugzak over zijn schouder, bevestigde een mes aan zijn riem en liep
naar de rand van de parkeerplaats. Daar knielde hij op de grond bij een
groepje witte gemberplanten en trok zijn mes. Het was een KA-BAR, een
militair model met een zwart lemmet. Makele duwde voorzichtig met de
platte kant de plantenstengels opzij en zag het tentje: bevoorradingsstation
Alfa, verborgen in het schemerduister van de gemberbladeren. Hij boog
zich naar voren tussen de takken om beter te kunnen zien en trok met de
punt van zijn mes de tentdeur opzij.

'Is er iemand thuis?' zei hij.

Hij wist dat hij niets zou horen, zelfs niet als er een micromens zou antwoorden. Hij zag trouwens sowieso geen micromensen. Station Alfa was
een maand eerder leeggehaald en gebarricadeerd nadat het laatste veld-
team er was vertrokken.

Hij stak zijn mes in de grond naast het station en trok er een cirkel omheen, waarbij hij zagende bewegingen maakte met het lemmet. Vervolgens
trok hij de bunker uit de grond. Er vielen kluiten aarde af, en het tentdoek
wapperde aan het frame. Hij stond op, tikte de bunker tegen zijn schoen
om het vuil eraf te slaan en borg hem op in zijn rugzak.

Makele haalde een kaart van de omgeving tevoorschijn en bestudeerde
zijn route. De volgende halte was station Bravo. Hij liep het pad op dat
Fern Gully in voerde. Na vijftien meter verliet hij het weer om zonder snel-

heid te minderen het bos in te lopen. Makele bewoog zich soepel en leek niet gehinderd te worden door de jungle. Volgens de kaart bevond station Bravo zich aan de zuidkant van een koa-boom. Op de stam was een merkteken geplaatst om ervoor te zorgen dat de locatie eenvoudig was te vinden. Na een paar minuten zoeken vond hij de boom; er was een reflecterend oranje plaatje tegen de stam gespijkerd. Hij ging op zijn knieën zitten, vond de tent en keek naar binnen. Niemand. En hoe zat het met de bunker?

Hij kwam overeind, riep: 'Hé!' en stampte een paar keer op de grond naast de tent. Daarmee zou hij ze wel naar boven krijgen – als ze tenminste binnen zaten. Maar hij zag niets; geen beweging, geen rondrennende minimensjes. Hij stak de bunker uit en stopte hem in zijn rugzak bij station Alfa. Vervolgens wierp hij opnieuw een blik op de kaart en keek naar de heuvels, naar het glooiende land dat tot aan de klippen reikte en in de verte de Tantalus torste. Het leek pure tijdverspilling om alle stations mee terug te nemen naar Nanigen. De studenten waren inmiddels verzwolgen door de microwereld. Maar hij moest Drakes instructies in acht nemen. Het interesseerde hem niet dat hij de studenten hun enige hoop ontnam – ze waren tenslotte toch al dood. Hij deed niets fout; hij ruimde alleen de stations maar op.

Hij liep schuin de heuvel op en haalde de stations Foxtrot, Golf en Hotel weg. Omdat hij bekend was met de jungle, schoot hij goed op. Hoger op de berghelling bevond zich station India, en hij groef het uit. Nog wat hoger lag Juliet. Hij klopte de modder eraf. Maar station Kilo bleek te zijn verdwenen. Kilo moest onder aan een klif liggen, bij een watervalletje onder een wirwar van klimplanten. Maar het station was onvindbaar. Uiteindelijk besloot Makele dat Kilo waarschijnlijk was weggespoeld tijdens een stortbui. Dat gebeurde regelmatig met bevoorradingsstations. Door hun geringe omvang waren ze niet bepaald weerbestendig.

Hij besloot terug te gaan en liep recht omlaag het dal in. Zijn volgende doel was station Echo, dat diep in Fern Gully lag tussen een groepje albesia-bomen.

'H – é – é!' Het geluid donderde door de bunker en wekte alle studenten. De ruimte schokte en sidderde, en ze werden uit hun bedden gegooid en heen en weer geschud alsof er een zware aardbeving plaatsvond. Het licht ging uit. Krakende geluiden van kasten en dozen en laboratoriumapparatuur vulden de plotselinge zwartheid.

Peter Jansen besefte als eerste wat er aan de hand was. 'Er is iemand boven!' riep hij. 'Naar buiten, allemaal! Schiet op!' Hij tastte rond in het duister, vond een van de hoofdlampen en zette de schakelaar om.

Op hetzelfde moment knipperde het licht weer aan. De batterijen hadden even slecht contact gemaakt door de schok.

Rick Hutter greep zijn pijlen en klauterde de ladder op, gevolgd door Karen King. De anderen gristen ijlings hun plunjezakken, machetes en andere spullen bij elkaar voor zover ze die konden dragen.

Rick bereikte de bovenkant van de ladder. Juist toen hij het wiel greep om het luik te openen, leek het alsof plotseling de complete bunker werd gelanceerd. Hij viel van de ladder, en iedereen struikelde over elkaar heen. Het vertrek begon te kantelen, en een oorverdovend, dreunend geluid deed de bunker opnieuw sidderen.

'Hè – stom – ding–'

De woorden leken de bunker te doen trillen, alsof de artillerie erop had gevuurd.

Hij had een cirkel rond station Echo uitgesneden, het bouwsel uit de grond getrokken en vervolgens via de deur in de tent gekeken. Overal stonden voorraadkisten. Vreemd. Hij besloot het luik te openen en even in de bunker te kijken. Toen hij het wiel tussen duim en wijsvinger nam, brak af het. Nu kon hij niet in de bunker kijken. 'Shit.' Hij legde het station op de grond, ging op zijn knieën zitten en probeerde met zijn mes het luik open te wrikken, maar dat lukte niet; het zat potdicht. Het lemmet paste niet eens in de smalle opening. Hij besloot de bunker open te breken en bracht de hand met het mes erin boven zijn hoofd.

Het lemmet van de KA-BAR, dat voor de micromensen even hoog was als een gebouw van tien verdiepingen, scheurde door de bunker met het geluid van een inslaande raket en lanceerde betonsplinters door het vertrek. Het lemmet boorde zich in de vloer en veroorzaakte een gapend gat. Vervolgens begon het in het beton te zagen.

Rick, die zich inmiddels weer bij het luik bevond, begon aan het wiel te draaien. Zodra het luik open was, gooide hij zijn plunjezak naar buiten. Maar het volgende moment begon de bunker weer in opwaartse richting te bewegen. Hij keek omlaag en zag hoe de grond zich op hoge snelheid van hem verwijderde. De bunker werd nu volledig op zijn kant gedraaid zodat hij plotseling op de ladder lag. Achter hem waren de anderen, opeengepakt als haringen in een ton. Hij stak een arm uit, greep Amars hand vast, duwde hem door het luik naar buiten en zag hem vallen. De bunker ging steeds verder omhoog en begon scheef te hangen. Peter kroop naar Rick toe. 'We moeten de anderen naar buiten zien te krijgen!' riep hij.

Ze slaagden erin om Danny door het luik te helpen. Ze hoorden hem schreeuwen en zagen hem vallen. Erika was de volgende.

In de bunker zat de arm van Jenny Linn bekneld tussen het reusachtige lemmet en het beton. Karen King zette alles op alles om Jenny's arm te bevrijden terwijl het mes zich in zijwaartse richting verplaatste en hen beiden dreigde te vermorzelen.

'Mijn arm,' huilde Jenny. 'Ik kan me niet bewegen.'

Er schoof een tafel tegen Jenny aan, en vervolgens viel er een blok beton op dat Karen raakte. Karen trapte het beton van zich af, verbaasd over haar eigen kracht, en concentreerde zich weer op het bevrijden van Jenny.

De bunker bewoog zich weer omlaag, sloeg tegen de grond en werd door het mes in tweeën gekliefd. Jenny en Karen vielen naar buiten. Boven hen was de lucht. En tegen die lucht was het silhouet van een man te zien. Een man die ze niet herkenden. Hij opende zijn mond en produceerde een geluid als van de donder. Vervolgens bracht hij zijn mes omhoog.

Karen tilde Jenny overeind en keek naar het mes dat boven hen heen en weer zwaaide. Jenny's arm zag er krachteloos uit en hing in een vreemde hoek. 'Wegwezen!' schreeuwde Karen terwijl het enorme mes omlaag flitste in hun richting.

18

FERN GULLY
29 OKTOBER, 14:00

Het mes boorde zich tussen Karen en Jenny in de aarde, dreef hen uiteen en leek onder de grond nog een immense afstand af te leggen. Vervolgens werd het teruggetrokken met een donderend geluid dat de wereld deed beven. Jenny zat op haar knieën, hield haar arm vast en kreunde.

Karen trok Jenny met één hand overeind, legde haar over haar schouder en begon zich op hoge snelheid uit de voeten te maken. Het mes werd opnieuw in de aarde geramd, maar inmiddels bevond Karen zich onder een groepje varens. Ze droeg Jenny nog steeds op haar rug.

De grond begon te schokken, maar het geweld nam langzaam af. De man liep weg met de gebroken helften van het station in zijn handen. Ze zagen hoe hij de stukken in zijn rugzak stopte. Even later was hij verdwenen.

Er daalde een diepe stilte neer over het bos. Jenny begon te huilen.

'Mijn arm,' zei Jenny. 'Ik heb... ik heb zo'n pijn.'

Jenny's arm was op een lelijke manier gebroken. 'Maak je geen zorgen, we lappen je wel op,' zei Karen in een poging optimistisch te klinken. Maar de arm zag er afschuwelijk uit; waarschijnlijk een samengestelde breuk van het opperarmbeen. Even verderop zag Karen een plunjezak liggen. Ze haastte zich erheen, haalde er een headset uit en deed een oproep. 'Jongens? Is daar iemand? Ik ben bij Jenny. Ze heeft haar arm gebroken. Kunnen jullie me horen?'

De stem van Peter zei: 'Alles oké. Iedereen is veilig.'

Ze verzamelden zich onder een varen en legden Jenny op een blad met het formaat van een bed. Ze hadden geen van allen ervaring op medisch gebied. Karen opende de eerstehulpkit en vond een injectiespuit met morfine. Ze hield hem zo dat Jenny hem kon zien. 'Wil je die hebben?'

Jenny schudde haar hoofd. 'Nee. Daar word ik te wazig van.' Ze kon gezien de situatie beter helder blijven, ondanks de pijn. In plaats van de morfine nam Jenny een paar gewone pijnstillers. Ondertussen scheurde Karen een lap stof aan stukken om een mitella te maken. Toen ze Jenny hielpen rechtop te gaan zitten, zwaaide ze heen en weer. Haar gezicht was asgrauw en haar lippen hadden alle kleur verloren. 'Het komt wel goed,' zei ze.

Maar het kwam niet goed. Haar arm zwol dramatisch en de huid werd snel donker.

Inwendige bloedingen.

Karen ving Peters blik op, en ze wist dat hij hetzelfde dacht als zij. Ze herinnerde zich wat Jarel Kinsky had gezegd over de caissonziekte. Je kon doodbloeden door een klein sneetje. En dit was geen klein sneetje.

Peter keek op zijn horloge. Het was twee uur in de middag. Ze hadden twee uur geslapen.

Overal om hen heen lag puin. Het was net een scheepswrak. De plunjezakken en de rugzak lagen verspreid over de grond. Er waren veel andere dingen uit de bunker gevallen nadat de onbekende man hem had opengebroken. Ze vonden de machetes en de harpoen. De bes van de kralenboom lag een stukje verder op de grond; hij was uit de tent gevallen. Ze hadden in elk geval survivalspullen, maar waar moesten ze naartoe? Als station Echo was weggehaald, wat was er dan met de andere stations gebeurd? Had de man hen gezien? Werkte hij voor Vin Drake?

Ze moesten van het ergste uitgaan.

Ze waren ontdekt. De stations waren weg. Waar moesten ze zich verbergen? Waar moesten ze naartoe? En hoe kwamen ze nu terug bij Nanigen?

Terwijl ze met elkaar overlegden, begon de lucht te betrekken. Een windvlaag speelde met een haiwaleplant een stukje verderop en onthulde de donzige onderkant van de bladeren. Peter keek op en zag hoe de wind het loof boven hem greep en het deed dansen...

Het volgende moment klonk een vreemd geluid; een zwaar *splet*, en vervolgens nog een *splet*. Ze keken verbijsterd toe terwijl een afgeplatte waterbol van enorme omvang naast hen op de grond stortte en uiteenspatte in honderd kleinere druppels die alle kanten op vlogen. De middagregen was gearriveerd.

'Naar de hoger gelegen grond!' riep Peter. 'Deze kant op!' Ze gristen alles bij elkaar wat ze mee konden nemen en begonnen heuvelopwaarts te rennen. Karen droeg Jenny op haar rug terwijl rondom hen regendruppels explodeerden als granaten die insloegen.

Bij Nanigen draaide Vin Drake zich weg van zijn computerscherm. Hij had een radarscan bestudeerd van het weer op de Ko'olau Pali. Je kon er altijd op vertrouwen dat de passaat aan de windkant van Oahu de wolken omhoogstuwde zodat er in de bergen regen viel. De toppen van de Ko'olau Pali behoorden tot de natste plaatsen op aarde.

Don Makele klopte op de deur. De beveiligingsman kwam binnen en legde de restanten van station Echo op Drakes bureau. 'De bedden zijn gekreukeld en het toilet is gebruikt. En ik zag er een stel over de grond rennen. Ik heb gezegd dat ze moesten blijven staan en ik heb geprobeerd ze tegen te houden met mijn mes, maar ze zijn ervandoor gegaan als kakkerlakken.'

'Dat is niet best,' zei Drake. 'Dat is helemaal niet best, Don. Ik heb gezegd dat je de boel moest opruimen.'

'Wat wilt u dat ik doe, meneer?'

Vin Drake leunde naar achteren en tikte met een gouden vulpotlood tegen zijn tanden. Achter hem hing een portret van hemzelf aan de muur, geschilderd door een veelbelovend kunstenaar uit Brooklyn. Drakes gezicht leek erop uiteen te vallen in felle kleuren. Het was een afbeelding die kracht uitstraalde, en Drake was er trots op. 'Ik wil dat je de veiligheidspoort bij de ingang naar Manoa Valley afsluit. Houd de shuttletruck tegen. Het dal moet volledig worden afgegrendeld. En breng me je twee beste mannen.'

'Dat zijn Telius en Johnstone. Ik heb ze getraind in Kabul.'

'Hebben ze ervaring in de microwereld?'

'Ruim voldoende,' antwoordde Makele. 'Wat moeten ze doen?'

'De studenten redden.'

'Maar het dal moet toch hermetisch worden–'

'Doe gewoon wat ik zeg, Don.'

'Ja, natuurlijk.'

'Ik zie je mannen buiten. Parkeerterrein B, twintig minuten.'

De regendruppels vielen als bommen uit de hemel, explodeerden en slingerden vormloze gutsen water vermengd met aarde in het rond. Peter verdween in een wolk van nevel toen hij door een regendruppel werd geraakt. Hij vloog in een boogje door de lucht en belandde proestend op een varenblad. Plotseling zwol een geluid aan alsof er een goederentrein naderde.

Het was een vloedgolf die zich het dal in perste via een kloof in Fern Gully. Het water slingerde zich met kracht rond een rots en langs de stam van een boomvaren om zich vervolgens als een muur van bruine smurrie op de micromensen te storten. Ze zwommen voor hun leven. Jenny, die nog steeds door Karen werd gedragen, werd plotseling losgerukt toen het water hen bereikte.

Karen schreeuwde. 'Jenny!'

Maar het water sleurde ook haar mee terwijl Jenny verdween in de golven. Karen greep zich vast aan een blad dat als een tol op het kolkende water danste. Rick, die op zijn knieën op het blad voor haar zat, schreeuwde: 'Pak mijn hand!' Hij slaagde erin Karens hand vast te grijpen en haar op het blad te trekken. Ze hoestte, en ze hapte naar adem. Het blad draaide rondjes en dreef mee met de stroom. 'Ik ben Jenny kwijt!' riep Karen terwijl ze in paniek om zich heen keek. Met haar gebroken arm zou Jenny niet in staat zijn om te zwemmen.

Danny Minot was op een rots geklommen die boven het woeste water uitstak waardoor hij was ingesloten.

Er dreef een verdronken regenworm langs die druk om zijn as wentelde. En daar was Jenny Linn. Ze worstelde om haar hoofd boven water te houden, maar de mitella werkte niet mee, en plotseling sloeg haar arm op een misselijkmakende manier dubbel. Ze verdween in de golven. En kwam weer boven.

Rick ging plat op het blad liggen. 'Jenny!' schreeuwde hij. 'Steek je arm uit! Jenny!'

'Hou vol, Rick!' schreeuwde Karen, en ze greep Ricks voeten beet in een poging te voorkomen dat hij van het blad zou glijden terwijl hij Jenny probeerde te redden.

Jenny draaide zich op haar zij en stak haar goede arm uit, maar alleen haar vingertoppen raakten die van Rick, en ze greep mis. Hij vloekte geërgerd.

Jenny naderde de rots waarop Danny zat. 'Danny, help!' gilde ze terwijl ze haar goede hand uitstak. De krachtige stroom rukte aan haar lichaam en dreigde haar onder water te trekken.

Danny Minot stak zijn arm uit. Hij voelde haar hand. Haar vingers sloten zich om die van hem. Hij reikte nog verder met zijn andere hand, slaagde erin zijn vingers onder de mitella te krijgen en begon Jenny naar zich toe te trekken. En plotseling voelde hij hoe hij langzaam van de rots begon te glijden.

Jenny schreeuwde van de pijn toen hij aan haar gebroken arm trok. Maar tegelijkertijd verwelkomde ze zijn reddende hand. 'Laat me niet los, alsjeblieft!' Ze stak haar goede arm uit... en wist Danny's shirt vast te grijpen. Iemand die op het punt staat te verdrinken, is in staat om je mee te trekken. Dat wist Danny. Mensen in die situatie waren levensgevaarlijk.

Hij keek om zich heen. Was er iemand die hen in de gaten hield? Vervolgens keek hij Jenny recht in de ogen. 'Sorry,' zei hij. Hij opende zijn handen en liet haar gaan. Ze had hem vast en zeker mee gesleurd, en dan was hij ook verdronken...

Danny wendde zich af. Hij kon de blik in Jenny's ogen niet verdragen. Hij had alles gedaan wat in zijn macht lag om haar te redden. Als hij haar niet had losgelaten, zou ze hem mee hebben getrokken... dan zouden ze allebei zijn verdronken... Jenny was sowieso verloren.

Ik ben een goed mens...

Hij ging opnieuw in elkaar gedoken op de rots zitten terwijl het water met donderend geraas om hem heen woelde. Niemand had gezien wat hij had gedaan. Behalve Jenny. Die blik in haar ogen...

Karen schreeuwde toen ze zag dat Danny haar losliet. 'Nee! Jenny! Nee!'

Jenny's hoofd kwam nog een keer boven in het woeste water. Daarna verdween ze en zagen ze haar niet meer.

19

HOOFDKANTOOR NANIGEN
29 OKTOBER, 14:30

Vin Drake liep op Telius en Johnstone af, die stonden te wachten tussen twee auto's aan de rand van het parkeerterrein. Het was beter om dit gesprek buiten te voeren. De muren hadden oren, en alles wat je zei kon worden opgenomen. Hij moest de details in de gaten blijven houden. Details waren bewijsmateriaal, en bewijsmateriaal kon ontsnappen. Bewijsmateriaal kon in de buitenwereld terechtkomen; je kon de controle erover verliezen.

'We hebben een veiligheidslek gehad,' zei Drake tegen de twee mannen. Telius keek naar het asfalt. Hij was een korte, pezige man met een geschoren hoofd en een rusteloze, doordringende blik die voortdurend over de grond schoot, alsof hij zocht naar iets wat hij had verloren. Johnstone, die een stuk langer was dan Telius, droeg een zonnebril en stond ontspannen met zijn handen achter zijn rug. Door het dunnende haar op Johnstones hoofdhuid was een tatoeage te zien.

Drake vervolgde: 'We hebben met industriële spionnen te maken die het einde van Nanigen zouden kunnen betekenen. De kans is groot dat ze voor een buitenlandse mogendheid werken. Jullie zijn er misschien van op de hoogte dat we bij Nanigen aan verschillende geheime projecten werken waar andere regeringen graag wat meer over zouden willen weten.'

'Ik heb nooit iets over geheime projecten gehoord,' zei Telius.

'Mooi zo,' zei Drake. 'Dat is ook de bedoeling.'

Er reed iemand langs die zijn auto wilde parkeren, en Drake zweeg. Hij draaide zich om en begon langs de rand van het parkeerterrein te lopen. De twee mannen volgden hem. Ze hielden hun mond totdat de bezoeker in het gebouw was verdwenen. Ondertussen ritselde de passaat door de zaadknoppen van de acaciastruiken die op het aangrenzende veldje stonden.

Drake draaide zich om en tuurde naar het metalen gebouw. 'Dat gebouw ziet er niet bijzonder uit. Maar over een paar jaar is de onderneming die erin is gevestigd minstens honderd miljard dollar waard. Hónderd miljard dollar.' Hij zweeg even om de mannen in de gelegenheid te stellen het bedrag te verwerken. 'De gelukkige eigenaars van oprichtersaandelen Nanigen kunnen deze met een spectaculaire winst verkopen wanneer de onderneming haar gang naar de beurs maakt.' Beseften ze waar hij hiermee naartoe wilde? Hun gezichten onthulden niets. Geen gedachten, geen emotie – niets waaruit hij iets zou kunnen opmaken.

Professionele gezichten, dacht hij.

Drake vervolgde: 'Ik wil dat jullie de microwereld binnengaan om de spionnen te redden. Jullie krijgen allebei een complete velduitrusting. Een *hexapod*, wapens, alles wat jullie nodig hebben. De spionnen zijn gedropt... ze zijn waarschijnlijk verdwaald in een gebied binnen een radius van twintig meter rond bevoorradingsstation Echo. Ik wil dat jullie de reddingsactie starten bij Echo. Het is mogelijk dat de vermiste personen de micropaden volgen en op zoek zijn naar andere bevoorradingsstations om zich daar te verschuilen. Maar alle stations zijn ondertussen weggehaald – behalve station Kilo. Dat was onvindbaar. Het is de bedoeling dat jullie het netwerk van paden controleren en de locaties uitkammen waar de stations hebben gestaan. En... eh...' Hoe moest hij dit nu duidelijk maken zodat er geen misverstand over zou bestaan? 'Jullie zorgen er hoe dan ook voor dat jullie de vermiste personen vinden. Maar nu komt het: de reddingsmissie moet mislukken. Begrepen? Jullie rapporteren dat jullie de spionnen niet hebben gevonden, ondanks het feit dat jullie alles op alles hebben gezet. Het interesseert me niet hoe jullie het doen. De spionnen moeten verdwijnen, maar ik wil absoluut geen geruchten horen over wat er met ze is gebeurd. Als er geen sporen worden achtergelaten, kunnen jullie rekenen op een... beloning.' Drake stak zijn handen in zijn zakken en voelde hoe de wind zijn wangen kuste. 'Falen,' zo voegde hij er op zachte toon aan toe, 'is de enige optie.'

Hij draaide zich om en keek naar de twee mannen. Op hun gezicht stond niets te lezen. Er vloog een vogeltje langs dat landde in de acaciastruiken.

'Als de reddingsmissie mislukt, is de beloning voor elk van jullie één oprichtersaandeel. Wanneer Nanigen naar de beurs gaat, is zo'n aandeel minstens een miljoen waard. Begrepen?'

De mannen keken hem aan met een blik alsof hij een overbodige opmerking over het weer had gemaakt.

Maar ze hadden het begrepen. Daar was hij van overtuigd. 'Vanaf nu zijn jullie durfkapitalisten,' zei Drake. Hij sloeg Telius vriendschappelijk op de schouder en vertrok.

De regen hield even plotseling op als hij was begonnen. Een dampende gouden gloed steeg op in het bos toen de zon doorbrak. Het water trok zich snel terug, de stroompjes droogden op en de regen vloeide weg via het riviertje dat Manoa Valley ontwaterde. Ze hadden veel spullen verloren; er was van alles meegesleurd door het water. En Jenny was verdwenen. Het groepje verzamelde zich op een open plek, en toen iedereen aanwezig bleek, verspreidden ze zich om op zoek te gaan naar hun spullen en – het belangrijkste – naar Jenny. Ze liepen heuvelafwaarts en volgden de stroompjes, daarbij gebruikmakend van de twee radiosets om met elkaar in contact te blijven.

'Jenny! Waar ben je? Jenny!' riepen ze, maar de gewonde vrouw was nergens te bekennen.

'Ik heb de harpoen gevonden,' zei Rick. Het wapen was niet ver meegenomen. Zijn pijltjes had hij opgeborgen in een plastic koffertje in zijn plunjezak, en die trof hij aan tegen een steen. Zelfs de gele bes van de kralenboom werd teruggevonden onder de rand van een blad.

Karen, die op zoek was naar Jenny, had een angstig voorgevoel. Ze beefde; ze had de blik op Jenny's gezicht gezien toen ze voor de laatste keer onder water was verdwenen.

De gruwelijkste verschrikkingen zijn de menselijke. Wat had Jenny gezien?

Even later werd Karen iets bleeks en zachts gewaar onder een tak. Een menselijke hand. Ze had Jenny gevonden. Haar lichaam, dat vastzat onder de tak, leek op een vreemde manier verfrommeld en gedraaid en zat vol met modderspatten. Het had de levenloze uitstraling van een verdronkene. Haar gebroken arm hing er vreemd en verwrongen bij, als een natte lap. Jenny's ogen waren open en stonden leeg. Haar lichaam was bedekt met spaghetti-achtige draden die kriskras over haar heen liepen en haar bedekten als een sluier. Het waren schimmeldraden die nu al begonnen te groeien.

Karen knielde naast het lichaam, trok een draad van Jenny's gezicht en sloot haar ogen. Ze huilde.

De anderen kwamen om haar heen staan. Rick begon ook te huilen, en hij schaamde zich ervoor. Hij probeerde zijn tranen in bedwang te houden, maar slaagde daar niet in. Peter sloeg zijn arm om Ricks schouders en Rick duwde hem weg.

'Ik heb zo mijn best gedaan,' zei Danny met tranen in zijn ogen. 'Maar ik heb haar niet kunnen redden.'

Erika nam Danny in haar armen. 'Je bent een dapper mens, Danny. Dat besef ik nu pas.'

Er klonk een krakend geluid. De sluier van schimmeldraad die Jenny's lichaam bedekte, leek te trillen.

'Wat was dat?' zei Erika. Ze sperde haar ogen open van ontzetting toen ze zag hoe een van de schimmeldraden zich bewoog en als een kromme vinger leek te wenken. Het uiteinde van de draad beroerde Jenny's huid en boorde zich met een krassend geluid naar binnen, op zoek naar voedingsstoffen. De schimmelsluier was al begonnen met het verteren van het lichaam. Erika deinsde naar achteren en stond op.

Peter zei: 'We moeten haar begraven – en snel.'

Met behulp van de harpoen en de machetes hakten ze een gat in de grond. De aarde was zacht en vruchtbaar en krioelde van kleine diertjes die druk over elkaar heen kropen. De grond zelf leek een levend organisme. Het enige wat niet leefde was Jenny. Ze lieten haar in het graf zakken dat ze hadden gegraven en kruisten haar armen over haar borst. Ze probeerden de schimmel los te trekken, maar de draden hadden zich vastgezet aan het lichaam en drongen inmiddels aan alle kanten naar binnen.

Erika Moll liet haar tranen de vrije loop. Peter sneed een stuk uit een blad van een op de grond gevallen hibiscusbloem en legde het over Jenny heen als een witte lijkwade. Het verhulde in elk geval de activiteit van de schimmel eronder.

Erika stelde voor een gebed op te zeggen. Ze was niet religieus – tenminste, ze vond zelf van niet – maar ze was katholiek opgevoed en had les gehad van nonnen op een peuterschool in München. De nonnen hadden haar geleerd om psalm 23 op te zeggen in het Duits. '*Der Herr ist mein Hirte,*' begon Erika aarzelend terwijl ze probeerde zich de woorden te herinneren.

Peter ging verder in het Engels:

De Heer is mijn herder!
'k Heb al wat mij lust.
Hij zal mij geleiden,
naar grazige weiden...

'Magische bezweringen,' merkte Danny op. 'De woorden hebben absoluut geen relatie met de zogenaamde "werkelijkheid", maar ze kunnen ons op psychisch gebied een steuntje in de rug geven. Ik neem aan dat bidden primitieve gebieden in de hersenen stimuleert. Gek genoeg voel ik me er zelf ook een beetje beter door.'

Vervolgens strooiden ze aarde over Jenny. Het zou niet lang duren voordat het lichaam zou zijn verteerd door schimmels, nematoden, bacteriën en de grondmijten die hier overal rondkropen. Niets zou er straks meer op wijzen dat Jenny Linn hier had rondgelopen. Haar stoffelijke resten zouden zijn opgeslokt en gerecycled; haar lichaam was aan de lichamen van andere wezens geschonken. In de microwereld was het leven nog niet geeindigd, of het begon alweer opnieuw.

Na afloop van de plechtigheid riep Peter de studenten bij elkaar om ze nieuwe moed in te spreken. 'Jenny zou niet willen dat we bij de pakken neer gingen zitten. Ze ging zelf ook dapper door. We kunnen haar eer bewijzen door ervoor te zorgen dat we dit overleven.'

Ze zochten de rugzak en de twee plunjezakken bij elkaar. Het was niet verstandig om nog langer bij Jenny's graf te blijven; ze moesten door naar de parkeerplaats.

Het notitieblok met de plattegrond erin was niet verloren gegaan; Karen had het in de rugzak gestopt. Ze haalden het tevoorschijn. Het was verkreukeld, papperig en doorweekt, maar de plattegrond was nog leesbaar. Er stond een pad op van station Echo naar station Delta en ten slotte naar station Alfa bij de parkeerplaats. Ze hadden een flinke reis voor de boeg. 'We weten niet of de stations er nog zijn, maar we kunnen in elk geval het pad volgen.'

'Als we dat tenminste kunnen vinden,' zei Karen.

Ze slaagden er niet in een pad of spoor te vinden. De regen had het landschap veranderd, overal lag rommel en er waren nieuwe geulen in de grond verschenen. Peter haalde het kompas tevoorschijn, bestudeerde de handgetekende plattegrond en bepaalde in welke richting de parkeerplaats lag. Ze zetten zich in beweging met Peter voorop, die met de machete een pad uithakte. Karen liep achter hem en droeg de harpoen over haar schouder. Rick Hutter sloot de rij. Hij zei weinig en was op zijn hoede. Hij had een machete in zijn hand voor het geval ze werden aangevallen.

Danny bleef regelmatig staan om te rusten.

'Doen je voeten geen pijn?' vroeg Peter aan hem.

'Wat denk je zelf?' mopperde Danny.

'We zouden een paar schoenen voor je kunnen maken.'

'Wat maakt het uit?' zei Danny.

'We kunnen het in elk geval proberen,' zei Erika tegen hem.

'Ik heb ook geprobeerd Jenny te redden.'

Peter begon dood gras aan repen te snijden terwijl Erika Danny's voeten in de grasrepen wikkelde om eenvoudige mocassins voor hem te maken. Amar herinnerde zich de duct tape die hij in station Echo had gevonden. Hij haalde de rol tevoorschijn uit een plunjezak en begon tape rond Danny's grasmocassins te wikkelen zodat ze aan zijn voeten bleven zitten.

Even later stond Danny op om de eerste stappen met zijn nieuwe schoenen te zetten. Ze waren verrassend stevig en zaten opmerkelijk comfortabel.

Hoog boven hun hoofden klonk een ronkend geluid dat op een vreemde manier iets weg had van een helikopter. Er verscheen een muskiet. Het dier dook omlaag uit de bomen en begon rondjes om hen heen te draaien. Ondanks zijn enorme omvang bleef de muskiet moeiteloos in de lucht op zijn fladderende vleugels. Hij had een zwart met wit gestreept lichaam, gestreepte poten en leek hen te bestuderen. Aan de kop hing een lang zuigorgaan met aan het uiteinde een mondstuk bestaande uit twee gemeen uitziende snij-instrumenten waarop geronnen bloed zat. De monddelen leken scherp genoeg om er het lichaam van een micromens mee te kunnen doorboren.

Danny Minot raakte in paniek. 'Lazer op!' schreeuwde hij naar de muskiet. Hij begon te zwaaien met zijn armen en rondjes te rennen op zijn nieuwe schoenen.

Misschien waren het Danny's bewegingen of eventueel zijn geur, maar de muskiet week geen duimbreed en bleef vlak achter zijn hoofd zweven. Zonder enige waarschuwing dook het dier omlaag in een poging zijn zuigsnuit tussen Danny's schouderbladen te spietsen. Maar Danny liet zich op de grond vallen, rolde zich op zijn rug en begon met zijn benen in de lucht te trappen. 'Rot op, kreng!'

De muskiet zoemde over hem heen en viel opnieuw aan, maar Karen King wierp zich op Danny, ging schrijlings op hem zitten en begon met haar machete te zwaaien om het monster te verjagen.

Het insect gaf zich echter niet zomaar gewonnen.

'Kom op, mensen,' riep Peter. 'We maken een cirkel.'

De mensen vormden een verdedigingszone rond Danny, die doodsbang op de grond lag. Met hun ruggen naar elkaar toe en de machetes in de aanslag, hielden ze de muskiet die om hen heen cirkelde in de gaten. Het dier had blijkbaar hun bloed geroken – en mogelijk de kooldioxide die ze tijdens het ademhalen uitstootten. De muskiet leek hen aan te gapen met zijn uitpuilende ogen en voerde onafgebroken schijnaanvallen uit met zijn heen en weer slingerende zuigsnuit.

'O-o,' zei Erika Moll.

'Wat?'

'Het is een *Aedes albopictus*-vrouwtje.'

'En wat wou je daarmee zeggen?' vroeg Danny, die op zijn knieën ging zitten.

'Een Aziatische tijgermug. De vrouwtjes zijn agressief en dragen ziektes met zich mee.'

Rick greep Karen bij de arm. 'Hier met die harpoen–'

'Hé!' zei ze terwijl ze zich in zijn richting draaide, maar hij had de harpoen al in zijn hand. Rick liep op de tijgermug af en bracht het wapen omhoog. 'Rustig aan, Rick,' zei Peter. 'Wacht op een opening.'

De muskiet schoot op Rick af, en hij zag zijn kans. Hij haalde uit met de harpoen en sloeg de mug uit alle macht achter de kop. 'Zoek naar iemand die groter is dan jij!' schreeuwde Rick.

De muskiet ronkte schommelend weg.

Karen begon te lachen.

'Wat is er zo grappig?' beet Rick haar toe.

'Je bent in Costa Rica door muskieten uit je tent gejaagd. Je bent wel veranderd, Rick.'

'Dat is niet grappig,' zei hij tegen haar.

'Geef mij dat ding maar weer,' zei ze terwijl ze de harpoen probeerde te pakken. Rick wilde niet loslaten, maar Karen won. Ze rukte de harpoen uit zijn handen en Rick schold haar uit.

Karen pikte dat niet. Ze werd woest, stapte op Rick af en hield de harpoen onder zijn neus. 'Gebruik nooit meer dat soort woorden tegen mij.'

'Hé, ho, rustig maar.' Rick deed een stap achteruit en stak zijn handen omhoog.

Karen smeet de harpoen voor Ricks voeten op de grond. 'Je mag hem houden.'

Peter ging tussen hen in staan. 'We zijn een team, oké? Jullie moeten echt een keer stoppen met dat bekvechten.'

Karen mopperde: 'Ik vecht helemaal niet. Als ik dat deed, stond hij nu zijn ballen wel uit te kotsen.'

Peter Jansen bleef op kop lopen en hield de route in de gaten. Ondertussen haalde hij onvermoeid uit met de machete. Af en toe nam hij even pauze om de snede te scherpen. Je kon alles met het kapmes snijden zolang je het ding maar scherp hield.

Hij probeerde iedereen een hart onder de riem te steken. 'Weten jullie wat Robert Louis Stevenson over reizen zei?' riep hij over zijn schouder. 'Hij zei: "Hoopvol op reis is beter dan je bestemming bereiken."'

'Hoop is voor de dommen. Geef mij maar een veilige bestemming,' merkte Danny Minot op.

Rick, die achter de rest aan liep, bestudeerde zijn collega's. Hij keek naar Karen King. Hij kon dat mens gewoon niet uitstaan. Ze was zelfingenomen, arrogant en agressief, en ze vond zichzelf zo'n expert op het gebied van spinnen en man-tegen-mangevechten. Ze zag er goed uit, maar schoonheid was niet alles. Toch voelde Rick zich wat beter met Karen in de groep. Ze was een doorzetter, dat was duidelijk. Maar momenteel leek ze ijskoud en op haar hoede, en ze dacht na over elke stap die ze zette. Alsof ze vocht voor haar leven... nou ja, dat was natuurlijk ook zo. Hij had een hekel aan Karen, en toch... was hij blij dat ze in de buurt was.

Vervolgens richtte hij zijn aandacht op Erika Moll. Ze zag er bleek en angstig uit. Hoewel ze zich nog goed hield, leek ze op de rand van een zenuwinzinking te staan. De schimmels die zich te goed deden aan Jenny's lichaam... dat had Erika aangegrepen, zo overwoog Rick. Als Erika niet sterker werd, kon dat haar dood worden. Maar het was onmogelijk om van tevoren te bepalen wie van dit groepje over de kracht en de inventiviteit beschikte om levend uit deze doolhof van minigruwelen te ontsnappen.

Wat Amar Singh betrof: die leek zich met zijn lot verzoend te hebben, alsof hij al besloten had te sterven.

Danny Minot sjokte rustig door op zijn duct-tapeslippers. Die gast is taaier dan hij eruitziet, dacht Rick terwijl hij naar Danny keek. Hij was misschien een overlever.

Rick keek naar Peter Jansen en vroeg zich af hoe Peter het voor elkaar kreeg. Hij leek kalm, bijna zachtaardig, en hij was ontspannen op een manier die Rick niet kon bevatten. Peter Jansen had zich als een echte leider ontpopt, en hij deed het fantastisch. Het was alsof Peter zich thuis voelde in de microwereld.

En dan was hij er zelf nog.

Rick was niet iemand die veel nadacht, zeker niet over zichzelf. Maar nu deed hij dat wel. Er gebeurde iets vreemds met hem; iets wat hij absoluut niet begreep. Hij voelde zich oké. Waarom, zo vroeg hij zich af, voelde hij zich oké? *Ik zou me beroerd moeten voelen. Jenny is dood. Kinsky is verscheurd door mieren. Wie is de volgende?* Maar dit was de expeditie waar Rick Hutter altijd van had gedroomd; een expeditie die hij alleen nooit voor mogelijk had gehouden. Een reis naar het verborgen hart van de natuur, naar een wereld van ongeziene wonderen.

Hij zou zijn veldtocht hoogstwaarschijnlijk niet overleven. De natuur was niet zachtaardig of vriendelijk. In deze wereld bestond niet zoiets als mededogen. Je kreeg geen punten omdat je het in elk geval had geprobeerd.

Of je overleefde het, of je ging dood. Misschien komt niemand van ons hier levend uit. Hij vroeg zich af of hij hier zou verdwijnen, in een dal buiten Honolulu, verzwolgen door een labyrint vol gevaren die bijna onvoorstelbaar waren.

Gewoon doorzetten, dacht Rick. Wees slim. Blijf scherp. Zorg ervoor dat je door het oog van de naald kruipt.

Na wat een wandeling van kilometers leek, bespeurde Rick een vreemde bitterzoete geur in de lucht. Wat was dat? Hij keek omhoog en zag kleine witte bloemen boven zich die zich als sterren verspreid in een boom met slangachtige takken en een gladde, zilvergrijze bast bevonden. De geur van de bloemen deed hem denken aan sperma, maar met een gemeen randje van iets schadelijks.

Ja.

Nux Vomica.

Rick riep naar de anderen dat ze moesten blijven staan. 'Wacht even, jongens. Ik heb wat gevonden.'

Hij ging op zijn knieën bij een knoestige wortel zitten die omhoogstak uit de grond. 'Dit is een braaknotenboom,' zei hij tegen de groep. Hij begon met zijn machete in de wortel te hakken totdat hij een stuk van de binnenkant van de schors had blootgelegd. Dit sneed hij er voorzichtig uit. 'Deze schors,' zo legde hij uit, 'bevat brucine. Dat is een stof die verlamming veroorzaakt. Ik had liever de zaden gehad, want die zijn nog giftiger, maar met de schors lukt het ook.'

Heel voorzichtig – om te voorkomen dat hij boomsap op zijn handen zou krijgen – bond hij een touw om het stuk schors zodat hij het tijdens het lopen kon meeslepen. 'Ik kan het niet in de rugzak stoppen, dan wordt alles vergiftigd,' legde Rick uit.

'Die schors is gevaarlijk,' zei Karen.

'Wacht maar af, Karen, ik ga er wat te eten mee regelen. Ik barst van de honger.'

Erika deed een stap opzij en stak haar neus in de lucht om na te gaan of ze de geur van mieren kon ruiken. De lucht die haar longen in- en weer uitstroomde, voelde een beetje zwaar. Overal waar ze keek, elk hoekje en gaatje in de grond, elk grasblad, elke plant en elke bodemkruiper – overal waren insecten, mijten en nematoden. Ze kon zelfs massa's grondbacteriën zien, kleine klontjes met puntjes erin. Alles leefde. Alles voedde zich met iets anders.

Het deed haar beseffen dat ze een enorme trek had.

Iedereen rammelde van de honger, maar er was niks te eten. Ze dronken water uit een gat in een boomwortel en liepen weer verder. Rick sleepte het stuk schors achter zich aan. 'We hebben strychnine en we hebben de bes van de kralenboom,' zei hij. 'Maar dat is niet genoeg. We hebben nog minstens één ander ingrediënt nodig.' Hij bleef om zich heen kijken en liet zijn blik over de vegetatie gaan in de hoop dat hij een giftige plant zou tegenkomen. Uiteindelijk vond hij wat hij zocht. Hij herkende de geur; een scherp aroma dat afkomstig was van dicht gebladerte.

'Oleander,' zei Rick, en hij liep naar een groepje struiken met glimmende bladeren die lang en puntig waren. 'Het sap van dit ding is heel gemeen.' Hij wurmde zich tussen de bladeren door totdat hij bij de stam was. Hij trok zijn machete, scherpte de snede en hakte in de schors. Er kwam een doorschijnende, melkachtige vloeistof uit de wond, en Rick deed haastig een paar stappen naar achteren. 'Dat spul maakt korte metten met je als je het op je huid krijgt. Er zit een dodelijk mengsel van *cardenoliden* in, dat een hartstilstand tot gevolg heeft. En de dampen kun je ook maar beter niet inademen – je kunt er een hartaanval van krijgen.'

Terwijl het sap langs de stam omlaag sijpelde, hulde Rick zich in de laboratoriumjas, de rubberen handschoenen en de veiligheidsbril die ze in station Echo hadden gevonden en die hij had meegenomen in een plunjezak.

Amar grijnsde. 'Je ziet eruit als een gestoorde professor.'

'Je moest eens weten,' zei Rick. Hij opende een van de plastic laboratoriumpotten, begaf zich ermee naar de boom en liet met ingehouden adem het sap erin lopen. Hij schroefde de dop erop en spoelde de buitenkant schoon in een dauwdruppel. Daarna vulde hij op dezelfde manier een tweede potje. Even later hield hij met een triomfantelijke glimlach op zijn gezicht de twee potten in de lucht. 'Nu moeten we alles inkoken tot een pasta. En daar hebben we vuur voor nodig.'

Maar het bos was drijfnat van de regen. Er was niets wat zou branden.

'Geen probleem,' zei Rick. 'We hoeven alleen maar een *Aleurites moluccana* te zoeken.'

'Wat is dat nou weer?' vroeg Karen King.

'Een kemirinotenboom,' antwoordde hij. 'De Hawaïanen noemen ze kukui-bomen. Je vindt ze hier overal.' Hij bleef staan, keek omhoog en draaide langzaam een rondje terwijl hij naar het bladerdak bleef turen. 'Ja! Daar heb je er een.' Hij wees op een boom met grote zilvergroene bladeren. De kukui, die duidelijk opviel tussen de andere bomen, hing vol met groene vruchten.

Ze haastten zich naar de boom. Toen ze bij de stam kwamen, zagen ze overal rijpe en rottende vruchten op de bosbodem liggen. Rick pakte zijn machete. 'Let op,' zei hij.

Hij begon in de vruchten te hakken om de pulp te verwijderen. Al snel bereikte hij een harde pit – een noot. 'Dit is een kukui-noot,' zei hij. 'Er zit heel veel olie in. De oude Hawaïanen vulden stenen lampen met kukui-notenolie. Een ideale lichtbron. Ze staken ook noten op stokken en gebruikten die als fakkels. De noot zelf brandt namelijk ook.'

De kukui-noot, die een harde glimmende bolster had, bleek lastig te kraken, en ze hakten er om beurten op los met een machete. Het wapen had een zware kling en een extreem scherpe snede en werkte zich langzaam door de schil heen. Na een paar minuten ploeteren verscheen de olieachtige noot. Ze begonnen er stukken uit te slaan en vormden er een brandstapel van. Daar stopten ze plukjes droog gras in die Peter uit de kern van dode grashalmen had gesneden en die ondanks de regen droog waren gebleven. Rick zette zijn metalen pan op de brandstapel en hulde zich opnieuw in zijn laboratoriumoutfit. Hij zette zijn bril recht en vulde de pot met repen wortelschors van de braaknotenboom, stukken van de bes, de twee potten oleandersap en wat water van een dauwdruppel.

Rick stak de kukui-stapel aan met de tegen wind bestendige aansteker.

Het kleine spul vatte onmiddellijk vlam, en al snel brandden de nootspaanders als een fakkel. Het was een klein, fel vuurtje met een geelachtig schijnsel; niet veel groter dan een kaarsvlam als je het met de normale wereld vergeleek, maar voor hen leek het een vreugdevuur. De vlammen warmden hun gezichten waardoor ze knipperden met hun ogen en hun blik afwendden. Het water in de pan kookte al binnen enkele seconden. Twee minuten was voldoende om de inhoud tot een teerachtig goedje te reduceren.

'Verse curare,' zei Rick. 'Tenminste, laten we het hopen.'

Met behulp van een houtsplinter smeerde Rick de curare in een van de plastic laboratoriumpotten. Daarbij zorgde hij ervoor zijn adem in te houden. Hij kon nu zijn pijltjes in het spul dopen om ze van gif te voorzien. Hij hoopte dat de pasta voldoende giftig was, maar dat zou hij pas zeker weten nadat hij het in de praktijk had gebruikt. Hij schroefde de dop op het potje, schoof de veiligheidsbril omhoog en parkeerde hem op zijn voorhoofd.

Peter staarde naar het plastic potje met de bruine smurrie. 'Dus jij denkt dat je daarmee op groot wild kunt jagen? Iets met het formaat van een sprinkhaan bijvoorbeeld?' vroeg hij.

Rick schonk hem een zuur glimlachje. 'Het is nog niet klaar.'

'Hoezo niet?'

'We hebben nog één ingrediënt nodig.'

'En dat is?'

'Cyanide.'

'Wat?' zei Peter terwijl de rest om hen heen kwam staan.

'Ja. Cyanide,' zei Rick. 'En ik weet waar we het kunnen vinden.'

'Waar dan?' vroeg Peter zich af.

Rick draaide langzaam zijn hoofd rond. 'Ik kan het hier ruiken. Waterstofcyanide. Blauwzuur. Dat vleugje bittere amandelen... ruik je het? Cyanide is een universeel gif. Je helpt er zo'n beetje alles mee om zeep – en snel ook. Het was favoriet bij spionnen tijdens de Koude Oorlog. En je raadt het nooit – er leeft hier een diersoort die cyanide produceert. Waarschijnlijk ligt er wel een exemplaar te slapen onder een blad.'

De anderen keken naar hem terwijl hij achter zijn neus aan door de superjungle begon te lopen. Hij begon bladeren om te draaien en met beide handen weg te trekken. De geur werd sterker, en de anderen roken het nu ook. Hij stak zijn hoofd onder een blad. 'Hebbes!' fluisterde hij.

Onder het blad lag een bruin, olieachtig, geleed, glanzend monster met een groot aantal gebogen poten. 'Een miljoenpoot,' zei Rick. 'Ik ben maar een domme botanicus, maar ik weet dat deze jongens cyanide produceren.'

Erika kreunde. 'Wat een beest! Blijf er van af. Dat ding is levensgevaarlijk.'

Rick grinnikte. 'Een miljoenpoot?' Hij keek naar Karen. 'Hé, Karen. Wat doet dit dier als het zich bedreigd voelt?'

Karen glimlachte. 'Een miljoenpoot? Dat is een held op sokken.'

'Wacht even! Weet je zeker dat dit geen duizendpoot is?' zei Danny bezorgd. Hij herinnerde zich dat duizendpoten volgens Peter gemeen konden steken.

'Nee, dit is geen duizendpoot,' zei Karen, die op haar knieën was gaan zitten en onder het blad keek. 'Duizendpoten zijn roofdieren. Miljoenpoten eten geen vlees, maar rotte bladeren,' legde ze uit. 'Het zijn heel rustige dieren. Ze hebben niet eens iets waarmee ze kunnen steken.'

'Net wat ik dacht.' Rick trok het blad van de miljoenpoot. Het dier had zich opgerold en leek te slapen. Het had een cilindervormig lichaam met een gesegmenteerd pantser en minstens honderd poten. Voor de micromensen was de miljoenpoot ongeveer vierenhalve meter lang, vergelijkbaar met de grootste boa constrictors. Het dier ademde rustig en maakte fluitende geluiden door gaten in zijn pantser; de miljoenpootversie van snurken.

Rick trok zijn machete. 'Wakker worden!' riep hij, en hij gaf het dier een klap met de platte kant van het wapen.

Plotseling begon het dier wild te bewegen. De mensen weken achteruit en de geur werd sterker. De miljoenpoot rolde zijn lichaam op tot een strakke spiraal, een verdedigende houding. Rick hield zijn adem in, sprong naar voren en gaf het dier opnieuw een mep. Hij wilde de miljoenpoot niet verwonden, maar alleen laten schrikken. En het trucje werkte. Plotseling rook hij het indringende aroma van amandelen vermengd met een kwalijke, bittere geur toen er klodders van een olieachtige vloeistof uit de poriën in het pantser begonnen te stromen. Rick opende een schone plastic pot, trok haastig de handschoenen en de labjas aan en zette de veiligheidsbril op.

De miljoenpoot deed geen poging om te ontsnappen. Hij bleef opgerold liggen en was blijkbaar bang.

Rick liep op het enorme dier af en schepte wat van de vloeistof in de pot totdat hij ongeveer een theekopje vol had. 'Het is een olie. En hij zit vol met cyanide,' legde Rick uit. Hij schonk het goedje in de pot waarin zijn curare zat en roerde erin met een stokje. 'Dat beest scheet cyanide van angst,' zei hij met een grijns, en hij stak de pot met curare in de lucht, die naar dodelijke chemicaliën rook. 'En nu,' voegde hij eraan toe, 'is het tijd voor de jacht.'

20

**HOOFDKANTOOR NANIGEN
29 OKTOBER, 16:00**

Vin Drake stond voor een venster dat uitzicht bood op de tensor-kern. Het venster was van kogelvrij glas en wekte de indruk dat hij naar een reusachtige vissenkom keek. In de tensorkamer waren de hexagonen van de transformatiebuizen gelijkgezet met de plastic vloer. Twee mannen liepen rond de kern: Telius en Johnstone.

Ze trokken hun uitrusting aan: lichtgewicht pantsersegmenten van kevlar, een kogelvrij vest, armbeschermers en scheenplaten voor de onderbenen. Het pantser was hard genoeg om de kaken van een soldaatmier te weerstaan. Beide mannen kregen een Express-gasdrukgeweer met kaliber .600. Het wapen werkte op een gaspatroon en vuurde zware stalen naalden af met een breedspectrum supergif in de punt. Ze hadden een enorm bereik, en de uitschakeling van het doelwit was gegarandeerd. Het supergif was even effectief bij insecten en vogels als bij zoogdieren. Het wapen was speciaal ontworpen voor de bescherming van mensen in de microwereld.

'Wacht even, dan haal ik de hexapod,' zei Drake.

Telius knikte en zocht met zijn ogen de vloer af alsof hij een munt had laten vallen. Telius was een man van weinig woorden.

Drake liep naar een deur met daarop een bordje VERBODEN TOEGANG VOOR ONBEVOEGDEN. Daaronder bevonden zich een afbeelding die vaag op het *biohazard*-symbool leek en een woord: MICROHAZARD.

Het was de deur die van de tensorkern naar Project Omicron leidde. Die naam stond uiteraard niet op de deur vermeld.

Drake pakte een handcontroller – een apparaatje dat enigszins op een gamecontroller leek – en toetste een code in. Hiermee werden de bots in de Omicronzone uitgeschakeld. Hij betrad een afdeling met kleine raamloze laboratoria die over een eigen toegang tot de tensorkern beschikte. Niemand had toestemming om Omicron binnen te gaan, behalve een handvol topingenieurs van Nanigen. Er waren trouwens maar weinig werknemers die van het bestaan van Omicron op de hoogte waren. In de laboratoria stonden tafels, en op de tafels lagen voorwerpen die waren afgedekt met zwarte doeken.

De doeken waren bedoeld om de voorwerpen aan het oog te onttrekken. Ze waren geheim. Zelfs mensen met een autorisatie om de Omicronzone te betreden, hadden geen toestemming om er een blik op te werpen.

Drake verwijderde een van de doeken. Het was een robot met zes poten die vaag leek op een Mars Rover of een soort insect van metaal. De robot was niet erg groot en had een diameter van ongeveer dertig centimeter.

Drake nam de hexapod mee naar de tensorkern en overhandigde hem aan Johnstone. 'Jullie vervoer. Hij is volledig opgeladen. Quad microlithiums.'

'We zijn er klaar voor,' mompelde Johnstone. Hij kauwde ergens op.

'Godsammelazarus, man,' blafte Drake. 'Wat heb je in je mond?'

'Energiereep, meneer. Je krijgt ontzettende honger–'

'Jullie kennen de regels: niet eten in de kern. Je kunt de generator verontreinigen.'

'Sorry, meneer.'

'Laat maar zitten. Slik maar door.' Drake gaf de man een vriendschappelijk klopje op de schouder. Een beetje begrip voor mensen die voor je werkten, leverde een hoop op.

Telius zette de robot met de zes poten in hexagoon 3. De twee mannen namen plaats in hexagoon 2 en 1. Drake liep naar de regelkamer. Hij zou de generator persoonlijk bedienen. Hij had al het personeel opgedragen de kern te verlaten. Niemand mocht zien dat hij de mannen en hun vervoermiddel transformeerde. Dat zou een los eindje betekenen. Hij programmeerde hexagoon 3 zo dat de robot wat minder zou krimpen dan de twee beveiligingsagenten. Juist toen hij de instellingen had opgeslagen en de sequentie had gestart, kwam Don Makele achter hem de regelkamer binnen.

Drake en Makele keken toe terwijl de generator begon te zoemen, de krachtbronnen onder de vloer op volle sterkte kwamen en de hexagonen afdaalden. Nadat de mannen waren gekrompen, plaatste Drake de micromensen in een transporttrommel en de hexapod in een andere. Hij overhandigde beide trommels aan Don Makele. 'Laten we hopen dat de reddingsmissie slaagt.'

'Laten we het hopen,' antwoordde Makele.

Het was al erg genoeg dat Peter en de anderen wisten dat hij Eric had vermoord. Maar Drake vreesde bovendien dat Eric een uiterst gevoelig feit over Drakes activiteiten aan zijn broer had doorgebriefd – een feit dat onder geen beding openbaar mocht worden gemaakt – en dat Peter het verhaal aan de andere studenten had verteld. Als dit specifieke feit bekend zou raken, kon het Nanigen kapotmaken.

Het was puur zakelijk. Niks persoonlijks, alleen een kwestie van logisch handelen. Gewoon wat er gedaan moest worden om de boel draaiende te houden. Zou Don Makele iets vermoeden? Drake had er geen idee van wat de beveiligingsman dacht of wist. Hij schonk hem een scherpe zijdelingse blik. 'Hoeveel oprichtersaandelen Nanigen heb je?'

'Twee, meneer.'

'Ik geef je er nog twee.'

Makeles gezichtsuitdrukking veranderde niet. 'Dank u.'

Don Makele had tijdens dit gesprekje twee miljoen dollar verdiend. De man zou beslist zijn mond houden.

21

FERN GULLY
29 OKTOBER 16:00

'Niks zeggen, en niet bewegen. Ze kunnen heel goed horen en zien,' zei Erika Moll. Ze keek omhoog naar de takken en de grote gelobde bladeren van de mamakiplant die zich boven hun hoofden uitstrekte. Op een van de bladeren zat een enorm schepsel, een gevleugeld insect. Het dier had een groene glans, en aan weerszijden van zijn lichaam zaten twee kantachtige groene vleugels die eruitzagen als bladeren. Het insect had lange antennes, uitpuilende ogen, gelede poten en een stevig onderlijf met zichtbaar vet. De ademhaling klonk als een zwak *sss-uhh-sss*, en de lucht stroomde naar binnen en weer naar buiten via openingen in de flanken.

Het was een bladsprinkhaan.

Rick nam een van de blaaspijpen die hij had gemaakt en woog hem even in zijn hand. Vervolgens schoof hij een pijltje naar binnen. Op de stalen punt zat een klodder stinkend gif die naar bittere amandelen en andere viezigheid rook: Ricks curare. Op de achterkant was een vezelprop bevestigd die afkomstig was van een matrasvulling uit station Echo.

Rick ging op één knie zitten en bracht de pijp naar zijn lippen. Daarbij paste hij er goed op geen curare in zijn mond te krijgen. Het cyanide deed zijn ogen wateren, en hij voelde hoe zijn keel werd dichtgeknepen.

'Waar zit het hart?' fluisterde hij tegen Erika Moll, die op haar hurken naast hem kwam zitten. Erika hielp hem omdat ze het beste op de hoogte was van insectenanatomie.

'Het hart? Dorsaal en posterieur ten opzichte van de metathorax,' zei Erika.

Rick trok een gezicht. 'Hè?'

Erika glimlachte. 'Vlak onder het hoogste punt van de rug.'

Rick schudde zijn hoofd. 'Dat lukt nooit. De vleugels zitten ervoor.' Hij probeerde verschillende posities en besloot uiteindelijk op de onderkant te richten. Hij legde aan, haalde diep adem en blies.

Het pijltje boorde zich diep in het lichaam van de bladsprinkhaan. Het dier leek naar adem te happen, en de vleugels trilden. Even dachten ze dat de sprinkhaan weg zou vliegen, maar dat gebeurde niet. Het insect slaakte een oorverdovende kreet. Was dat van schrik of pijn? De ademhaling van de sprinkhaan versnelde, en hij leek in elkaar te zakken. Langzaam begon hij weg te glijden, en uiteindelijk bleef hij ondersteboven aan de rand van het blad hangen.

Amar kromp ineen. Hij kon het niet aanzien. Hij had nooit beseft dat het lijden van een insect hem zo kon raken. Ricks curare was erg sterk.

Ze wachtten. De sprinkhaan bleef aan het blad bungelen. Zijn ademhaling werd trager, en het *sss-uhh-sss* klonk schor en krachteloos. Ten slotte viel het geluid stil. Even later stortte de bladsprinkhaan omlaag.

'Mooi werk, Rick!'

'Rick de insectendoder!'

In eerste instantie leek niemand de sprinkhaan appetijtelijk te vinden, behalve Erika Moll. 'Ik heb een keer termieten gegeten in Tanzania,' zei ze. 'Geweldig. Voor mensen in Afrika zijn insecten een delicatesse.'

Danny Minot zat op een tak en voelde zich misselijk. Alleen al het kijken naar het dode dier bezorgde hem kokhalsneigingen. 'Misschien vinden we hier in de buurt een hamburgertent,' zei hij in een poging grappig te zijn.

'Insectenvlees is een stuk minder slecht dan een hamburger,' zei Amar Singh. 'Ik vind gemalen spieren, bloed en bindweefsel van runderen weerzinwekkend; ik eet geen koeien. Maar een bladsprinkhaan... ach... wie weet.'

Terwijl ze naar het dode dier staarden, voelden ze hun honger steeds hardnekkiger worden. Hun kleine lichamen hadden in een hoog tempo energie verbrand. Ze moesten gewoon eten. Ze hadden geen keus. Uiteindelijk won hun honger het van hun kieskeurigheid.

Ze hakten de sprinkhaan in stukken met machetes. Ondertussen gaf Erika hun anatomische les. Ze wees erop dat alles wat eetbaar was met water moest worden gewassen. Het bloed van het dier, de hemolymfe, was een doorschijnende geelgroene vloeistof die naar buiten druppelde toen ze het pantser openbraken. Ze hakten de poten er af en sneden door het taaie bioplastic om bij het vlees te komen. In de bovenkant van de achterpoten zaten grote stukken wit mager spiervlees. Uit de grootste delen van de poten sneden ze steaks. Omdat het bloed toxines uit de curare kon bevatten, moest het vlees worden gewassen. Maar nadat ze het in dauwdruppels hadden gedoopt en afgespoeld, rook het fris en delicaat. Ze aten het vlees rauw. Het had een milde, zoetige smaak.

'Niet slecht,' zei Rick. 'Net sushi.'

'En helemaal vers,' zei Karen.

Zelfs Danny begon van het vlees te eten, eerst voorzichtig, maar vervolgens met steeds meer enthousiasme, totdat hij de steaks bijna naar binnen propte. 'Een beetje zout zou niet verkeerd zijn,' zei hij met volle mond.

Het vet van het dier, dat zacht was en gelig van kleur, sijpelde traag uit het achterlijf. 'Volgens mij is dat spul heel gezond,' zei Erika. Toen niemand het wilde proberen, schepte ze zelf wat op met haar handen en liet het zich goed smaken. 'Een beetje zoet,' zei ze. 'En het heeft iets nootachtigs.'

Hun lichamen hunkerden naar vet, en al snel stond iedereen in het achterlijf van de sprinkhaan te scheppen en te eten en zijn vingers af te likken.

'Ik voel me net een leeuw die een prooi heeft gevangen,' zei Peter.

Er zat veel meer vlees aan de bladsprinkhaan dan ze op konden. Aangezien ze het niet wilden verspillen, zochten ze bundeltjes vochtig mos waarin ze zo veel mogelijk vlees verpakten en borgen die in de plunjezakken om ze koel te houden. Uiteindelijk hadden ze voldoende sprinkhaansteaks om het een tijdje uit te kunnen houden.

Nu de studenten weer wat waren aangesterkt, bogen ze zich over de handgetekende plattegrond. Peter had hem steeds bij zich gehad om hen met het kompas door de jungle te loodsen. Hij wees een aantal oriëntatiepunten aan.

'Volgens mij zitten we hier,' zei hij met zijn wijsvinger bij een groepje varens op de kaart. 'Vlak bij station Bravo. Daar zouden we voor het donker kunnen zijn.' Hij keek om zich heen en wierp een blik op de hemel. De zon werd al zwakker; het liep tegen het einde van de middag. 'Laten we alleen hopen dat er nog een station is.'

Peter stelde het kompas in op de stam van een palmboom in de verte, en ze vertrokken. Af en toe bleven ze even staan om te controleren of ze mieren roken dan wel hoorden. Wanneer ze een mier tegenkwamen, wisten ze dat er meer waren. Zolang ze zich snel genoeg uit de voeten maakten, zouden de mieren niet al te opgewonden raken. Het grootste gevaar was de ingang van een nest. Toen de zon onder begon te gaan, verdiepten de schaduwen in het bos zich, en Peter, die vooropliep, werd voorzichtiger en begon zich steeds meer zorgen te maken over eventuele nesten. Maar voorlopig ging alles nog goed.

'Stop!' zei Peter plotseling. Hij bleef staan om een merkteken te bestuderen op de steel van een ilihiaplant die iets weg had van een bonsaiboom. In de steel waren drie v-vormige inkepingen gekerfd waarboven met oranje verf een x was geschilderd.

Het was een wegwijzer.

Ze waren op een pad gestuit.

Peter vervolgde zijn weg en vond nog een oranje x, ditmaal een die op een kiezelsteen was gekladderd. Het pad liep verder, wat te zien was aan vage afdrukken in de aarde en her en der een wegwijzer.

Een paar minuten later bleef Peter staan bij een groot, vormloos gat in de grond. Het leek erop dat het was uitgegraven en dat de aarde eromheen was omgespit. Rond het gat waren reusachtige voetafdrukken te zien. Ze waren gevuld met water en zagen eruit als zwembaden. Peter keek op de plattegrond. 'We zijn bij station Bravo,' zei hij. 'Maar het station is verdwenen.'

De voetafdrukken vertelden een verhaal. Iemand had het station uitgegraven en weggehaald.

'We moeten van het ergste uitgaan,' zei Karen terwijl ze de rugzak afzette en bij het gat op de grond ging zitten. Ze veegde over haar voorhoofd. 'Dit is het werk van Vin Drake. En het betekent dat hij weet of vermoedt dat we nog leven. Hij heeft ons overlevingsplan getorpedeerd.'

'Dus Drake is misschien op zoek naar ons,' zei Peter.

'Maar hoe denkt hij ons dan te kunnen vinden?' vroeg Rick zich af.

Dat was een goede vraag. Aangezien ze niet veel langer dan een centimeter waren, zou iemand van normale lengte hen niet zo eenvoudig kunnen vinden. 'Ik stel voor dat we per direct volledige radiostilte in acht nemen,' zei Peter.

De verdwijning van station Bravo betekende dat ze geen plek hadden om 's nachts te schuilen. De zon zou binnenkort ondergaan en dan zou het snel donker worden, zoals in de tropen altijd het geval is.

Erika begon zich steeds meer zorgen te maken nu de avond naderde. 'Het is maar dat jullie het weten,' zei ze tegen de anderen, 'maar de meeste insecten gaan 's nachts op pad, niet overdag. En veel soorten zijn roofdieren.'

'We moeten voorzorgsmaatregelen nemen,' zei Peter. 'We gaan een fort bouwen.'

Niet ver daarvandaan beende een hexapodloper met grote stappen door het bos. De robot klom in volle vaart over stenen en duwde met jankende motoren de bladeren opzij, maar de zes poten leken onvermoeibaar.

Johnstone bestuurde de machine met zijn hand in een handschoenachtig toestel. Ondertussen hield hij de instrumenten in de gaten. Een van de displays gaf het vermogen aan dat de servomotoren naar de zes poten van het voertuig stuurden. Telius zat naast hem in de open cockpit. Zijn ogen schoten naar links, naar rechts, omhoog en omlaag. Beide mannen droegen een *fullbody*-wapenrusting.

De loper werd van energie voorzien door een nanolaminaat-microlithiumaccu met een lange gebruiksduur en voldoende vermogen. Normale voertuigen waren onpraktisch in de microwereld; de wielen hadden nauwelijks grip op de ondergrond waardoor ze al snel vast kwamen te zitten. Voertuigen met wielen konden bovendien niet over obstakels klimmen. De ingenieurs van Nanigen hadden daarom het ontwerp van een insect gekopieerd, en dat concept werkte uitstekend.

De loper arriveerde bij het gat in de grond.

'Stop,' zei Telius.

Johnstone bracht het voertuig tot stilstand en wierp een blik in het gat. 'Dat is Echo.'

'Was,' corrigeerde Telius.

De mannen sprongen met kletterende wapenrusting uit de hexapod en landden netjes op hun voeten. Ze hadden ruime ervaring op het gebied van fysieke actie in de microwereld en ze wisten precies hoe ze hun spieren moesten gebruiken. Ze begonnen rond het gat te lopen en inspecteerden het mos en de aarde. De regenbui die eerder op de dag was gevallen, had de meeste sporen van de studenten doen verdwijnen, maar Johnstone wist dat er altijd aanwijzingen achterbleven. Hij kon iedereen opsporen – overal. Een plukje mos op een steen trok zijn aandacht. Hij liep ernaartoe en bestudeerde het. Het mos reikte tot aan zijn middel. Hij voelde aan een dunne stengel die uit het groen stak. Het was een sporensteel met aan het uiteinde een gebarsten *sporocarpium* waaruit stuifmeel was ontsnapt; er kleefden een paar korrels aan het mos. De steel hing in een rechte hoek en was geknapt. In het kleverige pluis van vochtige stuifmeelkorrels vond Telius de afdruk van een menselijke hand. Iemand had de sporensteel vastgepakt waardoor hij was geknapt. Er was zodoende stuifmeel vrijgekomen waarin de betreffende persoon vervolgens zijn hand had geplaatst. Nadat hij over een klein heuveltje was gelopen, vond Telius even verderop een onduidelijk groepje menselijke voetafdrukken op een plek onder een blad dat de grond had beschermd tegen regendruppels.

Johnstone ging op één knie zitten en bestudeerde de voetafdrukken. 'Ze zijn met z'n vijven – nee, zessen. En ze lopen achter elkaar.' Hij keek even opzij. 'In zuidoostelijke richting.'

'Welke kant is dat op?' vroeg Telius.

'De parkeerplaats.' Johnstone kneep zijn ogen half dicht en glimlachte.

Telius keek hem vragend aan.

Johnstone plukte een mijt van zijn schouderplaat, kneep hem fijn en smeet hem weg. 'Teringmijten. Maar we weten in elk geval wat ze van plan zijn.'

'Wat dan?'

'Ze willen een lift naar Nanigen.'

Hij had natuurlijk gelijk. Telius knikte en begon te lopen, op zoek naar aanwijzingen. Johnstone sprong weer in de hexapod, startte de machine en volgde Telius, die voor hem uit liep en regelmatig over dingen heen sprong. Hij bewoog zich voort op een snelheid die het midden hield tussen het drafje van een hond en gewoon rennen. Telius bleef af en toe staan om sporen in de zachte aarde te bestuderen. De doelwitten hadden geen enkele poging gedaan hun sporen uit te wissen. Ze hadden er geen flauw idee van dat ze werden gevolgd.

Maar het begon donker te worden. Telius en Johnstone wisten genoeg van de microwereld om te beseffen dat ze zich 's nachts het beste schuil konden houden. Wanneer de avond eenmaal was gevallen, verplaatste je je niet meer – onder geen beding.

Ze zetten de hexapod stil. Johnstone plaatste schrikdraad rond het voertuig en zette de paaltjes zo in de grond dat de kabel zich op borsthoogte bevond. Intussen groef Telius een schuttersputje onder de robot. Ze sloten het schrikdraad aan – het zou elk dier dat ermee in aanraking kwam een flinke oplawaai geven – en gingen vervolgens in het schuttersputje zitten met de ruggen tegen elkaar en hun .600 gasdrukgeweer schietklaar naast zich.

Telius leunde naar achteren en nam een pluk pruimtabak. Johnstone had de radio-*locator* meegenomen naar zijn schuilplaats zodat hij eventuele berichten kon opvangen. Hij maakte zich geen zorgen. Dit was zijn tiende tripje naar de microwereld en hij wist wat hij deed. Hij zette de locator aan en bestudeerde het display, op zoek naar eventuele transmissies via de 70 GHz-band – de frequentie waarop de headsets van Nanigen werkten. Niets wees op enige vorm van radiocommunicatie. 'Misschien hebben ze niet eens radio's,' zei hij tegen Telius.

Telius gromde en spuugde een straal tabak uit.

Ze aten voorverpakte maaltijden. Even later urineerden ze om beurten; de een liep een paar stappen weg terwijl de ander zijn partner dekte met het gasdrukgeweer – voor het geval een of ander beest erin slaagde door het schrikdraad te breken. Sommige van die krengen roken het meteen als je even ging pissen.

Ze hielden om beurten de wacht; de een deed een dutje terwijl de ander de omgeving in de gaten hield. De uitkijk droeg een infraroodkijker en had zijn ogen vlak boven grondniveau. Johnstone kon er niet over uit dat deze wereld 's nachts zo springlevend was. In zijn ir-kijker zag hij de permanente bedrijvigheid van krioelende schepsels die stuk voor stuk bezig waren hun ding te doen. Hij wist niet eens wat het waren; als je een zo'n kreng had gezien, had je ze allemaal gezien. Zolang het maar geen roofdieren waren. Hij ging op zoek naar de warme contouren van een muis. Hij wilde vannacht op groot wild jagen. Een muis neerleggen met een .600 Express was even spectaculair als het schieten van een kaapse buffel, wat hij een paar keer had gedaan in Afrika.

'Ik heb zin om een muis neer te knallen,' zei Johnstone. 'Lijkt me gaaf.'

Telius gromde.

'Als ik maar niet zo'n klote-*scolo* tegenkom,' voegde Johnstone eraan toe.

22

NABIJ STATION BRAVO
29 OKTOBER, 18:00

D e zes nog levende studenten kozen een hoger gelegen stukje grond aan de voet van een kleine boom. Hier zouden ze niet wegspoelen als het vannacht ging regenen. De boom was een ohia die in bloei stond. De rode bloesem leek licht te geven in het schijnsel van de naderende avond.

'We gaan een palissade maken,' zei Peter.

Ze verzamelden dorre twijgjes en dode grashalmen. De twijgjes en grashalmen werden in lange splinters gehakt die vervolgens naast elkaar in de grond werden geslagen. Op deze manier ontstond rond de overnachtingsplaats een muur van scherpe staken waarvan de punten naar buiten waren gericht. Ze lieten een opening in de palissade die precies breed genoeg was om een mens door te laten. Rond de opening werd een zigzaggende barrière van staken gebouwd om de ingang moeilijker bereikbaar te maken. De studenten bleven aan de versterking van het fort werken zolang er licht was om bij te kunnen zien. Ze sleepten dode bladeren het fort in en gebruikten die om er een dak van te maken. Het bood bescherming tegen eventuele regen en zou hen bovendien aan het zicht van vliegende roofdieren onttrekken.

Ook spreidden ze bladeren uit op de grond. Dit provisorische bed zorgde ervoor dat er geen direct contact was met de aarde; een onafgebroken gewriemel van hyperactieve wormpjes. Uit de lichtgewicht tent sneden ze een grondzeil dat ze boven op de bladeren legden om het bed droog te houden en wat comfortabeler te kunnen slapen.

Eindelijk was het fort klaar.

Karen haalde haar flesje met spray tevoorschijn. Het was bijna leeg – ze had het meeste gebruikt tijdens het gevecht met de mieren. 'Er zit benzochinon in. Als we worden aangevallen, hebben we nog een paar shots over.'

'Ik voel me ineens een stuk veiliger,' zei Danny op sarcastische toon.

Rick Hutter pakte de harpoen, doopte de punt in de pot met curare en zette het wapen tegen de palissade, klaar voor gebruik.

'Ik stel voor dat we de wacht houden,' zei Peter. 'Laten we om de twee uur wisselen.'

Dan was er nog de vraag of ze vuur moesten maken. Als je in de normale wereld in de wildernis verzeild raakte, zou je 's nachts vuur maken om warm te blijven en roofdieren op een afstand te houden. Maar in de microwereld lag de zaak anders. Erika Moll vatte het samen: 'Insecten worden aangetrokken door licht. Als we vuur maken, kunnen roofdieren ons op honderden meters afstand zien. Het lijkt me beter om de hoofdlampen ook niet te gebruiken.'

Het kwam erop neer dat ze de nacht in totale duisternis zouden doorbrengen.

Naarmate de schemering in het duister overging, vloeiden de kleuren de wereld uit zodat alleen nog grijze en zwarte tinten restten. In de verte zwol een druk roffelend geluid aan dat steeds dichterbij kwam – een geluid van honderden trappelende poten.

'Wat nu weer?' zei Danny op jammerende toon.

Even later trok een spookachtige kudde fragiele schepsels langs het kamp. Het waren langpootmuggen, ook wel hooiwagens genoemd; insecten met acht spichtige poten die onmogelijk lang leken. Vanuit het standpunt van de studenten maten de poten zeker vierenhalve meter. De dieren hadden ovale lichamen met twee heldere ogen die boven de aarde leken te zweven terwijl ze met hun poten trommelend naar voedsel zochten.

'Reuzenspinnen,' siste Danny tussen zijn tanden.

'Dat zijn geen spinnen,' zei Karen tegen hem. 'Het zijn Opiliones.'

'En wat zijn dat?'

'Opiliones zijn verwant aan spinnen, maar ze doen geen mens kwaad.'

'Hooiwagens zijn giftig,' zei Danny.

'Onzin!' snauwde Karen. 'Ze hébben niet eens gif. De meeste eten schimmels en detritus – dood organisch materiaal. Ik vind het prachtige dieren. Wat mij betreft zijn het de giraffen van de microwereld.'

'Alleen een arachnologe zou zoiets zeggen,' zei Rick Hutter tegen haar.

De kudde langpootmuggen verdween in het bos, en het geroffel van trappelende poten stierf weg. Het duister verdichtte zich en vulde het bos als het rijzende tij. De geluiden van het bos werden anders. Het betekende dat een volledig nieuwe groep dieren tevoorschijn kwam.

'De wisseling van de wacht,' zei de stem van Karen in het halfduister. 'De nieuwe ploeg heeft honger.' Ze konden elkaar nu niet goed meer zien.

Naarmate de avond vorderde, werden de geluiden om hen heen rumoeriger en krachtiger, hardnekkiger. Van dichtbij en ver weg klonk gekras, gebons, gehuil, getik, gefluit, gepiep, gegrom en geklop. De studenten voelden bovendien trillingen in de aarde omdat sommige insecten communiceerden door op de grond of een ander oppervlak te stampen. Ze verstonden er geen woord van.

Ze kropen dicht tegen elkaar aan terwijl Amar Singh de eerste wacht voor zijn rekening nam. Met de harpoen in zijn hand klom hij op het fort, waarna hij zich installeerde op het bladerdak. Hij rechtte zijn rug, spitste zijn oren en snoof de lucht op, die bezwangerd was met feromonen. 'Ik heb geen idee wat ik ruik,' bekende hij. 'Voor mij is het allemaal nieuw.'

Amar begon zich af te vragen hoe ze überhaupt in staat waren om iets te ruiken. Hun lichaam was een factor honderd kleiner. Dat betekende waarschijnlijk dat de atomen in hun lichaam ook honderd keer kleiner waren. Maar als dat zo was, hoe konden de minuscule atomen in hun lichaam dan met de reuzenatomen uit de omgeving interacteren? Ze zouden eigenlijk niks moeten ruiken. En ze zouden ook niks moeten proeven. En hoe konden ze trouwens ademhalen? Hoe konden de piepkleine hemoglobinemoleculen in hun rode bloedcellen de reusachtige zuurstofmoleculen aan zich binden die in de lucht zaten?

'Ik heb een paradox ontdekt,' zei Amar tegen de anderen. 'Hoe kunnen die mini-atomen in ons lichaam reageren met de normale atomen van de wereld om ons heen? Hoe kunnen we iets ruiken? Hoe kunnen we iets proeven? En hoe kan het dat ons bloed zuurstof uit de lucht opneemt? We zouden allang dood moeten zijn.'

Niemand had daar een goed antwoord op. 'Misschien had Kinsky het geweten,' zei Rick.

'Misschien ook niet,' zei Peter. 'Ik krijg de indruk dat Nanigen zijn eigen technologie niet goed begrijpt.'

Rick had nagedacht over de microcaissonziekte. Hij had zijn handen en armen onderzocht om te controleren of hij blauwe plekken kon zien, maar vooralsnog had hij niets gevonden. 'Misschien ontstaat de decompressieziekte doordat atoomgroottes niet goed worden getransformeerd,' zei hij. 'Of misschien gaat er iets fout bij de interactie tussen de kleine atomen in ons lichaam en de grote atomen om ons heen.'

Er kroop een mijt op Amar. Hij plukte het dier van zijn shirt omdat hij het niet wilde verwonden. 'En hoe zit het met ons spijsverteringsstelsel? Daar leven miljarden bacteriën. Zijn die ook gekrompen?'

Niemand wist het antwoord.

Amar vervolgde: 'Wat gebeurt er eigenlijk wanneer onze superkleine bacteriën in dit ecosysteem terechtkomen?'

'Misschien krijgen ze wel caissonziekte,' zei Rick.

Er was een zilveren gloed over het bos gekomen, en een heldere maansikkel kroop omhoog langs de hemel. Haar komst ging vergezeld van een angstaanjagend gehuil dat door de jungle galmde: *Puuu... ieee... oeee... o-e-e-e...*

'Mijn god, wat was dat?' zei iemand.

'Volgens mij een uil. We horen hem alleen op een lagere frequentie.'

Het bloedstollende geluid herhaalde zich. Het was afkomstig uit een boomtop en klonk als een doodsbedreiging verpakt in gekerm. Ze konden de onheilspellende aanwezigheid van het roofdier bijna voelen.

'Ik begin te begrijpen hoe het voelt om een muis te zijn,' zei Erika. Het huilen hield op en twee duistere vleugels scheerden geluidloos door het bladerdak. De uil had blijkbaar een grotere prooi in gedachten; hij was niet geïnteresseerd in zoiets kleins als een micromens.

Plotseling begon de aarde te kraken en te beven. De groep werd door elkaar geschud en de bodem kwam omhoog.

'Er zit iets onder ons!' riep Danny uit, en hij sprong overeind. Het volgende moment verscheen er een scheur in de grond. Danny wankelde alsof hij zich op een kapseizend schip bevond.

De anderen krabbelden op van het bladerbed en haalden hun machetes tevoorschijn terwijl de aarde beneden hen kreunde en sidderde. Amar greep de harpoen en bracht hem boven zijn hoofd. Zijn hart bonkte in zijn keel. Hij was er klaar voor. Klaar om te doden. Dat voelde hij. De anderen renden door elkaar heen naar de wand van de palissade, zich afvragend of ze moesten vluchten dan wel wachten om te zien wat er zou gebeuren.

Het volgende moment verscheen er een reusachtige bruinroze cilinder van kolossale omvang die de aarde opzij duwde.

Danny schreeuwde.

Amar wierp bijna de harpoen, maar bedacht zich op het allerlaatste moment. 'Het is maar een regenworm, jongens,' zei hij, en hij zette het wapen weer neer. Hij was niet van plan om dit onschadelijke dier naar de andere wereld te helpen. Het was gewoon op zoek naar voedsel en vormde voor niemand een bedreiging.

De regenworm vond niets van zijn gading en trok zich terug in de aarde, waar hij zijn reis voortzette, knarsend als een bulldozer terwijl de palissade schudde en beefde.

Nu de maan wat hoger aan de hemel stond, verschenen de vleermuizen. Hoog boven zich hoorden de studenten gekrijs, fluittonen, staccato getik en vreemde loeiklanken voorbijschieten: vleermuizensonars. Het was een vreemde gewaarwording om te kunnen horen hoe vliegende roofdieren van ultrageluid gebruikmaakten om in de lucht een prooi te zoeken. De frequentie van de vleermuissonar is normaal gesproken te hoog voor het menselijk oor. Maar in de microwereld klonken deze dieren als duikboten die de diepzee pingden.

Ze hoorden hoe een vleermuis een mot in zijn sonar ving om het insect vervolgens te doden.

Het begon met een slome reeks pingen. De vleermuis stuurde geluids-pulsen in de richting van een mot, identificeerde de prooi en bepaalde de afstand tot het dier alsmede de richting waarin het zich begaf. Vervolgens werd het pingen sneller en luider. Erika Moll legde uit wat er gebeurde. 'De vleermuis "schildert" de mot met zijn sonar. Dat doet hij aan de hand van ultrageluidsgolven die door de mot worden weerkaatst. Die echo's ge-ven de locatie, de grootte en de vorm van de mot aan, alsmede zijn vlieg-richting. Het pingen versnelt naarmate de vleermuis dichter bij de mot komt.'

Het kwam regelmatig voor dat een mot zichzelf, zodra hij merkte dat hij door een vleermuis werd gepingd, met een hard trommelend geluid be-gon te verdedigen. 'Motten kunnen erg goed horen,' legde Erika uit. Als een mot de sonar van een vleermuis hoorde, startte hij de lawaaiproductie. De bonkende geluiden waren afkomstig van vliezen op zijn achterlijf. Deze geluiden konden de sonar van de vleermuis verstoren en het dier in de war brengen waardoor de mot 'onzichtbaar' werd voor de vleermuis. Naarmate een vleermuis dichterbij kwam, nam het pingen in volume toe en klonk er een crescendo van 'trommels'. De vleermuis deed *ping-ping-ping* en de mot deed *pom-pom-pom*. Soms stopte het trommelen abrupt. 'De vleermuis heeft de mot te pakken,' meldde Erika.

Ze luisterden bijna als gehypnotiseerd naar het vleermuizenorkest bo-ven hun hoofd. Op een gegeven moment vloog een van de dieren vlak over hun fort heen met een *woemp* van zijn fluwelen vleugels. Het geluid van de sonar was oorverdovend en hun oren floten.

'Ik vind deze wereld doodeng,' zei Karen, 'maar op een of andere manier ben ik blij dat ik hier ben. Ik lijk wel gek.'

'Het is in elk geval interessant,' merkte Rick op.

'Toch had ik graag een vuurtje gehad,' mopperde Erika.

'Slecht idee, dan weet ieder roofdier in de buurt meteen waar we zitten,' zei Peter.

Erika Moll was zelf degene die had geadviseerd geen vuur te maken, toch hunkerde de oermens in haar naar een vuur. Een eenvoudig vuur, warm en licht en troostrijk. Een vuur betekende veiligheid, voedsel en een thuis. Ze werd echter uitsluitend omringd door duisternis, kilte en vreemde geluiden. Ze begon in haar keel het geluid van haar bonzende hart te voelen. Haar mond was droog, en ze besefte dat ze doodsbang was; banger dan ze ooit in haar leven was geweest. Het primitieve deel van haar geest wilde schreeuwen en op de vlucht slaan. Haar ratio besefte echter dat haar een zekere dood te wachten stond als ze midden in de nacht op de bonnefooi door deze superjungle zou gaan rennen. De verstandigste keuze was stil blijven en niet bewegen, ondanks het feit dat ze bijna overmand dreigde te worden door haar primitieve angst voor het duister.

Het duister leek zich op te rollen rond de mensen en hen gade te slaan.

'Konden we maar een lichtje aansteken,' fluisterde Erika. 'Gewoon een klein lichtje. Dan zou ik me zoveel beter voelen.'

Ze voelde hoe Peters hand zich rond die van haar sloot. 'Wees maar niet bang, Erika,' zei hij.

Erika begon zachtjes te huilen en greep Peters hand beet.

Amar Singh had de harpoen tussen zijn knieën gezet. Hij smeerde op zijn gevoel meer curare op de punt en hoopte dat hij zich niet zou snijden. Peter begon met de slijpsteen zijn machete te scherpen. Het *kling-tsjk* viel nauwelijks op tussen de andere geluiden van de nacht. De rest sliep of probeerde te slapen.

De geluiden veranderden, en een deken van stilte daalde neer over het regenwoud. Degenen die sliepen werden er wakker van. De rust leek ondraaglijker dan elk denkbaar geluid.

'Wat is er aan de hand?' zei Rick Hutter.

'Pak je wapens,' fluisterde Peter met nadruk.

Er klonken metaalachtige geluiden – machetes die uit de schede werden getrokken en paraat werden gehouden.

Het volgende moment hoorden ze een zacht fluitend geluid. Het leek uit verschillende richtingen te komen en het klonk steeds dichterbij. Iets kwam hun kant op.

'Wat is dat?'

'Het klinkt als ademhalen.'

'Misschien is het een muis.'

'Dat is geen muis.'

'Het heeft in elk geval longen.'

'Ja – veel te veel longen.'

'Hou je hoofdlampen klaar. Zet ze aan zodra ik het zeg.'

'Wat ruik ik?'

Ze werden omringd door een scherpe, onfrisse geur die snel sterker en zwaarder werd totdat hij als een laagje olie hun huid leek te bedekken.

'Dat is gif,' zei Peter.

'Wat voor gif?' vroeg Karen op scherpe toon.

Peter probeerde zich de geuren van uiteenlopende gifstoffen te herinneren, maar deze kende hij niet. 'Ik weet niet wat–'

Een enorm groot en zwaar dier begon in hun richting te draven. Er klonken dreunende en krakende geluiden.

'Licht aan!' riep Peter.

De hoofdlampen werden ingeschakeld en de lichtbundels dansten over het kolossale lijf van een op hen af stormende duizendpoot. Het dier had een bloedrode kop bezet met vier ogen. Onder een ingewikkeld uitziende bek bevonden zich twee rode, naar binnen gekromde gifkaken met zwarte punten. De duizendpoot liep op veertig poten die in golven bewogen, en zijn lichaam werd beschermd door een gesegmenteerd pantser met de kleur van mahoniehout. Het was een Hawaïaanse reuzenduizendpoot, een *Scolopendra*, een van de grootste duizendpoten ter wereld.

23

FERN GULLY
30 OKTOBER, 2:00

De *Scolopendra* brak door de houten palissade terwijl splinters alle kanten opvlogen en de mensen schreeuwend en gillend opzij sprongen. De duizendpoot had een uitstekend reukvermogen, en de geur van de mensen had het dier ertoe aangezet een charge uit te voeren. De duizendpoot had echter het bladerbed voor zijn prooi aangezien en sloeg zijn gifkaken erin terwijl de mensen probeerden een goed heenkomen te zoeken. Met een verbazingwekkende snelheid rolde de *Scolopendra* zich rond de bladeren. Liters gif spoten uit de kaken, en de lucht vulde zich met een weerzinwekkende stank.

Elke poot van een reuzenduizendpoot eindigde in een tangvormige klauw. Al die klauwen bevatten gif en konden steken. De veertig poten van de scolo hamerden in het rond en kwijlden gif.

Amar had op het bladerdak van de schuilplaats gezeten. Toen de duizendpoot het dak had gesloopt, was Amar tussen de poten van het opgerolde monster terechtgekomen. Hij wierp zich met zijn gezicht omlaag op de grond in een poging zichzelf te beschermen.

Karen, die het een en ander over de anatomie van duizendpoten wist, riep naar Amar: 'Pas op voor die poten! Ze hebben allemaal weerhaken met gif!'

Amar draaide zich om en begon druk te bewegen om de van gif druipende klauwen te ontwijken. Als hij niet oppaste, zouden ze zich in zijn lichaam boren.

'Amar!' schreeuwde Peter. Hij begon met zijn machete op de duizendpoot in te hakken om het dier bij Amar weg te lokken, maar het wapen had geen effect en stuiterde terug van het pantser. Ook de anderen begonnen nu de scolo te bewerken met hun machete of bij te schijnen met hun lamp in een poging de duizendpoot af te leiden en Amar een kans te geven om te ontsnappen. Karen spoot met benzo-spray, maar het dier leek het niet eens te merken.

Plotseling liet de duizendpoot het bladerbed los. Hij begon zijn kop te schudden en te happen met zijn gifkaken om een prooi te grijpen. De scolo had slechte ogen, maar kon uitstekend ruiken met zijn antennes, die hij nu heen en weer zwiepte. Een ervan raakte Karen waardoor ze tegen de palissademuur klapte.

De duizendpoot draaide zich om en bleef recht tegenover haar staan.

Amar, die op zijn rug op de grond lag, rolde weg terwijl de duizendpoot zich met Karen bezighield. Hij krabbelde overeind met de harpoen nog steeds in zijn hand en riep: 'Hé!'

Dat had geen effect, daarom sprong Amar op de rug van de scolo. Het dier bewoog alle kanten op zodat Amar maar met moeite zijn evenwicht wist te bewaren. Ondertussen probeerde hij met de harpoen in zijn hand een plek te zoeken waar hij zijn wapen in de duizendpoot kon stoten.

'Richt op het hart!' schreeuwde Karen.

Hij had er geen idee van waar het hart was, maar het lichaam van de scolo was in een groot aantal segmenten opgedeeld. 'Welk segment?' riep hij.

'Het vierde van voren!'

Amar telde vier segmenten terug vanaf de kop en bracht de harpoen omhoog – en toen aarzelde hij. Het schepsel straalde iets majestueus uit. Gedurende dat moment van aarzeling kromde de duizendpoot zijn rug. Amar ramde de harpoen diep in het vlees van het dier en werd vervolgens op de grond gegooid. De harpoen bleef in de rug van de scolo zitten. Het dier begon rondjes te draaien en te kronkelen en zijn gifkaken klapten dicht. Daarbij kraste de punt van een van de kaken over Amars borst, scheurde zijn shirt open en spoot een straal gif over hem heen. Het volgende moment zat hij er helemaal onder.

Amar klapte dubbel en kreunde van de pijn. Het was alsof zijn borst in brand stond. De duizendpoot was woest, en de harpoen zwiepte heen en weer in zijn rug. Rick en Karen renden naar Amar toe en sleepten hem weg. De duizendpoot rolde zich uit, rolde zich opnieuw op en siste luid. De harpoen stond nog steeds in zijn rug.

'Omhoog!' riep Karen. 'Duizendpoten klimmen niet in bomen!'

Ze hadden hun schuilplaats gebouwd aan de voet van een boom die overdekt was met mos. Zonder verder ergens over na te denken, sprongen ze in de takjes, zochten steun voor handen en voeten en begonnen te klimmen. Omdat de zwaartekracht in de microwereld minder effectief was, vorderden ze snel en zonder noemenswaardige problemen. Amar, die in eerste instantie zelf probeerde te klimmen, werd gekweld door stekende pijnen en was niet in staat zijn handen te gebruiken. Peter hielp hem omhoog door hem onder zijn armen te grijpen. Daarbij deed hij zijn best de wond in Amars borst niet aan te raken. Al snel bevonden ze zich ruim een halve meter boven de grond, waar ze een soort grot van mos binnengingen. Ze keken omlaag om te zien waar de duizendpoot was.

Het dier kroop traag de ruïnes van het fort uit met de harpoen zachtjes deinend in zijn rug. Ze hoorden hem sissen. Maar hij kwam niet ver. Korte tijd later bewoog hij niet meer en stopte zijn ademhaling. Amar had hem een fatale stoot toegebracht met de harpoen. Ricks curare had gewerkt.

Ze zaten op een kluitje in een grot van mos, ruim een halve meter boven de grond en buiten het bereik van duizendpoten. De hoofdlampen waren uitgeschakeld. Amar leek volledig door te draaien. Peter en Karen hielden hem vast en praatten tegen hem in een poging hem te kalmeren. Hij was in een shock en zweette hevig, maar zijn lichaamstemperatuur was gedaald en zijn huid voelde koud en klam aan. Ze wikkelden hem in de thermische deken.

Ze onderzochten Amar ook met een lamp. De gifkaak van de duizendpoot had een diepe wond in zijn borst veroorzaakt die openlag tot op het bot. Daardoor had hij veel bloed verloren. Amar had bovendien een grote hoeveelheid gif over zich heen gekregen die precies in de wond terecht was gekomen. Het was onmogelijk om erachter te komen hoeveel gif zijn lichaam had opgenomen of wat het met hem zou doen.

Amar sloeg en trapte met zijn armen en benen. Hij verkeerde in een delirium. Zijn ademhaling was snel en oppervlakkig. 'Het brandt...'

'Amar, luister. Je bent vergiftigd,' zei Peter.

'We moeten hier weg!'

'Je moet rustig blijven.'

'Nee!' Amar begon te trappen en te slaan terwijl de anderen hem vasthielden en hun best deden om hem te kalmeren. 'Daar komt hij! Hij is er bijna!' kreunde hij.

'Wat?'

'We gaan er allemaal aan!' schreeuwde Amar. Hij worstelde om zich los te maken, maar ze wisten hem in bedwang te houden en bleven proberen hem tot bedaren te brengen.

Peter wist dat het gif van duizendpoten niet uitputtend door wetenschappers was onderzocht. Voor geen enkel type gif van dit dier was een tegengif bekend. Peter begon te vrezen voor een ademstilstand. Sommige symptomen van duizendpootvergiftiging leken op hondsdolheid. Amar werd gekweld door golven van hyperesthesie, wat neerkwam op overgevoeligheid voor prikkels. Elk geluid werd als te hard ervaren, en zelfs een lichte aanraking van de huid deed hem ineenkrimpen. Hij bleef maar proberen de thermische deken van zijn lichaam te trekken. 'Het brandt, het brandt,' zei hij steeds.

Peter knipte even zijn hoofdlamp aan om naar Amar te kijken.

'Zet uit!' schreeuwde hij, en hij begon met zijn armen te slaan. Het licht deed pijn aan zijn ogen, die waterig waren van het traanvocht dat over zijn gezicht stroomde, hoewel hij niet huilde. Maar het meest traumatische was het onbeschrijflijke gevoel van naderend onheil dat zich van Amar meester had gemaakt. Hij leek te geloven dat er iets vreselijks stond te gebeuren. 'We moeten hier weg!' jammerde hij. 'Daar komt hij! Hij komt steeds dichterbij!' Maar hij kon niet zeggen wie of wat die 'hij' was.

'Wegwezen!' gilde Amar. Hij probeerde uit de grot van mos te kruipen. Peter en de anderen worstelden met hem en hielden hem vast aan zijn armen en benen om te voorkomen dat hij uit de boom zou springen, het duister van de nacht in.

Amar Singh woelde en ijlde urenlang, maar aan het begin van de ochtend werd hij rustiger en leek hij te stabiliseren. Of misschien was hij gewoon uitgeput. Peter zag dit als een goed teken. Hij hoopte dat Amar het ergste achter de rug had.

'Ik ga dood,' fluisterde Amar.

'Onzin. Je blijft gewoon hier.'

'Ik geloof niks meer. Als kind geloofde ik in reïncarnatie. Nu weet ik dat er na de dood niets is.'

'Dat komt door het gif, Amar.'

'Ik heb in mijn leven zoveel mensen gekwetst. Weinig kans dat ik dat nu nog goed kan maken.'

'Kom op, Amar. Je hebt helemaal niemand gekwetst.' Peter hoopte maar dat zijn stem vertrouwen uitdroeg.

Dit alles vond plaats in het duister omdat ze geen licht durfden te maken. Erika Moll was als kind erg bang geweest voor het donker, en die angst was teruggekeerd terwijl ze naar Amars angstige gebrabbel had geluisterd. Amars lijden raakte Erika erger dan de anderen, en ze begon te huilen. Ze kon niet meer stoppen.

'Kan iemand dat mens alsjeblieft laten ophouden?' zei Danny Minot.

'Het is al erg genoeg dat Amar al die wartaal uitslaat, maar van dat gejammer word ik echt niet goed.' Hij begon met zijn vingertoppen over zijn neus en zijn gezicht te wrijven.

Peter zag dat het met Danny ook niet goed ging, maar hij richtte zijn aandacht op Erika. Hij sloeg zijn armen om haar heen en streelde haar haar. Ze hadden samen het bed gedeeld, maar dit had daar niets mee te maken. Dit ging om overleven, ervoor zorgen dat de mensen niet doodgingen. 'Alles komt goed,' zei hij tegen Erika, en hij kneep in haar hand.

Erika begon het Onzevader op te zeggen. 'Onze Vader Die in de Hemelen zijt, Uw Naam worde geheiligd...'

'Als de wetenschap haar niet meer kan redden, zoekt ze haar heil bij God,' zei Danny.

'Wat weet jij van God?' zei Rick tegen hem.

'Net zoveel als jij, Rick.'

De anderen probeerden te rusten. Het mos was warm en zacht, en ze waren uitgeput na de zware strijd. Uiteindelijk nam de slaap hen teder in zijn armen.

24

CHINATOWN, HONOLULU
30 OKTOBER, 11:30

Inspecteur Dan Watanabe zat aan een tafeltje in de Deluxe Plate – een eethuisje in het centrum van Honolulu – en bestudeerde de Spam sushi tussen zijn vingers. De sushi bestond uit een rol gebakken rijst verpakt in zeewier met binnenin een reep Spam. Hij nam een hap. Het zeewier, de gebakken rijst en het zachte varkensvlees combineerden in zijn mond tot een smaak die je alleen in Hawaï vond.

Hij kauwde langzaam en liet zich de maaltijd goed smaken. Tijdens de Tweede Wereldoorlog waren er hele scheepsladingen Spam naar Hawaï vervoerd om de troepen van voedsel te voorzien. De Amerikaanse soldaten hadden de oorlog in feite op Spam gevoerd. Het waren de geheime wapens van de Amerikaanse overwinning geweest: Spam en de atoombom. De bewoners van Hawaï hadden in die tijd het ingeblikte varkensvleesproduct leren waarderen. Het was een liefde gebleken die nooit meer voorbij zou gaan. Dan Watanabe was ervan overtuigd dat Spam goed was voor de hersenen. Hij geloofde dat hij van Spam beter over zijn zaken kon nadenken.

Op dit moment dacht hij na over het vermiste directielid van Nanigen. Adjunct-directeur Eric Jansen was blijkbaar verdronken bij Makapu'u Point nadat zijn boot in de problemen was geraakt en was omgeslagen in de sterke branding. Maar zijn lichaam was niet gevonden. Er zaten natuurlijk een hoop witte haaien in Molokai Channel – de zee-engte tussen Makapu'u Point en het eiland Molokai – dus het was in principe mogelijk dat die het lichaam hadden weggewerkt. Het lag echter meer voor de hand dat Jansen in de buurt van Koko Head was aangespoeld omdat de wind en de stroming die kant op stonden. Maar hij was verdwenen.

En vervolgens was vlak na Erics verdwijning zijn broer Peter in Hawaï opgedoken.

En Peter was ook verdwenen.

De politie van Honolulu had een telefoontje ontvangen van het hoofd van de beveiliging van Nanigen, Donald Makele, die had gemeld dat zeven doctoraalstudenten uit Massachusetts werden vermist, samen met Nanigens financieel directeur, Alyson F. Bender. Een van die studenten was Peter Jansen. Het groepje was met Nanigen in gesprek over een arbeidscontract. Ze waren met z'n achten een avondje uitgegaan en niet meer teruggekomen.

De aangifte van Don Makele was opgenomen door de Dienst Vermiste Personen. Er was een rapport opgemaakt dat de *Daily Highlights* had gehaald: het dagelijkse nieuwsbulletin van het bureau. Watanabe, die de *Highlights* zat door te nemen, had het stukje gelezen. Er werden nu dus twee directieleden van Nanigen vermist: Eric Jansen en Alyson Bender. Plus zeven studenten.

Negen mensen die iets met Nanigen te maken hadden. Verdwenen.

Natuurlijk verdwijnen er mensen in Hawaï, vooral jonge toeristen. De branding kon levensgevaarlijk zijn. De kans was groot dat ze het op een zuipen hadden gezet. Of ze hadden zoveel puna-wiet gerookt dat ze hun naam waren vergeten en een vlucht naar Kauai hadden geboekt om daar een rugzaktrektocht langs de Na Pali Coast te doen zonder iemand te vertellen waar ze naartoe gingen. Maar negen mensen, allemaal gelinkt aan Nanigen, afkomstig uit verschillende plaatsen die verschillende dingen deden – allemaal vermist?

Dan Watanabe nam een slok van zijn zwarte koffie en at zijn sushi op. Hij had een vervelend gevoel in combinatie met een professionele nieuwsgierigheid. Hij kon het bijna ruiken. Er hing misdaad in de lucht.

'Nog een kopje, Dan?' vroeg de serveerster, Misty, terwijl ze de kan al in de richting van zijn beker bewoog.

'Nee, dank je.' Het was Kona-koffie, sterk genoeg om een mens een hele middag op de been te houden.

'Een toetje dan? We hebben een *haupia chiffon* taart.'

'Jeetje, nee, echt niet, Misty.' Watanabe klopte op zijn buik. 'Ik heb net mijn rantsoen Spam achter de kiezen.'

Misty legde de rekening op tafel en Dan keek naar buiten. Er liep een oudere Chinese vrouw voorbij die een shopper vol boodschappen meezeulde. Bovenop lag een vis in krantenpapier waarvan de staart naar buiten stak. Er snelde een schaduw over straat en over de mensen – een wolk die langs de hemel gleed – gevolgd door een pluk zonlicht en daarna weer een wolk met schaduw. De passaat joeg onophoudelijk regen en zonneschijn over Oahu. Regen en zon marcheerden onafgebroken over het eiland, en als je naar de bergen keek, zag je vaak regenbogen.

Hij zette zijn zonnebril op en liep op zijn gemak naar het bureau terug. Ondertussen probeerde hij met zijn tong een stukje Spam tussen zijn kiezen weg te drukken. Toen hij weer op kantoor kwam, had hij een beslissing genomen.

Hij zou Nanigen aan een onderzoek onderwerpen.

In stilte.

Het was een gevoelige kwestie. Nanigen was een vermogende onderneming en de directie genoot veel aanzien. Misschien had het bedrijf wel politieke connecties. Het zou wel betekenen dat hij even geen tijd zou hebben voor de bizarre zaak met de drie dode mannen – de advocaat Willy Fong, de privédetective Marcos Rodriguez en de ongeïdentificeerde Aziatische man. De slachtoffers, die zich in Fongs kantoor hadden ingesloten, waren doodgebloed als gevolg van een groot aantal wondjes. Het Willy Fong Mysterie, zoals hij het noemde, moest even in de koelkast. Hij zat trouwens toch op een dood spoor met die zaak.

Op het hoofdbureau bracht Watanabe een bezoekje aan zijn baas, Marty Kalama. 'Ik ben van plan om die verdwijningen bij Nanigen onder de loep te nemen.'

'Hoezo, Dan?' zei Kalama, die naar achteren leunde en snel met zijn ogen knipperde.

Watanabe wist dat Kalama geen kritiek had op zijn werkwijze. Kalama wilde alleen horen wat hij in gedachten had, zijn beweegredenen. Watanabe zei: 'Ik wil nog heel even wachten om te zien of de vermiste personen weer opduiken. Zo niet, dan stel ik een team samen. Maar ik wil in eerste instantie even in mijn eentje rondsnuffelen. Onopvallend.'

'Is er volgens jou sprake van een misdrijf?'

'Ik heb nog geen verdachte, maar er is van alles wat niet klopt.'

'Oké,' zei Kalama. 'Laat maar horen.'

'Peter Jansen. Ik heb hem naar een video laten kijken waarop zijn broer Eric was te zien – op zijn boot in de branding, vlak voordat hij verdronk. Hij leek een vrouw te herkennen die in beeld kwam en die getuige was van het ongeluk, maar hij zei dat hij haar niet kende. Volgens mij loog hij. En ik heb een paar van mijn mensen een bezoekje laten brengen aan Nanigen om informatie over diezelfde Eric Jansen, die daar adjunct-directeur was. Ze hebben met de algemeen directeur gesproken, iemand die Drake heet. Drake was beleefd, maar... Volgens mijn mensen is het veelzeggend wanneer iemand zichtbaar nerveus is terwijl er geen duidelijke reden is om nerveus te zijn.'

'Misschien was die meneer, eh–'

'Drake.'

'Drake. Misschien was hij aangeslagen omdat hij zijn adjunct kwijt was.'

Watanabe zei: 'Hij keek meer alsof hij een lijk in de kofferbak had.'

Marty Kalama kneep zijn ogen samen en keek hem aan vanachter zijn montuurloze bril. 'Ik heb nog niks over bewijzen gehoord, Dan.'

Er klonk een dof, rommelend geluid, en Watanabe klopte op zijn buik. 'Mijn darmen. De Spam begint op te spelen.'

Kalama knikte. 'Doe voorzichtig.'

'Met wat?'

'Je weet toch wat Nanigen doet, neem ik aan?'

Er verscheen een grijns op Watanabes gezicht. Oeps. Dat had hij nog helemaal niet uitgezocht.

'Ze maken robotjes,' vervolgde Kalama. 'Heel kleine robotjes.'

'Oké, en wat dan nog?'

'Het is een onderneming die misschien contracten met de regering heeft. Dat geeft altijd problemen.'

'Weet jij soms iets over Nanigen?' vroeg Watanabe zijn baas.

'Ik ben maar een agent. Agenten weten geen donder.'

Watanabe grinnikte. 'Ik zorg er wel voor dat je erbuiten blijft.'

'Als je dat maar weet,' beet Kalama. 'En nou wegwezen.' Hij zette zijn bril af en maakte de glazen schoon met een Kleenex terwijl hij Dan Watanabe zag vertrekken. Het was een slimme kerel, een van zijn beste rechercheurs. Maar dat waren ook degenen die de meeste problemen veroorzaakten. Het punt was alleen dat Marty Kalama daar eigenlijk wel een beetje van genoot.

25

FERN GULLY
30 OKTOBER, 7:00

Het werd ochtend, en in een moszode op de stam van een boom, ergens in een regenwoud op een berghelling in de Ko'olau Pali, begonnen de zes overlevenden zich te roeren. De vogels zongen traag en diep. Ze klonken als walvissen die elkaar riepen in de diepzee.

Peter Jansen stak zijn hoofd uit de schuilplaats in het mos op de ohiaboom en keek om zich heen. Beneden zag hij de restanten van het fort, dat verwoest was door de duizendpoot. Even verderop lag het dode monster. Mieren waren inmiddels begonnen het dier uit elkaar te trekken en hadden grote delen van het karkas weggesleept.

Ze bevonden zich nabij de bodem van een zee, overwoog Peter. Het was een zee van jungle die net zo diep was als de gemiddelde oceaan.

Hij reikte nog iets verder naar voren en keek omlaag langs de stam van de boom. De boom was jong en klein, en in de kruin bloeiden rode bloesems. Het zag eruit alsof de boom in brand stond. 'Volgens mij moeten we proberen helemaal naar boven te klimmen,' zei Peter.

'Waarom?' vroeg Rick.

Peter keek op zijn horloge. 'Ik wil weten waar dat parkeerterrein ligt. Ik wil er zeker van zijn dat we in de juiste richting lopen. En om te kijken wat er op dat parkeerterrein gebeurt.'

'Klinkt logisch,' zei Rick.

Peter en Rick trokken hun hoofden naar binnen. De anderen zaten dicht tegen elkaar aan in het mos met Amar tussen hen in, die nog steeds de zilverkleurige thermische deken om zich heen had. Hij was eindelijk in slaap gevallen. Aan de zijkant van zijn hoofd had zich een blauwe plek gevormd die zich uitstrekte tot boven zijn linkerslaap. Het was misschien gewoon een bloeduitstorting, maar het kon ook een voorbode zijn van de caissonziekte. Hoe dan ook, ze besloten dat Rick bij Amar zou blijven om voor hem te zorgen terwijl de anderen zouden proberen naar de top van de boom te klimmen. Er waren in totaal vier radioheadsets. Rick zou er een krijgen en de klimmers de andere drie. Peter zei: 'Denk eraan dat je de radio alleen in een noodgeval gebruikt.'

'Denk je dat er iemand van Nanigen meeluistert?' vroeg Karen.

'Het bereik van de radio's is maar een meter of driehonderd. Maar als Drake vermoedt dat we nog leven, luistert hij misschien wel naar ons. En hij is tot alles in staat,' antwoordde Peter.

Ze begonnen aan de beklimming. Peter ging het eerste stuk voorop. Hij gespte de riem met de kabelhaspel om en nam de touwladder uit de rugzak mee. Karen had de blaaspijp van Rick bij zich, inclusief het doosje met pijltjes en het potje met curare. Karen zou als jager van de expeditie fungeren.

Het klimmen bleek van een leien dakje te gaan. Mossen, korstmossen en de kale schors boden voldoende handgrepen en voetsteunen om onderweg gebruik van te maken. In de microwereld waren ze sterk genoeg om ergens met één hand aan te kunnen hangen, zelfs met maar een paar vingers. En het was niet echt een drama als je zou vallen omdat je heelhuids op de grond terecht zou komen.

Ze namen om beurten de leiding. De bovenste klimmer met de touwladder was stevig vastgemaakt aan de persoon eronder, die de riem met de kabelhaspel droeg. Zodra de touwladder aan de boom was bevestigd, konden de anderen hem gebruiken om verder naar boven te klimmen.

De boom had een sterk gegroefde bast die overwoekerd was met mossen en levermossen – minuscule plantjes van soms bijna microscopische grootte, hoewel ze voor de micromensen het formaat van struiken hadden. De boom was ook bedekt met allerlei soorten korstmossen vol uitstulpingen en tierlantijntjes. De bladeren waren afgerond en leerachtig en de takken kronkelden als slangen.

Uiteindelijk gaf Danny Minot het op. 'Ik kan dit niet,' zei hij. Hij zocht een warm, zonnig plekje in een pol korstmos en ging zitten.

'Wil je hier wachten terwijl wij verder gaan?' vroeg Peter.

'Eigenlijk zat ik het liefst met een espresso voor mijn neus een boek van Wittgenstein te lezen in het Algiers Coffeehouse op Harvard Square.' Danny grinnikte zwakjes.

Peter overhandigde hem een radioheadset. 'Alleen voor noodgevallen.'

'Oké.'

Peter legde zijn hand op Danny's schouder. 'Alles komt goed.'

'Daar lijkt het anders helemaal niet op.' Danny dook weg in een sierlijk uitziende korstmospol.

'We kunnen het moeilijk zomaar opgeven, Danny.'

Danny schonk hem een norse blik, leunde achterover in het mos en zette de headset op. 'Test, een, twee. Test, een twee,' zei hij in de radio. Zijn stem kraakte in hun oren.

'Hé – radiostilte,' waarschuwde Peter.

'Hallo, Vin Drake? Help! sos. We zitten vast in een boom!' riep Danny in zijn microfoon.

'Hou op met die onzin.'

'Het was maar een geintje.'

'Er komt een oproep binnen.' Johnstone, die een hoofdtelefoon droeg, boog zich over de radio-locator in de cockpit van de hexapod en begon te lachen. 'Wat een idioten – ze vragen Drake om hulp.' Zijn ogen bewogen zich omhoog en begonnen het bladerdak af te zoeken. 'Ze zitten in een boom ergens boven ons.'

Telius, die een verrekijker om zijn hals had, gromde. Hij stond op, zette de kijker aan zijn ogen en begon de bomen af te speuren, op zoek naar beweging en luisterend naar stemmen. Als de spionnen inderdaad daarboven zaten, zou het lastig worden om ze te vinden.

Voorlopig was er niets te zien.

Maar even later stak hij zwijgend zijn wijsvinger uit: die kant op.

Johnstone duwde de joystick naar voren. De hexapod reageerde onmiddellijk en zette zich vrijwel geruisloos in beweging. Alleen de motoren die de poten aandreven, jankten zachtjes.

Telius wees op de voet van een boom. Een schroefpalm. Hij keek omhoog. 'Naar boven,' zei hij.

Johnstone zette een schakelaar op het instrumentenpaneel om. De klauwen aan de poten van het voertuig werden teruggetrokken in hun schacht en er verschenen zachte voetkussens die met extreem fijne nanoborsteltjes waren bezet. Ze waren vergelijkbaar met de kussentjes op de voeten van een gekko en hechtten aan vrijwel elk oppervlak, zelfs aan glas. De hexapod begon verticaal omhoog te lopen langs de boomstam. De twee mannen die in hun harnas in de cockpit zaten, leken dit nauwelijks te merken. Ze voelden sowieso vrijwel niets van de zwaartekracht.

De klimmers bereikten de bovenste takken van de ohia-boom, en Karen ging hun voor op het laatste stuk. Ze klauterde omhoog door een groepje bladeren dat in het felle zonlicht stond. Daar spreidde zich een adembenemend panorama voor haar uit. De anderen volgden haar, en even later stonden ze gezamenlijk op een tak tussen het groen, wuivend in de wind. De ohia-bloemen vormden stralende explosies van rode meeldraden en roken onmogelijk zoet.

Het uitzicht vanaf het bloemendak omvatte Manoa Valley en de omringende bergketens. Rond het dal lagen groene glooiingen doorkliefd met steile rotswanden die zich vanuit grijze wolkensluiers in de diepte stortten. Watervallen baanden zich een weg door kloven in de beboste berghellingen. De Tantalus, de grillige rand van een vulkaankrater, keek vanuit het noorden over de vallei uit. Naar het zuidwesten toe, voorbij de smalle toegangspoort, rezen de gebouwen van Honolulu op, wat aangaf hoe dicht de stad bij het dal lag. Maar het hoofdkantoor van Nanigen, dat zich aan de andere kant van Pearl Harbor bevond, had evengoed op het Amerikaanse vasteland kunnen liggen.

In het zuidoosten zagen ze de broeikas en het parkeerterrein; een kaal stuk grond met her en der een regenplas. Het terreintje was leeg en verlaten; nergens waren mensen of auto's te zien. Bij de ingang van het dal lag de tunnel, die door een uitloper van een berg liep. Zelfs de toegangspoort, die gesloten was, was duidelijk herkenbaar.

Peter stelde het kompas in op het parkeerterrein. 'Het parkeerterrein ligt op honderdzeventig graden zuidzuidoost,' zei hij tegen de anderen terwijl hij op het kompas keek. Vervolgens wierp hij een blik op zijn horloge. Het was halftien. De shuttletruck zou pas 's middags arriveren – als het ding überhaupt kwam. Maar momenteel leek het dal verstoken van menselijke activiteit.

Schuin boven hen zwol een donderend geluid aan. De mensen doken instinctief in elkaar en grepen zich vast aan de randen van de bladeren. Peter liet zich languit op de tak vallen. 'Kijk uit!' schreeuwde hij. Er fladderde een vlinder voorbij. De vleugels, waarop een patroon van oranje met goud en zwart was te zien, brachten dreunende geluiden voort terwijl het dier acrobatische toeren uithaalde in het zonlicht. Het bleef even met knallende vleugels op dezelfde plaats hangen om vervolgens op een ohia-bloem te landen.

In de bloem glansden nectardruppels. De vlinder rolde zijn tong af en stak hem diep in de bloem totdat het puntje een druppel raakte. Ze hoorden natte, slurpende geluiden terwijl de vlinder liters nectar in zijn maag pompte.

Peter keek behoedzaam op.

Karen lachte. 'Je zou jezelf eens moeten zien, Peter. Bang voor een vlinder.'

'Eh, ja. Indrukwekkend,' zei Peter schaapachtig.

Deze soort, zo wist Erika te vertellen, was de *kamehameha*-vlinder, die van oorsprong uit Hawaï kwam. Het dier bleef een tijdje uit de bloem drinken en snuffelde wat rond. Het verspreidde echter ook een misselijkmakend, bitter aroma. De vlinder mocht dan mooi zijn om te zien – hij stonk een uur in de wind.

'Dat is zijn verdedigingssysteem,' zei Erika Moll. 'Fenolen, denk ik. Bitter genoeg om een vogel over zijn nek te laten gaan.'

De vlinder negeerde de mensen. Hij steeg op van de bloem, wist met krachtige slagen de wind te vangen en liet zich meevoeren op blauwe zeeën van lucht.

De mensen hadden wel iets van de vlinder geleerd: de bloemen dropen van de vloeibare suiker. Pure energie en precies wat ze nodig hadden. Karen kroop met haar hoofd naar voren een bloem in. Toen ze een druppel had bereikt, begon ze er met beide handen nectar uit te scheppen. 'Hé, jongens. Dit moeten jullie ook proberen,' klonk haar stem gedempt uit de bloem. Vrijwel direct nadat ze de eerste slokken had genomen, voelde ze dat haar lichaam meer energie kreeg.

Ook de anderen kropen in een bloem en dronken zoveel nectar als ze konden.

Terwijl ze gulzig de nectar naar binnen slurpten, trok een beweging in de verte Peters aandacht. 'Er komt iemand aan,' zei hij.

Ze stopten met drinken en keken naar het naderende voertuig dat via de kronkelweg uit Honolulu in de richting van het dal reed. Het was een zwarte pick-up. De auto kronkelde omhoog over de weg langs het klif en stopte voor de poort bij de tunnel. Hier stapte de bestuurder uit. Peter, die de situatie met een verrekijker in de gaten hield, zag de man een geel bord uit de laadbak halen en op de toegangspoort bevestigen.

'Hij heeft een bord opgehangen,' zei Peter.

'Wat staat erop?' vroeg Karen.

Peter schudde zijn hoofd. 'Dat kan ik niet zien.'

'Is het de shuttletruck?'

'Wacht even.'

De man reed de bestelwagen door de poort, die vervolgens automatisch achter hem sloot. Even later kwam de bestelwagen uit de tunnel tevoorschijn, reed het dal in en stopte op de parkeerplaats. De man stapte uit.

Peter zette de verrekijker weer aan zijn ogen. 'Volgens mij is het dezelfde man die de bevoorradingsstations heeft uitgegraven. Gespierde vent in een alohashirt. Op de bestelwagen staat NANIGEN SECURITY.'

'Dat klinkt niet als de shuttle,' zei Karen.

'Nee.'

De man begon over de parkeerplaats te lopen. Daarbij schoof hij met zijn schoenen dingen opzij en bestudeerde hij de grond. Vervolgens ging hij op zijn knieën zitten bij een groepje witte gemberplanten. Hij bewoog zijn hand heen en weer over de aarde.

'Hij zoekt iets in de struiken aan de rand van het parkeerterrein,' zei Peter.

'Zou hij ons zoeken?' vroeg Karen.

'Daar lijkt het wel op.'

'Dat is niet best.'

'Nu praat hij met iemand via de radio. O, o.'

'Wat?'

'Hij kijkt onze kant op.'

Karen maakte een spottend geluid. 'Hij kan ons onmogelijk zien.'

'Maar hij wijst naar ons. En hij zegt iets in de radio. Het is alsof hij weet waar we zitten.'

'Dat bestaat niet,' zei Karen.

De man liep naar de achterkant van de bestelwagen en haalde een soort drukspuit uit de laadbak. Hij hing de spuit aan een riem over zijn schouder, liep naar de rand van het parkeerterrein en begon de vegetatie te besproeien. Toen hij klaar was, deed hij hetzelfde met het parkeerterrein.

'Wat is dat nou weer?' vroeg Erika.

'Gif. Wedden?' zei Karen tegen haar. 'Ze weten dat we nog leven en ze hebben geraden dat we met de shuttle mee proberen te liften, daarom hebben ze het parkeerterrein vergiftigd. Die shuttle kunnen we nu wel vergeten. Ze proberen ons op te sluiten in deze vallei. Ze gaan ervan uit dat we hier vanzelf creperen.'

'Dan gaan ze straks flink op hun neus kijken,' zei Peter.

Karen bleef sceptisch. 'Hoezo?'

'We stellen ons plan bij,' zei Peter.

'Wat gaan we dan doen?' vroeg Karen.

'We gaan naar de Tantalus,' antwoordde Peter.

'De Tantalus? Dat slaat nergens op.'

'Maar waarom dan?' vroeg Erika.

Peter zei: 'Er is daar een basis van Nanigen. Misschien zijn er wel mensen die ons willen helpen. En Jarel Kinsky zei dat ze er vliegtuigen hadden – microvliegtuigen.'

'Microvliegtuigen?' zei Karen.

'Ik heb zelf zo'n ding gezien. En jullie trouwens ook – weet je nog? Ik had hem in de auto van mijn broer gevonden. Amar en ik hebben hem onder de microscoop gelegd. Hij had een cockpit en instrumenten. Misschien kunnen we een stel van die microvliegtuigen pikken en erin ontsnappen.'

Karen staarde naar Peter. 'Wat is dat nou weer voor belachelijk idee? We weten helemaal niks van basis Tantalus.'

'Ze zullen ons er in elk geval niet verwachten, dus we hebben het verrassingselement aan onze kant.'

'Maar kijk nou eens naar die berg,' zei Karen tegen Peter terwijl ze een weids gebaar met haar arm maakte. De Tantalus domineerde het uitzicht: een reusachtige vulkanische kegelberg, overwoekerd met een bijna verticale superjungle. 'Dat ding is zeshonderd meter hoog, Peter.' Ze zweeg even om na te denken. 'Voor ons is dat zeven Mount Everests.'

'Maar we worden niet vertraagd door de zwaartekracht,' antwoordde Peter kalm. Hij had de verrekijker weer aan zijn ogen gezet en bestudeerde de Tantalus. Op een open plek aan de rand van de krater zag hij een enorm rotsblok. 'Dat is waarschijnlijk de Great Boulder. Volgens de plattegrond is basis Tantalus aan de voet van dat rotsblok.' Maar hij zag de basis niet. Die was van deze afstand waarschijnlijk niet te zien. Hij haalde het kompas tevoorschijn en stelde het af op het rotsblok. 'Ons doel ligt op driehonderddertig graden. We hoeven alleen de kompaslijn maar te–'

'Maar dat gaat weken duren,' zei Karen. 'We hebben hooguit nog een paar dagen voordat de caissonziekte toeslaat.'

'Soldaten,' zei Peter tegen haar, 'kunnen vijftig kilometer per dag lopen.'

'Wij zijn geen soldaten, Peter,' kreunde Erika.

'We zouden het kunnen proberen,' zei Karen. 'Maar wat moeten we met Amar? Hij kan niet lopen.'

'We dragen hem,' zei Peter.

'En wat doen we met Danny? Die vent is onuitstaanbaar,' zei Karen.

'Danny hoort bij de groep. We helpen hem er wel doorheen,' zei Peter vastberaden.

Op dat moment klonk er een pieptoon uit Peters radio, gevolgd door een knisperend geluid en een hysterische stem. Het was Danny.

'Als je het over de duivel hebt,' mopperde Karen.

Peter zette de headset op en hoorde Danny Minot schreeuwen: 'Help! O god! Help me!'

Danny Minot was op een van de lagergelegen takken in slaap gevallen in de zon. Zijn mond hing open en hij snurkte. Hij was uitgeput na de langste en angstigste nacht van zijn leven. Het kletterende geluid dat hem naderde en boven hem bleef hangen, hoorde hij niet. Ook merkte hij niet hoe de uitdrukkingsloze ogen van het helikopterende wezen hem bestudeerden.

De wesp landde geruisloos en ging behoedzaam te werk. Ze raakte voorzichtig zijn linkerarm aan met haar antennes, voelde vervolgens aan zijn keel en zijn wangen en proefde zijn huid. De huid was heel bleek en zacht en herinnerde haar aan een rups.

Een gastheer.

Aan haar achterlijf hing een lange buis die wel wat op een tuinslang leek. Het uiteinde ervan beschikte over een boorkop.

Ze nam hem teder in haar voorpoten en plantte de boorkop in zijn schouder. Eerst drukte ze de kop in het vlees om een verdovend middel te injecteren. Vervolgens activeerde ze de boorkop en bracht de buis in.

Ze begon te hijgen en geluiden te produceren die griezelig veel leken op die van een barende vrouw.

Danny droomde. Hij hield een knap meisje in zijn armen. Ze was naakt en hijgde van opwinding. Ze kusten elkaar. Hij voelde haar tong zijn keel binnengaan... Hij keek haar aan. Haar ogen waren uitpuilende facetogen in het gezicht van een vrouw... Ze greep hem vast, wilde hem niet laten gaan... en plotseling schrok hij wakker.

'Aargh!'

Hij staarde in de ogen van een reusachtige wesp. De wesp hield hem stevig vast met haar poten en had haar angel in zijn schouder gestoken. En hij voelde niets. Zijn arm was dood.

'Nee!' schreeuwde hij. Hij greep de angel met beide handen vast en probeerde hem los te rukken. Maar toen trok de wesp de angel al uit zijn arm, liet hem los en vloog weg.

Hij rolde op zijn rug en greep zijn arm vast. 'Aah! Au! Help!' De arm was een levenloos ding geworden dat aan zijn schouder hing, een dood gewicht zonder gevoel, alsof hij vol was gepompt met novocaïne. Hij werd een gaatje in zijn shirt gewaar, en een donkere natte vloeistof verspreidde zich door de stof – bloed. Hij rukte zijn shirt kapot en staarde naar een gat in zijn schouder. Het was rond en zag er netjes uit, alsof iemand er een boormachine op had gezet. En er sijpelde bloed uit. Maar hij voelde geen pijn. Niks.

Hij greep de headset. 'Help! O god! Help me!' schreeuwde hij.

'Danny?' klonk Peters stem.

'Ik ben ergens door gestoken... O, mijn god!'

'Waardoor?'

'Ik voel niks meer. Hij is helemaal dood.'

'Wat is er dood?'

'Mijn arm. Het was een monster...' Zijn stem sloeg over en veranderde in een onverstaanbaar gejammer.

De stem van Rick Hutter klonk door de luidspreker. 'Wat is er aan de hand?' Hij bevond zich in de mosgrot lager op de boom waar hij met Amar Singh verbleef.

'Danny is gestoken,' zei Peter. 'Danny – blijf waar je bent. Ik kom naar je toe.'

'Ik heb dat kreng verjaagd.'

'Goed gedaan.'

Danny trok het kapotte shirt weer over zijn schouder; hij wilde niet naar de wond kijken. Ondertussen bleef het bloed in de stof trekken. Hij voelde aan zijn voorhoofd. Had hij koorts? Was hij zijn verstand aan het verliezen? Hij begon zachtjes te mompelen. 'Geen gif... alles komt goed... Geen gif. Geen gif, geen gif...'

Peter had de eerstehulpkit bij zich. De afdaling verliep snel en probleemloos. Soms hing hij zelfs aan één hand. Hij vond Danny opgerold in een foetuspositie. Alle kleur was uit zijn gezicht getrokken en zijn linkerarm hing er slap en krachteloos bij.

'Ik voel mijn arm niet,' jammerde Danny.

Peter trok Danny's shirt open en inspecteerde de wond in zijn schouder. Het was een klein gaatje. Hij maakte het schoon met een wattenstaafje gedrenkt in jodium. Hoewel hij verwachtte dat Danny wel over pijn zou klagen, leek hij niks te voelen.

Peter zocht naar tekenen van vergiftiging. Hij keek in Danny's ogen om te zien of zijn pupillen verwijd waren, maar alles zag er normaal uit. Hij controleerde Danny's pols, zag dat hij enorm zweette en speurde naar veranderingen in huidskleur of geestestoestand. Danny was onmiskenbaar doodsbang. Peter onderzocht de arm. De huid had een normale kleur, maar de arm was slap. Hij kneep erin. 'Voel je dat?'

Danny schudde zijn hoofd.

'Ben je misselijk? Heb je ergens pijn?' vroeg Peter.

'Geen gif... Geen gif...'

'Ik denk niet dat je vergiftigd bent.' Als er gif in de angel had gezeten, zou Danny doodziek zijn, veel pijn hebben en misschien wel het loodje hebben gelegd. Maar zijn primaire levensfuncties waren stabiel. 'Volgens mij heb je dat beest net op tijd verjaagd. Wat was het trouwens?'

'Een bij of een wesp,' mompelde Danny. 'Ik weet het niet.'

Wespen waren veel algemener dan bijen. Hawaï had waarschijnlijk duizenden wespensoorten, die voor een groot deel geen naam hadden en niet waren gedetermineerd. Het viel onmogelijk te zeggen wat voor wesp Danny had gestoken – als het al een wesp was geweest. Peter trok een pleister open en plaatste hem op de wond in Danny's schouder. Vervolgens scheurde hij een mouw van zijn overhemd en maakte een provisorisch draagverband voor Danny's arm. Hij vroeg zich af hoe ze Danny op de grond moesten krijgen. 'Denk je dat je kunt springen?'

'Nee. Misschien.'

'Je krijgt er niks van.' Peter haalde zijn radio tevoorschijn en riep Karen en Erika op, die zich nog steeds boven in de boom bevonden. 'Danny en ik springen naar beneden. Ik stel voor dat jullie hetzelfde doen.'

Karen en Erika keken omlaag over de rand van een blad. Ze konden de grond niet zien. Karen keek naar Erika, die knikte. 'Oké, we komen eraan,' zei Karen in de radio, en ze controleerde of de blaaspijp nog steeds stevig vastzat op haar rug. 'Een, twee, drie...' Erika sprong als eerste. Karen volgde een paar tellen later.

Terwijl ze omlaag vielen, strekte Erika haar armen en benen uit als een skydiver. Ze begon te zweven. 'Wauw!' riep ze. Karen, die zich boven haar bevond, volgde Erika's voorbeeld. Ze zweefden, en ze konden zelfs manoeuvreren. Karen bewoog haar benen en haar armen en maakte een bocht. Ze voelde de lucht langs haar lichaam stromen. De lucht was dik en zacht en droeg haar gewicht. Dit was net bodysurfen, maar dan in de lucht in plaats van op het water. Ze raakte een tak, tolde ongedeerd door de lucht en spreidde opnieuw haar armen uit om verder door de boom omlaag te surfen op de vloeibare wind. Ze zag hoe Erika schuin beneden haar een duikvlucht maakte. Erika viel sneller en had haar voorsprong vergroot.

Karen wilde afremmen. Ze rolde haar lichaam naar links en naar rechts om meer lucht te pakken en gebruikte haar armen om haar valsnelheid terug te brengen. 'Woeee!' gilde ze. Er naderden takken met veel bladeren. Ze was Erika uit het oog verloren...

Het volgende moment hoorde ze Erika schreeuwen...

Karen tuimelde door de bladeren... en vlak beneden haar bevond zich een spinnenweb. Erika was erin vast komen te zitten. Ze danste op en neer en zwaaide met haar armen en benen in een poging te ontsnappen. Aan de rand van het web zat een bleekgroene spin... Een krabspin... uiterst giftig.

Karen rolde haar lichaam tijdens het vallen naar links. Haar kennis van de spin flitste door haar hoofd. Ze moest in het web terecht zien te komen. Dat was de enige manier om Erika te redden. Het web! Ze was niet bang.

Ze kon zo'n krabspin wel aan. Ze kwam aan de rand van het web terecht, stuiterde even op en neer en bleef vervolgens hangen.

Voor Karen had het web een diameter van een meter of vijftien, twintig – veel groter dan een vangnet in een circus. Maar in tegenstelling tot een vangnet was het web kleverig door de glinsterende lijmdruppeltjes op de vangdraden. Ze voelde hoe de lijm in haar kleren trok, waardoor ze vast kwam te zitten aan het web. Erika worstelde in blinde paniek om los te komen, en ze schreeuwde om hulp. Ze zat gevangen in draden die zich buiten Karens bereik bevonden. De krabspin leek te aarzelen. Misschien herkende hij de mensen niet als prooi, dacht Karen. Maar hij zou in elk geval aanvallen, en ze zouden er niet lang op hoeven wachten. Het zou bovendien een onverwachte charge zijn. 'Niet bewegen,' riep ze tegen Erika. Ze rolde over het web totdat ze zich tegenover de spin bevond en trok haar machete. 'Hééé!' riep ze naar het dier, en ondertussen schoten haar ogen over het web, op zoek naar een triggerdraad. En ze vond er een – een draad die van een van de poten van de spin via de spiraaldraden naar het middelpunt liep. Ze nam een sprong, wierp zich op het web en hakte de triggerdraad door.

De spin gebruikte de triggerdraad om de aanwezigheid van een nieuwe prooi in het web vast te stellen. Het doorsnijden daarvan was als het doorsnijden van een zenuw. Maar de spin werd er ook door gewaarschuwd.

Plotseling vluchtte de spin om even verderop te verdwijnen in een opgerold blad – zijn huis.

'De meeste spinnen zijn helden op sokken,' zei Karen tegen Erika. Ze hakte nog een draad door, en het volgende moment vielen de twee vrouwen omlaag door de lucht. Karen riep over haar schouder: 'Sorry, spin.'

Ze kwamen gelijktijdig op de grond terecht in een wirwar van kleverige zijde. Erika was behoorlijk de kluts kwijt. 'Ik dacht dat ik er geweest was.'

Karen plukte spinnendraad van haar kleren. 'Zolang je de structuur van het web kent, hoef je je geen zorgen te maken.'

'Maar ik ben een kevermens,' antwoordde Erika.

Peter en Danny kwamen iets verderop in de bladeren terecht. De laatste die verscheen was Rick, die Amar met behulp van het touw omlaag liet zakken. Ze verzamelden zich onder aan de ohia-boom, en Peter legde uit wat het plan was. Ze zouden koers zetten naar de Tantalus.

Rick en Peter namen Amar tussen hen in, en tien minuten later betraden ze een varenwoud. Het was een schijnbaar eindeloze doolhof van hoge zwaardvarens, druipend van het vocht, en gewelfde tunnels die alle kanten opgingen. Tussen de varens stonden koa-bomen, olopua-bomen en witte kokio-hibiscusbomen die ver omhoogreikten door het gebladerte.

Peter keek op het kompas. 'Die kant op,' zei hij, en ze begaven zich op weg over een lang, kronkelend pad tussen de varens. De bladeren die zich hoog boven hen uitspanden, kleurden de wereld groen.

Danny, die achter de anderen aan strompelde, bleef plotseling staan en staarde naar Amar Singh. 'Hij – hij bloedt.'

Niemand had het gemerkt. Rick en Peter bleven staan, en Amar, die tussen hen in had gelopen, zakte door zijn knieën. Uit een van zijn neusgaten kwam een straaltje bloed dat over zijn bovenlip sijpelde. Het bloed druppelde in een gestaag ritme op de grond.

'Laat mij hier maar achter,' fluisterde Amar. 'Ik heb caissonziekte.'

26

ONDER HET GROENE VARENDAK
30 OKTOBER, 12:00

*Z*e houden zich schuil tussen de planten,' zei Telius tegen Johnstone terwijl hij met de verrekijker een jungle van zwaardvarens afzocht. De twee mannen hingen ondersteboven in de harnassen van hun hexapod. De robot, die met zijn poten aan een blad kleefde, hing op zijn beurt ondersteboven in de schroefpalm. Ze waren erin geslaagd om de positie van de radio's te peilen.

Telius zocht nog even tussen de varens en gebaarde vervolgens met één vinger en zonder iets te zeggen: Laat maar vallen.

Johnstone drukt op een knop, en de voetkussentjes lieten het blad los waardoor de hexapod zich plotseling in vrije val bevond. Johnstone zette ondertussen een aantal schakelaars om waardoor de poten onder het voertuig werden dichtgevouwen. De hexapod draaide een paar keer om zijn as, raakte de grond, stuiterde nog een keer omhoog en bleef vervolgens ondersteboven liggen. Door de kooiconstructie waren de mensen in de machine ongedeerd gebleven.

Johnstone activeerde de poten. Ze werden weer uitgevouwen en brachten het voertuig in de juiste positie terug. Nadat de hexapod zich in beweging had gezet, liep de robot naar de rand van de varenjungle om er vervolgens in te verdwijnen. Telius stond op, hield zijn hoofd schuin en spitste zijn oren. Hij had ze horen praten. Met zijn vinger wees hij aan waar de mensen zich bevonden, waarna hij Johnstone opdroeg om een varenstengel te beklimmen.

De hexapod liep omhoog, klauterde een blad op en kwam tot stilstand. Telius pakte zijn verrekijker en begon de omgeving af te speuren. Even later zag hij de doelwitten. Zes mensen. Op de grond. Een van hen was ziek en had een bloedneus. Misschien caissonziekte. De anderen stonden om het slachtoffer heen. Zo te zien een Indiase knul. Er stroomde bloed uit zijn neus over zijn bovenlip en zijn kin. Yep – caissonziekte. Die kon het schudden. 'Een van die gasten heeft caissonziekte; hij ligt daar leeg te bloeden,' zei hij tegen Johnstone, die iets onverstaanbaars gromde.

Telius bestudeerde de groep om de aanvoerder te identificeren – slanke knul, lichtbruin krullend haar, stond een beetje afzijdig van de anderen terwijl hij tegen ze praatte. Iedereen luisterde naar hem. Dat was degene die de leiding op zich had genomen. Telius had het direct gezien. Een bevelvoerder haalde hij er meteen uit. En de bevelvoerder was uiteraard de man die je als eerste uitschakelde.

Dit zag eruit als een prima locatie. Telius knikte naar zijn collega, pakte zijn gasdrukgeweer en legde aan op de leider van de groep. Johnstone pakte ondertussen de verrekijker om als spotter te kunnen fungeren en Telius op de hoogte te houden van wat er gebeurde. Telius zette het vizier aan zijn oog en bewoog het dradenkruis naar het hoofd van de leider. De afstand was vrij groot, ongeveer vier meter. Een briesje beroerde het varenblad en de hexapod. Telius schudde zijn hoofd. Niet stabiel genoeg. Het schot was riskant, en Telius nam geen risico's. Hij zou vlak achter elkaar meerdere voltreffers op bewegende doelen moeten maken, want zodra hij de aanvoerder had uitgeschakeld, zouden de anderen als bange hazen uit elkaar stuiven. Hij gebaarde naar Johnstone: Een stukje naar beneden.

Johnstone draaide het voertuig en begon omlaag te kruipen over de stengel, op zoek naar een stabielere positie. Even later gebaarde Telius dat Johnstone moest stoppen. Telius gespte zijn harnas los en liet zich uit de hexapod vallen. Hij maakte een buiteling in de lucht en landde als een kat op handen en voeten op de stengel met zijn geweer op zijn rug. Hij sloop behoedzaam in de richting van de doelwitten.

Peter opende de eerstehulpkit, boog zich over Amar en drukte een kompres tegen zijn neus. Hij wist niet wat hij moest doen; het bloeden wilde niet stoppen.

'Jullie hebben niks aan mij. Ga alsjeblieft verder,' zei Amar.

'We laten je hier niet alleen achter.'

'Ik ben maar een zak met eiwitten. Laat me nou maar liggen.'

'Amar heeft gelijk,' zei Danny met een hand op de arm in de mitella. 'We moeten hem hier laten, anders redden we het geen van allen.'

Peter negeerde Danny en haalde het kompres van Amars neus; het was doorweekt. Hij had veel bloed verloren en begon steeds zwakker te worden. En de blauwe plekken op Amars armen... het was alsof het gif van de duizendpoot het verloop van de caissonziekte had versneld. En de enige behandelmethode die bij caissonziekte werkte was decompressie, maar ze waren nog geen stap dichter bij Nanigen.

'We moeten de radio gebruiken en om hulp vragen,' zei Danny. Hij liet zich met een plof op de grond vallen en schonk de anderen een verongelijkte blik.

'Misschien heeft Danny gelijk,' zei Erika. 'Er lopen bij Nanigen vast ook mensen rond die wél goede bedoelingen hebben–'

'Misschien moeten we inderdaad maar een oproep doen,' zei Karen. 'Wie weet is het onze enige kans om Amar te redden.'

Peter stond op met een radioheadset in zijn hand. 'Oké.'

Telius, die zich nu een stuk lager op de stengel van de varen bevond, legde aan. De aanvoerder van het groepje bevond zich precies in het dradenkruis van zijn vizier, maar nu boog hij zich over de knul met caissonziekte om hem te helpen. Hm. Misschien kon hij ze met één schot allebei uitschakelen. De leider en de bloeder – strak plan. Hij richtte en haalde de trekker over. Het gasdrukgeweer leverde een zware terugslag.

Plotseling klonk er een sissend geluid. Een stalen naald met een lengte van ongeveer dertig centimeter suisde langs Peters nek, scheurde zijn overhemd en drong het lichaam van Amar Singh binnen om daar te exploderen. Metaalscherven en bloed verspreidden zich in alle richtingen. Amars lichaam schokte, kwam een stuk van de grond en leek uit elkaar te vallen. Peter verstijfde, en er verscheen een vragende blik op zijn gezicht terwijl overal stukjes Amar in het rond vlogen.

Peter stond op. Hij zat onder Amars bloed. 'Wat?'

De anderen zagen het gebeuren, maar konden het niet bevatten.

Karen keek om zich heen. 'Sluipschutter!' schreeuwde ze. 'Zoek dekking!' Ze begon naar de dichtstbijzijnde varen te rennen, maar zag dat Peter zich niet bewoog – hij leek verlamd, alsof zijn geest niet kon verwerken wat er zojuist was gebeurd.

Het tweede schot van de sluipschutter trof een blad boven Peters hoofd. Het projectiel explodeerde en Peter werd door de luchtdruk tegen de grond gesmakt. Karen besefte dat de sluipschutter het op Peter had voorzien. Ze draaide zich om, rende terug en greep hem beet. 'Bukken en zigzaggen!' schreeuwde ze. Hij moest maken dat hij wegkwam, maar zonder zich op een voorspelbare manier te verplaatsen, anders kon de sluipschutter Peter eenvoudig zijn vizier in laten rennen en hem alsnog neerschieten. 'Wegwezen!' riep ze naar Peter.

Peter begreep het. Hij begon te rennen: links, rechts, links – links – stop. En weer rennen. In de richting van de varens, die dekking zouden bieden. Ook Karen rende zigzaggend. Ze bleef in Peters buurt, maar ook weer niet te dichtbij. Ze vroeg zich af of het volgende schot...

Peter struikelde, viel en klapte languit tegen de grond.

'Peter!' schreeuwde ze. 'Nee!' Peter lag stil; hij was nu een gemakkelijk doelwit.

'Karen – maak dat je wegkomt–' riep Peter terwijl hij overeind sprong.

Dat waren zijn laatste woorden. Het volgende moment schoot er een naald door Peters borst die op weg naar buiten explodeerde. Hij zakte in elkaar. Peter Jansen was dood voordat hij de grond raakte.

DEEL III
TANTALUS

27

FERN GULLY
30 OKTOBER, 12:15

Rick Hutter voelde hoe Karen King zijn shirt vastgreep en hem weg-sleepte uit wat volgens hem een prima schuilplaats was. Hij hoor-de haar zeggen: 'Kom overeind, man – wegwezen!' Zijn blaaspijp lag op de grond. Hij pakte hem op, griste de doos met pijltjes mee en maak-te dat hij wegkwam. Al snel verloor hij Karen uit het oog; hij had er geen idee van waar ze was gebleven. Hij stormde onder een tak door, baande zich een weg door wat bladeren en rende verder door een woud van sten-gels en varens dat zich tot ver boven hem uitstrekte.

Op dat moment zag hij het insect.

Het was alleen geen insect. Het was een truck met zes poten die over het blad van een varen liep. Het ding jankte zachtjes en werd bestuurd door een man in een wapenrusting. De man had Ricks formaat; het formaat van een micromens. En hij leek ervaren en vol zelfvertrouwen.

De man bracht het voertuig tot stilstand en pakte een vreemd uitziend geweer met een groot kaliber loop. Hij plaatste een metalen naald in de kamer, richtte met behulp van een vizier en vuurde. Het wapen, dat een flinke terugslag had, bracht een sissend geluid voort.

Rick dook achter een steen, rolde zich op zijn rug en keek hijgend naar de man met het wapen. De man leek ontspannen. Moorden was voor hem iets heel normaals, besefte Rick terwijl een ontembare razernij zich van hem meester maakte. De man had Peter en Amar in koelen bloede over-hoopgeschoten. Ricks hand omklemde met kracht de blaaspijp. Het kan geen kwaad die klootzak een pijltje in zijn bast te schieten. Volgens mij heeft Karen net mijn leven gered. Wat was ik een idioot om rustig op mijn hurken te blijven zitten. *Als ze me daar niet had weggehaald, was ik nu waarschijnlijk dood geweest.*

Hij opende de doos, haalde er een pijltje uit en keek ernaar met een gevoel van machteloosheid. Het was gewoon een houtsplinter met een metalen punt die van een vork was gemaakt. Weinig kans dat zoiets door de wapenrusting van die smeerlap zou dringen. Hij opende de pot met curare, doopte de punt in de prut en roerde er even in. Een bijtende geur drong zijn neus binnen, en hij moest moeite doen om niet te hoesten. Hij deed zijn best om zo veel mogelijk gif op de pijlpunt aan te brengen.

Hij schoof het pijltje in de blaaspijp, rolde op zijn buik en keek langs de rots.

Het voertuig was verdwenen. Het bevond zich buiten zijn gezichtsveld.

Maar waar?

Rick kroop achter de rots vandaan, keek om zich heen en spitste zijn oren. Links van zich hoorde hij een jankend geluid. De bug truck. Hij krabbelde overeind en begon in de richting van het geluid te rennen. Toen het krachtiger werd, dook hij in een pol mos en wachtte af. Het geluid kwam dichterbij. Hij wierp voorzichtig een blik om de hoek.

De bug truck was op de mospol geklommen en stopte vrijwel recht boven hem. Hij keek naar de onderkant van het voertuig. De man kon hij van hieruit niet zien.

Er klonk een sissend geluid. De man had opnieuw gevuurd.

Rick had er geen idee van of er buiten hemzelf nog iemand in leven was. Misschien was Karen wel dood. En Erika ook. Ze werden verdomme afgeslacht.

Het maakte hem razend.

Hij voelde een primitieve drang opkomen om te doden. Zelfs als dat hem zijn leven zou kosten.

De man vuurde niet meer, en de truck vervolgde zijn weg. Even verderop kwam hij weer tot stilstand, en hij hoorde de man iets over de radio zeggen. 'Er zit een vrouw op drie uur van je. Dat kreng heeft een mes.'

Kreng.

Karen.

Nee – ze gingen haar neerschieten. Hij begon zo snel als hij kon door het mos te klauteren totdat hij zich onder een gevallen blad bevond. Hij keek nu recht omhoog naar de man. De man droeg een helm, een borstschild en pantserplaten over zijn armen. Zijn kin was onbeschermd. De hals ook.

Rick richtte op de hals van de man. Hij wilde proberen de halsader te raken. Hij haalde langzaam adem om geen geluid te maken en blies met alle kracht die hij bezat.

Het pijltje miste de hals van de man, maar kwam in het zachte vlees onder zijn kin terecht en boorde zich naar binnen tot aan de prop. Het was
vlak boven zijn adamsappel de kin binnengedrongen en recht omhooggeschoten. Rick hoorde een verstikte kreet, waarna de man in elkaar zakte
in het voertuig en uit het zicht verdween. Er klonk een nat kuchje, gevolgd
door bonzende en bonkende geluiden. De man had stuiptrekkingen en
spartelde als een vis in de cabine van de truck. Daarna stilte.

Rick schoof nog een pijltje in de blaaspijp en sprong op de truck. Hij
wierp een blik naar binnen, klaar om opnieuw te schieten. De man lag
languit op de grond. Zijn gezicht was donkerrood, de ogen puilden uit de
kassen en uit zijn mond borrelde speekselschuim – cyanidevergiftiging.
Onder de kin van de man was alleen de prop van de pijl nog zichtbaar als
een pluimpje katoen. De pijl was verticaal omhooggeschoten door zijn
tong en zijn verhemelte en had zich in de hersenen geboord.

'Dat was voor Peter,' zei hij. Zijn handen trilden, en vervolgens begon
zijn hele lichaam te beven. Hij had nooit eerder iemand gedood, en hij had
niet verwacht dat hij ertoe in staat zou zijn.

Rechts van zich hoorde hij opnieuw sissen.

O, shit, niet nóg een, dacht hij – nog een sluipschutter. En hij heeft het
op mijn vrienden gemunt. *Ik neem die klootzak te grazen.* Rick sprong van
de truck en begon in de richting van het geluid te rennen met de geladen
blaaspijp in zijn hand. Een paar tellen later besefte hij dat het donkerder
was geworden boven zijn hoofd, en toen zag hij in de varens... een schaduw
bewegen. Hij bleef staan. Plotseling voelde hij zich heel erg klein en volkomen machteloos. Hij kon niet geloven dat het verrekte ding zo groot
was.

Karen zag hem omhoogkomen tussen twee varenstengels. Het was een
kleine man, behendig en katachtig in zijn bewegingen. Hij droeg een ca-
mouflagewapenrusting en een handschoen aan zijn rechterhand. Zijn linkerhand was naakt en bevond zich rond de trekker van het geweer, en het
geweer was op haar gericht. Hij bevond zich op ongeveer een meter afstand. Voldoende dichtbij.

Ze had haar mes getrokken. Het vormde geen partij voor het geweer. Ze
keek om zich heen. Geen dekking.

Hij kwam vanachter de varenstengels tevoorschijn met zijn wapen in de
aanslag. Het leek erop dat hij een spelletje met haar speelde, want hij kon
haar gemakkelijk raken. 'Gevonden,' zei hij in zijn keelmicrofoon. En na
een korte pauze voegde hij eraan toe: 'Hoor je me?' Hij kreeg blijkbaar
geen antwoord. 'Ben je daar?'

Ook ditmaal geen reactie. Hij stapte naar voren.

Op dat moment zag Karen de schaduw achter de man. In eerste instantie kon ze het dier niet identificeren. Het was iets met een bruine vacht, verborgen tussen de bladeren van de varens. Het bewoog zich even en bleef vervolgens staan. Ze dacht aan een zoogdier, misschien een rat, vanwege de bruine vacht en de enorme omvang. En toen verscheen er een poot; een lange, taps toelopende gelede poot, een exoskelet bedekt met borstelig bruin haar. Het volgende moment werd een varenblad opzij geduwd en zag ze de ogen. Alle acht.

Het was een enorme spin, zo groot als een huis. Het dier was zo immens dat het nauwelijks als spin was te herkennen. Maar Karen kende de soort. Het was een bananenspin, die veel voorkwam in de tropen, en hij was carnivoor. De bananenspin behoorde tot de jachtkrabspinnen, die geen web weven, maar jagen op hun prooi. En dit exemplaar had zijn lichaam vlak boven de grond – wat aangaf dat het dier op jacht was. De spin had een afgeplat, behaard lichaam met sikkelvormige giftanden onder de bolvormige voelers. Het was een vrouwtje, en ze hunkerde naar eiwit, zag Karen, want ze was bezig eieren te maken.

Het viel Karen op dat de spin zich niet bewoog. Aangezien deze soort gewoon was om vanuit een hinderlaag zijn prooi aan te vallen, kon het geen goed teken zijn dat het dier daar zo roerloos bleef staan.

De man stond met zijn rug naar de spin toe. Hij was zich nergens van bewust, en de acht ogen staarden naar hem als parels van zwart glas. Karen hoorde een zacht, kreunend geluid – de ademhaling van de spin.

'Johnstone. Laat eens wat horen,' zei de man.

Hij zweeg om naar zijn partner te luisteren.

'Wat is er met je vriend gebeurd?' fluisterde Karen. Houd hem aan de praat.

Hij keek haar zwijgend aan. Geen spraakzaam type.

Karen hield haar lichaam doodstil. Geen plotselinge bewegingen. Ze wist dat spinnen, ondanks alle ogen, niet goed konden zien, maar ze hadden een uitstekend gehoor. Verspreid over elke poot bevonden zich tien 'oren' – gaten in het pantser die geluid registreerden. Alles bij elkaar tachtig oren. Bovendien fungeerden de duizenden haren op de poten als trillingssensoren. De gecombineerde gehoororganen gaven de spin een driedimensionaal geluidsbeeld van de wereld.

Als ze geluid zou maken of trillingen zou veroorzaken, zou de spin haar als prooi herkennen. De aanval, zo wist ze, zou bliksemsnel zijn.

Ze zakte heel langzaam door haar knieën en pakte een steentje van de grond. Vervolgens bracht ze haar arm behoedzaam omhoog.

De man glimlachte. 'Ga je gang. Als je denkt dat je je daardoor beter gaat voelen.'

Ze gooide het steentje naar hem toe. Het raakte zijn borstschild en ketste weg met een dof geluid.

Hij bracht zijn geweer omhoog, keek in het vizier en grinnikte. Op dat moment sloten de giftanden van de bananenspin zich om zijn lichaam, trokken hem de lucht in en vermorzelden zijn wapen.

De man schreeuwde.

De spin deed een paar stappen naar voren, voerde plotseling een halve salto uit en kwam op haar rug terecht. Karen maakte dat ze wegkwam, op zoek naar een veilig plekje. De spin tilde ondertussen de man in de lucht en drukte haar tanden steeds dieper in zijn vlees. De messcherpe holle punten doorboorden het pantser en begonnen gif in hem te pompen.

Het lichaam van de man zwol op door de druk van het gif, en de wapenrusting begon ploffende geluiden te maken. Door de kieren in het borstschild begon bloed vermengd met gif naar buiten te spuiten. Het gif begon zijn werk te doen, en de man kromde zijn rug. Zijn hoofd begon van voren naar achteren te zwiepen. Neurotoxines in het gif brachten een vuurstorm op gang in zijn centraal zenuwstelsel. Hij begon te kronkelen en te stuiptrekken – een tonische clonus-aanval. Zijn ogen rolden omhoog in zijn hoofd totdat alleen het wit nog zichtbaar was. En plotseling veranderde het wit in rood. De bloedvaatjes in zijn ogen waren gesprongen, evenals die in de rest van zijn lichaam; het gif bevatte spijsverteringsenzymen die vlees oplosten. Overal in het lichaam ontstonden inwendige bloedingen, totdat zijn hart ermee ophield.

Het spinnengif was ebola in dertig seconden.

De spin bleef gif in het lichaam pompen totdat het pantser begon te scheuren. Het borstschild knapte open en de ingewanden van de man gulpten naar buiten, druipend van het gif.

Karen had inmiddels dekking gezocht achter een varen. Even verderop zag ze Rick op zijn hurken zitten met de blaaspijp in zijn hand.

Het tweetal keek toe terwijl de spin haar maaltijd begon te verwerken.

Nu het dier de man had gedood, maakte het opnieuw een halve salto. Ze kwam nu hoog op haar acht poten terecht en begon haar prooi aan stukken te scheuren. De spin greep de man beet met haar voelers, twee handachtige uitsteeksels aan weerszijden van haar bek. De giftanden openden zich als knipmessen; ze hadden een gekartelde snijkant. De messen veranderden het lichaam in een bloedige massa van vlees, gebroken botten en spijsverteringsresten vermengd met stukken kevlar en scherven plastic. Met behulp van haar voelers vormde de spin heel behendig een voedselbal van de vleesmassa terwijl ze er met haar giftanden spijsverteringssappen in spoot. Een paar minuten later waren de menselijke resten veranderd in een bal van half vloeibare pulp gelardeerd met botfragmenten en aan flarden gescheurd pantsermateriaal.

'Interessant,' fluisterde Karen, en ze keek naar Rick. 'Spinnen verteren hun voedsel buiten het lichaam.'

'Nooit geweten.'

Nadat de spin haar prooi had verteerd, plaatste zij haar bek op de voedselbol, waarna zij vloeistoffen uit de brij begon te zuigen. Haar maag maakte daarbij een gestaag pompend geluid. In haar ogen lag een afwezige glans, dacht Karen, of misschien was het wel een genotzalige blik.

'Moeten we ons nu zorgen maken?' vroeg Rick.

'Nee, ze is druk bezig. Maar we moeten maken dat we wegkomen voordat ze weer op jacht gaat.'

Ze riepen Erika en Danny. Erika had zich verscholen onder een hibiscusbloem en Danny zat onder een boomwortel.

Er waren nu nog vier overlevenden. Rick, Karen, Erika en Danny. Ze verzamelden hun spullen en haastten zich de varens in. De lichamen van Peter en Amar lieten ze achter. Een afschuwelijk gevoel van leegte had zich van hen meester gemaakt. Amar Singh, een vriendelijke knul die van planten hield, was dood. Peter Jansen, dood. Niemand had er rekening mee gehouden dat hij het niet zou redden.

Peters dood was voor iedereen een zware slag. 'Hij was zo evenwichtig,' zei Rick. 'Ik was ervan overtuigd dat hij ons hier doorheen zou helpen.'

'Hij was onze hoop,' zei Erika, en ze begon te huilen. 'Ik geloofde echt dat hij ons op een of andere manier zou redden.'

'Het is precies gegaan zoals ik had voorspeld,' zei Danny. Hij ging zitten en schoof zijn mitella recht. Vervolgens haalde hij met zijn goede hand een stuk duct tape van zijn grasschoen, trok het wat strakker en plakte het weer vast. Hij liet het hoofd hangen en zei met een doffe stem: 'Je kon erop wachten... Wat een ramp... We zijn er geweest.'

'We leven anders nog, hoor,' zei Rick.

'Het is alleen de vraag hoe lang nog,' mompelde Danny.

Karen zei: 'We geloofden allemaal in Peter. Hij was zo... vastberaden. En hij bleef altijd positief.' Ze veegde het zweet van haar gezicht, gooide de plunjezak over haar schouder en begon weer te lopen. Karen durfde het haast niet toe te geven, maar de moed was haar voor het eerst volledig in de schoenen gezonken. Ze was doodsbang. Ze zag niet in hoe ze ooit nog bij Nanigen zouden komen. 'Peter was de enige die de groep bij elkaar kon houden. En nu hebben we geen leider.'

'Ja, en het is duidelijk dat Drake weet dat we nog leven. En nu probeert hij ons uit de weg te ruimen met huurmoordenaars,' zei Rick. 'We hebben twee van die gasten uitgeschakeld, maar wie weet hoeveel er nog meer hier rondlopen.'

'Twee?' vroeg Karen.

Er verscheen een grimmige blik op Ricks gezicht, en hij wees met zijn vinger. 'Kijk daar maar.'

De hexapod stond schuin op een mospol.

Rick rende erheen en sprong in het voertuig. Even later gooide hij er een lichaam uit. Het belandde met een klap voor Karens voeten. Ze zag de wapenrusting, de pijl in de kin van de man, de uitpuilende ogen... de schuimende tong die uit zijn mond stak...

Haar adem stokte. Er waren twee sluipschutters geweest, en Rick had er niets over gezegd – tot nu toe. 'Heb jij die man – doodgeschoten...?

'Stap in,' zei Rick terwijl hij zich vertrouwd maakte met het instrumentenpaneel. 'We rijden naar de Tantalus. En we hebben een geweer.'

28

**MANOA VALLEY
30 OKTOBER, 13:45**

De open bestelwagen reed omhoog via de kronkelende eenbaansweg die naar Manoa Valley voerde. Het was een afgereden Toyota die in allerlei verschillende kleuren was gespoten. Op de open achterkant was een surfboardrek geplaatst, en de dikke banden leken aangetast door elefantiasis. De bestelwagen arriveerde bij de poort voor de tunnel en kwam tot stilstand. Er stapte een man uit. Hij liep naar het hek en las het bord: PRIVÉTERREIN. VERBODEN TOEGANG.

'Shit.' Eric Jansen rammelde aan het hek en bestudeerde het slot. Het was een toetsenpaneeltje. Hij probeerde een paar bedrijfscodes, maar die werkten niet. Die smeerlap van een Vin heeft natuurlijk de code van het slot veranderd, dacht Eric.

Hij keerde de Toyota, reed een stukje terug naar een uitwijkplaats en parkeerde de auto in de bosjes. Als iemand van Nanigen de wagen zou zien, zouden ze aannemen dat hij een cannabiskweker was die de berg op was gegaan om zich over zijn gewassen te ontfermen; niet de adjunct-directeur van het bedrijf die op zoek was naar zijn broer.

Hij zwaaide een rugzak over zijn schouder, liep terug, glipte onder het hek door en rende op een drafje de tunnel in. Aan de andere kant van de tunnel, in het dal, ging hij van de weg af en het bos in, waar niemand hem kon zien. Hij opende zijn rugzak en haalde er een laptop en een ingewikkeld uitziende doos vol elektronica uit. De doos zag er zelfgemaakt uit en bevatte onder andere printplaten en een antenne. Hij zette een hoofdtelefoon op en begon te luisteren op de zeventig gigaherzband. Hij hoorde niks. Hij schakelde naar een andere frequentie om het draadloze communicatienetwerk van Nanigen af te luisteren en hoorde onregelmatig kabbelende ruis. Dat hoorde hij altijd. Gesprekken tussen mensen van het bedrijf. Het probleem was die ruis te ontcijferen.

Hij bleef drie uur luisteren, totdat de accu leeg begon te raken. Ten slotte besloot hij zijn spullen weer in te pakken. Hij haastte zich de weg op en de tunnel door, begaf zich naar de bestelwagen en reed weg. Niemand had hem gezien; er was sowieso niemand in de buurt geweest. Morgen zou hij terugkomen om opnieuw te luisteren. Voor het geval Peter en de anderen zich ergens in de vallei bevonden. Hij wist niet waar ze waren, alleen dat ze vermist werden.

29

HONOLULU
30 OKTOBER, 13:00

In zijn kantoor zonder ramen belde Dan Watanabe met de Dienst Vermiste Personen. 'Zou je voor me in de gaten willen houden of er nog nieuwe informatie over die studenten binnenkomt?'

'Toevallig dat je daarover begint. Bel even met Nanci Harfield. Ze zit momenteel in District 8.'

Brigadier Nanci Harfield werkte bij de Verkeerspolitie. District 8 bestreek het zuidwesten van Oahu.

'Ik ben bij Kaena,' zei ze tegen hem. 'Er is een luxe personenauto gevonden in de inham onder Brug 1929. Het voertuig staat geregistreerd op naam van Alyson F. Bender slash Nanigen MicroTechnologies. Onder de auto is een lichaam te zien. Waarschijnlijk een vrouw. Geen andere lichamen.'

'Ik kom eraan,' zei Watanabe.

Hij stapte in zijn bruine Ford Crown Victoria en reed met een gangetje van negentig over de snelweg rond Pearl Harbor. Even later reed hij Waianae binnen, een stadje dat aan de zuidwestkust van Oahu lag. Dit was de benedenwindse kant van het eiland, droog en zonnig, waar vriendelijke golven aan het strand likten en ook de *keiki's* konden spelen en pootjebaden. Het was tegelijkertijd de ruigste kant van het eiland op het gebied van criminaliteit. Veel auto-inbraken en diefstallen, maar gelukkig weinig tot geen geweld. In de negentiende eeuw, ten tijde van het Koninkrijk Hawaï, was de benedenwindse kant van Oahu een gewelddadig gebied geweest; een vrijplaats voor bandieten die mensen beroofden en vermoordden. Tegenwoordig werden er voornamelijk vermogensdelicten gepleegd.

Bij Kaena Point lag een auto ondersteboven in ondiep water. De zwaarste takelwagen van de politie stond op het pad. Door een wirwar van hau liep een kabel omlaag tot aan de auto; het was een heel karwei geweest om de haak door de struiken beneden te krijgen. De kabel werd strakgetrokken en de auto begon over te hellen. Vervolgens kantelde hij en kwam op zijn wielen terecht. Het was een donkerblauwe Bentley convertible. De softtop was gescheurd en verwrongen. Er stroomden zand en water uit de auto, en in de bestuurdersstoel zat een dode vrouw op een lugubere manier rechtop.

Watanabe begaf zich glibberend omlaag over de rotsen. Hij scheurde zijn broek en gleed voortdurend uit; hij had er spijt van dat hij zijn gewone schoenen droeg.

Toen hij bij de auto kwam, had de takelwagen hem al tegen de rotsen getrokken. De dode vrouw droeg een donker mantelpakje. Haar haar plakte op haar gezicht en er zat ook een pluk in haar mond. Haar ogen waren verdwenen: opgegeten door de vissen.

Hij boog zich achter het lichaam langs naar binnen en inspecteerde de auto. Alles was nat en doorweekt. Op de stoelen en in het verwrongen metaal van de top hingen kledingstukken. Board-shorts. Een riem van slangenleer, kapotgekauwd door vissen. Een damesslipje, limoengroen. Nog een paar board-shorts met het prijskaartje er nog aan, onlangs gekocht. Een Hilo Hattieshirt. Een wijd uitlopende spijkerbroek met een gat in de rechterknie.

'Was die dame soms op weg naar de wasserij?' zei hij tegen een agent. Het waren kleren van het soort dat door jongere mensen werd gedragen. Hij zag een plastic pot onder het dashboard, haalde hem tevoorschijn en bestudeerde het etiket. 'Ethanol. Hm.' Op de achterbank vond hij een portemonnee. Er zat een rijbewijs uit Massachusetts in op naam van een zekere Jenny H. Linn. Een van de vermiste studenten. Maar er waren geen andere lichamen in de auto buiten dat van de vrouw – die al dan niet Alyson Bender was. Dat moest de lijkschouwer maar vaststellen.

Hij klom weer omhoog naar het pad. Daar hadden Nanci Harfield en een andere agent de bandensporen in het kiezelzand gefotografeerd en gemeten.

Watanabe keek Harfield aan. 'En? Wat denk je?'

'Het lijkt erop dat de auto hier even is gestopt voordat hij over de rand is gegaan. En toen is hij gewoon naar beneden gerold.' Harfield had in de buurt van de bandensporen zorgvuldig naar voetafdrukken gezocht. Er was weliswaar over het kiezelzand gelopen, maar er waren geen duidelijke afdrukken. Ze vervolgde: 'Volgens mij is de bestuurder hier gestopt. Even later is de auto over de rand gegaan. Er is niet geremd, anders zou je daar sporen van zien. Geen remsporen betekent geen poging gedaan om te stoppen. Misschien heeft ze een tijdje zitten nadenken en toen op het gaspedaal gedrukt.'

'Zelfmoord?' vroeg Watanabe.

'Dat is een mogelijkheid. Het klopt in elk geval wel met de sporen.'

De technische recherche maakte foto's en video's. Ze borgen het lichaam in een lijkzak en brachten het naar de ambulance, die geruisloos en met knipperende lichten wegreed. De Bentley, die total loss was, volgde op de takelwagen van de politie. Er druppelde nog steeds zeewater uit.

Later zat Watanabe weer achter zijn bureau op het hoofdkantoor. Hij staarde naar de bekraste metalen muur waar hij soms naar keek om zijn gedachten op een rij te krijgen. Hij kon de gedachte niet van zich afzetten dat iemand de kleding in de auto had gelegd. In elk geval die portemonnee. Mensen die van plan waren om uit het leven te stappen, nemen niet de moeite om hun portemonnee uit hun zak te halen. Als Jenny Linn er uit vrije wil een einde aan had gemaakt, had haar portemonnee nog in haar zak gezeten. En stel nu eens dat ze niet uit vrije wil was gegaan? Dat ze was gekidnapt? Was dit misschien een bootongeluk geweest? Een gezonken scheepje kon verklaren waarom er zoveel mensen in één keer waren verdwenen.

Hij nam contact op met Vermogensdelicten en vroeg of er boten werden vermist. Niet recentelijk. Hij staarde nog een tijdje naar de muur. Misschien was het tijd voor een extra portie Spam sushi.

Toen ging zijn telefoon. Het was een collega van Vermiste Personen. 'Ik heb er nog een voor je.'

'Ja? Wie?'

'Er heeft een zekere Joanna Kinsky gebeld om te melden dat haar echtgenoot gisteravond niet thuis is gekomen van zijn werk. Hij is ingenieur bij Nanigen.'

'Nog iemand van Nanigen vermist? Dat is toch zeker een grap–'

'Mevrouw Kinsky zegt dat ze het bedrijf heeft gebeld. Niemand heeft haar echtgenoot sinds gistermiddag nog gezien.'

De beveiligingsman van Nanigen had dit geval niet gerapporteerd. Er waren te veel mensen van Nanigen die zomaar verdwenen in een stadje als Honolulu.

Nog een telefoontje. Het was Dorothy Girt, forensisch expert van de Afdeling Wetenschappelijk Onderzoek. 'Dan – zou je even langs willen komen om ergens naar te kijken? Het gaat over de zaak-Fong. Ik heb iets gevonden.'

Shit. Het Willy Fong Mysterie. Dat kon hij er nog wel bij hebben.

Don Makele liep het kantoor van Vin Drake binnen. Hij had een zorgelijke blik op zijn gezicht. 'Telius en Johnstone zijn dood.'

Drake knarsetandde. 'Wat is er gebeurd?'

'Ik heb het radiocontact verloren. Ze hadden de overlevenden gevonden en waren met de, eh, reddingsmissie begonnen,' zei Makele. Hij zweette weer. 'Tijdens de operatie zijn ze ergens door aangevallen. Ik hoorde schreeuwen en – nou ja, Telius, eh... hij is opgegeten.'

'Opgegeten?'

'Ik heb het zelf gehoord. Een of ander roofdier. De verbinding werd ineens verbroken. Ik heb een tijdlang geprobeerd hem op te roepen, maar ik heb geen contact meer gehad.'

'En wat denk je?'

'Volgens mij is iedereen dood.'

'Waarom?'

'Mijn mannen waren de besten. Het moet iets zijn geweest waar ze met hun wapens en hun wapenrusting niet tegen opgewassen waren.'

'Dus de studenten–'

Makele schudde zijn hoofd. 'Die hadden geen enkele kans.'

Drake leunde naar achteren. 'Dus er was een ongeluk met een roofdier.'

Makele zoog op zijn lippen. 'Toen ik in Afghanistan was, is me iets opgevallen aan ongelukken.'

'Wat dan?' vroeg Drake.

'Klootzakken krijgen vaker ongelukken.'

Drake gniffelde. 'Dat is waar.'

'De reddingsmissie – is mislukt, meneer.'

Drake besefte dat Don Makele precies begreep wat er met redding werd bedoeld. Hij had niettemin zijn twijfels. 'Hoe kun je er zeker van zijn dat de missie... eh... is mislukt, Don?'

'Er zijn geen overlevenden. Dat weet ik zeker.'

'Ik wil de lichamen zien.'

'Maar er zijn geen–'

'Ik geloof niet dat de studenten dood zijn voordat ik daar bewijs van heb gezien.' Drake boog zich weer naar voren en rechtte zijn rug. 'Zolang er nog hoop is, zullen we kosten noch moeite sparen om ze te redden. Kosten noch moeite. Is dat duidelijk?'

Makele verliet Drakes kantoor zonder een woord te zeggen. Er viel niets te zeggen.

Wat Vin Drake betrof – die was wel tevreden over het lot van Telius en Johnstone. Het betekende dat hij ze geen bonus hoefde uit te keren. Aan de andere kant kon hij er niet van uitgaan dat alle studenten dood waren.

Ze hadden laten zien dat ze heel wat in huis hadden op het gebied van overlevingsstrategieën. Bovendien waren het doorzetters. Hij moest dan ook volharden in zijn poging ze uit te roken voor het geval er nog een aantal in leven was.

30

**DE PALI
30 OKTOBER, 16:00**

'Dit ding zou superhandig zijn in het verkeer van Boston,' merkte Karen King op. Ze loodste de hexapod een steile helling op over onberekenbare keien en tussen hoge grasstengels door. Plotseling maakte de machine een slingerbeweging.

'Hé! Denk om mijn arm.' Danny zat in de passagiersstoel en greep naar zijn linkerarm, die slap in de mitella hing. Hij was enorm opgezwollen, en de mouw van zijn shirt zat er net zo strak omheen als het velletje om een worst. De hexapod maakte goede vorderingen. Met jankende poten klom de machine omhoog in een weidse verticale wereld van een miljoen tinten groen. Erika zat in de achterbak. Ze had zich vastgesnoerd met touw om te voorkomen dat ze uit de truck zou vallen. Rick liep met het gasdrukgeweer in zijn hand naast het voertuig, beducht op roofdieren. Hij hield nauwgezet de omgeving in de gaten en droeg een patroongordel met naaldkogels over zijn schouder.

Het terrein was erg steil geworden. De aarde had plaatsgemaakt voor brosse lavasteentjes met zand waaruit vormloze keien omhoogstaken, dit alles opgetuigd met grassen en kleine varens. Grillige koa-bomen en guaves werden afgewisseld met de dunne rechte stammen van *loulu*-palmen. Veel bomen waren behangen met klimplanten. De takken ritselden in de constante wind die over de berghelling waaide en soms de truck met mensen een duw gaf. Soms dreef er een muur van mist door de vegetatie – een wolk – gevolgd door felle zonneschijn.

De dood van Peter Jansen en Amar Singh drukte zwaar op de studenten. Het groepje van acht mensen die in de microwereld waren gestrand, was uitgedund tot nog slechts vier overlevenden. In een tijdsbestek van twee dagen was hun aantal gehalveerd – vijftig procent dodelijke slachtoffers. Dat was een afschuwelijk statistisch gegeven, dacht Rick Hutter. Het was nog dramatischer dan de levensverwachting van soldaten die aan de kust van Normandië hadden gevochten. En Rick vreesde dat het einde nog niet in zicht was – tenzij ze door een of ander wonder werden gered. Maar ze konden zich momenteel niet aan iemand van Nanigen vertonen; Vin Drake had zijn mensen gemobiliseerd om hen op te sporen en vervolgens te laten verdwijnen. 'Drake is nog steeds naar ons op zoek,' zei Rick. 'Ik ben ervan overtuigd.'

'Ja, dat weten we nou wel,' zei Karen tegen hem. Het had geen zin om over Vin Drake te praten; ze gingen zich er alleen maar hulpelozer door voelen. 'Peter zou het niet opgeven,' zei ze iets rustiger terwijl ze met haar blik op de instrumenten de truck over een groot rotsblok loodste. Rick sprong aan boord om een stukje mee te rijden.

Ze bevonden zich inmiddels tussen de bergvegetatie. Incidentele openingen in het bladerdak onthulden een indrukwekkend uitzicht. De wanden en de kliffen van de Pali waren overal rondom hen, en even verderop bulderde een waterval. Ergens boven hen vormde een rondlopend gedeelte van de bergkam de rand van de Tantaluskrater.

Tijdens het lopen stuurden de poten van de robot het leven van veel dingen in de war. Geschrokken springstaartjes wipten de lucht in, wormen wriemelden en schuimden, en her en der stoven mijten weg. Soms klommen de mijten via de poten van de hexapod naar binnen; ze moesten ze voortdurend wegvegen omdat ze over de apparatuur gingen lopen en overal mestklodders lieten vallen waardoor alles smerig werd. In de lucht dansten duizenden insecten die gonsden, rondjes draaiden en glinsterden in het zonlicht.

'Ik word niet goed van al dat leven,' klaagde Danny. Hij zat vooroverbogen over zijn slechte arm en zag er hondsberoerd uit.

'Als de accu het trekt,' zei Rick, 'zijn we misschien tegen de avond al op de Tantalus.'

'En dan?' zei Karen met haar blik op de instrumenten.

'Dan verkennen we de basis en bepalen we wat onze volgende stap is.'

'En wat doen we als er geen basis is? Als hij weg is gehaald, net zoals de andere stations?'

'Moet je nou echt altijd zo pessimistisch zijn?'

'Ik probeer gewoon realistisch te blijven, Rick.'

'Oké. Vertel dan maar wat jouw plan is, Karen.'

Karen had geen plan en gaf dan ook geen antwoord. Gewoon zorgen dat ze bij de Tantalus kwamen en hopen dat er iets was. Het was geen plan – eerder een Weesgegroetje. Tijdens de reis dacht Karen na over hun situatie. Ze moest toegeven dat ze doodsbang was, maar die angst gaf haar ook het gevoel dat ze echt leefde. Ze vroeg zich af hoe lang ze nog te leven had. Misschien een dag, misschien een paar uur. Je kunt er maar beter het beste van maken voor het geval je leven net zo kort blijkt te zijn als dat van een insect, zei ze tegen zichzelf.

Ze keek naar Rick Hutter. Hoe kreeg hij het in vredesnaam voor elkaar? Daar liep hij, met het geweer over zijn schouder, bijna voldaan, alsof hij niets had om zich zorgen over te maken. Ze voelde heel even iets van jaloezie. Ondanks het feit dat ze hem niet mocht.

Ze hoorde gekreun. Het was Erika die achter in de truck zat met haar armen om haar knieën.

'Alles goed, Erika?' vroeg Karen.

'Ja hoor.'

'Ben je... bang?'

'Natuurlijk ben ik bang.'

'Probeer je niet al te veel zorgen te maken. Het komt allemaal goed,' zei Karen.

Erika gaf geen antwoord. Ze leek niet opgewassen tegen de druk van dit reisje. Karen had medelijden met Erika en maakte zich zorgen om haar.

Don Makele bracht een bezoekje aan het communicatiecentrum van Nanigen, een klein kantoortje dat was uitgerust met apparatuur voor versleuteld radioverkeer en het draadloze netwerk van het bedrijf. Hij sprak met een jonge vrouw die alle kanalen afluisterde. 'Ik zoek een machine die we in Manoa Valley zijn kwijtgeraakt.' Hij gaf haar het serienummer van de machine.

'Wat voor machine is het?' vroeg ze hem.

'Experimenteel.' Hij was niet van plan haar te vertellen dat het om een geavanceerde hexapod van Project Omicron ging.

De jonge vrouw toetste een aantal commando's in om een krachtige 72 GHZ-zender op het dak van de broeikas in het Waipaka Arboretum in te schakelen. Voor deze zender was een ononderbroken gezichtslijn vereist. 'Waar moet ik hem op richten?'

'Noordwest. Bevoorradingsstation Echo.'

'Oké.' Ze gaf iets in op haar toetsenbord om de zender te richten.

'En nu pingen.'

De jonge vrouw toetste een commando in en keek naar het scherm. 'Niks,' zei ze.

'Begin maar te pingen in een zoekpatroon rond die locatie.'

Ze begon te werken. Er gebeurde nog steeds niets.

'Richt de zender nu eens op de berghelling. Ping maar meteen een hele reeks.'

Nadat ze nog een tijdje had gewerkt, lichtte haar gezicht op. 'Hebbes. Ik ben teruggepingd.'

'Waar is de machine?'

'Jeetje. Hij zit op de rotsen. Halverwege de Tantalus.' Ze liet een beeld van het terrein op haar scherm verschijnen en wees op de berghelling, ver boven de bodem van Manoa Valley. 'Hoe is die machine daar terechtgekomen?' vroeg ze.

'Geen idee,' antwoordde Makele.

Er waren dus toch overlevenden. En ze reden regelrecht de berg op – in de hexapod. Interessant.

Makele liep terug naar het kantoor van Drake. 'Ik heb net voor de zekerheid de hexapod even gepingd. En raad eens. De hexapod is halverwege de Tantaluskrater.'

Drake kneep zijn ogen half dicht. Wat? Iemand had het roofdier overleefd dat zich te goed had gedaan aan Telius en Johnstone. 'Kunnen we die hexapod terughalen?'

'De rotsen zijn daar ontzettend steil. Ik denk niet dat we de hexapod momenteel kunnen bereiken. Bovendien kunnen we de positie niet precies bepalen. We kunnen wel bij benadering een locatie vaststellen, maar de betrouwbaarheid is op zijn best honderd meter.'

In een hoek van Drakes mond vormde zich een haast onmerkbaar glimlachje dat steeds groter werd en eindigde in een grijns. 'Ik vraag me af... misschien gaan ze wel naar basis Tantalus.'

'Dat zou zomaar kunnen.'

Drake barstte in lachen uit. 'Basis Tantalus! Ha! Ik wil hun gezichten wel eens zien als ze daar aankomen. Er staat ze een onaangename verrassing te wachten – als ze het al redden.' Zijn blik werd weer ernstig. 'Jij gaat naar de krater en zorgt voor een verrassing. Ik hou hun positie in de gaten.'

Rick zat achter de instrumenten toen er een fluittoon klonk en het communicatiepaneel van de hexapod oplichtte. Op een display verscheen: AN-SWERBACK 23094-451.

'Wat was dat in godsnaam?' zei Rick.

Danny, die naast hem in de passagiersstoel zat, zei: 'Zet dat ding uit.'

'Dat kan niet. Het gebeurde automatisch.' Rick vroeg zich af of er iemand contact met hen zocht. Misschien was het Drake. Maar het paneel ging weer op zwart. Toch had hij het gevoel dat Drake misschien wist waar ze waren. En als dat zo was – wat moesten ze dan doen als Drake hen vond? Het gasdrukgeweer had geen effect op een mens van normale grootte.

Karen liep naast de hexapod.

'De radio doet vreemd,' zei hij tegen Karen.

Ze haalde haar schouders op.

Het terrein bleef steil omhooggaan. Ze kwamen bij een laag klif, en de hexapod klom erop. Boven aangekomen loodste Rick de machine rond een bos cypergras met daarachter een rotsblok. 'Stop!' zei Rick. Hij liet de machine voorzichtig nog een stukje verder lopen; hij had iets onder de rots gezien. Iets wat zwart en glimmend was. 'Er zit een kever onder die rots,' zei hij. 'Erika, welke soort is dat?'

Erika bestudeerde de kever. Het was een *Metromenus*; dezelfde soort die ze hadden gezien toen ze pas in de microwereld waren aangekomen.

'Wees voorzichtig,' zei Erika. 'Ze hebben een ontzettend gemene spray.'

'Precies,' zei Rick.

'Wat is er aan de hand?' vroeg Karen.

'Er wordt hier aan chemische oorlogvoering gedaan. Wij hebben ook chemische wapens nodig.'

'We hebben dat spul niet nodig,' zei Karen. 'We hebben de benzo-spray al.' Ze haalde het spuitbusje uit haar zak – het zelfverdedigingsmiddel dat ze in het lab had gemaakt en aan Vin Drake had willen laten zien. Maar toen ze op het pompje drukte, kwam er niets uit. Ze had het opgemaakt tijdens het gevecht met de duizendpoot.

Rick was vastbesloten het flesje opnieuw te vullen. Hij kroop in de richting van de kever, legde aan en vuurde. De naald doorboorde het schild. Er klonk een gedempte explosie, de kever sidderde en begon in zijn doodsstrijd chemicaliën in het rond spuiten totdat de lucht naar zuren stonk.

Erika verzekerde hun dat er nog voldoende spray over zou zijn in het dier. Rick trok zijn gestoorde-professoroutfit weer aan – de rubberen labjas, de veiligheidsbril en de handschoenen – en ging aan het werk.

Eerst draaide hij de dode kever op zijn rug. Vervolgens begon hij met zijn machete op de gelede segmenten van het achterlijf te tikken, op zoek naar een opening.

Erika zei wat hij moest doen. 'Maak een snee tussen het zesde en zevende segment. Dan kun je de sclerietplaatjes losmaken – maar wees voorzichtig.'

Rick stak de machete tussen de twee segmenten in de kever en begon te wrikken. De pantserplaatjes kwamen los met een scheurend geluid. Onder de plaatjes zat vet, dat hij zorgvuldig open begon te snijden.

'Je moet zoeken naar twee zakken met chemische stoffen aan het begin van het achterlijf,' legde Erika uit terwijl ze naast Rick op haar knieën ging zitten. 'Pas op dat je niet zo'n zak kapot snijdt, want dan zijn de rapen gaar.'

Rick verwijderde een orgaan met de vorm van een voetbal en vervolgens nog een. Dat waren de zakken met de chemische stoffen. Ze waren afgesloten – dichtgeknepen door spieren. Met behulp van Erika's instructies sneed hij de spier door waarna de zak begon te lekken. Het spul stonk enorm.

'Dat is benzo,' zei Erika. 'Het is vermengd met caprylzuur, een detergent. Dat helpt de stof aan dingen te blijven kleven en maakt het efficiënter als wapen. Pas maar op dat je het niet op je huid krijgt.'

Karen was blij dat Erika voor de verandering eens ergens in geïnteresseerd was. Erika was zo somber en stil geworden. Dit zou haar in elk geval afleiden.

Rick verzamelde de vloeistof in een flesje en schroefde de dop erop. Vervolgens gaf hij het aan Karen. 'Alsjeblieft. Je kunt ons weer beschermen.'

Karen keek Rick verbaasd aan. Hij had wel een hoop energie. Ze had er zelf aan moeten denken om chemische stoffen te verzamelen. Rick leek zich heel goed te kunnen handhaven in de microwereld; hij leek er zelfs van te genieten. Niet dat ze Rick daardoor aardiger vond, maar ze merkte tot haar verbazing dat ze blij was hem erbij te hebben. 'Bedankt,' zei ze tegen hem, en ze stopte het flesje in haar zak.

'Graag gedaan.' Rick trok zijn outfit weer uit, borg hem op en ze vervolgden de klim omhoog.

Het terrein werd onmogelijk steil, en de bergwand leek nu bijna verticaal. Ze arriveerden aan de voet van een enorme rotswand die zich uitstrekte zover het oog reikte; een vlakte van parelend vulkanisch gesteente overwoekerd met korstmossen en bezaaid met bosjes uluhe-varens. Het zag er niet naar uit dat er een alternatieve route was.

'Die rotswand kan me wat – volle kracht vooruit,' zei Rick.

Ze verzekerden zich ervan dat alle apparatuur vastzat, waarna Rick achterin sprong bij Erika en zich vastsnoerde met touw. Karen zat achter het stuur. De poten van de truck hechtten zich netjes aan het gesteente en de machine won snel hoogte.

Maar aan de rotswand leek geen einde te komen.

De zon begon langzaam onder te gaan, en ze wisten niet hoever ze waren opgeschoten of hoe ver ze nog te gaan hadden. Het metertje van de accu gaf aan dat ze al veel energie hadden verbruikt; de robot had nog ongeveer een derde van zijn vermogen over.

'Ik denk dat we hier op de rotswand moeten overnachten,' zei Rick ten slotte. 'Het zou wel eens veiliger kunnen zijn dan ergens anders.'

Ze vonden een richel en parkeerden de truck. Het was een prachtig plekje met een geweldig uitzicht over de vallei. Ze aten de laatste sprinkhaansteaks.

Danny spreidde wat dingen uit in de laadbak, waar hij van plan was de nacht door te brengen. Zijn arm was zichtbaar gezwollen. Hij voelde opgeblazen en levenloos aan en leek niet langer van hem te zijn, maar alleen nog een dood gewicht.

'Oooh,' fluisterde hij. Hij pakte zijn arm beet en trok een gezicht.

'Wat is er aan de hand?' zei Rick tegen Danny.

'Mijn arm plopte.'

'Plopte?'

'Laat maar. Gewoon een geluid in mijn arm.'

'Laat eens kijken,' zei Rick, en hij boog zich over Danny heen.

'Nee.'

'Toe. Rol je mouw even op.'

'Er is niks aan de hand, oké?'

Danny's linkerarm was nog steeds verlamd en hing in de mitella. De arm had de mouw van zijn shirt volledig opgevuld waardoor de mouw strak gespannen stond en aan alle kanten leek uit te puilen. Het shirt was bovendien smerig. 'Als ik jou was, zou ik die mouw oprollen en je huid wat frisse lucht geven,' zei Rick. 'Op deze manier kan je arm geïnfecteerd raken.'

'Ga toch weg, man. Je bent mijn moeder niet.' Danny propte een stuk stof onder zijn hoofd als kussen en ging in foetushouding op zijn geïmproviseerde bed liggen.

Al snel viel de duisternis over de Pali. De geluiden van de nacht zwollen aan: de cryptische klanken van insecten.

Rick maakte het zich gemakkelijk in de passagiersstoel. 'Ga jij maar slapen, Karen. Ik blijf wel wakker.'

'Niet nodig. Waarom ga jij niet even slapen? Dan doe ik de eerste wacht.'

Uiteindelijk bleven ze allebei klaarwakker en hielden de wacht in een broeierige stilte terwijl Erika en Danny sliepen.

De vleermuizen kwamen tevoorschijn, en de krijsende klanken die ze produceerden om motten en andere vliegende insecten te lokaliseren, echoden kriskras door de lucht, zowel dichtbij als ver weg.

Danny bewoog zich. 'Stomme vleermuizen. Ik kan niet slapen,' klaagde hij. Maar even later lag hij te snurken.

De maan rees hoog boven Manoa Valley en veranderde watervallen in zilveren draden die zich in de duisternis stortten. Rond een van de water-vallen glinsterde een boog van licht. Rick keek ernaar: wat was dat voor iets? Het licht leek bovendien te flikkeren, te veranderen.

Karen had het ook gezien. Ze wees ernaar met de harpoen. 'Je weet toch wat dat is, hè?'

'Geen flauw idee.'

'Dat is een maanboog, Rick.' Ze raakte zijn arm aan. 'Kijk! Een dubbele maanboog.'

Hij had nooit geweten dat er zoiets als een maanboog bestond – laat staan een dubbele.

Daar zaten ze dan: microreizigers in een verraderlijk paradijs. Typisch iets voor hem om uitgerekend met Karen King in deze bizarre Hof van Eden te stranden.

Hij merkte dat hij naar haar keek. Tja, ze was knap, zeker in het maan-licht. Er was niets wat Karen tegenhield, en ze liet zich absoluut niet kisten. Karen King was een ideale partner voor een expeditie, ondanks het feit dat ze op het persoonlijke vlak niet met elkaar overweg konden. Ze had in elk geval ballen, dat was een ding wat zeker was. Alleen jammer dat ze zo on-handelbaar was en zo'n tegendraads karakter had.

Hij dommelde weg, en toen hij later wakker werd, merkte hij dat Karen in slaap was gevallen met haar hoofd op zijn schouder en zachtjes adem-de.

31

BERETANIA STREET, HONOLULU
30 OKTOBER, 16:30

'Vreemd.' Dorothy Girt, senior forensisch expert bij de Honoluluaanse politie, keek door de oculairs van een Zeiss-microscoop. 'Ik heb nooit eerder zoiets gezien.'

Ze stond op, en Dan Watanabe ging achter de microscoop zitten. Ze bevonden zich in een open ruimte die door laboratoriumtafels in een aantal werkplaatsen was onderverdeeld. Hij regelde de oculairs bij en stelde scherp.

Eerst zag hij... een klein voorwerp met een metaalachtige textuur.

'Hoe groot is dat ding?' vroeg hij.

'Een millimeter.'

Iets groter dan een papaverzaadje. Maar het was een machine. Of zo zag het eruit.

'Wat is dat in godsnaam...?' zei hij.

'Dat dacht ik ook.'

'Waar komt dat ding vandaan?'

'Kantoor van Fong,' zei Dorothy. 'De technische recherche heeft het op vingerafdrukken onderzocht. Dit ding zat op een stukje folie met een afdruk die ze op een raam hadden gevonden, vlak bij de vergrendeling.'

Watanabe draaide aan de scherpstelschroef en bestudeerde het voorwerp. Het was beschadigd. Het zag eruit alsof het kapot was gedrukt en het was bedekt met een donker, teerachtig materiaal. Het ding leek wel wat op een stofzuiger, maar er zat een soort ventilator op. Ventilatorbladen in een behuizing, een beetje als een straalmotor. Er zat ook een lange flexibele hals aan, een zwanenhals, en aan het uiteinde zaten twee scherpe, platte stukjes metaal.

'Het zal wel uit iemands computer zijn gevallen,' zei hij.

Dorothy Girt, die naast hem over de laboratoriumtafel gebogen stond, rechtte haar rug. 'Heb jij wel eens gehoord van messen in een computer?' zei ze zacht.

Hij keek opnieuw. De platte stukjes metaal aan de zwanenhals leken inderdaad op messen. Twee glimmende gekruiste dolken aan het uiteinde van een flexibele arm. 'Denk je dat...?' begon hij.

'Ik wil weten wat jij denkt, Dan.'

Watanabe draaide aan de zoomknop. Hij dook steeds dieper het beeld in om de dolken te vergroten. Ze veranderden in kwalitatief hoogwaardige precisie-instrumenten. De messen deden hem denken aan *tanto*'s: Japanse dolken die door samoerai werden gebruikt. Er zat een of ander vies, donker goedje op de kling. En toen zag hij de cellen. Opgedroogde rode bloedcellen. De cellen waren vermengd met fibrine.

'Er zit bloed op,' zei hij.

'Dat was mij ook opgevallen.'

'Hoe lang zijn die messen?'

'Nog geen halve millimeter,' antwoordde Girt.

'Dan klopt het niet,' zei hij. 'De slachtoffers zijn doodgebloed omdat ze snijwonden hadden tot twee centimeter diep – doorgesneden halsaders. Maar deze messen zijn veel te klein. Alsof je zou proberen met een zakmes een walvis dood te steken.'

Ze zwegen allebei even.

'Behalve op verjaardagen,' voegde Watanabe eraan toe.

'Hè? Hoe bedoel je?'

'Als je een verjaardagscadeautje inpakt, dan knip je het papier met...?'

'Een schaar.'

'Die messen vormen een schaar,' zei hij. 'Daarmee kun je flinke verwondingen toebrengen.'

Hij begon het apparaatje te onderzoeken op eventuele merktekens – een serienummer, een gegraveerd woord, een bedrijfslogo. Maar hij vond niets. Degene die dit apparaatje had gemaakt, had er geen merktekens op geplaatst, of had ze uitgewist. Met andere woorden: de maker wilde niet worden opgespoord.

Hij zei: 'Zijn jullie tijdens de autopsie nog meer van dit soort apparaatjes tegengekomen? In de wonden? Of in het bloed?'

'Nee,' zei Girt. 'Maar het zou me niks verbazen als de lijkschouwer ze over het hoofd heeft gezien.'

'Wat is de status van de lichamen?'

'Fong is gecremeerd. Rodriguez begraven. John Doe ligt in de koeling.'

'Ik stel voor dat je hem nog een keertje bekijkt.'

'Doe ik.'

Watanabe stond op, stak zijn handen in zijn zakken en begon door het lab te ijsberen. Hij fronste zijn wenkbrauwen. 'Waarom is dit ding op een raam gevonden? Als het uit een lichaam kwam, hoe is het dan bij het raam gekomen? En hoe is het trouwens überhaupt in het lichaam terechtgekomen?' Hij liep terug naar de microscoop en bestudeerde het gedeelte dat op een ventilatorbehuizing had geleken. Wauw – het was een propeller. 'Jezus. Dit ding kon vliegen, Dorothy.'

'Dat is pure speculatie,' zei Dorothy Girt droogjes.

'Het zou kunnen zwemmen in bloed.'

'Misschien.'

'Kun je DNA isoleren uit het bloed op het apparaatje?'

Een nuffig glimlachje. 'Ik kan DNA isoleren uit een vlooienscheet, Dan.'

'Ik zou wel eens willen weten of het bloed op dat apparaatje overeenkomt met dat van een van de slachtoffers.'

'Interessant,' zei Dorothy Girt, en haar cynische ogen lichtten op.

'Ze maken minirobots,' mompelde hij.

'Wat zeg je?'

Hij stond op. 'Mooi werk, Dorothy.'

Dorothy Girt schonk inspecteur Watanabe een flauw glimlachje – of eigenlijk was het helemaal geen glimlach. Natuurlijk was het mooi werk. Wat dacht Watanabe eigenlijk dat ze hier deed? Uiterst zorgvuldig pakte ze met een pincet het minuscule voorwerp op en plaatste het in een plastic potje ter grootte van haar pink. Het potje borg ze op in een kluisje in de bewijskamer. Dit kon tenslotte een moordwapen zijn.

Watanabe vertrok met maar één ding in zijn hoofd. Nanigen. Minirobots. Het begon erop te lijken dat er een link bestond tussen het Willy Fong Mysterie en Nanigen.

Tijd voor een gesprekje met de CEO.

Vin Drake was naar het communicatiecentrum gelopen. Hij had de jonge vrouwelijke operator eruit gezet, de deur op slot gedaan en was zelf achter de *pinger* gaan zitten. Nu staarde hij naar een beeldscherm waarop een driedimensionale terreinkaart van de noordwestelijke rotsformaties in Manoa Valley werd getoond, van de bodem van het dal tot aan de Tantaluskrater, zeshonderd meter daarboven. Nabij de top van de Tantalus, aan de voet van de krater, zag hij een cirkeltje met een dradenkruis.

Het dradenkruis toonde bij benadering de positie van de gestolen hexapod. De overlevenden, zo kon hij zien, bevonden zich bijna bij de onderste uitlopers van de Tantaluskrater. Met de snelheid waarop ze nu klommen, zouden ze basis Tantalus waarschijnlijk morgenochtend bereiken – tenzij ze door een roofdier werden gepakt. Over roofdieren had hij geen controle, maar hij had wel de controle over basis Tantalus.

Drake haalde zijn zakelijke telefoon tevoorschijn en belde via een versleutelde verbinding met Don Makele. 'De hexapod is in de buurt.'

32

ROTSWAND TANTALUS
31 OKTOBER, 9:45

De hexapod klom over een stenen rand en kwam in een uitholling met mospollen terecht. Er glinsterde een vijvertje, en in het vijvertje druppelde een miniatuurwaterval. De druppels die in het water plonsden, veroorzaakten prismatische schitteringen.

Rick, Karen en Erika klommen uit de truck. Ze liepen naar het vijvertje, bleven staan bij de rand en keken ernaar. Het water was kristalhelder en het oppervlak glom als een spiegel.

'We zijn zo smerig,' zei Erika.

'Ik heb wel zin in een duik,' zei Karen.

Ze keken naar hun weerspiegeling in het water. Ze zagen er vermoeid en bezweet uit, en hun kleren waren gerafeld en smerig. Karen ging op haar knieën zitten en raakte het water aan. Haar vinger maakte een deuk in het water, maar deed het niet breken. Het was de meniscus die ze aanraakte; het rubberachtige wateroppervlak. Ze duwde er opnieuw op, maar nu iets harder, en haar hand brak erdoorheen. 'Het is wel verleidelijk,' zei ze.

'Niet doen, dat wordt je dood,' zei Danny vanuit de truck.

'Er is niks gevaarlijks aan,' zei Karen.

Rick was daar niet zo zeker van. Hij nam de harpoen en begon ermee in het water te roeren en te steken. Als er iets gevaarlijks in het vijvertje zat, zou de turbulentie het wel uit zijn schuilplaats lokken. Het water leek te trillen van de eencellige organismen die erin rondzwommen en spiraaltjes draaiden, maar geen van de diertjes leek gevaarlijk.

Het vijvertje was klein en ondiep genoeg om alles ervan te kunnen zien. Niets leek een bedreiging.

'Ik neem een duik,' zei Erika.

'Ik niet,' zei Danny.

Rick en Karen wierpen elkaar een blik toe.

Erika verdween achter een mospol en kwam naakt tevoorschijn. 'Is er soms iets?' zei ze tegen de anderen terwijl Danny naar haar staarde. 'We zijn hier onder biologen.' Ze zette een voet op het oppervlak van de vijver. Het water deukte in onder haar tenen, maar het ondersteunde haar gewicht en brak niet. Ze duwde harder, en plotseling schoot ze erdoorheen. Het volgende moment stond ze tot aan haar nek in het water. Ze waadde naar de waterval en ging eronder staan. De druppels die omlaag vielen, spatten op haar hoofd uit elkaar en deden haar naar lucht happen. 'Heerlijk. Waarom komen jullie er niet in?'

Karen begon haar kleren uit te trekken alsof dat heel vanzelfsprekend was. Rick wist niet goed wat hij moest doen. Hij voelde zich van zijn stuk gebracht door naar Karen te kijken terwijl ze zich uitkleedde, en de gedachte dat hij samen met haar en Erika in het water zou zitten – naakt – bracht hem nog meer van de wijs. Hij trok haastig zijn kleren uit en sprong in het water.

'Welkom in het paradijs,' zei Erika.

'Maar wel een gevaarlijk paradijs.' Rick liet zich onder water zakken en begon zijn hoofd te boenen.

Karen, die op verkenning ging, besefte dat de vijver een soort aquarium vol met levende dingen was. Het waren alleen geen vissen, maar eencellige organismen. De diertjes draaiden pirouetjes, schoten van hot naar haar of zweefden rustig rond. Er zwom een torpedovormig schepsel tegen haar op.

Het was een pantoffeldiertje, een protozo dat uit één enkele cel bestond. Het pantoffeldiertje was bedekt met golvende zweepdraden die voor voortbeweging door het water zorgde. Het begon tegen Karens arm te bonzen, wat een beetje kietelde. Ze vormde haar handen tot een kommetje, pakte het pantoffeldiertje op en hield het in een handvol water. Ze voelde hoe de zweepdraden tegen haar handpalmen tikten en de cel begon te wriemelen. Het deed haar denken aan een kat die niet vastgepakt wilde worden. 'Ik doe je geen pijn,' zei ze tegen de cel, en ze streelde hem teder met een vingertop. Toen ze de zweepdraden aanraakte, reageerden die door van richting te veranderen. Het was alsof ze fluweel streelde dat tegenwerkte.

Waarom praat ik in vredesnaam tegen een cel? dacht Karen. Wat een onzin. Een cel is een machine. Gewoon een mechanisme van eiwitten in een met water gevulde zak. En toch... ze kon het niet helpen; ze had het gevoel dat de cel ook een heel klein wezentje was, vol met eigen doelen en wensen. Een cel was natuurlijk niet intelligent op de manier van een mens. Een cel kon zich geen melkwegstelsels voorstellen of een symfonie componeren. Niettemin was het een geavanceerd biologisch systeem, perfect aangepast om in deze omgeving te overleven en toegerust om kopieën van zichzelf te maken – zo veel mogelijk. 'Het ga je goed,' zei ze hardop terwijl ze haar handen opende en de cel vrijliet. Ze bleef even kijken terwijl het pantoffeldiertje zich met haastige kurkentrekkerbewegingen uit de voeten maakte. Ze zei tegen Rick: 'Wij zijn eigenlijk niet zoveel anders dan deze protozoën.'

'Ik zie eerlijk gezegd geen enkele overeenkomst,' zei Rick.

'Een mens is een protozo op de dag dat hij wordt verwekt. Volgens bioloog John Tyler Bonner: "'Een mens is een eencellig organisme met een ingewikkeld vruchtlichaam."'

Rick grinnikte. 'Dat vruchtlichaam vind ik het mooist.'

'Beetje lomp,' merkte Karen op. Erika schonk hem een spottende blik.

Er gleed een schaduw over de vijver, en boven hen klonk een krijs. Ze doken instinctief onder water. Toen ze weer bovenkwamen, keek Rick om zich heen en zei: 'Vogels.'

'Wat voor?' zei Karen.

'Geen idee, maar ze zijn al weg.'

Ze wasten hun kleren in de vijver en spoelden het zand en de modder uit. Terwijl de kleren op een steen lagen te drogen, maakten ze van de gelegenheid gebruik om op het mos van de zon te genieten.

De kleren droogden snel.

'We moeten er weer eens vandoor,' zei Rick terwijl hij zijn shirt dichtknoopte.

Op dat moment werd het gekrijs in de verte luider, en boven hen flitsten duistere schimmen door de lucht. De mensen sprongen op.

Een groepje vogels zweefde over de rotsen, landde en vloog weer op. Ze waren op zoek naar voedsel, en hun geschreeuw was oorverdovend.

Een van de vogels landde vlak voor hen. Hij was enorm, had glanzende zwarte veren, een gele snavel en een alerte blik. Het dier wipte wat rond om het plekje te inspecteren. Plotseling vloog de vogel weer weg. Er arriveerden meer vogels. Ze begonnen rondjes te draaien om het terrein te verkennen en landden in de bomen die tegen de rotswand groeiden. De mensen werden zich bewust van de vele ogen die naar hen staarden. Het gekrijs van de vogels begon nu overal rond de vijver te klinken.

Rick rende naar de truck en pakte het gasdrukgeweer. 'Het zijn *mynahs!*' riep hij. 'Zoek dekking!'

Mynahs waren carnivoren.

Danny had zich uit de truck laten vallen en lag nu in elkaar gedoken onder het voertuig. Karen was achter een rots gaan liggen en Erika had zich in het mos verstopt. Rick zat vol in het zicht op één knie met zijn geweer in de aanslag terwijl hij de zwarte schaduwen in de gaten hield die krijsend in de wind langs de rotswand scheerden.

De vogels zagen hem. Ze waren niet bang voor iets wat zo klein was. Een van de dieren zweefde omlaag, landde en wipte naar hem toe. Hij legde aan en vuurde op de vogel. Het wapen siste, en door de terugslag viel hij bijna achterover. Maar de mynah sprong de lucht in en zeilde weg op de wind. Hij had gemist. Hij herlaadde in allerijl zijn wapen om een nieuwe pen in de kamer te plaatsen. Het was een repeteergeweer dat na elk schot moest worden doorgeladen.

Er waren er inmiddels zeker twintig of dertig. Ze cirkelden rond de rotsen en hun gekrijs was oorverdovend. 'Ze jagen in groepen,' zei Rick.

Er landde opnieuw een mynah.

Hij haalde de trekker over. Er gebeurde niets.

'Shit!'

Het wapen blokkeerde. Hij trok verwoed aan de grendel. De vogel nam nog een wip in zijn richting en keek hem aan. Vervolgens pikte hij naar hem en greep het geweer. Omdat het een glimmend voorwerp was, had het de aandacht van de vogel getrokken. De mynah sloeg een paar keer met het wapen tegen een rots totdat het in de kreukels lag en smeet het weg. Vervolgens stak het dier zijn kop in de lucht, opende zijn snavel en schreeuwde zo hard dat de aarde leek te beven.

Rick, die zich plat op de grond had laten vallen, kroop in de richting van de harpoen, die bij het vijvertje lag.

De mynah richtte zijn aandacht op Erika, die zich verborgen had in het mos. Ze zat op haar hurken, staarde naar de vogel – en verloor plotseling haar zelfbeheersing. Ze begon te huilen, sprong overeind en zette het op een rennen met haar hoofd tussen haar schouders.

'Niet doen, Erika!'

Erika's beweging trok de aandacht van de vogel, en het dier wipte naar haar toe.

Karen, die alles had zien gebeuren, nam ineens een beslissing. Ze zou haar leven opofferen voor dat van Erika. Ze wilde Erika een kans geven om te leven. Het was mooi geweest zolang het had geduurd, dacht ze. Ze kwam overeind en rende met zwaaiende armen op de vogel af. 'Hé! Neem mij maar!'

De vogel draaide zich plotseling opzij en pikte naar Karen, maar miste haar, en ze viel languit op de rotsen. Erika was inmiddels in de hexapod gesprongen en probeerde de truck te starten. Ze was volledig in paniek en wist niet meer wat ze deed. Het enige wat ze wist, was dat ze hier weg wilde. Danny schreeuwde naar haar: 'Stop! Ik beveel je te stoppen!' Maar Erika besteedde geen aandacht aan hem. De hexapod zette zich met een schok in beweging en begon omhoog te klimmen over de rotsen. Maar het voertuig was blootgesteld aan alles wat zich in de buurt bevond.

Ze liet de anderen in de steek.

'Erika! Kom terug!' schreeuwde Karen.

Maar Erika was voorbij het punt waarop ze nog naar mensen luisterde.

De glanzende robot op zes poten die de rotswand beklom, zag er blijkbaar uit als iets smakelijks of interessants. Een van de mynahs viel aan en plukte Erika uit de bestuurdersstoel. Rugzak, plunjezakken en apparatuur vlogen uit de truck, die losliet van de rotsen en in de diepte stortte. Even later was hij verdwenen.

De mynah landde op een richel met een gillende Erika Moll in zijn snavel. Hij sloeg zijn prooi met een zwiepende beweging van zijn kop een paar keer tegen de rotsen om haar te doden. Daarna vloog hij weg met het lichaam. Er ontstond direct een schermutseling met een andere mynah. Ze vochten met elkaar om het stoffelijk overschot van Erika Moll en trokken haar lijk aan stukken in de lucht.

Maar het was nog niet voorbij. Rick had de harpoen in zijn handen en keek om zich heen: waar was Karen? Ze lag op de grond, onbeschut, onder een mynah. De vogel, die een opmerkelijke zwarte streep op zijn gele snavel had, was net geland en staarde omlaag naar Karen. Blijkbaar vroeg hij zich af of ze eetbaar was.

'Karen!' schreeuwde Rick, en hij wierp de harpoen naar de vogel.

De harpoen – niet meer dan een metalen draadje – boorde zich een klein stukje in de vleugel van het dier. De mynah schudde zijn veren uit en het wapen kletterde op de grond. De vogel bestudeerde Karen.

Ze ging in foetushouding liggen en maakte zich zo klein mogelijk om er maar zo min mogelijk eetbaar uit te zien.

'Hier!' riep Rick, en hij begon te rennen in de hoop de vogel af te leiden.

'Nee, Rick!'

Toen de mynah Karens stem hoorde, hield hij zijn hoofd schuin om naar haar te kijken. Plotseling nam hij haar in zijn snavel, gooide zijn kop naar achteren en slikte haar in één keer door. Hij vloog weg met donderende vleugels.

'Godverdomme! Klotebeest!' schreeuwde Rick naar de mynah. Hij balde in een machteloos gebaar zijn vuist naar het dier, dat al snel een klein vlekje in de verte was. 'Kom terug!' De vogels in de bomen krasten en kwetterden. Nu wist hij niet meer welke mynah Karen had opgegeten. 'Kom terug! Wat een vuile streek!' Hij stond te dansen en te springen en zwaaide woest met zijn armen.

De tranen stonden hem in de ogen. Hij had er alles voor over om de mynah terug te halen; de mynah met de streep op zijn snavel. Hij mocht het nu niet opgeven.

En toen herinnerde hij zich iets wat hij over vogels had geleerd: vogels hebben geen maag, ze hebben een krop.

33

DE RAND VAN DE TANTALUS
31 OKTOBER 10:15

Karen King lag opgerold in foetushouding in de krop van de mynah en hield haar adem in. De spieren van de krop hielden haar vast zodat ze niet kon bewegen. De wand was glad en slijmerig en rook walgelijk. Gelukkig bevatte de krop geen spijsverteringssappen. Het was gewoon een zak om voedsel in op te slaan voordat het werd afgevoerd naar de rest van het spijsverteringsstelsel.

Ze wist dat de vogel vloog omdat ze het regelmatige *oemp-oemp* van de borstspieren voelde, die de vleugels op en neer lieten gaan. Ze deed haar armen voor haar gezicht, duwde ze in buitenwaartse richting en slaagde erin wat ruimte te scheppen voor haar neus en mond.

Ze haalde adem.

De lucht rook afschuwelijk; er hing een zure stank van rottende insecten – maar er was in elk geval zuurstof. Niet dat er veel van was. Plotseling werd het snikheet, en ze begon te hijgen. Ze werd overvallen door een golf van claustrofobie. Ze wilde schreeuwen, en alleen op wilskracht slaagde ze erin om zichzelf tot rust te brengen. Als ze zou gaan schreeuwen en spartelen, zou ze de zuurstof heel snel opgebruiken en zou ze stikken. De enige manier om in leven te blijven, was kalm blijven, zo min mogelijk bewegen en optimaal gebruikmaken van de aanwezige lucht. Ze rechtte haar rug en strekte haar benen. Hierdoor werd de krop uitgerekt en kreeg ze wat meer ruimte. Maar er was niet veel zuurstof meer over.

Ze probeerde bij haar mes te komen. Het probleem was dat het helemaal onder in haar achterzak zat, en daar kon ze niet bij; de kropspieren van de vogel hielden haar arm tegen.

Verdomme. Ze móést dat mes te pakken zien te krijgen.

Ze beloofde zichzelf plechtig om het mes in de toekomst om haar hals te hangen. Als er tenminste een toekomst was. Ze duwde haar rechterarm zo hard mogelijk omlaag en probeerde hem langs de rubberachtige kropwand te persen, die haar aan alle kanten had ingekapseld. Ze schoof haar vingertoppen in haar zak, blies de lucht uit haar longen, zoog een teug smerige lucht naar binnen en hoestte. Haar vingers voelden een flesje – wat was dat? Het was het spuitflesje. Vol met keverspray. Rick had het gevuld.

Een wapen!

Ze trok een gezicht en haalde het flesje tevoorschijn. Op dat moment maakte de vogel een onverwachte beweging. De kropspieren werden abrupt aangetrokken en persten in één keer alle lucht uit haar longen. Ze had het gevoel dat ze gewichtloos was, dat ze viel. Vervolgens een ruk en een bons. De vogel was geland. Ze verloor het bewustzijn.

De mynah was teruggekomen naar de plek waar hij Karen had verorberd, op zoek naar meer. De vogel staarde naar Rick Hutter en hield zijn kop schuin.

Rick herkende de zwarte streep op zijn snavel. Het was dezelfde vogel. Dit was het dier dat Karen naar binnen had gewerkt. Het was alleen onmogelijk om erachter te komen of ze nog leefde, maar hij had nog een kans. Hij begon met de harpoen te zwaaien en liep op de vogel af. 'Kom dan. Pak me dan. Laffe smeerlap.'

De Masai-stoot, die moest hij toepassen op deze vogel. Een jonge Masai-krijger van een jaar of dertien, veertien is in staat een leeuw te doden met een speer. Het is te doen, zei hij in gedachten tegen zichzelf. Het draait allemaal om techniek.

De vogel wipte in zijn richting.

Hij keek, schatte de afstand, timede zijn actie en plande wat hij met zijn lichaam ging doen en in welke hoek hij de harpoen zou plaatsen. Hij moest ervoor zorgen dat het dier zijn kracht en zijn gewicht tegen zichzelf zou gebruiken, net als Masai-jagers dat met leeuwen deden. De Masai-jager daagt de leeuw uit om hem aan te vallen, en op het laatste moment plant hij de onderkant van zijn speer in de grond met de punt op de leeuw gericht. Vervolgens knielt hij achter de speer waarna de leeuw erop springt en zichzelf doorboort.

De vogel viel aan met zijn snavel. Op het moment van de aanval ramde Rick de onderkant van de harpoen schuin in de grond zodat de punt op de mynah was gericht. Hij liet het wapen los en dook naar voren onder de borst van het dier om ervoor te zorgen dat hij uit de weg was.

De harpoen raakte de mynah in de hals toen hij naar Rick hapte. Een punt die scherper en perfecter geslepen was dan een chirurgische naald en droop van het gif boorde zich door de huid van het dier en bleef hangen aan de weerhaak. De vogel sprong achteruit, maar de harpoen kwam niet los. Hij schudde zijn kop in een poging het vreemde ding in zijn lichaam kwijt te raken. Rick kroop haastig onder de mynah vandaan. Hij krabbelde overeind en trok zijn machete. 'Kom op, vecht dan!' schreeuwde hij naar de vogel.

Karen kwam bij haar positieven toen ze Ricks stem hoorde – ze had kort het bewustzijn verloren. Ze begon te hyperventileren en zoog lucht in haar longen, maar er was te weinig om adem te halen. Er verschenen sterretjes voor haar ogen; een teken van zuurstofgebrek. Plotseling werd ze zich bewust van de spuitfles in haar gebalde vuist. Ze drukte op de verstuiver en werd een afschuwelijk brandend gevoel gewaar toen de chemicaliën zich verspreidden in de krop van de mynah. Haar spieren spanden zich nog strakker, en de sterretjes losten op in mist en vervolgens in niets...

De mynah was niet blij. Hij was gestoken door de harpoen en had een vervelend gevoel in zijn krop. Hij braakte zijn verse prooi uit.

Karen King belandde in het mos, en de vogel vertrok.

Ze was bewusteloos. Rick knielde bij Karen op de grond, voelde in haar hals naar een hartslag en besefte opgelucht dat ze nog leefde. Hij drukte zijn mond op de hare en blies zijn adem in haar longen.

Ze begon met een raspend geluid adem te halen, hoestte een keer en opende haar ogen.

'Ooh...'

'Blijf ademhalen, Karen. Je hebt het gered.'

Ze omklemde nog steeds de spuitfles; haar hand zat op slot. Rick peuterde hem open en haalde de fles eruit. Vervolgens sleepte hij Karen onder een varen. Daar hielp hij haar overeind en nam haar in zijn armen. 'Diep ademhalen,' zei hij. Hij veegde een sliert haar uit haar ogen en streelde haar wang. Hij wist niet waar de vogels waren – of ze nog steeds op jacht waren of dat ze waren vertrokken – maar het gekrijs klonk nu verder weg. Hij zette Karen rechtop tegen een stengel en ging met opgetrokken knieën naast haar zitten. Hij bleef haar in zijn armen houden.

'Dank je, Rick.'

'Ben je gewond?'

'Alleen een beetje duizelig.'

'Je ademde niet meer. Ik dacht dat je...'

Even later stond Rick op om de resterende spullen te inventariseren. Hun leven liep nu reëel gevaar. Erika was dood. De meeste voorraden waren samen met de truck in het dal gestort. De harpoen was ook verdwenen; de mynah was ermee weggevlogen. De rugzak lag bij het vijvertje. De blaaspijp en de curare hadden ze nog. Er lagen twee machetes op de grond. Danny Minot was in geen velden of wegen te zien.

Maar toen hoorden ze boven zich zijn stem. In zijn paniek was hij langs een klimplant omhooggeklauterd en boven op de rots beland. Ze zagen hem op zijn hurken zitten, zwaaiend met zijn goede arm. 'Ik zie de Great Boulder! We zijn er bijna!'

34

Drake had de communicatieruimte overgenomen. Hij staarde naar het scherm van het remote-tracking-systeem, dat de hexapod had gepingd. Het was hem niet helemaal duidelijk wat hij op het scherm zag. Het dradenkruis op de rotswand dat de globale positie van de truck aangaf, bevond zich plotseling op een andere locatie – ongeveer honderdvijftig meter lager. In eerste instantie vermoedde hij een systeemfout. Maar hoe lang hij ook wachtte, de positie van de truck veranderde niet. Het ding verplaatste zich niet.

Langzaam verscheen er een glimlachje op zijn gezicht. Ja. Het zag ernaar uit dat de truck van de rotsen was gestort. Dat moest het zijn. De hexapod was verongelukt.

Hij wist dat het lichaam van een micromens elke val – van elke hoogte – kon overleven. Maar het feit dat de truck niet langer bewoog, betekende in elk geval dat hij schade had. Misschien was hij kapot.

De overlevenden, zo besefte hij, zouden ondertussen volledig in paniek zijn. Ze waren niet dichter bij de Tantalus gekomen en ze moesten inmiddels de eerste verschijnselen van de microcaissonziekte hebben. Ze zouden zich niet bepaald happy voelen.

Hij belde Makele. 'Ben je naar de Tantalus geweest?'

'Ja.'

'En?'

'Ik heb niks gedaan. Dat was niet nodig. De–'

'Ze halen de basis sowieso niet meer. Ze zijn van de rotsen geflikkerd – arme zielen.'

35

BEDRIJVENTERREIN KALIKIMAKI
31 OKTOBER, 10:30

Inspecteur Dan Watanabe parkeerde zijn bruine Ford op de eenzame parkeerplaats voor bezoekers. Het geschilderde metalen gebouw werd aan een kant afgebakend door het skelet van een half voltooid magazijn en aan de andere kant door een kaal terreintje met her en der wat struikgewas. Vlak bij de loods zag hij een stukje grond dat met grind was bedekt. Hij liep ernaartoe en pakte een paar steentjes op. Vermalen kalksteen. Interessant. Het leek op hetzelfde spul dat in de banden van privédetective Rodriguez was aangetroffen. Hij liet de steentjes in zijn borstzak glijden om Dorothy Girt ernaar te laten kijken.

De parkeerplaats rond het gebouw van Nanigen stond vol met auto's.

'Hoe staan de zaken?' vroeg hij aan de receptioniste.

'Daar vertellen ze me nooit wat over.'

Een koffiezetapparaat op een tafel verspreidde de zure geur van koffie die al uren warm werd gehouden.

'Zal ik een kop koffie voor u zetten?' vroeg de receptioniste.

'Volgens mij is dat al gebeurd.'

Het hoofd van de beveiliging van het bedrijf kwam op hem af. Don Makele was een zwaargebouwde, sterkgespierde man. Makele zei: 'Nog nieuws over de vermiste studenten?'

'Kunnen we even in uw kantoor praten?'

Ze betraden het hoofdgebouw en liepen langs deuren die gesloten waren. Hoewel er vensters in de vertrekken zaten, waren de ramen aan de binnenkant afgedekt met zwarte lamellen. Waarom waren alle lamellen naar beneden? En waarom waren ze zwart? Tijdens het lopen voelde Dan

Watanabe een brom, een trilling die omhoogkwam door de vloer. De brom wees erop dat in het gebouw veel elektriciteit werd gebruikt. Waarvoor?

Makele loodste Watanabe zijn kantoor binnen. Zonder vensters. Watanabe zag een foto van een vrouw; waarschijnlijk de vrouw van de beveiligingsman. Twee kinderen – keiki's. Aan de muur hing een gedenkplaat. U.S. Marine Corps.

Watanabe nam plaats op een stoel. 'Leuke kinderen.'

'Ik ben gek op ze,' zei Makele.

'Hebt u bij de marine gezeten?'

'Inlichtingendienst.'

'Interessant.' Wat keuvelen kon geen kwaad, en soms leverde het informatie op.

'We hebben jullie financieel directeur gevonden, Alyson Bender,' begon hij.

'Ik heb het gehoord. Ze zat nogal in de put.'

'Waarom eigenlijk?'

'Ze was haar vriend kwijtgeraakt, Eric Jansen. Hij is onlangs verdronken.'

'Dus als ik het goed begrijp hadden Alyson Bender en Eric Jansen een relatie,' zei Watanabe. Hij voelde de onrust van de man onder het oppervlak. Politie-instinct. Hij vervolgde: 'Het is op deze eilanden niet eenvoudig voor zeven mensen om zomaar te verdwijnen. Ik heb wat rondgebeld om te zien of iemand de studenten heeft gezien. Onder andere op Molokai. Iedereen kent iedereen op Molokai. Als zeven studenten uit Massachusetts daar hun gezicht hadden laten zien, zouden de bewoners het zich echt wel herinneren.'

'Vertel mij wat. Ik ben op Moloka'i geboren,' zei Makele.

Het viel Watanabe op dat Makele de naam van het eiland op de oude manier had uitgesproken. Moloka'i. Met de glottisslag. Hij vroeg zich af of Makele misschien Hawaïaans sprak. Mensen die op Molokai waren geboren, spraken soms Hawaïaans. Ze leerden het van hun grootouders of 'ooms' – de traditionele leraren. 'Molokai is een prachtig eiland,' merkte Watanabe op.

'Het is het oude Hawai'i. Of wat er nog van over is.'

Watanabe gooide het over een andere boeg. 'Kent u soms iemand die Marcos Rodriguez heet?'

Makele keek hem aan met een uitdrukkingsloze blik. 'Ik geloof het niet.'

'En Willy Fong? Een advocaat aan de noordkant van de snelweg.' Watanabe zei er niet bij dat ze dood waren.

Makele pikte het niettemin op. 'Wacht eens even–' Hij kneep zijn ogen tot spleetjes en schonk Watanabe een vragende blik. 'Zijn dat niet die kerels die dood zijn gestoken?'

'Precies, in het kantoor van Fong. Fong, Rodriguez en nog een man, die nog steeds niet is geïdentificeerd.'

Makele leek verbaasd. Hij spreidde zijn handen uit en zei: 'Heb ik soms iets gemist?'

'Ik weet het niet.' Watanabe bestudeerde Makele om te zien hoe hij daarop zou reageren.

Makele leek tegelijkertijd verrast en geërgerd, maar hij bleef kalm. Watanabe zag met voldoening dat de beveiligingsman heen en weer schoof op zijn stoel. Hij is nerveus, dacht Watanabe.

'Het enige wat ik over die moorden weet,' vervolgde Don Makele, 'is wat ik op het nieuws heb gezien.'

'Waarom denkt u dat het moord was?'

'Dat zeiden ze op het nieuws.' Makele zweeg.

'Ze zeiden dat het zelfmoord was,' zei Watanabe. 'Denkt u dan dat het moord was?'

Makele deed niet alsof zijn neus bloedde. 'Inspecteur, is er soms een reden waarom u hier met mij over wilt praten?'

'Fong en Rodriguez waren toch niet voor Nanigen aan het werk?'

'Doe me een lol, zeg. Nanigen zou nooit zulke losers inhuren,' antwoordde Makele.

Maar Don Makele wist heel goed wat er met Fong en Rodriguez was gebeurd. Tijdens de nacht van de inbraak waren er negentien beveiligingsbots verdwenen. Ze hadden een indringer betrapt, hadden zijn lichaam opengesneden en zich door de bloedbaan van de man verspreid om van binnenuit zijn slagaders kapot te snijden. Het was alleen nooit de bedoeling geweest dat de bots dat zouden doen. Ze waren niet geprogrammeerd om mensen te doden. Ze moesten de indringer fotograferen en een aantal oppervlakkige sneetjes in zijn huid maken zodat de indringer ging bloeden en een bloedspoor achter zou laten – en ze werden verondersteld een stil alarm te activeren. Dat was alles. Niks gevaarlijks en zeker niks levensbedreigends. Maar iemand had de bots geprogrammeerd om te doden. Makele ging ervan uit dat het Vin Drake was geweest. De bots hadden de inbreker aan repen gesneden. Vervolgens hadden ze zich een weg uit het lichaam van de man gezaagd om van daaruit als vlooien naar het volgende slachtoffer over te springen. Bloeddorstige, moordende vlooien. Een inbreker en zijn vrienden hadden zich de dood op de hals gehaald. Klootzakken krijgen vaker ongelukken. Maar wat wist deze agent eigenlijk? Het was Makele niet duidelijk, en dat maakte hem nerveus.

Hij besloot het hard te spelen. Hij boog zich naar voren, zette zijn officiële stem op en zei: 'Wordt er soms een strafrechtelijk onderzoek ingesteld naar dit bedrijf of naar een van de werknemers?'

Watanabe liet een veelbetekenende stilte vallen. 'Nee,' antwoordde hij ten slotte. Nog niet.

'Ik ben blij dat te horen, inspecteur. Want ons bedrijf gaat uiterst ethisch te werk. De oprichter, Vincent Drake, staat erom bekend dat hij zijn eigen geld investeert in behandelingen tegen zeldzame ziektes; ziektes waar niemand anders een geneesmiddel voor zoekt omdat ze geen winst opleveren. Meneer Drake is een goed mens; iemand die het woord bij de daad voegt.'

Inspecteur Dan Watanabe luisterde ernaar met een neutrale blik. 'U bedoelt dat hij de daad bij het woord voegt.'

'Dat zei ik,' antwoordde Makele terwijl hij Watanabe aankeek.

Watanabe legde zijn visitekaartje op het bureau van de beveiligingsman en noteerde met zijn pen een telefoonnummer. 'Dit is mijn mobiele nummer. U kunt me altijd bellen als u iets te melden hebt. Ik geloof dat de heer Drake me verwacht.'

Vin Drake zat achter zijn bureau en leunde achterover in een luxe directeursstoel. Op de vloer lag een antiek oosters tapijt. Er hing een aangenaam sigarenaroma in de lucht, en gezien de aangenaamheid van het aroma concludeerde Watanabe dat de sigaar meer dan tien dollar had gekost. Het kantoor had geen ramen. Melkwitte wandpanelen verspreidden een zacht licht. Door een openstaande deur zag hij een privébadkamer met marmeren sanitair. Interessant voor een opslagloods. De man zorgde goed voor zichzelf.

'Iedereen is erg van streek door wat er is gebeurd,' zei Drake. 'Ik hoop dat u ons kunt helpen.'

'We doen ons best,' zei Watanabe. 'Ik ben hier alleen voor wat meer achtergrondinformatie over de verdwijningen.'

'Wat wilt u weten?'

Watanabe bestudeerde het portret van Drake aan de muur achter hem. Het was niet slecht. Misschien een beetje opzichtig, maar wel dynamisch. 'Kunt u me vertellen wat uw bedrijf doet?'

'Het komt erop neer dat we kleine robots ontwikkelen en ze gebruiken om er de natuur mee te verkennen. Ons doel is het ontdekken van nieuwe geneesmiddelen waarmee we mensenlevens kunnen redden.'

'Hoe klein zijn die robots?'

Drake haalde zijn schouders op en plaatste zijn duim en wijsvinger ruim een centimeter uit elkaar.

Watanabe kneep zijn ogen samen. 'Ongeveer een centimeter? Zeg maar zo groot als een pinda?'

'Misschien iets kleiner,' antwoordde Drake.

'Hoeveel kleiner?'

'Een beetje.'

'Een millimeter?'

Drake schonk hem een opgewekte glimlach. 'Dat is nauwelijks haalbaar.'

'Maar hebt u het wel eens gedaan?'

'Gedaan? Wat?'

'Robots gemaakt van een millimeter groot.'

'Dat is helaas geheim.' Drake leunde naar achteren.

'Zijn er ooit bedrijfsongevallen geweest waarbij robots betrokken waren?'

'Bedrijfsongevallen?' Drake trok een gezicht en barstte vervolgens in lachen uit. 'Ja, regelmatig.'

'En zijn daarbij mensen gewond geraakt?'

'Integendeel.' Drake lachte. 'Mensen stappen soms per ongeluk op een robot. Zo'n klein ding verliest het altijd.' Hij slaakte een zucht en keek op zijn horloge. 'Ik heb een vergadering.'

'Geen probleem. Nog één ding.' Watanabe wilde beschrijven wat hij onder de microscoop had gezien, maar hij was niet van plan om Drake een foto van het apparaatje te tonen omdat een foto bewijsmateriaal was, en daar liep je niet mee te koop. Daarom hield hij het vaag. 'Er is ons iets ter ore gekomen over een klein apparaatje dat over messen en een soort propeller schijnt te beschikken. Het zou kunnen vliegen en zich door iemands bloedbaan kunnen verplaatsen. Is dat een product van Nanigen?'

Drake nam de tijd om te antwoorden. Watanabe vond dat het iets te lang duurde. 'Nee,' antwoordde Drake. 'Wij maken niet van dat soort robots.'

'Wie zou ze dan kunnen maken?'

Drake schonk Watanabe een behoedzame blik. Waar wilde deze politieman naartoe? 'Ik krijg de indruk dat u het over een hypothetische machine hebt.'

'Wat voor soort machine?'

'Tja, het zou een chirurgische microrobot kunnen zijn.'

'Een wat?'

'Een chirurgische microrobot. Zoiets wordt ook wel een *surgibot* genoemd. Een minuscuul robotje dat bij medische procedures zou kunnen worden ingezet. In theorie zou zo'n surgibot klein genoeg moeten zijn om in de bloedbaan van een patiënt te circuleren. Als zo'n apparaatje met scalpels zou worden uitgerust, zou een zwerm van die dingen in staat zijn om microchirurgische ingrepen uit te voeren.

Ze zouden in een patiënt kunnen worden geïnjecteerd, waarna de sur-gibots via de bloedbaan naar het doelweefsel kunnen zwemmen. Surgibots zouden bijvoorbeeld aanslag van de binnenkant van een slagader kunnen verwijderen. En een zwerm surgibots zou uitgezaaide kankercellen kun-nen opsporen en een voor een doden. Zo zouden patiënten kankervrij kunnen worden gemaakt. Maar voorlopig zijn surgibots helaas nog een droom, en geen realiteit.'

'Dus u bent niet bezig met het bouwen van dit soort... hoe noemde u ze ook alweer... surgibots?'

'Nee. Niet op die manier.'

'Sorry, maar dat begrijp ik niet,' zei Watanabe.

Drake zuchtte. 'We bevinden ons op uiterst gevoelig terrein.'

'Hoezo?'

'Nanigen is bezig met onderzoek... voor u.'

'Voor mij?' zei Watanabe met een verraste blik.

'U betaalt toch belasting?'

'Uiteraard.'

'Dan is Nanigen voor u aan het werk.'

'O, dus u doet overheids...?'

'Het spijt me, inspecteur, maar daar kan ik niks over zeggen.'

Ze deden geheim werk voor de overheid, iets met minirobots. Drake had hem afgepoeierd en zinspeelde erop dat hij problemen met de over-heid zou krijgen als hij hier verder op in zou gaan. Best. Watanabe veran-derde abrupt van onderwerp. 'Waarom is uw adjunct-directeur van zijn boot gesprongen?'

'Hè? Wat bedoelt u?'

'Eric Jansen was een ervaren schipper. Hij wist heel goed hoe hij in de branding zijn boot heel moest houden. Maar hij is om een of andere reden toch in het water gesprongen. Ik vraag me af waarom.'

Drake stond op met een verhit gezicht. 'Ik heb geen idee waar u naartoe wilt. We hebben u gevraagd om onze vermiste studenten te zoeken. U hebt niemand gevonden. We zijn twee van onze topmensen kwijtgeraakt. En op dat punt hebt u ook niets nuttigs gedaan.'

Watanabe stond op. 'Meneer, we hebben mevrouw Bender gevonden. En we zijn nog steeds op zoek naar Eric Jansen.'

Hij haalde zijn portemonnee tevoorschijn en overhandigde hem zijn vi-sitekaartje.

Drake nam het kaartje aan, keek ernaar en slaakte een zucht. Er gleed een misnoegde uitdrukking over zijn gezicht. 'We zijn eerlijk gezegd nogal teleurgesteld over de Honoluluaanse politie.' Hij liet het kaartje omlaag dwarrelen op zijn bureau. 'De mensen hier vragen zich af waar u eigenlijk mee bezig bent.'

'De Honoluluaanse politie is ouder dan die van New York – ik weet niet of u dat wist. We werken gewoon even hard als altijd, meneer.'

'We hebben er nóg vijf.' Dorothy Girt spreidde de foto's uit op haar laboratoriumtafel zodat Watanabe ze kon bekijken. Ze toonden dezelfde apparaatjes, elk uitgerust met een schroef in behuizing en een zwanenhals met messen. 'Ik heb ze uit de Aziatische John Doe. Behoorlijk onfrisse klus.'

'Hoe heb je die dingen in vredesnaam gevonden, Dorothy? Ze zijn echt ontzettend klein.'

Dorothy Girt schonk hem een triomfantelijk glimlachje, opende een lade en haalde er een metalen voorwerp uit. Het was een zware hoefijzermagneet. 'Ik heb hem heen en weer gehaald over de wonden. Dat ding is trouwens verrekte zwaar.'

Ze legde de magneet weg en toonde hem een vergroting van een van de robots. De bot was heel netjes in tweeën gezaagd. Er waren onvoorstelbaar kleine chips en printplaatjes te zien, en ook iets wat eruitzag als een accu, een aandrijfas, tandwielen...

'Dat ding is perfect doormidden gezaagd! Hoe heb je dat voor elkaar gekregen, Dorothy?'

'Heel eenvoudig. Ik heb het apparaatje eerst in een blok epoxyhars gegoten. Toen heb ik het in tweeën gesneden met de microtoom, net als een weefselmonster.' Dorothy's microtoom, met een ultrascherp mes, had de microbot precies doormidden gesneden.

'Heb je dit gezien, Dan.'

Hij boog zich over de foto en volgde haar vinger naar een doosachtig voorwerp in het inwendige van de robot. Op het doosje was een kleine letter n geprint.

'Kijk eens aan,' zei hij, 'dus de CEO heeft gelogen.' Hij wilde Dorothy een vriendschappelijke klap op de schouder geven, maar wist zich op het laatste moment te beheersen. Dorothy Girt was niet het type dat een dergelijk gebaar zou weten te waarderen. In plaats daarvan gaf hij haar een hoofdknikje – de Japanse manier om respect te tonen. 'Uitstekend werk, Dorothy.'

'Hmpf,' snoof ze. Haar werk was altijd uitstekend.

36

TANTALUSKRATER
31 OKTOBER, 13:00

'Waardeloze klotenatuur,' mopperde Danny Minot. 'Alleen maar monsters met een onverzadigbare eetlust.' Hij sleepte zich moeizaam voort in zijn grasschoenen. Zijn gezwollen arm hield hij voorzichtig vast. De arm was nu zo groot geworden dat de mouw kleine gaatjes en scheurtjes begon te vertonen. Rick en Karen liepen naast Danny; Rick met de rugzak, Karen met getrokken machete, klaar om in actie te komen. Ze waren de drie laatste overlevenden en ze strompelden door een weids, golvend landschap dat bedekt was met zand en steentjes. Dit was de rand van de Tantaluskrater. Het terrein strekte zich uit tot aan een ruige strook bamboe in de verte die tot hoog in de hemel reikte. Door een opening in het bamboewoud doemde een rots op met het formaat van een berg, bezaaid met mos en ingesleten groeven. De rots leek kilometers ver weg, althans voor mensen van hun formaat.

De zon brandde genadeloos, en het had al uren niet geregend op de Tantalus, waardoor ze een enorme dorst begonnen te krijgen. Hun kleine lichamen verloren snel vocht.

Karen voelde zich kwetsbaar. Ze vormden wandelende schietschijven in deze woestenij zonder enige dekking. Er vloog een vogel over hen heen. Karen kromp ineen en omklemde het gevest van haar machete. Maar het was geen mynah; het was een havik die rondcirkelde boven de Tantalus, en de mensen waren te klein om als fatsoenlijke maaltijd voor deze vogel te kunnen dienen – tenminste, dat hoopte ze.

'Alles goed, Karen?' vroeg Rick.

'Maak je nou maar geen zorgen om mij.'

'Maar–'

'Ik voel me prima. Let liever op Danny. Hij ziet er niet best uit.'

Danny was op een steen gaan zitten en leek niet in staat om verder te gaan. Hij voelde aan zijn slechte arm en trok de mitella recht. Zijn gezicht was krijtwit.

'Alles goed, kerel?'

'Wat wil je daarmee zeggen?'

'Hoe is het met je arm?'

'Daar is niks mis mee!' En vervolgens keek Danny naar zijn arm. Een spier in zijn arm trok zich samen tegen de stof van zijn shirt, ontspande zich en spande zich opnieuw. Het zag er onwillekeurig uit. Danny leek de controle over zijn spieren te hebben verloren.

'Waarom doet je arm zo?' vroeg Rick omdat de samentrekkingen zich in golven over Danny's arm verplaatsten. De arm leek een eigen leven te hebben gekregen.

'Hij doet niks,' hield Danny vol.

'Maar Danny, ik zie toch zenuw–'

'Nee!' schreeuwde Danny. Hij duwde Rick weg, greep zijn arm beet en bracht hem met zijn goede hand buiten het bereik van Rick. Daarbij draaide hij zijn rug naar Rick toe, alsof hij een rugbybal verdedigde.

Rick begon te vermoeden dat Danny alle motorische controle over zijn arm had verloren.

'Kun je je arm eigenlijk bewegen?'

'Dat deed ik toch net.'

Plotseling klonk er een scheurend geluid. Danny begon te kreunen: 'Nee... nee.' Zijn mouw begon te scheuren en onthulde een weerzinwekkend schouwspel. De huid van Danny's arm was doorschijnend geworden, als geolied perkament. Onder de huid bevonden zich vette witte insectenlarven die er voldaan uitzagen.

'Die wesp heeft eitjes gelegd,' zei Rick. 'Het was een parasiet.'

'Nee!' gilde Danny.

De eitjes waren uitgekomen en de larven voedden zich met het weefsel van zijn arm. Danny staarde ernaar en kreunde. De plopgeluidjes in zijn arm – dat waren de eitjes geweest die uitkwamen. En nu vraten de larven zich een weg door zijn arm. Danny begon zachtjes te jammeren en vervolgens te schreeuwen. 'Ze zijn uitgekomen!'

Rick probeerde hem te kalmeren. 'We regelen medische hulp voor je. We zijn bijna bij de basis...'

'Ik ga dood!'

'Je gaat niet dood. Het zijn parasieten, die willen juist dat je blijft leven.'

'Hoezo?'

'Om te kunnen blijven eten–'

'O, mijn god, o, mijn god...'

Karen trok hem overeind. 'Kom op. Je moet blijven bewegen.'

Ze liepen verder, maar Danny hield hen op. Hij bleef struikelen en ging voortdurend zitten. Hij kon zijn ogen niet van zijn arm afhouden, alsof de larven hem hadden gehypnotiseerd.

Halverwege de bamboestrook stuitten ze op een ronde buis die gemaakt was van op elkaar geplakte bollen klei. De buis stak uit de grond omhoog als een kromme schoorsteen.

Karen zei: 'Ik wou dat Erika hier was, die zou wel hebben geweten wat het was.'

Ze moesten ervan uitgaan dat er onder de modderschoorsteen iets gevaarlijks schuilging, waarschijnlijk een of ander insect. Ze liepen er in een wijde boog omheen, klaar om weg te duiken zodra er iets zou bewegen. Eenmaal voorbij de schoorsteen leek de Great Boulder een stuk dichterbij.

Ze was een moeder. Net als een vlinder dronk ze alleen de nectar van bloemen om in leven te blijven. Toch was ze een roofdier. Ze jaagde op prooidieren voor haar kinderen, die vlees nodig hadden. Ze was intelligent, zoals alle roofdieren, en in staat om te leren. Ze bezat ook een uitstekend geheugen. Sterker nog: haar hersenen waren opgebouwd uit negen afzonderlijke organen: een masterbrein en acht kleinere hersendelen, aan het ruggenmerg geregen als kralen aan een snoer. Ze behoorde tot de slimste insectensoorten.

Ze had één keer gepaard met haar partner, die na de daad was gestorven. Ze was een koningin, die haar hele leven in isolement doorbracht. Ze was een solitaire wesp.

Ze kwam naar buiten uit haar schoorsteen en keek naar de zon. Haar kop kwam als eerste tevoorschijn, gevolgd door haar lijf. Haar vleugels lagen normaal gesproken platgevouwen op haar rug. Ze vouwde ze open en liet ze trillen om haar spieren te warmen in de zon.

Toen de wesp uit de schoorsteen klauterde, verstijfden de mensen. Ze was werkelijk enorm met haar gelede achterlijf vol gele en zwarte strepen. De wesp opende haar vleugels en begon te fladderen met het geluid van de donder. Even later vloog ze op. Haar poten bungelden onder haar lijf.

'Liggen!'

'Plat op de grond!'

De mensen wierpen zich op de grond en begonnen weg te kruipen in de richting van alles wat maar als dekking kon dienen, zoals plukjes gras en grote kiezels.

De wesp had de mensen eerst niet gezien. Maar nadat ze uit haar schoorsteen was vertrokken, begon ze in een zigzagpatroon te vliegen om zich te oriënteren voor de jacht. Tijdens de oriënterende fase keek ze naar de grond en inspecteerde elk detail. Ze sloeg een nauwkeurige plattegrond van het terrein in haar geheugen op.

Ze zag iets nieuws.

In het kwadrant ten zuidoosten van haar schoorsteen bevonden zich drie objecten op de grond. De objecten leefden. Ze verplaatsten zich kruipend en zagen eruit als prooi.

Ze wijzigde direct haar vliegpad en dook omlaag.

De wesp veranderde van richting en dook in volle vaart omlaag. Het dier koos Rick Hutter en landde boven op hem.

Rick rolde op zijn rug en begon met zijn machete te zwaaien terwijl de wesp schrijlings op hem ging zitten en hem vastpakte met haar poten. Ze sloeg haar vleugels over hem heen en nam hem voorzichtig in haar kaken.

'Rick!' riep Karen terwijl ze met haar machete in de lucht op hem afrende.

Hij kon niet ademen. De kaken hadden de lucht uit zijn longen geperst. Maar om een of andere reden beten ze niet door; de wesp behandelde hem voorzichtig.

Vervolgens kromde ze haar achterlijf schuin naar voren en richtte haar angel op Rick. Pantsersegmenten op het gelede uiteinde van haar lijf bewogen zich uiteen, en er verschenen twee zachte vingers die overdekt waren met wiebelende sensorharen. De zachte vingers waren de voelers van de angel. De voelers betastten Ricks hals en gezicht en proefden zijn huid.

Ze was tevreden met wat ze proefde.

De steek liet niet lang op zich wachten. Twee angels in een schede verschenen uit een opening onder de smaakvoelers. Terwijl de schede zich vlak onder de oksel in Ricks lichaam boorde, werden de angels in hem gelanceerd; om en om gleden ze op en neer in zijn vlees.

Rick voelde hoe de naalden zijn lichaam binnendrongen. De pijn was met niets te vergelijken. Zijn adem stokte.

Karen wierp zich op de wesp en haalde uit met haar machete, maar ze was te laat. De wesp vloog de lucht in met Rick tussen haar poten. Karen zag hem spartelen met zijn benen totdat zijn lichaam verslapte.

De wesp landde op de schoorsteen, schoof Rick de schacht in en duwde hem naar voren met behulp van haar kop. Vervolgens kroop ze zelf naar binnen. Haar gestreepte achterlijf en de angel verdwenen als laatste.

Karen en Danny zaten ineengedoken in het zand en bespraken wat ze moesten doen.

'Rick is dood,' zei Danny Minot.

'Hoe weet je dat?' zei Karen King.

Danny rolde met zijn ogen.

Was Erika Moll er nog maar; Erika had vast informatie over de wesp gehad. 'Hij kan nog leven.'

Danny kreunde alleen.

Karen pijnigde haar hersenen in een poging zich te herinneren wat ze bij Entomologie 101 over wespen had geleerd. 'Volgens mij was het een solitaire wesp.'

'Nou en. Laten we in vredesnaam gaan.'

'Wacht even.' Dat college over insecten dat ze had gevolgd... 'Solitaire wespen – dat zijn natuurlijk vrouwtjes. Ze bouwen een nest voor hun jongen. Volgens mij verlammen ze hun prooi alleen – ze doden hem niet. Ze voeden hem aan hun jongen.' Karen had er geen idee van met welke wespensoort ze te maken had of hoe het dier leefde.

'Kom nou!' Danny kwam overeind en begon weg te lopen.

Karen trok haar machete uit de schede.

'Wat ga je doen?' zei Danny.

'Rick heeft mij ook gered,' zei Karen.

'Je bent niet goed bij je hoofd.'

Ze gaf geen antwoord, haalde de steen uit haar riem en begon de kling van haar machete te slijpen. 'Dat kreng heeft Rick te pakken genomen.'

'Karen, alsjeblieft! Doe nou niet!'

Karen negeerde Danny. Ze opende de rugzak en pakte er een radioheadset en een hoofdlamp uit. Vervolgens haalde ze een tweede headset tevoorschijn en gooide hem naar Danny. 'Zet dat ding op.' Ze stond op, rende naar de schoorsteen en sprak in de radio. 'Hoor je me, Danny?'

Hij lag op zijn buik in de schaduw van een plantje. 'Je bent gek!' schreeuwde hij via de radio tegen haar.

Ze legde haar oor tegen de schoorsteen. Hij was gemaakt van gedroogde klei en rook merkwaardig. Lijm van insectenspeeksel. Ze voelde een traag ronkend geluid onder haar voeten: de wesp sloeg onder de grond met haar vleugels. Daarbeneden was een nest. Het ronken ging een tijdje door. Vervolgens begon het geluid dichterbij te komen. De wesp klom via de schoorsteen omhoog om het nest te verlaten.

Karen ging in de schaduw van de schoorsteen staan om niet op te vallen. Toen de kop van de wesp verscheen, maakte Karen zich zo plat mogelijk. Twee halfronde facetogen keken haar aan. Ze was ervan overtuigd dat de wesp haar zag, maar het dier reageerde niet. In plaats daarvan steeg het op om opnieuw ter oriëntatie in een z-patroon heen en weer te gaan vliegen. Even later schoot het dier weg in noordwestelijke richting om elders op jacht te gaan.

Toen de wesp in de verte was verdwenen, deed Karen een stap naar achteren en begon met haar kapmes op de schoorsteen in te hakken. Ze sloeg de schoorsteen aan stukken en brak hem af met één oog op het noordwesten gericht, bang dat de wesp terug zou komen. Maar de hemel bleef leeg. Ze schoof brokken modder opzij en sprong vervolgens met haar voeten omlaag in de tunnel.

'Laat me niet alleen!' schreeuwde Danny.

Karen trok haar headset recht en nam contact op via de radio. 'Kun je me horen?'

'Dit overleef je niet, Karen. Straks blijf ik hier alleen achter–'

'Bel me zodra je haar ziet.'

'Ooo...'

'Over en uit,' zei Karen, en ze verbrak de verbinding. Ze zou snel moeten werken als ze Rick wilde vinden en hem uit het nest wilde bevrijden. De wesp kon elk moment terugkomen.

De tunnel had rondlopende wanden die bekleed waren met hard geworden klei. Hij liep steil omlaag. Karen bewoog zich voort als een krab, op haar handen en ellebogen. Er was weinig ruimte. Achter haar filterde daglicht naar binnen via de ingang, maar naarmate ze dieper onder de grond kwam, werd het donkerder. Ze zetten haar hoofdlamp aan. De tunnel rook naar iets scherps, maar de geur was niet onaangenaam. Ze nam aan dat het de feromonen van de moederwesp waren. De geur was vermengd met een ranzige stank die sterker werd naarmate ze dieper onder de grond kwam.

Plotseling doemde er een donkere opening op die uitkwam op een verticaal omlaag lopende schacht. Ze keek naar beneden en voelde een verstikkende claustrofobie opkomen. Het was een zwart niets dat geen bodem leek te hebben. Dat heb ik weer, dacht ze. Waarom moet Rick daar nu zitten? Aan de andere kant: hij heeft mijn leven gered. Ik moet mijn schuld inlossen. En ik mag die gast niet eens.

Ze draaide haar lichaam, wat niet eenvoudig was in de beperkte ruimte. Vervolgens ging ze op de rand van de schacht zitten en liet haar voeten in het niets bungelen. Ze liet zich in het gat zakken en begon aan de afdaling.

Daarbij drukte ze haar handen en knieën tegen de muren voor voldoende grip. Ze wilde hoe dan ook niet vallen. Als ze klem zou komen te zitten, zou ze misschien niet in staat zijn om er weer uit te komen. De gedachte gevangen te zitten in een ondergronds nest terwijl er een reusachtige wesp op haar afkwam... nee. Niet over nadenken.

Buiten scheurde Danny Minot de rugzak open om iets te eten te zoeken. Hij moest voldoende energie in zijn lichaam hebben. Niet dat het er iets toe deed – hij was tenslotte zo goed als dood. Hij zette de headset af, legde hem naast zich in het zand en begon zijn arm te inspecteren. Die zag er weerzinwekkend uit.

De radio begon tegen hem te praten, en hij pakte de headset weer op. 'Ja?'

'Zie je iets?'

'Nee, nee.'

'Luister, Danny. Blijf goed opletten. Laat het meteen weten als je de wesp ziet, dan kan ik nog naar buiten. Het is in je eigen belang.'

'Ja, natuurlijk, oké.' Hij zette de headset weer op zijn hoofd en ging met zijn rug tegen een steen zitten. Zijn blik was gericht op het noordwesten, waar de wesp was verdwenen.

Karen bereikte de onderkant van de verticale schacht. Hij werd iets ruimer en maakte vervolgens een scherpe draai in horizontale richting. Ze kroop de hoek om. De tunnel kwam uit in een kamer. Ze liet haar hoofdlamp over de muren schijnen. Een stervormig patroon van gaten gaf aan dat op deze ruimte een groot aantal tunnels uitkwam – ze schatte een stuk of vijfentwintig. Elke tunnel verdween in het duister.

'Rick?'

Hij lag natuurlijk in een van die tunnels. Waarschijnlijk dood. Ze kroop in een van de tunnels. Na een klein stukje eindigde hij in een muur. De muur was gemaakt van korreltjes steengruis die losjes op hun plaats waren geprop – zand- en grindkorrels, vastgelijmd met speeksel en her en der gaten. Ze scheen met haar hoofdlamp door een gat in het puin om te zien wat erachter lag.

Plotseling besefte ze dat de gaten in het puin luchtgaten waren. Achter het steengruis bevond zich namelijk iets wat leefde. De deur van steengruis was een soort gevangenisdeur. Door de gaten klonken geknars en geslurp en ook een klikkend geluid. Er dreef bovendien een geur van verrotting door naar buiten. In de kamer achter het puin bevond zich iets wat honger had; iets wat onafgebroken zat te eten.

'Rick!' riep ze. 'Ben jij daar?'

Het klikken stopte even, om vervolgens te worden hervat. Er was geen andere reactie.

Ze hield haar ogen voor een van de gaten en scheen met de lamp naar binnen door een ander gat. De lichtbundel gleed over een glinsterend oppervlak met de kleur van antiek ivoor. Het oppervlak was opgedeeld in segmenten, en de segmenten verplaatsten zich een voor een langs het gat. Dit ging een tijdje zo door, alsof er een trein voorbijreed. Ze hoorde iets ademhalen, maar dat iets was niet menselijk. Wat haar vooral beangstigde, was de grootte van het ding daarbinnen. Het leek op een walrus.

Er waren veel meer tunnels die onderzocht moesten worden. Ze ging terug naar de hoofdruimte, kroop de volgende tunnel in en probeerde door de barrière van steengruis en gedroogde modder te kijken.

'Rick?' schreeuwde ze. 'Kun je me horen?'

De stem van Danny Minot klonk in haar headset. Het geluid was zwak en krakend omdat ze zo diep onder de grond zat. 'Wat gebeurt er?' vroeg hij.

'Ik heb een grote kamer gevonden. Er komen minstens twintig tunnels op uit die alle kanten opgaan. Elke tunnel heeft aan het uiteinde een cel. Ik denk dat er larven in zitten.'

Ze viel met haar machete aan op een deur van steengruis en begon door de modderlijm te hakken. 'Rick' schreeuwde ze. 'Ben je daar?'

Misschien kan hij me horen, maar niet praten. Of misschien is hij dood. Misschien kan ik beter maken dat ik hier wegkom. Maar ik moet het proberen.

Ze hakte de muur kapot, maakte de opening groot genoeg voor haar lichaam en kroop naar binnen. In de cel bevond zich een wespenlarve die groter was dan zij; een moddervette, sissende massa die zwaar ademde en een blinde kop zonder ogen had. Aan weerszijden van de bek had het monster twee zwarte snijtanden. De moederwesp had haar kind blijkbaar vers voedsel gebracht. Er lagen twee rupsen, een koa-wants en een armoedig uitziende spin. De wespenlarve was bezig de koa te verorberen, een insect met een glanzend groen schild. De kamer was bezaaid met insectenpantserscherven die ontdaan waren van vlees. Er lagen ook drie complete, niet-opgegeten insectenkoppen die stonken naar verrotting.

Karen schuifelde behoedzaam de cel in en bleef zo ver mogelijk uit de buurt van de gemeen uitziende monddelen. De larve was druk in de wants aan het wroeten.

Ze luisterde. Ze hoorde het fluisteren van lucht door de openingen in de exoskeletten van het voedsel. Goed. Dat betekende dat de prooien weliswaar verlamd waren, maar nog leefden. Dus Rick was misschien nog niet dood. Het achterlijf van de verlamde spin rees en daalde tijdens het ademen, maar voor de rest bleef het dier doodstil liggen, met zijn acht glazige ogen starend in het niets.

De larve schudde zijn kop, rukte met zijn kaken repen vlees uit de koa en zoog ze naar binnen als spaghetti. De koa ademde nog. Karen weerstond de aandrang om de larve te doden. Ze zou het afschuwelijke ding het liefst aan stukken hakken, maar ze wist zich te beheersen. De wespenlarve maakte deel uit van de natuur. Hier zat even weinig kwaadaardigs in als in een leeuwenwelp die het vlees at dat hem door zijn moeder was gebracht. Wespen waren de leeuwen van de insectenwereld. Ze verrichtten goed werk. Ze zorgden ervoor dat de populaties van plantenetende insecten binnen de perken bleven, net zoals leeuwen een ecosysteem gezond hielden. Niettemin stond het Karen absoluut niet aan dat een wesp misschien bezig was Rick naar binnen te werken.

Ze kroop de cel uit en haastte zich de volgende tunnel in. Ze riep Ricks naam door het luchtgat, brak de muur open en ging naar binnen. Ze trof een volgroeide larve aan die geen voedsel meer had en bezig was zijn laatste rups te verschalken.

'Rick!' riep ze. Haar stem werd gedempt door de aarde. Hij kon overal zijn. Boven haar, beneden haar, ergens opzij. Er waren zoveel cellen.

Haar headset kraakte. 'Lukt het?' Het was Danny.

'Ik kan Rick niet vinden. Dit is een doolhof.'

Ze brak een volgende muur open en kroop de cel in. Hij bevatte een uit zijde gesponnen cocon. In de cocon bevond zich een ongeboren, strak opgerolde wesp die zichtbaar was door de zijde en op het punt stond als volwassen dier naar buiten te komen. Ze liet de lichtbundel van haar hoofdlamp over de cocon glijden en huiverde. Ze haastte zich weer naar buiten en drukte de steentjes terug in de toegangsdeur. Dat kon ze er nog net bij hebben: een pasgeboren wesp die hier ging rondlopen, ongetwijfeld gewapend met een angel.

'Rick! Ik ben het, Karen!' schreeuwde ze. Ze hield haar adem in en luisterde.

Het enige wat ze hoorde, waren de kauwende geluiden van de larven en het bonzen van haar angstige mensenhart.

Rick Hutter lag in het aardedonker in een cel, niet in staat om zich te bewegen of te praten. De wespensteek had hem verlamd, maar al zijn zintuigen werkten nog. Hij voelde hoe kleine steentjes in zijn rug en zijn benen drukten. Hij rook rottend insectenvlees. Hij kon de larve die in de cel leefde niet zien, maar hij hoorde hem maar al te goed. Het ding at iets en maakte krakende, zuigende geluiden. Zijn ademhaling ging gewoon door. En hij kon met zijn ogen knipperen als hij dat wilde – daartoe was hij uit vrije wil in staat. Hij probeerde een vinger te bewegen, maar hij was er niet zeker van of de vinger bewoog. Hij zou het niet kunnen zeggen.

Help. Kan iemand me helpen?

Het was maar een gedachte.

Hij realiseerde zich dat de wesp maar een deel van zijn zenuwstelsel had verlamd: het sympathisch zenuwstelsel, de zenuwen die door de bewuste wil werden aangestuurd. Zijn autonome zenuwstelsel – het niet-bewuste deel – functioneerde normaal. Zijn hart klopte, zijn ademhaling was in orde, niks mis mee. Maar hij was niet in staat om zijn lichaam bewust iets te laten doen. Zijn lichaam was als een automotor waarvan de versnelling in zijn vrij was gezet, en hij kon niet bij het pookje en de pedalen komen. Er deed iets pijn, en hij wist een tijdlang niet wat het was, totdat hij onder zijn lichaam iets warms voelde toen zijn blaas zich automatisch leegde. Hij verwelkomde het gevoel van opluchting.

Het gif was de wespenversie van een koeling. Het spul hield de prooi in leven en fris totdat hij werd opgegeten.

Het knarsen en slurpen vervolgde zich in de buurt van zijn voeten. De larve leek zijn voedsel bijna op te hebben, want hij hoorde een kletterend geluid van exoskeletscherven die opzij werden geschoven. De larve snuffelde aan de restjes van de maaltijd. Hij hoorde krakende en schrapende geluiden; de larve had dus kaken. Hij vreesde het eerste contact met die kaken. Hij vroeg zich af welk deel van zijn lichaam de larve als eerste naar binnen zou werken. Zou hij beginnen met op zijn gezicht te kauwen? Of zou hij eerst zijn geslachtsdelen er afbijten, of in zijn buikholte gaan wroeten?

Ondanks de gruwelijke situatie waarin hij verkeerde, voelde Rick Hutter zich op een eigenaardige manier verveeld. Hij was verlamd en lag in het donker, en er viel weinig anders te doen dan denken aan zijn naderende dood. Hij besloot dat hij zijn gedachten beter op de dingen kon richten die hem gelukkig hadden gemaakt in dit leven. Dit zou wel eens zijn laatste kans kunnen zijn om terug te blikken. Hij herinnerde zich hoe hij door de branding had gelopen in Belmar, aan de kust van de Atlantische Oceaan, waar zijn familie elke zomer een week in een motel had doorgebracht – het enige wat ze zich hadden kunnen veroorloven. Zijn vader had een bestelwagen gereden voor een supermarktketen. Hij herinnerde zich ook hoe hij op zijn vijfde na een ritje met zijn vaders bestelwagen aan iedereen die het maar wilde horen, had verteld dat hij later vrachtwagenchauffeur zou worden, net als zijn vader. In gedachten zag hij voor zich hoe hij de brief van Stanford had geopend en vol ongeloof had gelezen dat hij was aangenomen... een volledige beurs voor Stanford. En daarna een vervolgopleiding op Harvard, opnieuw met een beurs. Hij zag zichzelf in Costa Rica met een oude vrouw praten, een *curandera*, terwijl ze een genezende thee brouwde van de bladeren van de *Himatanthus*.

Zijn gedachten keerden terug naar het lab. Op een avond had hij een poging gedaan om een verbinding te extraheren uit de *Himatanthus*-bladeren. Karen King was nog laat bezig geweest met een van haar spinnenexperimenten. Ze waren alleen geweest in het lab. Ze hadden vlak naast elkaar aan dezelfde tafel gewerkt, zonder een woord te zeggen, met tussen hen in een muur van wederzijdse afkeer. Maar toen hadden ze per ongeluk elkaars hand aangeraakt... Misschien had ik toen een poging moeten wagen Karen te versieren... Aan de andere kant: ze had me waarschijnlijk een klap in het gezicht gegeven...

Een stervende man denkt vooral aan gemiste seksuele kansen. Wie had dat eigenlijk gezegd? Het zou zomaar waar kunnen zijn... Hij begon zich slaperig te voelen... weg te zakken...

'Rick!'

Haar stem maakte hem weer wakker. Hij klonk zwak door de aarde heen. Ik ben hier, Karen! riep hij in gedachten. Maar hij slaagde er niet in zijn mond te laten bewegen.

'Rick! Waar ben je?'

Schiet op! Er zit hier een of andere zweefvlieg met kaken.

Karens hoofdlamp lichtte even op – het eerste licht dat hij in tijden had gezien – en verdween weer. Totale duisternis slokte hem op. Ze was verder gelopen.

Kom terug! riep hij in gedachten. Je bent vlak langs me gelopen!

Stilte. Ze was weggegaan.

En toen naderde in het duister de ultieme verschrikking. Er gleed iets vochtigs en heel zwaars over zijn enkel dat zijn voet in de aarde drukte. Nee, dit kan niet waar zijn. Hij voelde de segmenten van de larve over zijn been hobbelen, *bonk, bonk, bonk*. Ze gleden over zijn buik en vervolgens over zijn borst en persten de lucht uit zijn longen. Nee! Ga weg, nee! De wespenlarve lag nu boven op hem. Het volledige gewicht van het dier drukte op zijn lichaam en deed hem bijna stikken. Hij voelde het hart van het monster kloppen; het bonkte tegen zijn borst. En toen klonk een vochtig *klik-klak-klik*. De kaken gingen aan het werk. *Klik-klik. Snip-snap. Snik.*

Het schijnsel kwam terug. Een stralenbundel doorboorde het duister. Vlak voor zijn neus lichtten zwarte snijmessen op aan weerszijden van een vreemd zachte mond die op een bleke anus leek.

Karen verlichtte de cel met haar hoofdlamp en nam het schouwspel in zich op.

'O, mijn god, Rick!'

Ze begon in het puin van de muur te hakken en gooide steentjes opzij.

De tanden raakten zijn voorhoofd. De larve was op zoek naar een lekker zacht stukje vlees om op te kauwen. Het dier proefde zijn schouder, was niet tevreden en liet een sliert kwijl achter. Het volgende moment voelde hij de tanden in zijn neus prikken. De vochtige mond beroerde zijn lippen als een kus waarbij slijm werd uitgespuugd. Hij moest er automatisch van hoesten en naar adem happen.

'Ik kom eraan!'

Schiet op, dat smerige ding wil me een zuigzoen geven.

Ze kroop door de opening en wierp zich op de larve, begon hem met beide voeten te schoppen en duwde hem weg van Ricks gezicht. 'Blijf van hem af!' riep ze, en ze stak haar machete in het monster. De adem van het dier stokte, en er klonk gesis uit zijn luchtgaten. Karen bracht de machete boven haar hoofd, haalde uit en hakte met één klap de kop van de larve. De vormloze kop viel klotsend opzij, en het onthoofde lichaam begon te stuiptrekken en heen en weer te zwiepen. Karen bleef op lichaam inhakken, maar dat deed het dier alleen maar erger tekeergaan.

Ze sloeg haar armen om Rick heen en sleepte hem de cel uit terwijl de koploze larve tegen de wand van zijn cel bonkte. En ze werden door een vreemde geur achtervolgd.

Dat gaat fout, zei Rick in gedachten. Dat is een alarmferomoon.

Karen besefte het ook. De stervende larve schreeuwde om hulp en riep om zijn moeder in de taal van geur. De geur vulde het nest. Als de moeder hem zou ruiken...

Danny's stem klonk over de radio. 'Wat is er aan de hand?'

'Ik heb Rick. Hij leeft nog. Kom naar de uitgang – ik sleep hem naar buiten.'

Rick was net een zak aardappelen, een dood gewicht. Maar Karens kracht was onvoorstelbaar. Ze had Rick gevonden, en ze zou zich eerder doodvechten dan dat ze hem achter zou laten. Ze sleepte hem kruipend door de grote kamer, op weg naar de verticale schacht...

Op dat moment klonk Danny's stem over de headset: 'Ze is terug!'

37

TANTALUSKRATER
31 OKTOBER, 14:00

De solitaire wesp kwam langzaam aanvliegen. Tussen haar poten bungelde een verlamde rups. Ze begon over haar nest te zigzaggen en daalde vervolgens een stukje om de modderschoorsteen van haar hol te zoeken.

Enkele ogenblikken later besefte ze dat de schoorsteen was vernield. Er was een indringer.

Danny Minot drukte zich tegen de rots onder de plant om zich er zo veel mogelijk als een rots of een plant uit te laten zien. 'Idioot mens!' fluisterde hij tegen Karen. Nu zou hij alleen achterblijven in de microwereld.

De moeder landde met de rups tussen haar poten. Met trillende vleugels liep ze naar de ingang. Op dat moment rook ze de geur van haar dode kind die uit het gat lekte. Ze begon woest met haar vleugels te slaan, en de lucht vulde zich met het geluid van de donder. Ze liet de rups vallen en kroop met haar kop naar voren in het gat.

Karen King hoorde een rommelend geluid in de aarde boven haar – het zoemen van vleugels en het gekletter van een exoskelet.

'Danny!' riep ze. 'Wat gebeurt er?'

Er kwam geen antwoord.

'Danny, zeg eens wat!'

De wesp schoot omlaag haar nest in als een gepantserde gifbundel van moederlijke woede.

Karen luisterde naar het naderen van de wesp. Ze kroop naar de voet van de verticale schacht terwijl Rick achter haar op de grond lag. De geluiden waren beangstigend – en informatief. Er dreef een scherpe geur de ruimte binnen; een voorschot op de woede van de moeder.

Karen haalde haar diamanten slijpsteen tevoorschijn en begon verwoed haar machete te scherpen: *zing, swisj, zing.*

'Hou je taai, Rick,' zei ze zachtjes. Ze bleef de slijper over het staal trekken totdat het mes de ultieme scherpte had. Het zou door het harde pantser van bioplastic moeten snijden. Ze ging bij de doorgang zitten met de machete boven haar hoofd. 'Toe dan,' fluisterde ze. 'Kom op.'

De moeder bereikte de bodem van de schacht, en er volgde een stilte. Toen verscheen de reusachtige zwart met gele wespenkop in de opening.

Ondersteboven.

Ze zwaaide de machete uit alle macht in het gezicht van de wesp.

De kling ketste af op een oog en liet alleen een kras achter. Deze dame had gepantserde ogen.

De wesp stak haar kop – nog steeds ondersteboven – de kamer in. Ze hapte met haar kaken naar de machete, trok hem uit Karens handen en sleepte hem het gat in. Karen hoorde geluiden van scheurend metaal; de wesp was bezig haar laatste wapen te slopen.

Plotseling beefde de ruimte. De wesp sloeg met haar vleugels tegen de tunnelwand, klaar om aan te vallen. Ze hoorde het dier hijgen.

Karen keek over haar schouder, en de lichtbundel van haar hoofdlamp gleed over Ricks lichaam. Hij zag er dood uit...

Toen ze haar hoofd omdraaide, werd ze zich bewust van het mes dat om haar hals hing; het mes waarvan ze had gezworen het nooit meer in haar zak te stoppen. Ze voelde aan het koord. Mijn mes.

De wespenkop bevond zich weer in de kamer – nog steeds ondersteboven – en de kaken hapten naar Karen. Ze liet zich op handen en voeten zakken en kroop onder de kop van het dier, die bedekt was met borstels. Ze greep de borstels vast. De wesp begon met haar kop te schudden en sloeg Karen tegen de grond. Het dier kon haar zien; drie kleine oogjes staarden haar aan vanaf de bovenkant van de kop.

Karen klampte zich aan de kop vast, die opnieuw woest begon te bewegen en haar tegen de tunnelmuur kwakte terwijl de kaken naar haar hapten. Hoewel ze een flink pak slaag kreeg, wist ze – terwijl ze naar houvast zocht – achter de kop van de wesp te komen en haar vingertoppen in de occipitale sutuur te steken; de groef tussen het kopkapsel en het pleuron, de eerste pantserplaat van de thorax. Op deze plaats in de nek zat een naad in het pantser. Haar vingertoppen voelden zacht weefsel in de opening.

De nek was zo smal dat ze in staat was om haar vingers volledig rond de nek van het monster te vouwen. Ze had het dier in een wurggreep – misschien kon ze het wurgen.

Op dat moment bewoog de wesp zich met een ruk naar achteren, de tunnel in, Karen met zich meeslepend. Ze kwam klem te zitten en werd nu met ritmische kopbewegingen in de aarde gedrukt.

Plotseling kromde de wesp haar lichaam. Karen besefte dat het dier probeerde haar achterlijf naar voren te richten om haar te steken. De wesp duwde haar de grote ruimte weer binnen en begon woest met haar bovenlichaam te draaien in een poging Karen van zich af te schudden. Maar Karen liet niet los. Nu ze de opening in de nek had gevonden, pakte ze met een hand haar mes, knipte het open en drukte de punt van het wapen met kracht in het zachte vlees. Vervolgens trok ze de kling zo snel als ze kon met een zagende beweging om de hals. Helemaal rond.

De kop van de wesp viel van het lijf. Het ding rolde boven op haar, en ze kroop op handen en voeten de grote kamer in, gevolgd door een straal bloed.

De kaken hapten nog twee keer en verstijfden. Het lichaam liep leeg en spuwde een fontein van bloed over Karen. De vleugels van de onthoofde wesp bonkten tegen de tunnelmuren, maar de frequentie nam snel af, totdat het kadaver uiteindelijk niet meer bewoog.

Karen kroop naar Rick en pakte zijn hand vast. Ze beefde als een riet. 'Het is gelukt.'

Vanuit een ooghoek zag Rick achter haar iets bewegen. Hij knipperde met zijn ogen en schreeuwde in gedachten: Kijk uit!

Het masterbrein in de afgehakte kop had het contact met de acht kleinere hersendelen weliswaar verloren, maar ze zonden nog steeds informatie naar de rest van het wespenlichaam. De poten van de wesp kwamen in actie en sleepten de onthoofde romp de grote kamer binnen. Het achterlijf kromde zich, schoot naar voren en de angel kwam naar buiten.

Karen hoorde achter haar rug een geluid en draaide zich bliksemsnel om. Ze zag nog juist op tijd de angel en sprong opzij, maar de koploze romp beukte haar tegen de muur. De angel schoot vlak langs haar gezicht, en ze worstelde om zich los te rukken. Op een paar centimeter van haar ogen gleden twee scherpe kaken met een schurend geluid over elkaar. De voelers plopten naar buiten, raakten haar wang aan en glibberden haar mond binnen. Op dat moment viel de angel stil, zachtjes rustend op Karens sleutelbeen, de messen ontbloot. Langs de snijkanten zwol een dauwdruppel gif op die ten slotte onbeweeglijk bleef hangen. In de druppel was de weerspiegeling van haar gezicht te zien.

Ze kroop behoedzaam onder de angel vandaan en meed elk contact met de vloeistof en de messen. Vervolgens liet ze zich op haar knieën zakken en veegde het vuil van Ricks gezicht. 'Hoe gaat het, soldaat?'

Rick leek compleet verlamd. Zijn gezicht zag eruit als een masker. Zijn ogen knipperden en bewogen zich weliswaar, maar er was geen gelaatsuitdrukking. De spieren in zijn gezicht waren op vakantie en hij had in zijn broek geplast. Maar gelukkig ademde hij en klopte zijn hart. Het wespengif was vernuftig spul, zo besefte ze. Het had alleen een specifiek deel van zijn zenuwstelsel uitgeschakeld. Probeerde hij te praten? Ze had er geen idee van.

'Kun je met je ogen knipperen?' vroeg ze. 'Knipperen betekent ja. Niet knipperen is nee. Begrijp je me?'

Hij knipperde een keer. Ja. Vervolgens trilde er iets in zijn gezicht.

'Rick! Is dat een glimlach?'

Ja. Dat wil zeggen, een poging.

'Dat is in elk geval een begin. Heb je pijn?

Ja.

'Waar heb je last van? ... Of laat ook maar. Ik moet je sowieso dragen. Denk je dat dat pijn doet?'

Hij knipperde niet. Nee.

Ze nam Rick onder zijn armen en sleepte hem om de dode wesp heen. Daarbij zorgde ze ervoor voldoende afstand te houden tot de grote gifdruppel die nog steeds aan de angel van het dier hing. Terwijl ze Rick wegsleepte, besefte ze hoe slecht hij eraan toe was. Als hij niet heel snel zijn spieren zou gaan bewegen, zou hij het niet overleven. Zijn zenuwstelsel had hulp nodig. Dat rotgif – de druppel aan de angel glom in het schijnsel van haar hoofdlamp – werkte als een slimme bom waarbij alleen bepaalde delen van zijn zenuwstelsel waren uitgeschakeld. Het was rotspul, maar tegelijkertijd heel ingenieus. De natuur was in staat om met chemicaliën te goochelen op een niveau dat menselijke medicijnen nooit zouden bereiken.

Als Rick geen hulp kreeg, zou hij het loodje leggen.

En terwijl ze naar de heldere gifdruppel staarde, kreeg Karen een idee. Het gif dat Rick had verlamd, kon hem ook redden.

Ze moest het meenemen. Ze voelde aan haar middel en vond een waterfles die aan een koordje aan de riem van haar machete hing. Ze gooide het water weg, hield de opening van de fles tegen de gifdruppel en zag hoe de vloeistof in de fles sijpelde. Vervolgens schroefde ze de dop er weer op. Oké.

'Ik heb een plan, Rick. Het is misschien idioot, maar het zou kunnen werken.'

Hij staarde haar uitdrukkingsloos aan.

Karen drukte haar knieën tegen de wanden van de schacht en duwde Rick voor zich uit terwijl ze omhoogklom. Ze voelde zich net Superwoman; in de grote wereld had ze dit onmogelijk kunnen doen. Het was een lange klim die ze in fases voltooide met tussendoor een aantal rustpauzes. Ze was blij dat ze zo sterk was als een mier. Eindelijk arriveerde ze bij de opening van het nest.

Danny Minot, die de hoop inmiddels had opgegeven, kon zijn ogen niet geloven toen Rick Hutter uit het gat omhoogkwam, gevolgd door een zwaar toegetakelde Karen King. 'Ik heb hem,' zei ze op heldhaftige toon terwijl ze hem over haar schouders legde. Ze droeg hem over het zand naar de plant en legde hem naast Danny in de schaduw.

Ze ging naast Rick op haar knieën zitten en bestudeerde hem. Danny zat ineengedoken op zijn hurken om uit de wind te blijven.

'Kun je opstaan?' vroeg ze aan Rick.

Hij knipperde een keer met zijn ogen.

'Ja? Wil je het proberen?' Ze hielp hem overeind te komen. Hij wankelde, zwaaide onzeker heen en weer, zakte door zijn knieën en viel voorover.

Ze liet hem het flesje met wespengif zien. 'Dit spul kan je redden, Rick. Maar ik garandeer niks. Wat we eerst moeten doen–' ze keek naar het bamboewoud in de verte – 'is in dat bos zien te komen.'

Ze dacht aan de dode sluipschutter, hoe de man door het spinnengif een epileptische aanval had gekregen. De dood van de man bevatte mogelijk de informatie die Rick kon redden.

38

**BASIS TANTALUS
31 OKTOBER, 14:30**

De wind blies over de kam van de Tantaluskrater. Karen King en Danny Minot sjokten langzaam voort. Ze droegen Rick Hutter in een geïmproviseerde brancard die ze van de thermische deken hadden gemaakt. Karen had de rugzak; de blaaspijp hing over haar schouder. Het was alsof de muur van bamboebomen met daarachter de Great Boulder nauwelijks dichterbij kwam. Ricks ademhaling klonk schor vanuit de stretcher.

'Zet hem maar even neer,' zei Karen tegen Danny. Ze onderzocht Rick. Zijn gezicht was bleek en zag er afgetobd uit, en zijn lippen begonnen blauw te worden. Hij kreeg niet genoeg zuurstof. Wat haar vooral zorgen baarde, was zijn ademhaling: die was schor, onregelmatig en oppervlakkig. Het wespengif had waarschijnlijk het ademhalingscentrum in zijn hersenstam aangetast. Als hij niet langer zelfstandig adem kon halen, was het afgelopen.

Ze knoopte zijn shirt open en vond een blauwe plek op zijn borst. Wat was dat? De caissonziekte? Of gewoon een gevolg van zijn worsteling met de wesp? Ze moesten weg van deze open vlakte. Op deze manier waren ze snacks voor de vogels en voedsel voor andere wespen.

'Hoe gaat het, Rick?'

Hij bewoog zijn hoofd langzaam heen en weer.

'Niet goed? Als je maar niet in slaap valt. Oké? Alsjeblieft?'

Karen bestudeerde het bamboewoud dat zich verderop voor hen uitstrekte. 'We hoeven er alleen maar voor te zorgen dat we onder die planten komen, Rick. Het is nu niet ver meer.' Ze hoopte – bad – dat ze er zou vinden wat ze nodig had. In de bladeren.

Ze hoorde een zucht. 'Gaat het een beetje, Rick?'

Stilte. Rick had het bewustzijn verloren. Ze schudde hem heen en weer. 'Rick! Wakker worden! Ik ben het, Karen!' Hij opende zijn ogen en sloot ze weer. Hij begon steeds minder op dingen te reageren.

Oké. Misschien kon ze hem kwaad krijgen. Daar was ze altijd goed in geweest. Ze gaf hem een klap in het gezicht. 'Hé, Rick!'

Zijn ogen schoten open. Dat had gewerkt.

'Luister, ik heb bijna het loodje gelegd door jou uit dat stomme wespennest te halen. Waag het niet om dood te gaan.'

'Misschien moeten we hem achterlaten,' zei Danny zachtjes.

Karen draaide zich woedend om naar Danny. 'Zeg dat niet nog een keer.'

Uiteindelijk bereikten ze de planten, en ze legden Rick in de koele schaduw. Karen gaf hem wat water te drinken door haar handen eerst in een druppel te steken en de vloeistof vervolgens in zijn mond te gieten. Ze keek omhoog naar de bladeren. Ze wist niet zeker welke soort het was. Maar dat deed er niet toe. Het ging erom of er spinnen op de bladeren zaten.

Beter gezegd: een specifieke soort.

Ze ging naast Rick op haar knieën zitten en zei tegen hem: 'Luister, Rick. Je hebt een schop onder je kont nodig.'

Hij glimlachte flauwtjes.

'Wat ga je doen?' vroeg Danny.

Ze gaf geen antwoord. Ze begon in de rugzak te rommelen en haalde een schoon laboratoriumpotje tevoorschijn. Vervolgens begon ze heen en weer te lopen terwijl ze tussen de bladeren keek. Ten slotte greep ze de blaaspijp en de doos met pijltjes en liep dieper de begroeiing in.

'Waar ga je naartoe?' riep Danny.

'Let goed op hem, Danny. Als Rick iets overkomt, dan–'

'Karen!'

Ze rende weg. Ze had in een flits een vlek met kleuren gezien onder een blad. Daglichtgroen, rood en geel. Misschien was het wat ze zocht.

En dat was inderdaad het geval.

Ze zocht een spin die niet al te giftig was. Alle spinnen gebruikten gif om hun prooi – meestal insecten – te doden. Maar spinnengif verschilde over het algemeen sterk in toxiciteit bij mensen en zoogdieren. Het gif van de zwarte weduwe behoorde tot de krachtigste soorten. Een beet van deze spin kon een paard dood neer laten vallen. Andere spinnen leken minder giftig voor de mens.

Ze stond nu onder de spin en keek omhoog. Het was een klein dier met poten zo transparant als glas en een lichaam bezaaid met kleurige vlekken.

De vlekken vormden een patroon dat op een mensengezicht leek – het gezicht van een lachende clown.

Het was een happy *face*. *Theridion grallator*. Een van de meest voorkomende spinnen in Hawaï, veel bestudeerd door wetenschappers. Het gif van dit diertje had vrijwel geen effect op mensen. De happy face hing in een klein spinnenweb; een wirwar van draden, kriskras door elkaar geweven onder het blad.

Happy face spinnen waren erg schuw. Ze hadden de neiging bij het geringste teken van gevaar direct de benen te nemen. 'Niet weglopen,' fluisterde Karen.

Ze begon omhoog te klauteren via de stengel van de plant. Toen ze het dier voldoende dicht genaderd was, ging ze op een blad zitten, nam een pijltje uit de doos en draaide haar pot open. Het wespengif reikte bijna tot aan de rand. Ze doopte een pijl in het gif, laadde haar wapen en richtte.

De spin deinsde terug en staarde haar aan. Hij leek bang. Inderdaad, hij was bang en rolde zich op in zijn web.

Ze wist dat de spin haar kon horen en een perfect sonisch beeld van haar maakte met de 'oren' in zijn poten. Waarschijnlijk had hij nooit eerder een mens gezien en wist hij absoluut niet wat Karen was.

Ze blies.

De pijl boorde zich in de gevlekte rug van de spin. De spin schoot met spartelende poten een stuk naar achteren en probeerde vervolgens weg te rennen, maar het gif werkte snel, en na enkele ogenblikken stopte de spin met bewegen. Karen hoorde zachtjes lucht in en uit zijn longen fluiten terwijl zijn rug op- en neerging. Mooi zo. De spin haalde nog adem en zijn hart klopte. Dat was belangrijk. Het dier moest voldoende bloeddruk hebben om zijn gif naar buiten te kunnen pompen.

Ze liep naar het web, pakte een draad vast en begon eraan te rukken. 'Hé!'

De spin bewoog zich niet. Karen sprong in het web en kroop via de draden naar de spin, reikte naar een van de poten en tikte tegen een zintuighaar. Er gebeurde niets.

Liggend op het web schroefde ze de dop van de lege laboratoriumpot en plaatste hem onder de giftanden. Met behulp van twee vingers pakte ze een tand vast en vouwde de schede open. Ondertussen keek ze de spin in de ogen.

Hoe moest ze ervoor zorgen dat het gif vrijkwam? De gifklieren bevonden zich in de kop van het dier, achter zijn ogen. Ze maakte een vuist en klopte op het voorhoofd. De spin bewoog zich, en er kwamen een paar druppels uit de giftanden. Ze schroefde de dop weer op de pot. Ze hoopte dat de spin niks aan deze ervaring zou overhouden. Ze sneed het web kapot en liet zich op de grond vallen.

Ze boog zich over Rick heen. 'Dit spinnengif–' ze hield de pot zo dat hij hem kon zien – 'geeft hopelijk je zenuwen een optater. Er zitten *excitotoxines* in. Begrijp je me?'

Hij keek haar aan. Knipperde een keer met zijn ogen. Ja, ik begrijp je.

'Excitotoxines. Die zorgen ervoor dat je neuronen zenuwprikkels gaan afvuren. Maar er is wel een gevaar. Ik weet niks van dit gif. Ik kan de dosis niet controleren. Dit spul zou lichaamscellen kunnen doden. In het ergste geval zou het je van binnenuit kunnen opvreten.' In gedachten zag ze de spijsverteringsmeltdown voor zich die de scherpschutter had moeten ondergaan.

Ze nam zijn hand in de hare en kneep erin. 'Ik ben bang, Rick.'

Hij kneep terug.

'Zal ik het doen?' vroeg ze.

Hij knipperde met zijn ogen. *Ja.*

Ze haalde een blaaspijltje uit de doos. Een schone, zonder curare. Ze doopte de pijl in het spinnengif. De punt kwam vochtig naar buiten. Er zat een minuscule hoeveelheid van de vloeistof op. Ze hield het pijltje voor hem zodat hij het kon zien.

'Weet je het zeker?'

Ja.

Ze legde het metalen gedeelte van het pijltje op zijn onderarm. Vervolgens stak ze punt in de huid, vlak boven een ader, en drukte hem naar binnen. Niet al te diep. Ze greep zijn hand vast en boog zich over hem heen. 'Rick..'

Gedurende enkele ogenblikken gebeurde er niets. Ze begon zich af te vragen of ze hem genoeg had gegeven – maar plotseling hapte hij naar lucht. Zijn ademhaling versnelde. Ze voelde in zijn hals – zijn hartslag was omhooggeschoten. Het gif kwam hard aan.

Er klonk een explosief geluid; Ricks adem stokte even, en vervolgens zoog hij een diepe teug lucht in zijn longen. Het was het begin van een epileptische aanval. Zijn ogen schoten alle kanten op, hij kromde zijn rug en zijn lichaam begon te beven. Ze ging dwars op hem liggen om zijn armen tegen de grond te drukken, maar ze was bang dat ze te veel kracht zette. Rick hapte naar adem, zoog zijn longen vol met lucht en begon te hyperventileren. Ze gooide haar hele gewicht op hem en probeerde hem omlaag te drukken in de angst dat hij zich zou verwonden.

Hij kreunde. Plotseling schoot zijn hand uit en omklemde haar nek. Hij greep haar bij de keel, begon druk uit te oefenen en sloot haar luchtpijp af.

Hij probeerde haar te wurgen. Zo erg haatte hij haar.

Maar toen ontspanden zijn vingers zich en verminderde de druk. Hij liet haar keel los en raakte met zijn hand haar schouder aan. De aanraking veranderde in een streling. Zijn hand bewoog zich via de zijkant van haar hals naar haar oor en beroerde voorzichtig haar huid. Zijn vingers openden zich en kamden door haar haar. Ze kuste hem, en het mooie was dat hij haar terugkuste.

Uiteindelijk maakte ze zich van hem los. 'Doet het pijn, Rick?'

'Ik sterf... van... de pijn...' zei hij schor. 'Ik... zou... er aan... kunnen wennen.'

Ze hielp hem overeind. Hij was duizelig en viel bijna om, maar ze hield hem tegen, sloeg haar armen om hem heen en zei zachtjes tegen hem dat alles goed zou komen. 'Je hebt mijn leven gered, Rick. Je hebt mijn leven gered.'

Danny, die moest toezien hoe Rick en Karen elkaar vlak voor zijn neus het hof maakten, voelde zich extreem opgelaten. Hij was van mening dat dit soort toestanden de terugkeer naar Nanigen niet bespoedigden. Hij moest zo snel mogelijk een arts zien te vinden. Hij wierp een blik op zijn arm – en ging bijna over zijn nek: de larven leken nog vetter te zijn geworden.

Even later was Rick weer in staat om te lopen. Ze gingen op weg en begaven zich steeds dieper het woud in waar de bamboestengels als sequoia's de hemel in rezen. Na een onbewogen tocht kwamen ze aan de andere kant naar buiten, waar hen een indrukwekkend uitzicht wachtte. Ze bevonden zich op de rand van de Tantaluskrater, recht tegenover de Great Boulder, en ze keken recht omlaag, de diepte in.

De krater die zich beneden hen uitstrekte, vormde een bekken dat overwoekerd was met regenwoud en afgebakend werd door kaal gesteente en stukjes grond met onvolgroeide, door de wind geteisterde bomen. Rondom de krater betastten de toppen van de Ko'olau Pali de kolkende wolken terwijl de wind het landschap geselde. Aan de voet van de Great Boulder lag basis Tantalus.

Een persoon van normale grootte zou de basis waarschijnlijk niet hebben opgemerkt. Er was een start- annex landingsbaan voor vliegtuigen die ongeveer een meter lang was. Tenminste, Karen nam aan dat het dat was; ze zag belijning en markeringen die je normaal gesproken op vliegvelden tegenkwam. Naast de startbaan stond een groepje miniatuurgebouwen die van beton waren gemaakt. Het grootste gebouw leek op een hangar. De andere gebouwen waren kleiner en leken op schuilkelders. Ze waren deels in de grond gebouwd en bedekt met dode bladeren en plantenresten zodat ze niet opvielen in het microterrein.

Karen bleef staan. 'Wauw, Rick!' zei ze. 'We hebben het gered!'

Hij draaide zijn hoofd, keek haar aan en glimlachte. Ze begon zijn handen en armen te wrijven om de bloedcirculatie verder op gang te brengen.

'Je handen voelen al warmer. Volgens mij gaat het de goede kant op.'

Ze wilden geen aandacht op zichzelf vestigen omdat ze niet wisten wat ze van de inwoners van de basis moesten verwachten. De kans was groot dat werknemers van Nanigen hun orders rechtstreeks van Vin Drake kregen. Ze besloten de kat even uit de boom te kijken en af te wachten of er activiteit was. Ze verschuilden zich onder een mamakiplant. De Great Boulder torende boven hen uit als een berg.

Op de startbaan bleef alles stil. Het hele terrein leek verlaten.

De startbaan was bezaaid met stenen, opgedroogde modder en dode bladeren. Naast de baan was een kegelvormige hoop van zand en plantenresten: een mierennest. Over de baan liep een mierenpad dat omlaag kronkelde in de richting van de bodem van de krater.

'Dat ziet er niet goed uit,' fluisterde Danny Minot.

De moed zonk Karen in de schoenen. Als hier geen micromensen woonden, zou er geen shuttle naar Nanigen zijn en geen uitzicht op hulp. Het was duidelijk dat de boel hier al een tijd niet was onderhouden; de basis was onder de voet gelopen door mieren.

Maar misschien waren er vliegtuigen.

Ze liepen langzaam heuvelafwaarts en gingen de hangar binnen. Er waren ankers voor vliegtuigen, maar de vliegtuigen zelf ontbraken. Terwijl Rick en Danny gingen zitten om te rusten, verkende Karen de basis. Ze vond een ruimte die waarschijnlijk ooit als opslagruimte voor mechanische onderdelen en voorraden had gediend, maar nu leeg was. Er staken alleen nog verbogen metalen pennen en bouten naar buiten uit de muren en de vloer. Ze liep een ander vertrek in. Leeg. De volgende ruimte bevatte woonvertrekken. Ze zagen eruit alsof ze waren ondergelopen na een zware regenbui – de vloer was bedekt met een dikke laag modder.

Nergens was ook maar enig teken van menselijk leven. Basis Tantalus was uitgestorven. Niets wees op een weg naar Honolulu. Er waren geen vliegtuigen. En er was ook geen shuttletruck. Alleen de passaat, die eindeloos door de struiken ritselde en door de verlaten gebouwen van de basis floot.

Karen kwam weer tevoorschijn uit het complex, en ze gingen gezamenlijk bij de startbaan zitten om een blik in de krater te werpen. Door de kloof in de kraterwand konden ze de stad zien, en voorbij de stad strekte de blauwe onmetelijkheid van de Grote Oceaan zich uit. Nanigen lag op kilometers afstand van de krater, en er was geen enkele manier om thuis te komen.

Danny Minot lag in het steengruis en hield zijn arm vast. Hij begon te huilen. Zijn snikken weerkaatsten tegen de muur van de hangar en dreven een hemel in die verlucht was met grijze rollende wolken en wind. Karen zag hoe een mier die een zaadkorrel droeg zich over de startbaan haastte. Haar blik gleed naar de Great Boulder en vervolgens naar de horizon en de wolken daarachter.

Tegen het azuurblauw van de hemel zag ze hoe in de buurt van het rotsblok iets bewoog, en plotseling besefte ze dat het de gestalte was van een man.

39

BASIS TANTALUS
31 OKTOBER, 17:00

Karen kon niet zeggen hoe lang de man er al had gestaan – misschien hield hij hen al in de gaten vanaf het moment waarop ze de basis waren gaan verkennen. Ze zag zijn haar wapperen in de wind; het was lang en wit. Hij droeg een soort wapenrusting, maar Karen kon niet zeggen waarvan die was gemaakt. Zijn ogen stonden hard en kil, wat zelfs van deze afstand was te zien. Hij bracht een voorwerp naar zijn schouder. Het was een gasdrukgeweer.

'Liggen!' riep Karen terwijl ze Rick vastgreep.

De man vuurde. Er klonk een sissend geluid, en een ding van glimmend staal suisde langs hen heen, boorde zich ergens verderop in de grond en explodeerde met een doffe dreun. Karen begon weg te kruipen en sleepte Rick achter zich aan, maar er was nergens een plek waar ze zich konden verbergen. Nog een sluipschutter... Drake had hen gevonden...

De stem van de man bereikte hen via de wind. 'Dat was een waarschuwing. Sta op en laat je handen zien. Als je wapens hebt, laat ze dan voor je voeten op de grond vallen.'

Ze gehoorzaamden. Karen stak de blaaspijp omhoog zodat de man hem kon zien en liet hem op de grond vallen.

'Handen op je hoofd.'

Karen gehoorzaamde en riep: 'We hebben twee gewonden. We hebben hulp nodig.'

De man gaf geen antwoord, maar liep op hen af met zijn geweer in de aanslag. Toen hij dichterbij kwam, zagen ze dat hij al wat ouder was en een gebruind, verweerd gezicht had met blauwe ogen die diep in de kassen lagen. Hij was gespierd en zag er sterk uit. Hoe oud zou hij zijn? Zo te zien kon het evengoed vijftig als tachtig zijn. Zijn wapenrusting was uit het pantser van een kever gesneden. Over zijn voorhoofd liep een litteken dat via zijn hals onder het borstschild van zijn wapenrusting verdween. Hij keek hen een voor een aan en bestudeerde hun gezichten. Vervolgens maakte zijn blik zich van hen los, en zijn ogen schoten over het terrein. Karen besefte dat deze man zich niet door roofdieren zou laten verrassen.

Hij gebaarde naar hen met het wapen. 'Wie zijn jullie?'

Karen noemde hun namen en voegde eraan toe: 'En wie bent u?'

Hij negeerde de vraag.

'Mijn arm–' begon Danny, maar hij zweeg toen de man het geweer op zijn gezicht richtte.

Karen zei: 'We hebben medische hulp nodig.'

De man staarde hen zwijgend aan. Hij tikte met zijn voet tegen de blaaspijp. 'Interessant,' zei hij. Hij pakte het wapen op, bekeek een pijl en rook eraan. 'Gif?' zei hij.

Ze knikte.

'Waar zijn jullie wapens?'

'We zijn ons enige geweer kwijtgeraakt toen we door vogels–'

'Volgens mij heeft Vin Drake jullie gestuurd,' onderbrak hij. 'Wat komen jullie doen?'

Karen begon het uit te leggen. 'Nee, Drake heeft geprobeerd ons te vermoorden–'

De man onderbrak haar. 'Dit is zeker weer een van zijn trucjes?'

Karen zei: 'U zult ons op ons woord moet geloven.'

'Waar komen jullie vandaan?'

'Het arboretum.'

'En jullie zijn helemaal naar boven gekomen? Weinig kans.'

Karen liep op hem af en duwde zijn geweer opzij. 'Geef die blaaspijp terug.'

De man zette grote ogen op. Misschien was hij verrast, of juist boos. Maar na een kort stilzwijgen liet hij zijn geweer zakken. Er verscheen een glimlach op zijn gezicht die zijn witte tanden onthulde. 'Om een of andere reden,' zei hij, 'ben ik onder de indruk van jullie.' Hij gaf haar de blaaspijp terug. 'Welkom op de Tantalus. Ik heet Ben Rourke. Ik ben de uitvinder van de tensorgenerator.'

Karen keek hem aan. 'Hoe bent u hier verzeild geraakt?'

'Ik ben hier op een gegeven moment gestrand en heb vervolgens besloten om kluizenaar te worden,' antwoordde hij.

Ben Rourke woonde in een doolhof van grotten in de buurt van de Great Boulder, een kleine twee meter boven basis Tantalus. Hij nam hen mee de heuvel op en hielp Rick bij het lopen. De ingang van de grot was een gat in de grond aan de voet van de rots. Er liep een tunnel horizontaal de aarde in, zoals bij de ingang van een mijn. Naarmate ze dieper in de tunnel kwamen, werd het licht steeds zwakker. Uiteindelijk bereikten ze een deur die uit hout was gesneden. Hij was vergrendeld met een ijzeren haak. Nadat Rourke de deur had geopend, betraden ze een volgende, inktzwarte tunnel. Hij zette een schakelaar om, en in het plafond van de tunnel ging een rij ledlampen aan. 'Welkom in Rourkes Redoute,' zei hij. 'Zo noem ik mijn onderkomen.' Hij sloot de deur achter hen en vergrendelde hem met een ijzeren pin. 'Dat is om de duizendpoten buiten te houden.' Hij liep met grote, stoere stappen verder.

De tunnel maakte een bocht en liep schuin omlaag, dieper de berg in. Hij slingerde naar links en weer naar rechts en ze passeerden zijgangen die verdwenen in de duisternis. 'Dit is een oud rattennest,' legde Rourke uit. 'Drakes mensen zagen de ratten als een bedreiging voor de bewoners van basis Tantalus. Ze hebben de ratten vergiftigd en het nest afgegrendeld. Ik heb de tunnels weer geopend en ben er gaan wonen.' De ledlampen, die op regelmatige afstand aan het plafond waren bevestigd, verspreidden een blauwe gloed.

'Waar komt de elektriciteit vandaan?' vroeg Karen.

'Zonnepaneel. In een boom. De draad loopt naar een aggregaat dat hier beneden staat. Het heeft me drie weken gekost om die kloteaccu's van basis Tantalus hiernaartoe te slepen – en ik had nog wel een hexapod. Drake heeft er geen idee van welke schatten zijn mensen hier hebben achtergelaten toen ze de basis verlieten. Hij denkt trouwens dat ik dood ben.'

'Wat is je probleem met Drake?' vroeg Karen.

'Ik kan zijn bloed wel drinken.'

'Hoezo?'

'Alles op zijn tijd.' Ben Rourke was een mysterieus type. Hoe was hij hier eigenlijk beland? En hoe had hij ervoor gezorgd dat hij geen caissonziekte kreeg?

Rick testte zijn handen en benen en wreef over zijn armen. Hij zat onder de blauwe plekken; hij kon ze zien in het licht. Maar hij kon in elk geval weer bewegen. Hij vroeg zich af hoeveel tijd Karen, Danny en hij nog hadden voordat ze last zouden krijgen van de caissonziekte. Hoe lang waren ze eigenlijk al in de microwereld? Het leek wel eeuwen, hoewel het pas drie dagen was, zo herinnerde hij zich. De symptomen begonnen op de derde of de vierde dag.

Ze kwamen opnieuw bij een zware houten deur. Ook deze had een functie die vergelijkbaar was met een afscheidingsdeur in een schip en zorgde ervoor dat de verschillende delen van de doolhof geïsoleerd bleven. Rourke vergrendelde de deur achter hen en legde uit dat je niet voorzichtig genoeg kon zijn met de roofdieren die hier voorkwamen. Hij zette een schakelaar om. De lichten gingen aan en onthulden een ruimte met een hoog plafond, vol met meubels, gevulde boekenplanken, laboratoriumapparatuur en een flinke voedselvoorraad. Het was een woonkamer. 'Oost west, thuis best,' zei hij. Hij begon zijn wapenrusting uit te trekken en hing de spullen in een bergruimte. Er waren verschillende zijgangen die naar aangrenzende vertrekken voerden, en in een ervan zagen ze elektronische apparatuur.

Er was een bureau waarop een computer stond en er waren stoelen gemaakt van takjes en gevlochten gras. In het midden van de kamer bevond zich een ronde open haard. Op een rek in de buurt hingen repen gerookt insectenvlees. Rourke had ook een voorraad gedroogd fruit, eetbare zaden en stukken gedroogde tarowortel aangelegd.

Rourkes bed was de schil van een kukui-noot die gevuld was met zachte boomschorssnippers. Tegen een muur stond een enorme stapel in blokken gehakte kukui-noten. Rourke bracht een aantal vette stukken notenvlees naar de open haard en stak het vuur aan met behulp van een gasbrander. Het vuur vatte vlam en verspreidde licht en warmte in het vertrek. De rook verdween door een gat in het plafond.

Ben Rourke leek een manusje-van-alles. Hij was duidelijk een briljante man die veel wist over veel dingen. Hij leek gelukkig in zijn vesting; hij had blijkbaar een leven gevonden dat hem voldoening gaf. Ze waren nieuwsgierig naar zijn verhaal. Hoe was hij hier terechtgekomen? Waarom had hij een hekel aan Vin Drake? Wat had Drake hem aangedaan? Karen en Rick keken allebei naar hun handen en armen en zagen de blauwe plekken. Het zou een goed idee zijn om Rourke uit te leggen dat ze zo snel mogelijk naar Nanigen moesten, of om hem te vragen hoe hij de caissonziekte had overwonnen.

Als eerste moest Rourke echter Rick en Danny onderzoeken en ze de verzorging geven die ze nodig hadden. Rourke begon met Rick. Hij wreef Ricks armen en benen, keek in zijn ogen, en stelde vragen. Hij haalde een kist tevoorschijn en opende hem. Het was een medicijnkist van het type dat kapiteins meenamen op lange reizen. De kist bevatte verschillende zaken, waaronder een tang, een schaar, steriele kompressen, een heel lang scalpel, een beenzaag, een fles jodium en een fles Jack Daniels. Rourke onderzocht de wond onder Ricks arm, waar de angel van de wesp naar binnen was gegaan. Hij ontsmette de wond met jodium – wat Rick een sprongetje deed maken – en zei dat het vanzelf zou genezen. Hij voegde eraan toe: 'Jullie moeten echt even in bad.'

'We zitten al drie dagen in de microwereld,' zei Karen.

'Drie dagen,' zei Rourke bedachtzaam. 'Eigenlijk zijn jullie hier langer. Ik neem aan dat de tijdcompressie jullie ondertussen wel is opgevallen?'

'Hoe bedoel je?' vroeg Rick.

'De tijd gaat sneller voor ons. Jullie lichamen werken sneller, jullie hart klopt als dat van een kolibrie.'

'We hebben overdag geslapen,' merkte Karen op.

'Logisch. En jullie hebben niet veel tijd meer. Ik zie dat jullie al symptomen van caissonziekte beginnen te vertonen. Het zal nu wel snel gaan. Blauwe plekken, pijn in de gewrichten, bloedneuzen, en dan... het einde.'

Karen vroeg aan Rourke: 'Waarom heb jij het dan niet gehad?'

'Ik heb het wél gehad, en niet zo'n beetje ook. Ik ben er bijna aan onderdoor gegaan, maar ik heb een manier gevonden om het er levend van af te brengen. Misschien zijn sommige mensen er gewoon minder gevoelig voor.'

'Wat heb je dan gedaan?' vroeg Rick.

'Ik stel voor dat we eerst even naar de arm van dit heerschap kijken.' Hij draaide zich om naar Danny.

Danny was in een stoel bij het vuur gaan zitten. Hoewel de stoel was gevlochten van varenhaar en kleine takjes voelde hij heel degelijk en comfortabel aan. Hij liet zich onderuitzakken en wiegde zijn arm. De mouw was nu volledig kapotgescheurd en de larven vormden bulten onder de perkamenthuid. Ben Rourke bestudeerde Danny's arm en porde er voorzichtig in. 'Waarschijnlijk zijn de eitjes door een sluipwesp gelegd. Ze heeft je arm voor een rups aangezien.'

'Ga ik dood?'

'Absoluut.' Danny opende met een angstige blik zijn mond, maar Rourke vervolgde: 'De vraag is alleen wannéér. Maar als je niet meteen al de pijp aan Maarten wilt geven, zullen we die arm eraf moeten halen.'

Hij haalde het lange scalpel tevoorschijn en overhandigde Danny de fles Jack Daniels. 'Verdoving. Begin maar vast te drinken, dan kook ik de spullen.'

'Nee.'

'Als die arm er niet afgaat, gaan de larven misschien migreren.'

'Waar naartoe?'

'Je hersenen.' Rourke stak het uiteinde van de beenzaag omhoog en tikte tegen zijn tanden.

Danny sprong uit de stoel, deed een stap achteruit en hield de fles voor zich als een knuppel. 'Blijf uit mijn buurt!'

'Wees voorzichtig met die whisky. Ik heb niet veel meer.'

'Jij bent geen dokter!' Hij nam een grote slok uit de fles. 'Ik wil een echte arts!' Hij veegde zijn mond af, hoestte en keek om zich heen alsof hij wilde ontsnappen.

'Doe geen domme dingen, meneer Minot,' zei Rourke terwijl hij zijn instrumenten weer in de kist legde. 'Het begint avond te worden, en wanneer het donker is, blijven verstandige mensen onder de grond.'

40

ROURKES REDOUTE
31 OKTOBER, 19:00

Ben Rourke legde meer blokken kukui-noot op het vuur en hing er een metalen ketel boven. De constructie bestond uit een haak en een scharnierende ijzeren staaf die in de grond was gestoken – stukken metaal die hij op de basis had gevonden. Het water, een hoeveelheid van enkele theelepels, kwam vrijwel onmiddellijk aan de kook. Rourke liet een kleinere emmer in de ketel zakken, vulde hem met water en droeg hem naar een houten tobbe die zich in een nis in de muur bevond.

Het was een badkuip in een privéruimte. Rourke voegde er nog wat koud water aan toe uit een tank die op zwaartekracht werkte.

Rick liet zich in het warme water zakken en probeerde zich te ontspannen. Het gif zat nog in zijn systeem en maakte dat hij zich stijf voelde. Zijn armen en benen reageerden ook niet lekker, en hij voelde zich bovendien een beetje duizelig. Er lag een stuk zeep, grillig van vorm en zacht. Het was middeleeuwse zeep; Rourke had hem waarschijnlijk gemaakt van as en het vet van een of ander insect. Het voelde fantastisch om zijn lichaam te wassen na drie dagen door de drek te hebben gelopen. Maar hij kon onmogelijk de donkere schaduwen over het hoofd zien die zich over zijn armen en zijn onderbenen hadden verspreid. Hij probeerde zichzelf wijs te maken dat hij de blauwe plekken had opgelopen tijdens zijn confrontatie met de wesp. Hij voelde zich vreemd, maar dat was waarschijnlijk het gif.

Danny weigerde een bad te nemen, bang dat het water op een of andere manier de larven zou stimuleren. Hij bleef in zijn stoel zitten, dronk van Rourkes whisky en staarde in het vuur.

Karen was de volgende die een bad nam, en ze genoot van de weelderige luxe van het warme water. Het was zo'n fantastisch gevoel om weer schoon te zijn. Ze waste haar kleren en hing ze te drogen. Vervolgens hulde ze zich in een gewaad dat ze van Rourke had gekregen en ging heerlijk fris bij het vuur zitten. Rick droeg een broek van Rourke en een werkhemd. Er zat weinig model in de kleren, maar ze zaten lekker en waren schoon.

Rourke kookte ondertussen een maaltijd voor zijn gasten. Hij bracht een pan met water aan de kook en voegde er gerookt insectenvlees, wortelsnippers, stukjes bladgroenten en zout aan toe. De stoofpot was snel klaar en verspreidde een aangename geur. Het was een heerlijke maaltijd waarvan ze weer wat op krachten kwamen.

Later die avond gingen ze in de stoelen rond het vuur zitten om naar Rourkes verhaal te luisteren.

Ben Rourke was natuurkundige en systeemontwikkelaar geweest met een specialisatie in superkrachtige magnetische velden. Hij was in het bezit gekomen van de data van de oude legerexperimenten in Huntsville en had op basis daarvan onderzoek gedaan naar het krimpen van materie in een tensorveld. Daarbij had hij enkele van de schijnbaar onoplosbare vergelijkingen met betrekking tot het optredende turbulentieprobleem ontrafeld. Vin Drake was op de hoogte geraakt van Rourkes werk en had hem ingehuurd als medeoprichter van Nanigen. In samenwerking met zijn collega's had Rourke de tensorgenerator gebouwd met behulp van aangepaste, maar standaard verkrijgbare apparatuur die grotendeels in Azië was aangeschaft. Drake had door zijn charisma een enorm kapitaal weten te vergaren via het Davros Consortium. Hij wist de dingen altijd zo te brengen dat ze vreselijk opwindend en uiterst lucratief leken.

Ben Rourke had aangeboden om als eerste mens de tensorgenerator te testen. Hij was van mening dat het niet zonder gevaar was en vond dat hij als eerste het risico moest nemen. Levende organismen waren broos en gecompliceerd. Dieren die in de generator waren getransformeerd, overleefden het vaak niet als gevolg van inwendige bloedingen. 'Maar Drake bagatelliseerde het risico,' zei Rourke. 'Hij beweerde dat er geen problemen waren.'

Rourke had niet meer dan enkele uren in getransformeerde toestand doorgebracht. Naarmate echter meer microreizigers in de generator werden gekrompen die gedurende langere tijd klein bleven, werden steeds vaker klachten gemeld. Mensen begonnen zich ziek te voelen, ontwikkelden overal blauwe plekken en kregen mysterieuze bloedingen. Ze werden haastig tot standaardformaat teruggebracht en onderzocht. De studies wezen op een onverklaarbare afname van het stollingsvermogen van het bloed.

Ondertussen maakte Nanigen – dat zwom in het geld van investeerders – grote vorderingen met de verkenning van de microwereld. Het bedrijf besloot zich in eerste instantie op de exploratie van de Tantaluskrater te richten. De krater had een extreem hoge biodiversiteit en bood een rijkdom aan chemische en biologische verbindingen. Basis Tantalus werd in modules gebouwd. 'We maakten elke module als schaalmodel in een verhouding van 1:10. Die modules werden vervolgens in de generator getransformeerd naar het juiste formaat voor de micromensen.' Vervolgens werden de modules uitgerust met apparatuur en voorraden en bij de Tantaluskrater neergezet.

In eerste instantie mochten de veldteams niet langer dan zesendertig uur op de basis blijven. Daarna moesten ze terug naar Nanigen, waar ze weer terug werden gebracht naar hun standaardgrootte. Op een gegeven moment begon Nanigen met de plaatsing van bevoorradingsstations in het Waipaka Arboretum, en die werden ook met personeel uitgerust.

Het was niet praktisch voor de teams om op de graafrobots te werken en monsters te verzamelen als ze zo snel werden gewisseld. Daarom wilde Drake de mensen ondanks de risico's langer in de microwereld houden. Hij vroeg Rourke of hij als experiment wat langer op basis Tantalus wilde blijven – om te zien of het menselijk lichaam zich misschien aan de microwereld zou aanpassen. 'Ik vertrouwde op Vin, en ik geloofde in mijn uitvinding,' zei Rourke. 'Nanigen patenteerde mijn ontwerp, en ik zou ook geld krijgen als het project zou slagen. Ik was bereid om de risico's van een langer verblijf te aanvaarden om Nanigen vooruit te helpen.'

Ben Rourke had aangeboden om een team van vrijwilligers samen te stellen dat zou proberen een week op de Tantalus te blijven. 'Aangezien ik de tensorgenerator had ontworpen, leek het me logisch dat ik als eerste een poging zou wagen.' Rourke werd vergezeld door twee andere vrijwilligers van Nanigen: een ingenieur genaamd Fabrio Farzetti en een arts die Amanda Cowells heette en de twee anderen in de gaten zou houden om te zien of er medische veranderingen optraden. Ze werden getransformeerd en naar basis Tantalus gebracht.

'In het begin ging alles goed,' zei Rourke. 'We voerden experimenten uit, testten de apparatuur van de basis; dat soort dingen. En we namen regelmatig contact op met Nanigen via een speciaal communicatiesysteem een videolink met frequentieomvormer om met standaardformaatmensen te kunnen praten.' Hij wees op een houten deur in de woonkamer. De deur stond open, en daarachter konden ze elektronische apparatuur en een beeldscherm zien staan. 'Dat is de videolink. Ik heb de spullen vanaf de basis hiernaartoe verhuisd. Misschien komt er een dag waarop Drake niet langer de baas is bij Nanigen, en dan kan ik naar huis. Maar zolang hij de lakens uitdeelt, maak ik geen gebruik van het systeem. Drake denkt dat ik dood ben. Het zou een grote fout zijn om Drake te laten weten dat ik er nog ben.'

Na een paar dagen op de basis begonnen alle drie de vrijwilligers de symptomen van microcaissonziekte te vertonen. 'We kregen blauwe plekken op onze armen en benen. En op een gegeven moment werd Farzetti erg ziek. Dr. Cowells ontdekte dat hij inwendige bloedingen had en ze vroeg Drake om Farzetti te evacueren.' Fabrio Farzetti moest onmiddellijk naar het ziekenhuis, anders zou hij sterven.

'Maar toen kregen we van Drake te horen dat evacuatie van Farzetti onmogelijk was. Hij beweerde dat de generator kapot was,' zei Rourke. 'En dat hij bezig was de problemen op te lossen.'

Ben Rourke wist meer van de tensorgenerator dan wie ook. Hij begon via de videolink de reparatiepoging te regisseren vanuit de microwereld terwijl de ingenieurs van het hoofdkantoor zijn instructies volgden. Maar om een of andere reden kon de machine niet worden gerepareerd; hij ging steeds weer kapot. Uiteindelijk stierf Farzetti, ondanks alle inspanningen van dr. Amanda Cowells om hem te redden.

'Ik was ervan overtuigd dat Drake de generator had gesaboteerd,' zei Ben Rourke.

'Waarom zou hij zoiets doen?' vroeg Karen.

'We waren gewoon proefkonijnen,' zei Rourke. 'Drake wilde medische gegevens over ons tot aan het moment van onze dood.'

Vervolgens werd dr. Cowells zelf ziek. Ben Rourke verzorgde haar en smeekte ondertussen om hulp via de videolink. 'Maar uiteindelijk besefte ik dat we nooit hulp zouden krijgen. Vin Drake was vastbesloten om zijn krankzinnige experiment door te zetten totdat we allemaal dood waren. Hij wilde informatie over de caissonziekte, maar het was gewoon een nazisurvivalexperiment. Ik heb geprobeerd om andere medewerkers van Nanigen via de videolink uit te leggen hoe de vork in de steel zat, maar niemand wilde me geloven. Ik denk zelfs dat Drake ervan heeft genoten om ons te zien sterven – hij verlustigt zich in het lijden van anderen. Het is alsof Drake micromensen niet als echte mensen ziet. En niemand gelooft dat Drake zo is. Mensen als Vincent Drake opereren buiten de grenzen van de normale moraal. Hun perversiteiten zijn onzichtbaar voor normale mensen omdat normale mensen gewoon niet kunnen bevatten dat iemand zo ziek zou zijn. Een psychopaat kan jaren zijn gang gaan zonder te worden herkend, als hij goed kan acteren,' zei Rourke.

Karen vroeg of hij dacht dat Drake alleen werkte. 'Heeft hij medeplichtigen?' vroeg ze. 'Er zijn mensen bij Nanigen die de waarheid over Drake vermoeden,' zei Rourke. 'De mensen van Project Omicron moeten in elk geval iets weten.'

'Wat is dat?'

'Project Omicron? Dat is het duistere deel van Nanigen.'

'Het duistere deel?'

'Nanigen doet geheim onderzoek voor de Amerikaanse regering. Dat is Project Omicron.'

'Wat doet Omicron?'

'Omicron doet iets met wapens,' zei Rourke. 'Maar dat is alles wat ik weet.'

'Hoe ben je daar achter gekomen?'

'Praatjes van collega's. Daar ontkom je niet aan.' Hij glimlachte, wreef over zijn kin, en stond op om naar de stapel kukui-noten te lopen. Hij nam een groot blok en legde het in de open haard. Het vuur laaide op.

Voor een kluizenaar leek de man best eenzaam, dacht Karen. Ze staarde naar het vuur en dacht terug aan haar leven aan de Oostkust. Ze had zelf ook als kluizenaar geleefd in een klein, verwaarloosd flatje in Somerville, en ze had het grootste deel van de tijd in het lab doorgebracht. 's Nachts doorwerken was heel normaal geworden. Ze had geen echte vrienden, ging nooit uit en nam niet eens de moeite om zelf naar de film te gaan. Ze had een normaal leven opgeofferd voor haar studie en om wetenschapper te kunnen worden. Het was ruim een jaar geleden dat ze met een man naar bed was geweest. Mannen leken bang voor haar, waarschijnlijk vanwege haar spinnen, haar buien en haar obsessie met het lab. Ze wist dat ze opvliegend was. Misschien was ze gewoon zo. Misschien zou ze gelukkiger zijn in haar eentje, zoals Ben Rourke; die vond het leuk om kluizenaar te zijn. Momenteel leek haar leven in Cambridge bijna in een ander universum. 'Hoe zou het zijn als ik in de microwereld wilde blijven, Ben? Denk je dat ik hier zou kunnen overleven?'

Er viel een lange stilte. Rick Hutter staarde haar zwijgend aan.

Rourke stond op en gooide opnieuw een blok op het vuur en zei: 'Waarom zou je hier willen blijven?'

Karen keek naar het vuur. 'Het is natuurlijk wel gevaarlijk... maar het is... zo mooi. Ik heb... dingen gezien waar ik nooit van had durven dromen.'

Rourke stond op, schepte nog wat van zijn stoofpot op en ging weer in zijn stoel zitten. Hij blies op het voedsel om het wat te laten afkoelen. Na een tijdje zei hij: 'Volgens een zengezegde kan een wijs mens comfortabel leven in de hel. En het is hier eigenlijk nog niet zo slecht. Je hoeft alleen maar wat extra vaardigheden te leren.'

Karen keek naar de rook die omhoogging door het gat in het plafond. Ze vroeg zich af waar hij naartoe ging. Ze realiseerde zich ineens dat Rourke de schoorsteen zelf moest hebben gegraven. Wat een hoop werk voor een beetje vuur. Hoe zou het zijn, proberen te overleven in de micro-wereld? Ben had het gedaan. Zou zij het kunnen?

Rick wendde zich tot Karen. 'Even om je eraan te herinneren: we hebben niet veel tijd meer.'

Rick had gelijk. 'Luister, Ben,' zei Karen. 'We moeten terug naar Nanigen.'

Hij leunde achterover en kneep zijn ogen tot spleetjes. 'Ik zat me af te vragen: kan ik jullie eigenlijk vertrouwen?'

'Ja, Ben. Maak je geen zorgen.'

'Ik hoop het. Loop even mee, dan zorg ik ervoor dat jullie naar huis kunnen. Hebben jullie iets van ijzer bij je?' Hij wilde dat Karen haar mes achterliet.

Een van de korte tunnels die op de woonkamer uitkwamen, had aan het einde een nis die was afgesloten met een deur. Rourke zwaaide de deur open. Op de grond lag een enorme schijf van grijs, glanzend metaal met in het midden een gat, zoals in een donut. 'Dit is een neodymium magneet, tweeduizend Gauss,' legde hij uit. 'Een supersterk veld. Nadat Farzetti en Cowells waren overleden, werd ik ook ziek. Maar ik had een hypothese ontwikkeld. Kijk, de dimensionale fluctuaties sturen bepaalde enzymatische reacties in ons lichaam in de war, zoals de bloedstolling. Volgens mij zou een krachtig magnetisch veld die fluctuaties stabiliseren. Dus ik heb het magnetisch veld ingeschakeld en ben er twee weken in gaan zitten. Ik was zo ziek als een hond. Op sterven na dood. Maar ik heb het gered. Ik denk dat ik sindsdien immuun ben voor microcaissonziekte.'

'Dus als we in die magneet gaan zitten, blijven we leven?' vroeg Rick.

'Misschien,' zei Rourke.

'Ik ga liever in de generator,' zei Rick.

'Uiteraard. Daarom ga ik jullie het geheim van de Tantalus laten zien,' zei Rourke. Hij loodste hen de magneetkamer uit, een lange tunnel in, een bocht om en vervolgens schuin omhoog. Ze vroegen zich af waar hij hen mee naartoe toenam. Ben Rourke leek dol op mysterieuze onthullingen. Ze gingen een brede, langgerekte ruimte binnen die in schaduwen was verzonken en vol stond met onidentificeerbare vormen. Drake zette een schakelaar om en een serie leds knipperde aan. Er stonden drie vliegtuigjes geparkeerd. De ruimte was een ondergrondse hangar. Voor de opening van de grot waren brede hangardeuren geplaatst.

'Niet te geloven,' zei Karen.

De vliegtuigen hadden een open cockpit, stompe vleugels in pijlstelling, een dubbele staart en een propeller aan de achterkant van het vliegtuig. De machines stonden op intrekbare wielen. 'Ze waren kapot, en Drakes mensen hebben ze gewoon achtergelaten. Ik heb ze gerepareerd met onderdelen die ik her en der bij elkaar heb gescharreld. Ik heb ermee over de bergen gevlogen.' Hij sloeg met zijn hand op de cockpit van een van de vliegtuigen. 'Ik heb ze zelfs met wapens uitgerust.'

'Waar? Ik zie geen machinegeweren,' zei Rick terwijl hij de vleugels inspecteerde.

Rourke stak een hand in de cockpit en haalde er een machete uit. 'Beetje primitief, maar meer zat er niet in.' Hij legde het kapmes terug in de cockpit.

'Zouden we ermee naar Nanigen kunnen vliegen?' vroeg Karen.

'Dat is de vraag.' Rourke legde uit dat de topsnelheid van een microvliegtuig ruim elf kilometer per uur was. 'De passaat boven Oahu heeft een snelheid van vierentwintig kilometer per uur. Als je probeert tegen de wind in te vliegen, ga je achteruit. Met de wind in de rug kom je waarschijnlijk wel tot Pearl Harbor, of misschien ook niet. Het hangt er ook van af of ik besluit jullie mijn vliegtuigen te geven. Dit zijn eenzitters; er kan maar één persoon in. Jullie zijn met z'n drieën, en er zijn drie vliegtuigen. Dan blijft er geen een meer over voor mij, nietwaar?'

'Dr. Rourke, ik ben bereid u veel geld te betalen voor een van deze vliegtuigen,' zei Danny. 'Ik heb een aandelenfonds geërfd, dat kan van u worden.'

'Ik heb geen behoefte aan geld, meneer Minot.'

'Tja, wat zou voor u werken?'

'Dat jullie Vincent Drake ten val brengen. Als jullie dat lukt, mogen jullie mijn vliegtuigen hebben.'

'In orde, wij rekenen met Drake af,' zei Danny.

Karen zweeg. Rick keek haar aan. Wat was er met haar aan de hand? Hij vroeg Rourke hoe hij zou overleven als hij geen vliegtuig had.

'Dan zal ik er nog een moeten bouwen,' zei Rourke, zich er met een schouderophalen van afmakend. 'Ik heb ondertussen een hoop onderdelen verzameld.'

Vervolgens nam Rourke de touwtjes in handen. Hij liet het drietal plaatsnemen in de cockpit en legde uit hoe de instrumenten werkten. 'Het is heel simpel. Alles is computergestuurd. Dat is de stuurknuppel. Als je een fout maakt, wordt hij door de computer gecorrigeerd. Er is ook een radio – hier is de headset.' Ze konden met elkaar praten als ze in de lucht zaten. Maar er was geen radar, en er waren geen navigatie-instrumenten. Hoe moesten ze Nanigen dan vinden?

'Bedrijventerrein Kalikimaki is gemakkelijk te herkennen vanuit de lucht – het is een stel opslagloodsen langs de Farrington Highway.' Hij legde globaal uit welke kant ze op moesten.

'Oké,' zei Rick. 'Laten we even aannemen dat we binnenkomen, wat doen we dan?'

'De tensorkern wordt bewaakt door beveiligingsbots.'

'Beveiligingsbots?'

'Vliegende microbots. Maar ik denk niet dat jullie daar problemen mee krijgen. Jullie zijn te klein om door de sensoren van de bots te worden geregistreerd. Ze zien jullie gewoon niet, dus je kunt er langsvliegen zonder ze te activeren. Er is een optie om de generator vanaf de microkant te bedienen, als je heel klein bent. Ik heb het systeem zelf ontworpen. De bediening zit in de vloer onder een luik. Het luik zit midden in hexagoon drie. Het is gemarkeerd met een witte cirkel – die kun je zien vanuit de lucht.'

'Is de bediening ingewikkeld?'

'Nee. Gewoon het luik openen en op de rode noodknop drukken, dan word je automatisch opgetransformeerd–' Hij stopte plotseling met praten en staarde naar Rick. Naar zijn arm.

Rick stond met opgerolde mouw tegen een vliegtuig geleund. Rourke staarde naar de blauwe plekken, die nu over Ricks hele arm liepen. 'Je begint te crashen,' zei hij.

'Crashen?' Rick dacht dat hij het over het vliegtuig had.

'Zodra de bloedingen beginnen, is het afgelopen. Ik stel voor dat we je in de magneet stoppen,' zei Rourke op scherpe toon tegen hem. 'Je zit hooguit op een paar uur van de crash.'

Karen keek naar haar eigen armen, die zagen er ook niet best uit. Het zou een race tegen de klok worden. Wachten tot het licht wordt, en hopen dat niemand tegen die tijd inwendige bloedingen heeft gekregen. Ben Rourke adviseerde hun in de magneet te slapen. Hij kon niets garanderen, maar het magnetisch veld kon het ontstaan van de symptomen vertragen. De magneetkamer had ook een open haard, en Rourke sleepte stukken kemirinoot naar binnen om een vuur te maken. Karen en Rick klommen in het gat van de magneet, sloegen een deken om zich heen en probeerden zich wat te ontspannen. Maar dat lukte niet echt, ondanks het feit dat ze kapot waren. De tijd verliep sneller in de microwereld, en een moment om te rusten kwam nooit te vroeg. Danny Minot weigerde in de magneet te slapen. Hij zei dat hij liever in de grote kamer lag, waar hij zich in een van Rourkes stoelen nestelde met een deken om zich heen.

Rourke gooide nog een stuk noot op het vuur en stond op. 'Ik ga naar de hangar om de vliegtuigen klaar te maken. Jullie moeten weg zodra het licht wordt.' Hij begaf zich de tunnel in en liep naar de hangar. Hij moest de microvliegtuigen nakijken, de instrumenten testen en de accu's opladen zodat ze bij het ochtendgloren de lucht in konden.

Danny Minot lag alleen in de grote woonkamer, opgerold in de stoel. Hij kon onmogelijk slapen. Hij dronk het laatste restje Jack Daniels en gooide de fles weg. In zijn arm bewoog van alles. De huid zat vol met bulten en maakte onafgebroken knisperende geluidjes. Hij tilde de deken op en keek ernaar. Hij kon de larven zien bewegen. Het werd hem allemaal te veel, en hij begon te huilen. Misschien was het de alcohol, misschien de weerzinwekkende staat van zijn arm of misschien wel de algehele misère waarin hij verkeerde, maar hij begon langzaam door te draaien. Snikkend wierp hij een blik op de tunnel waarin Rourke was verdwenen. Hoe lang zou hij wegblijven?

Op dat moment begon zijn arm uit elkaar te vallen.

Er klonk een geluid als van scheurend papier. Hij voelde niets, keek naar de plaats waar het geluid vandaan kwam – en zag de kop van een larve tevoorschijn komen uit een brede scheur in de perkamenten huid van zijn arm. Het monster had een glimmende kop. Het was enorm, en het wriemelde en kronkelde alle kanten op en werd steeds langer terwijl het zich een weg naar buiten wurmde.

'O god, hij komt eruit,' fluisterde hij.

De larve begon iets vreemds en afschuwelijks te doen. Hij spuugde vloeistof uit zijn mond: taaie, dunne slierten kwijl – nee, het waren een soort draden; het was zijde. De larve, die zich nu half in zijn arm bevond en half erbuiten, begon zich in zijde te wikkelen. Hij zwaaide met zijn kop en slingerde glimmende draden om zijn lichaam waaruit zich een zijden omhulsel begon te vormen. De achterkant bleef stevig in Danny's arm zitten.

Wat was dat ding aan het doen? Het was helemaal niet van plan om naar buiten te komen! Het ging alleen maar over naar een andere fase. De larve veranderde in een cocon. Maar het dier weigerde uit zijn arm te komen!

Ziek van weerzin begon hij aan de larve te trekken in een poging het dier uit zijn arm te verwijderen. Maar de larve haalde woest uit, spuugde zijde en dreigde hem te bijten met zijn kleine tandjes. Het dier weigerde naar buiten te komen. Het wilde blijven waar het was, stevig verankerd in zijn arm voor het volgende stadium van de metamorfose.

'Karen? Rick?' zei hij zacht. De deur naar hun kamer was dicht en ze hoorden hem niet. Maar ze konden hem toch niet helpen. 'Oooh...'

Hij onderdrukte een kreet van paniek. Hoe zat het ook alweer met dat videoscherm in het aangrenzende vertrek? Rourke had gezegd dat het een communicatiesysteem was om contact met Nanigen op te nemen. Hij keek om zich heen. Rick en Karen waren in de magneetkamer; ze hoefden er niks van te merken. Rourke was in de hangar.

Hij gooide de deken van zich af, stond op en beende naar de communicatieruimte. Hij bestudeerde het beeldscherm en ontdekte een lens. Het was een minicamera die op een plek voor het scherm was gericht. Onder het beeldscherm zat een klepje. Hij wipte het open en zag een aan-uitschakelaar met ernaast een rode knop waarop LINK stond. Simpel. Hij zette de aan-uitschakelaar om. Een paar seconden later lichtte het scherm op. Vervolgens drukte hij op de rode knop LINK.

Vrijwel onmiddellijk klonk er een vrouwenstem, maar het scherm bleef leeg. 'Nanigen beveiliging. Waar belt u vandaan?'

'Tantalus. Ik heb hulp nodig–'

'Meneer, wie bent u? Wat is het probleem?'

'Ik heet Daniel Minot–'

Het volgende moment verscheen het gezicht van de vrouw op het scherm. Ze straalde rust en professionaliteit uit.

'Kunt u me alstublieft met Vin Drake doorverbinden?' vroeg hij de vrouw.

'Het is al laat, meneer.'

'Dit is een noodgeval! Zeg maar dat ik op de Tantalus zit en dat ik hulp nodig heb.'

41

WAIKIKI BEACH
31 OKTOBER, 22:30

Vincent Drake zat aan de beste tafel in The Sea met zijn huidige minnares Emily St. Claire, surfster en interieurontwerpster. The Sea, een van de beste restaurants in Honolulu, bood een heerlijke blik op Waikiki Beach. De tafel stond in een rustig hoekje bij een open raam en keek uit over het strand in de richting van Diamond Head. Er fluisterde een licht briesje door een palmboom niet ver van het raam. Ze waren net klaar met eten. Emily nam een laatste stukje van haar ganache-taartje en nipte van een glas Château d'Yquem.

Drake walste een *single* malt whisky in zijn *snifter*, een Macallan uit 1958. 'Ik moet voor een paar dagen naar de Oostkust.'

'Wat ga je doen?' zei Emily St. Claire.

'Een gesprek met een stel partners. Heb je zin om mee te gaan?'

'Boston in november? Ik dacht het niet.'

De lichtjes van de huizen aan de voet van Diamond Head twinkelden terwijl de vuurtoren knipperde en vervolgens wegstierf. 'We zouden daarna naar Parijs kunnen gaan,' zei Drake.

'Mm,' antwoordde ze. 'Misschien als we met de Gulfstream gaan.' Op dat moment klonk een zoemend geluid, en Drake voelde aan zijn jasje. Het was zijn zakelijke telefoon met encryptie. 'Neem me niet kwalijk,' zei hij, en hij viste het mobieltje uit zijn zak. Hij stond op, legde zijn servet op tafel en liep naar een geopend venster tussen de tafels. Op het scherm van zijn telefoon zag hij een live video *feed*; het gezicht van Danny Minot keek hem aan. 'Dus je bent op basis Tantalus?' zei Drake.

'Niet helemaal,' antwoordde Minot. 'We zitten in het fort van Ben Rourke.'

'Wát?'

'Hij heeft hier allerlei appara–'

'Je gaat me toch niet vertellen dat Ben Rourke nog leeft?'

'Zeker weten,' antwoordde Minot met een veelbetekenende blik. 'En hij moet niks van u hebben, meneer Drake.'

'Beschrijf dat... fort eens.'

'Het is een oud rattennest. Luister, ik heb medische hulp–'

Drake onderbrak hem. 'Waar is dat, eh, rattennest precies?'

'Een kleine twee meter boven basis Tantalus, op de berg.'

Drake was even stil. Ze hadden de rotswand bedwongen. Ze waren heelhuids door een onverkende superjungle getrokken waarin ze al na een paar minuten dood hadden moeten zijn.

'Meneer Drake! Ik moet naar het ziekenhuis!' Minot begon sneller te praten. 'Mijn arm. Hij is geïnfecteerd. Kijk–'

Drake keek op het schermpje van zijn telefoon terwijl Danny zijn arm in de lucht stak en zijn mouw oprolde. De arm was veranderd in een borrelende zak vol... mee-eters. Enorme steenpuisten. En de steenpuisten... bewogen... ze krioelden en kronkelden.

Drakes maag draaide zich bijna om.

'Ze zijn uitgekomen, meneer Drake!'

Danny bewoog zijn arm dichter naar de camera. Het tafereel werd ingezoomd totdat een van de mee-eters haarscherp in beeld was. Het was de kop van een larve die zich omhoogworstelde door een gat in Danny's huid. De bek van de larve pulseerde en spuwde een zijden draad uit. De arm bewoog, en hij zag nog meer larven die wriemelend en worstelend naar buiten kwamen door zijn huid. 'Dank u, meneer Minot, het is zo wel duidelijk–'

'Het is afschuwelijk! Mijn arm is helemaal verdoofd.'

'Het spijt me, Daniel–' Drake had het gevoel dat zijn keel werd dichtgeknepen. Hij keek even naar Emily St. Claire, die ongeduldig leek.

'Help me in godsnaam!' smeekte het gezichtje op zijn mobiele telefoon.

'Wie zijn er nog meer daar?' zei Drake op scherpe toon terwijl hij de telefoon tegen zijn oor drukte.

'Ik kan uw gezicht niet zien!'

Drake draaide de telefoon, zodat Danny hem kon zien. 'We gaan jullie helpen,' zei hij op vriendelijke toon. 'Maar zijn er behalve jou nog meer mensen?'

'Ik wil naar een topziekenhuis'

'Ja, ja, een topziekenhuis. Maar wie zijn daar nog meer?'

'Karen King en Rick Hutter.'

'Hoe zit het met de anderen?'

'Die zijn allemaal dood, meneer Drake.'

'Is Peter Jansen ook dood?'

'Ja.'

'Weet je dat zeker?'

'Hij is doodgeschoten. Zijn borst is uit elkaar gespat. Ik heb het zelf gezien.'

'Wat afschuwelijk. Waar zijn King en Hutter nu?'

'Het interesseert me niet wat zij doen! Als u er maar voor zorgt dat ik in een ziekenhuis kom!'

'Maar waar zijn ze?'

'Ze liggen te slapen,' zei Danny geërgerd, en hij rukte zijn hoofd naar achteren. 'Rourke is in de hangar.'

'Hangar? Welke hangar, Daniel?'

'Rourke heeft een stel vliegtuigen gepikt van basis Tantalus. Die man is een dief, meneer Drake–'

Dus Rourke beschikte over microvliegtuigen. En hoe had hij de caissonziekte overleefd? Rourke had een manier ontdekt om de caissonziekte te genezen. Dit was kostbare informatie.

'Hoe is Rourke aan de caissonziekte ontsnapt, Daniel?'

Er verscheen een sluwe blik op Danny's gezicht. 'O, dat stelt niks voor.'

'Hoe heeft hij het dan voor elkaar gekregen?'

'Dat vertel ik u... als u me helpt.'

'Daniel, ik doe mijn uiterste best om je te helpen.'

'Ben weet hoe het werkt,' zei Danny.

'Maar wat is het dan?'

'Het is iets heel simpels.'

'Wát dan?'

Danny besefte dat hij Drake had waar hij hem wilde hebben. Hij vertrouwde hem voor geen cent, maar hij wist dat hij slimmer was dan Drake.

'Als u een ziekenhuis voor me regelt, dan vertel ik hoe je de caissonziekte kunt overleven.'

Drake perste zijn lippen op elkaar.

'Goed.'

'Dat is de afspraak, meneer Drake. En er valt verder niet over te praten.'

'Uiteraard. We gaan het regelen. Luister, Daniel, ik wil dat je het volgende doet – en je moet precies doen wat ik zeg.'

'Help me nou gewoon–'

'Kun jij zo'n vliegtuigje besturen?' Dat kan elke idioot, zelfs jij mijn beste Daniel.

'Luister, regel in godsnaam hulp–'

'Dat is wat ik hier probeer te doen.'

'Haal me hier weg!' schreeuwde Danny.

'Kun je heel even naar me luisteren?' Drake stapte naar het open raam en leunde naar buiten. Hij moest Minot daar weg zien te krijgen. Met hem praten, de informatie over Rourke eruit trekken... en dan zo snel mogelijk met al die minimensjes afrekenen. Drake keek over het strand van Waikiki Beach. Daniel had een oriëntatiepunt nodig. Hij zag een lichtbundel aan de hemel...

De vuurtoren van Diamond Head.

Links van hem, landinwaarts, zag hij wolken boven de bergtoppen hangen. Dat betekende dat de passaat waaide. Vanaf de Tantalus in de richting van Diamond Head. Dat was belangrijk. 'Daniel, je weet toch hoe Diamond Head eruitziet?'

'Dat weet iedereen.'

'Ik wil dat je een van die vliegtuigjes regelt en naar Diamond Head vliegt.'

'Wát?'

'Ze zijn heel simpel te bedienen. Je kunt onmogelijk neerstorten. In het ergste geval stuiter je gewoon terug.'

Stilte.

'Luister je eigenlijk naar me, Daniel?'

'Ja.'

'Als je in de buurt van Diamond Head komt, zie je aan zee een soort knipperlicht. Dat is de vuurtoren van Diamond Head. Vlieg gewoon die kant op. Je kunt hem onmogelijk missen. Ik sta vlak bij de vuurtoren te wachten in een rode sportwagen. Je kunt landen op de motorkap.'

'Ik wil dat er een traumahelikopter staat te wachten.'

'We zullen je eerst moeten decomprimeren. Je bent te klein voor een helikopter.'

Minot begon te giechelen. 'Stel je voor dat ze me kwijtraken. Ha ha!'

'Heel grappig, Daniel,' zei Drake. 'We brengen je naar het beste ziekenhuis.'

'Ze komen naar buiten!'

'Gewoon naar de vuurtoren vliegen.' Drake verbrak de verbinding, liet de telefoon in zijn zak glijden en liep terug naar de tafel, waar hij Emily St. Claire op de wang kuste. 'Een acute crisis. Het spijt me.'

'Hè, jezus, Vin. Waar ga je naartoe?'

'Nanigen. Ze hebben me dringend nodig.'

Hij trok met zijn ogen de aandacht van de ober, en de man kwam op hen af. Emily St. Claire schudde haar haar, nam een slokje wijn en zette het glas op tafel. Zonder Drake aan te kijken zei ze: 'Je gaat je gang maar.'

'Ik maak het goed met je, Emily; we gaan met de Gulfstream naar Tahiti.'

'Dat is zo passé. Ik ga liever naar Mozambique.'

'Afgesproken,' zei hij. Hij greep in zijn jas en trok een stapeltje honderddollarbiljetten uit zijn portefeuille. Hij overhandigde ze aan de ober zonder ernaar te kijken en zei: 'Zorg ervoor dat de dame alles krijgt wat ze wil.' Hij haastte zich naar buiten.

Vin Drake reed naar een grote discountwinkel in een zijstraat van Kapiolani Boulevard. Ondertussen belde hij Don Makele. 'Kom zo snel als je kunt naar de vuurtoren bij Diamond Head. Neem een microcommunicatieradio mee. En kom met het beveiligingsbusje. Dat heb ik nodig.'

Even later kwam Drake de winkel uit met een plastic tas waarin iets groots zat. Hij plaatste de tas in de kofferbak van zijn auto.

Danny zette het videoscherm uit, liep de woonkamer weer in en nam een slok water uit een emmer. Hij had een vreselijke dorst. Er lekte vocht uit zijn arm sinds de larven waren uitgekomen. Het maakte zijn overhemd nat en druppelde op zijn broek. En het ergste was dat alle larven bezig waren zich in te kapselen. Ze veranderden stuk voor stuk in cocons! Cocons die aan zijn arm vastzaten! Zijn hart klopte veel te snel. Hij was doodsbang, maar hij wist wat hij moest doen. Het was doden of gedood worden in deze wereld. Hij rolde zich op in de stoel bij het vuur. Toen Rourke terugkwam uit de hangar, sloot hij zijn ogen en deed hij alsof hij sliep. Hij snurkte om het helemaal echt te maken. Ondertussen gluurde hij tussen zijn wimpers door naar Rourke, die noten op het vuur gooide en vervolgens in zijn bed klom.

Even later stond Danny geruisloos op. Hij sloop behoedzaam in de richting van de tunnel. 'Waar ga je heen?' vroeg Rourke.

Danny verstijfde. 'Even naar de wc.'

'Ik hoor het wel als je iets nodig hebt.'

'Oké. Bedankt, Ben.' Hij liep de tunnel in, het toilet voorbij en haastte zich vervolgens naar de hangar. Zodra hij daar aankwam, knipte hij het licht aan. Er stonden drie microvliegtuigen. Welk exemplaar zou hij nemen? Hij koos het grootste in de hoop dat het bereik en het vermogen het grootst waren. Er liep een kabel vanaf de accu van het vliegtuig de aarde in. Hij trok de kabel los. Hij was vergeten om de hangardeuren te openen.

De deuren werden op hun plaats gehouden door metalen pinnen. Hij trok de pinnen eruit en rolde de deuren open. Er verscheen een nachtelijke hemel die bezaaid was met tropische sterren, een wassende maan en de spookachtige silhouetten van bomen. Hij klom in de cockpit, ging zitten en deed de gordels om. Vervolgens keek hij naar het instrumentenpaneel. Op dat moment sloeg de schrik hem om het hart: hij had geen sleutel.

Hij bestudeerde het instrumentenpaneel en vond een knop waaronder POWER stond. Hij drukte erop. Het paneel lichtte op, en hij voelde het vliegtuig even schudden toen de elektromotor op gang kwam. Klaar voor de start. Zijn linkerarm lag op zijn schoot als een rekwisiet voor een horrorfilm; de mouw was aan flarden gescheurd toen de larven zich een weg naar buiten hadden gekauwd. Twee nieuwe larven waren door zijn huid gebroken en begonnen cocons te spinnen. Het was afschuwelijk. Hoe kon de natuur zo wreed zijn? Het was zo weerzinwekkend, zo inhumaan en zo oneerlijk.

Hij nam de stuurknuppel in zijn handen, bewoog hem en zag de rolroeren op- en neergaan. Vervolgens duwde hij de gashendel naar voren. De propeller aan de achterkant van het vliegtuig kwam jankend op snelheid. Het vliegtuigje begon over de grond te stuiteren. Hij gaf een ruk aan de stuurknuppel, vloekte en slaagde erin de machine onder controle te krijgen. Hij schoot de hangar uit en klom de allesverslindende nacht in.

42

WAIKIKI
31 OKTOBER, 23:15

Eric Jansen was nog laat naar Kapiolani gegaan om iets te eten te halen, en hij liep naar zijn flat terug met een portie varkensvlees *kalua* met rijst in een piepschuimen doos. Bij de oprit groette hij twee jongens op tuinstoelen die naast een felgekleurde pick-up zaten, bier dronken en naar muziek luisterden. Hij ging achterom en liep via de trap naar het appartement op de eerste verdieping.

Het was een gemeubileerde flat met een slaapkamer. Eric ging aan een tafeltje zitten, opende de doos en begon te eten. Plotseling bedacht hij dat het een goed idee was om de monitor te controleren; hij was tenslotte meer dan een uur de deur uit geweest. Hij ging naar de slaapkamer en opende een dressoirlade. In de lade bevonden zich zijn laptop, een metalen doos vol elektronica en een soldeerbout, mesjes, tangen, tape en een rol soldeer.

Op de doos knipperde een lampje. Dat betekende dat er een noodoproep was geweest via het intranet van Nanigen. Shit, die had hij gemist.

Het bericht was gecodeerd. Hij begon op de toetsen van de laptop te tikken om het decryptieprogramma te draaien dat hij via het VPN van Nanigen had gedownload. Het kostte iets meer dan een minuut om het gesprek te decoderen. Vervolgens speelde de laptop het af.

'Dus je bent op basis Tantalus?'
'Niet helemaal. We zitten in het fort van Ben Rourke.'
'Wát?'
'Hij heeft hier allerlei appara–'

'Je gaat me toch niet vertellen dat Ben Rourke nog leeft?'
'Zeker weten. En hij moet niks van u hebben, meneer Drake.'

Eric boog zich naar voren over de ladekast om beter te kunnen luisteren. Dit was een noodoproep via de videolink van basis Tantalus. Hij zag geen beeld, maar hij hoorde wel geluid. Het gesprek werd vervolgd.

'Hoe zit het met de anderen?'
   'Die zijn allemaal dood, meneer Drake.'
   'Is Peter Jansen ook dood?'
   'Ja.'
   'Weet je dat zeker? '
   'Hij is doodgeschoten. Zijn borst is uit elkaar gespat. Ik heb het zelf gezien.'

Erics adem stokte, alsof iemand hem een stomp in zijn maag had gegeven. 'Nee,' zei hij, en hij sloot zijn ogen. 'Nee,' zei hij opnieuw. Hij maakte een vuist en sloeg ermee op de ladekast. 'Nee!' Hij draaide zich om en begon met zijn vuisten op het bed te slaan. Vervolgens pakte hij een stoel, smeet die tegen de muur en ging op het bed zitten met zijn hoofd in zijn handen. 'Peter... Jezus, Peter... godverdomme, Drake... godverdomme, vuile hond.'

Eric Jansen huilde niet lang, daar had hij nu geen tijd voor. Hij stond op, speelde opnieuw het gesprek af en luisterde naar het einde van het bericht. 'Als je in de buurt van Diamond Head komt, zie je aan zee een soort knipperlicht. Dat is de vuurtoren van Diamond Head. Vlieg gewoon die kant op.'

Hij had alle belangrijke interne data feeds van Nanigen gemonitord in de hoop dat hij iets zou opvangen over zijn broer en de andere doctoraalstudenten. Hij was er vrij zeker van dat Drake hen ergens had gedumpt, misschien in het arboretum, hoewel hij daar niet zeker van kon zijn. Hij was er zelf met de bestelwagen naartoe gegaan. Vervolgens was hij via de tunnel het dal ingelopen om te luisteren met zijn apparatuur, maar hij had niets gehoord. Niettemin had hij gehoopt dat Peter vroeg of laat weer boven water zou komen. Hij had vertrouwen in Peters vindingrijkheid. Hij had afgewacht in de hoop dat er een kans zou komen om Peter en de anderen te redden.

Maar hij had een afschuwelijke inschattingsfout gemaakt. Hij had direct naar de politie moeten gaan, ook al had hij daarmee zijn eigen doodvonnis getekend.

De oproep was bijna een uur geleden binnengekomen. Verdomme! En hij had rustig de tijd genomen om een portie kalua naar binnen te werken! Eric vloekte, trok de lade helemaal open, nam de laptop en zijn radiohead-set eruit en rende de trap af. Op de oprit zaten de twee jongens naast de pick-up. Eric had zelf geen auto. Hij had met een van de jongens afgesproken dat hij de pick-up kon huren voor vijftig dollar per keer. Hij overhandigde een van de jongens het geld, stapte in en legde zijn spullen op de stoel naast zich.

'Wanneer ben je terug?'

'Geen idee.' Hij startte de auto.

'Alles oké?'

'Een sterfgeval in de familie.'

'O. Sorry, man.'

Hij draaide Kalakaua Avenue op en besefte meteen dat hij een fout had gemaakt. Kalakaua was een van de drukste wegen van Waikiki, en overal waar hij keek zag hij auto's en voetgangers. Hij had de andere kant op moeten gaan om bij Diamond Head te komen. Hoewel dat waarschijnlijk even problematisch zou zijn geweest. Terwijl hij in slakkengang de verkeerslichten passeerde en langs de grote hotels reed, begon hij weer te huilen, en ditmaal verzette hij zich niet. Het is allemaal mijn schuld, zei hij tegen zichzelf. Mijn broer is dood en het is mijn schuld.

Drake had verschillende veiligheidslagen in zijn plan ingebouwd – manieren om ervoor te zorgen dat Eric hoe dan ook zou omkomen. Eric wist niet precies hoe Drake het had gedaan, maar Drake had ervoor gezorgd dat de boot in de branding terecht was gekomen, en vervolgens had hij op een of andere manier twee Hellstorms op Eric afgestuurd. De killerbots waren uit de kombuis naar buiten gevlogen nadat de motor ermee op was gehouden. Eric had in eerste instantie gedacht dat het vliegen of motten waren, maar toen had hij de propellers gezien – en de wapens. Nadat hij met de killerbots achter zich aan van de boot was gesprongen, had hij onder water moeten blijven om aan ze te ontsnappen. Vlak voordat hij was gesprongen, had hij Peter nog een sms'je kunnen sturen om hem te waarschuwen dat hij weg moest blijven, maar er was geen tijd meer geweest om de zaak uit te leggen.

Eric was een uitstekende zwemmer, en hij wist wat hij moest doen om in de branding te overleven. Om de bots te kunnen ontlopen, was hij zonder zwemvest in zee gesprongen en steeds de diepte ingedoken wanneer er een breker over hem heen kwam. Hij was ervan overtuigd geweest dat de branding op dat moment de veiligste plek was. Veiliger dan elke andere plek in ieder geval. Hij was naar een inham met een beschut strandje gezwommen dat plaatselijk bekendstond als de Secret Beach. Het strandje bevond zich tussen de landtongen en je kon het vanaf de meeste plaatsen niet zien. Je kon er alleen komen via een wandelpad.

Hij was bij de Secret Beach uit het water gekomen nadat hij zich er min of meer van had overtuigd dat niemand hem had gezien. Vervolgens was hij met een paar jongens uit de buurt naar Honolulu gelift. Ze hadden geen vragen gesteld en hadden zich niet geïnteresseerd voor waar hij vandaan kwam. Naar de politie gaan zou geen goed idee zijn geweest. Ze zouden nooit hebben geloofd dat de algemeen directeur van zijn bedrijf kleine vliegende robots met supergiftige wapens op pad had gestuurd om hem te doden; ze zouden gedacht hebben dat hij niet goed bij zijn hoofd was. Bovendien, als hij naar de politie was gegaan, zou Drake erachter zijn gekomen dat hij nog leefde en nog meer Hellstorms hebben gestuurd, en dat was beslist zijn dood geworden. In Honolulu was hij niet naar zijn appartement gegaan; het was goed mogelijk dat Drake er een val voor hem had gezet. In plaats daarvan was hij naar een pandjeshuis gegaan waar hij zijn Hublot-chronograafhorloge had afgedaan en voor een paar duizend dollar had verpand. Hij was ondergedoken om te bedenken hoe hij Drake voor het gerecht kon brengen. Met een deel van het geld had hij een verwaarloosd, eenvoudig appartementje gehuurd.

Als adjunct-directeur technologie van Nanigen bezat Eric Jansen veel kennis van het communicatienetwerk van het bedrijf. En een universitaire studie natuurkunde was natuurlijk ook nooit weg. Na een bezoekje aan Radio Shack had hij een afluisterapparaat gebouwd. Hij was de interne kanalen van de onderneming gaan scannen en had opgevangen dat zijn broer linea recta naar Hawaï was gekomen en vervolgens was verdwenen, samen met de andere studenten. Het had voor de hand gelegen dat Drake iets met de studenten had uitgevoerd. Maar hij had niet willen geloven dat Drake ze had vermoord; dat zou wel heel erg doorzichtig zijn, en daar was Drake veel te uitgekookt voor. Eric was ervan uitgegaan dat Drake ze tijdelijk had laten verdwijnen in de microwereld en dat ze uiteindelijk wel weer boven water zouden komen.

Eric had gewacht op het moment waarop zijn broer weer zou opduiken, waarna hij Peter zou hebben gered. Als ze vervolgens samen naar de politie waren gegaan, zouden er twee getuigen zijn geweest van Drakes misdaden.

Maar dat was nu onmogelijk.

Hij had het compleet verknald. Hij had onmiddellijk naar de politie moeten gaan. Ook als de politie hem niet had geloofd, en zelfs als het had betekend dat Drake hem had vermoord, want dat had Peter mogelijk het leven gered. De oorzaak van alle problemen was Omicron. In een poging Peter te beschermen had Eric zijn jongere broer bewust niet verteld wat hij over het project te weten was gekomen. Maar het had allemaal niets uitgemaakt. Hij sloeg links af en reed door Kapiolani Park. Het verkeer begon wat uit te dunnen, en hij laveerde tussen de auto's door in de hoop dat hij nog op tijd bij de vuurtoren zou komen.

43

Danny Minot bevond zich op een hoogte van 670 meter. De neus van zijn microvliegtuig wees schuin naar boven. Hij wilde voldoende hoogte maken om er zeker van te zijn dat hij niet tegen de wand van de Tantaluskrater zou vliegen. De krater was bekleed met dicht oerwoud dat er zwart en dreigend uitzag. Hij keek over zijn schouder om te zien of hij door andere microvliegtuigjes werd gevolgd, maar hij zag niks. Hij bleef klimmen en de waarden op zijn hoogtemeter bleven stijgen.

Dit was een stuk eenvoudiger dan een videogame. De microvliegtuigen waren zo ontworpen dat ze min of meer crashbestendig waren. Had het vliegtuig trouwens navigatielichten? Hij vond een schakelaar en zette hem om. De navigatielichten gingen aan: rood en groen op de vleugelpunten en wit op de staart. Hij deed ze uit zodat de anderen hem niet konden volgen, maar na een tijdje zette ze opnieuw aan. Het gaf hem op een of andere manier een beter gevoel om de vertrouwde knipooglampjes op de vleugels te zien.

Even later begon de stad Honolulu zich beneden hem uit te strekken. De hotels van Waikiki reikten de hemel in als kolossale monumenten. Rood met witte strepen van auto's bewogen zich voort over de boulevards, en hij zag een cruiseschip dat was aangemeerd in de haven. De oceaan was een inktzwart uitspansel voorbij de stad. Erboven hing de maan, die een glinsterend pad van licht op het water wierp. Links van Waikiki Beach bevond zich een donkere massa: Diamond Head. Van boven gezien was Diamond Head een ringvormige krater. In het centrum brandden een paar lichtjes. In de verte kon hij Diamond Head zelf ontwaren; een bergachtige uitloper in het hoogste gedeelte van de kraterrand. Maar hij zag geen knipperend licht. Alleen de duistere vormen van de krater. Waar was de vuurtoren?

Hij voerde zijn snelheid op en begon koers te zetten in de richting van Diamond Head. Maar plotseling kantelde het vliegtuigje. Het werd met een ruk opzij geblazen en begon in het rond te tollen. Danny schreeuwde het uit van angst. Hij was terechtgekomen in de passaat die over de krater wervelde. Hij vloekte en worstelde met de stuurknuppel terwijl het vliegtuigje danste in de wind. Maar toen stabiliseerde de machine zich en begon in een rechte koers en op hoge snelheid haar weg te vervolgen. Danny was in een laminaire stroming terechtgekomen. Het was als meedrijven op de hoofdstroom van een rivier. Hij keek omlaag en zag het bos bewegen. Of beter gezegd: hij bewoog zich over het bos. De hoogtemeter gaf aan dat hij zich inmiddels op ruim negenhonderd meter bevond. Het uitzicht over de maanbeschenen wereld was magnifiek.

Achter hem, in de richting waar de wind vandaan kwam, spreidde het bekken van de Tantaluskrater zich uit. De krater was als een duistere spelonk. Nergens was licht en niets wees op het bestaan van Rourkes Redoute of basis Tantalus. Direct beneden hem kronkelden wegen omhoog langs de flanken van de bergwand. Langs de wegen brandden lampjes. De gebouwen van de stad kwamen nu merkbaar dichterbij; ze vormden een laaiende lichtzee en rezen onmogelijk hoog de hemel in. Heel even gaf het hem een gevoel alsof hij de hoofdstad van een buitenaards galactisch imperium naderde, maar het was gewoon Honolulu. Hij kon nog steeds de vuurtoren van Diamond Head niet zien.

De wind droeg hem in de richting van de hotels langs Waikiki Beach. Hij wilde meer naar links, meer in de richting van Diamond Head. Toen hij wat met de stuurknuppel en de stroomtoevoer experimenteerde, begon het vliegtuigje naar bakboord te hellen. Hij bleef op hoog vermogen vliegen en keek om zich heen.

Hij wilde niet de stad in worden geblazen, dat zou een gewisse dood betekenen. Daar zou hij verpletterd worden in het verkeer of worden opgezogen door de airconditioning van een gebouw. Hij verhoogde de stroomtoevoer tot aan het streepje waarbij EMERGENCY MAXIMUM stond en bleef koers zetten in de richting van Diamond Head.

Plotseling begon er een schermpje te knipperen waarop een waarschuwing werd getoond: EXCESSIVE BATTERY DRAIN. Resterende vliegtijd: 20:25 min.... 18:05 min.... 17:22 min.... Het getal schoot omlaag. Nog een paar minuten en de accu was leeg. Hij controleerde zijn snelheid. De meter gaf

11,4 kilometer per uur aan. Hij vond het radiopaneel en zette de schakelaar om. 'Mayday. Mayday. Dit is Daniel Minot. Ik zit in een klein vliegtuigje. Een héél klein vliegtuigje. Kan iemand me horen? Meneer Drake, bent u daar? Ik ga Diamond Head niet halen... Ik word de stad ingeblazen... o, mijn god!' Er doemde een hotel op dat eruitzag als een slagschip uit een sciencefictionfilm. Op een balkon zag hij twee reuzen staan: een man en een vrouw. Ze hadden een drankje in hun hand. Zijn vliegtuig, dat opnieuw onbestuurbaar was, werd door de wind in hun richting geblazen. Hun hoofden waren groter dan die in Mount Rushmore. De man zette zijn drankje neer, reikte naar de vrouw, trok het schouderbandje van haar jurk omlaag en ontblootte een reusachtige borst met een recht naar voren staande tepel die zeker een meter tachtig mat. De man liefkoosde de borst met een hand van weerzinwekkende omvang en de twee gezichten bogen zich naar elkaar toe voor een kus.

Danny schreeuwde het uit terwijl zijn vliegtuig op hen af raasde en hij worstelde met de stuurknuppel en de instrumenten. Hij schoot op topsnelheid en met een jankende propeller voor hun neus langs, waarna hij werd gegrepen door een windvlaag en om de hoek van het gebouw verdween.

De man rukte zijn hoofd naar achteren. 'Wat zullen we nou?'

De vrouw had iets geks gezien. Een heel klein mannetje dat een minuscuul vliegtuigje bestuurde. Met knipperende lichtjes op de vleugels. Het mannetje had geschreeuwd. Ze had duidelijk zijn insectachtige jankstem gehoord boven het geluid van een zoemende motor en ze had de open mond en de starende ogen gezien... Maar dat was onmogelijk. Het moest een of andere dagdroom zijn geweest. 'Er zitten hier rare insecten, Jimmy.'

'Dat zijn die vliegende kakkerlakken die ze in Hawaï hebben. Die dingen hebben vleugels.'

'Laten we maar naar binnen gaan.'

De wind leek af te nemen en Danny hervond de controle over zijn vliegtuig. Hij vloog over Kalakaua Avenue, waar hij omlaag keek naar de nachtelijke menigte. Hij merkte dat hij niet meer opzij werd geblazen. Zijn vliegtuig vloog sneller dan de wind en hij schoot nu goed op. Hij helde naar links, zette koers in noordoostelijke richting en vloog over Waikiki Beach, recht op Diamond Head af.

Nu hij in het maanlicht naar de beroemde vorm van de uitham keek, zag hij een knipperend licht. Aan, uit. Duisternis. Aan, uit. Het was de vuurtoren.

'Ik ben gered!'

Hij nam het vermogen iets terug naar FULL CRUISE, want het zou een ramp zijn als de accu er nu mee ophield. Hij begon dit onder de knie te krijgen. Het was een kwestie van techniek.

Hij ging wat hoger vliegen. Hij wilde boven de gebouwen blijven en er voldoende afstand van houden. Het was grappig hoe het leven zo snel een andere wending kon nemen. Het ene moment denk je dat het afgelopen is en dat je doodgaat – en vervolgens ben je op weg naar het beste ziekenhuis van het eiland en zit je Waikiki Beach te bewonderen in het maanlicht. Het leven was goed, dacht Danny.

Er doemde een silhouet op in de nacht. Hij zag snel bewegende vleugels, gooide het roer om en wist het ding net te ontwijken.

'Stomme mot! Kijk uit je doppen.' Dat was op het nippertje geweest. 'Hersenloos monster,' mompelde hij. Een botsing met een mot zou hem in zee kunnen doen belanden, en hij kon beneden zich de branding zien.

Plotseling bereikte een merkwaardig geluid zijn oren. Een soort echoënd *wisj-wing*... Hij hoorde het opnieuw... *wisj-wing. Woemm... Woooemm... iee... iee...* Wat was dat? Iets maakte vreemde geluiden in het donker. Vervolgens zwol een roffelend geluid aan: *pom-pom-pompompom*. Hij zag nog een mot, en het roffelende geluid kwam van de mot... en plotseling was de mot er niet meer.

Iets had de mot uit de lucht gehaald.

'O shit,' zei Danny.

Vleermuizen.

Ze schilderden de motten met hun sonar. Hij was in een gevaarlijke situatie verzeild geraakt. Dit zag er niet best uit.

Hij schakelde het vermogen weer omhoog naar EMERGENCY MAXIMUM.

Hij hoorde het krijsen van de sonar in de duisternis, links, rechts, boven hem, beneden hem, dichtbij, ver weg... maar hij kon de vleermuizen niet zien. Dat was nog het ergste. Boven hem, beneden hem, de roofdieren schoten aan alle kanten langs hem heen in drie dimensies. Het was alsof je midden in de nacht de zee instapte, omringd door hongerige haaien. Hij zag niets, maar dan ook absoluut niets terwijl hij ze wel hun prooi uit de lucht hoorde grijpen. *Woe... woem... wooeem... ie... iee... ie-ie-ie...* Daar ging er weer een. En toen zag hij het: recht voor hem werd een mot gegrepen door een vleermuis. Hij ving een glimp op van een spits silhouet dat voorbij fladderde. Het vliegtuig beefde en sidderde in de turbulentie die door de vleermuis werd veroorzaakt. Jezus christus. De vleermuis was veel groter dan hij had gedacht.

Hij moest naar de grond. Hij moest ergens zien te landen, desnoods op het dak van een hotel. Hij bracht het vliegtuig in een duik en schoot recht omlaag. De motoren loeiden op vol vermogen terwijl hij koers zette naar het dichtstbijzijnde hotel... Maar de machine vloog in de richting van het strand... o shit... te ver van het gebouw af en te dicht bij het water...

De vleermuisklanken werden luider. Een sonarbundel schampte hem en verdween weer. Er volgde een korte stilte... en toen raakte de bundel hem op volle kracht, waardoor zijn borst leek te fladderen. WOEM... IEEP... IEEP... IEE-IEE-IEE... De vleermuis schilderde hem met een bundel ultrageluid. De pingen werden steeds korter en steeds gerichter. Een chaos van geluid omhulde hem.

'Ik ben geen mot!' schreeuwde hij. Hij gooide opnieuw het roer om voor een zijwaartse manoeuvre die de machine in een gierende duikvlucht stortte. Met zijn goede hand begon hij op de buitenkant van de cockpit te rammen in een poging de roffelende klanken van de vleermuizen te imiteren. Misschien zou dat de radar van het dier in de war brengen...

Te laat besefte hij dat hij door op het vliegtuigje te slaan de vleermuis exact had laten weten waar hij zich bevond.

Hij zag een flits van bruine vacht met zilver glinsterende dekhaartjes, twee vleugels met een onmogelijke spanwijdte die de maan aan het gezicht onttrokken en toen een wijd open bek gevuld met tanden als beitels...

Het microvliegtuigje raakte in een vrille en stortte met een gebroken vleugel en een lege cockpit de diepte in. Het kwam terecht in een klodder zeeschuim in de buurt van het strand, waar het vervolgens verdween.

44

DE VUURTOREN VAN DIAMOND HEAD
31 OKTOBER, 23:45

Rourke dommelde een tijdje, maar werd wakker toen hij zich ervan bewust werd dat Danny Minot niet terug was gekomen van het toilet. Er was inmiddels heel wat tijd verstreken, want het vuur was al uit. Hij stond op en haastte zich de gang in, naar het toilet. Danny was er niet. De redoute was een uitgestrekte doolhof met veel ongebruikte tunnels; misschien was Danny verdwaald. Rourke ging een zijgang in en riep: 'Danny! Waar ben je?' Niets. Een andere tunnel leverde ook stilte op. Plotseling voelde Rourke een luchtverplaatsing in de tunnel.

De hangar...

Hij rende naar de hangar en zag dat de deuren openstonden. Een van de vliegtuigen was verdwenen.

Hij sloot de deuren en maakte Rick en Karen wakker. 'Jullie vriend is ervandoor. Hij heeft een vliegtuig meegenomen.'

Ze begrepen niet wat Danny had bezield. Misschien was hij bang geworden en in paniek geraakt omdat zijn arm zo slecht was en had hij besloten om op eigen houtje naar Nanigen te vliegen. Het toonde meer moed dan waartoe Danny in staat leek.

'Misschien moeten we ook vertrekken en proberen hem te vinden,' stelde Karen voor.

Rourke wilde daar niets van weten. 'Hij is weg. De wind kan hem overal mee naartoe hebben genomen.' Hij gaf ook aan dat het te gevaarlijk was om in het donker te vliegen; dan waren de vleermuizen op pad. 'Het is pure zelfmoord.'

Misschien was Danny al dood. En als hij de tocht al zou overleven, was het onduidelijk hoe hij van plan was om Nanigen binnen te komen.

'Ik snap er niks van,' zei Karen.

'Pure paniek,' zei Rick.

Vin Drake zat in zijn auto. De lichtbundel van de vuurtoren draaide boven hem zijn rondjes en druppelde omlaag door de takken van de bomen. Ondertussen waste de maan het landschap met zilver. Wat een heerlijke wereld was het toch. Hij voelde zich bijna kalm. Hij bevond zich hoog boven de aarde en liep over een strakgespannen koord. En hij deed het fantastisch.

Er naderde een zwarte pick-up die naast Drake parkeerde. Drake stapte uit en klom in de truck. Hij legde de situatie uit aan Makele. 'Hij zit in de lucht. Hij kent een remedie tegen de microcaissonziekte. Ik hoor het van hem zodra hij is geland.'

'En dan?' vroeg Makele.

Drake gaf geen antwoord. Hij zette de radioheadset op zijn hoofd en zocht contact terwijl hij omhoogstaarde in de richting van de bergen. 'Daniel? Daniel, ben je daar?'

Hij hoorde alleen het ruisen van radiogolven. Hij wendde zich tot Makele. 'Kijk uit naar zijn navigatielichten. Rood en groen, en heel klein.'

'Wat bent u van plan met die knul?' vroeg Makele.

Drake negeerde hem. 'De wind waait uit de richting van de Tantalus, dus hij kan hier elk moment zijn.'

Er draaide een auto de parkeerplaats op. Drake rukte de radio van zijn hoofd en keek ernaar. 'Ga eens kijken wie dat is.'

Makele liep behoedzaam in de richting van de geparkeerde auto en zag een stelletje dat blijkbaar van plan was het gezellig te maken. Hij liep terug en vertelde Drake dat hij zich geen zorgen hoefde te maken. Drake probeerde opnieuw contact op te nemen, maar kreeg geen antwoord. Er reed verkeer voorbij, en de lichtbundel van de vuurtoren draaide een groot aantal rondjes. Het stel in de geparkeerde auto verdween uit het zicht. De twee mannen staarden naar de hemel, zoekend naar lichtjes tegen de met sterren bezaaide hemel. 'Volgens mij heeft die Danny gelogen,' zei Drake.

'Waarover?'

'Over een remedie tegen de caissonziekte.' Zodat ik zijn leven zou redden. Ha.

Ze deden hun uiterste best om een microvliegtuigje te horen janken. Don Makele merkte op dat er een stevige wind stond. Als die knul het niet redde, was hij waarschijnlijk naar zee geblazen. Drake haalde iets tevoorschijn uit de kofferbak van de sportwagen en legde het in de laadbak van de pick-up. Vervolgens zei hij: 'Ik geef je nog drie aandelen. Dan heb je zeven aandelen. Dat brengt je netto waarde op zeven miljoen.'

De beveiligingsman gromde en zei: 'Wat doen we met die knul?'

'Ondervraag hem.' Drake tikte op de radioheadset. Het apparaat kon met micromensen communiceren.

'En dan?'

Drake gaf in eerste instantie geen antwoord. Hij leunde tegen de pick-up en sloeg met de palm van zijn hand op het metaal. Hij keek naar de hemel en mompelde: 'Wat zijn die insecten irritant vanavond.'

'Ik begrijp het,' zei Makele.

De twee mannen bleven nog een tijdje kijken. Even later liep Makele een stukje naar achteren langs de truck. Hij wierp een blik op het voorwerp dat Drake in de achterbak had gelegd. Het was een plastic jerrycan. Hij kon de benzine ruiken.

Drake probeerde nog een paar keer contact op te nemen en deed ten slotte zijn headset af. 'Meneer Minot heeft een ongeluk gehad, of hij is van gedachten veranderd.'

Hij stapte in de pick-up en overhandigde de sleutels van zijn sportwagen aan Don Makele.

'Wat wilt u dat ik met uw auto doe, meneer?'

'Zet maar bij Nanigen voor de deur en neem een taxi naar huis.'

Drake startte de truck en draaide met ronkende motor Diamond Head Road op. Makele zag de koplampen verdwijnen in de nacht en schudde zijn hoofd.

45

**ROURKES REDOUTE
1 NOVEMBER, 1:00**

Karen en Rick zaten in de magneet te wachten totdat de nacht voorbij was.

'Wij zijn de laatsten,' zei Karen.

Rick glimlachte zwakjes. 'Ik had nooit gedacht dat wij samen zouden overblijven, Karen.'

'Wat dacht je dan?'

'Ik had wel verwacht dat jij het zou overleven, maar ik niet,' zei hij.

'Hoe voel je je?' vroeg ze hem.

'Prima.' Dat was een leugen. Zijn gezicht zat inmiddels onder de blauwe plekken en zijn gewrichten deden pijn.

Karen, die Ricks blauwe plekken bestudeerde, vroeg zich af hoe zij eruit zou zien. Waarschijnlijk alsof ik een flink pak slaag heb gehad, dacht ze.

'Je moet ervoor zorgen dat je de generator bereikt, Rick.'

Hij keek naar haar gezicht in het schijnsel van het vuur. 'Jij ook.'

'Luister, Rick–' Hoe moest ze hem vertellen wat ze had besloten? Gewoon eerlijk zijn. 'Ik ga niet terug.'

'Hè?'

'Ik red me wel, denk ik.'

'Hoe bedoel je?'

'Ik vlieg niet naar Nanigen terug. Ik blijf hier. Ik ga proberen om hier wat van mijn leven te maken.'

Ze zaten met de schouders tegen elkaar aan, gewikkeld in dekens en op zoek naar stervende sintels in het kemirivuur. Ze voelde hoe zijn lichaam zich spande. Hij draaide zijn hoofd in haar richting en keek haar aan. 'Wat bedoel je precies?'

'Ik heb niks om naar terug te gaan, Rick. Ik was doodongelukkig in Cambridge. En ik besefte het niet eens. Maar hier – ik ben hier gelukkiger dan ik ooit in mijn leven ben geweest. Het is gevaarlijk, maar het is een nieuwe wereld. Een wereld die erop wacht om te worden onderzocht.'

Rick voelde hoe een vreemd soort misselijkheid zich in zijn borst nestelde, en hij kon niet zeggen of het de caissonziekte was of dat het zijn emoties waren.

'Wat krijgen we nou? Ben je verliefd op Ben, of zo?'

Ze lachte. 'Ben? Doe me een lol zeg. Ik hou van niemand. Hier hoef ik van niemand te houden. Hier kan ik alleen zijn en vrij. Hier kan ik de natuur bestuderen... dingen die geen naam hebben een naam geven–'

'Jezus, Karen.'

Na een korte stilte zei ze: 'Gaat het lukken om in je eentje bij Nanigen te komen? Ben vliegt waarschijnlijk met je mee.'

'Dit kun je niet maken.'

Het vuur knapte en knetterde. Rick voelde de teleurstelling in zijn maag, maar hij probeerde die gewaarwording te negeren. Hij keek naar haar en zag de weerspiegeling van het vuur in haar ravenzwarte haar. Maar de blauwe plek in haar nek kon hij niet negeren. Hij maakte zich er zorgen om. Had híj dat met haar gedaan? Toen zijn vingers zich om haar nek hadden geklemd? Hij kon de gedachte niet verdragen dat hij haar pijn had gedaan.

'Karen,' zei hij.

'Ja?'

'Blijf alsjeblieft niet hier. Je kunt hier doodgaan.' Ze pakte zijn hand vast, kneep erin... en liet hem weer los.

'Ga met me mee,' probeerde Rick opnieuw.

'Ik wil het hier proberen.'

'Dat accepteer ik niet.'

Ze schonk hem een dreigende blik. 'Het is mijn beslissing.'

'Maar ik ben er ook bij betrokken.'

'O? Hoe dan?'

'Ik hou van je.'

Hij hoorde hoe ze een teug lucht naar binnen zoog. Ze wendde haar blik af, en haar haar viel voor haar ogen zodat hij haar gezicht niet kon zien. 'Rick–'

'Ik kan het niet helpen, Karen. Ergens in de afgelopen dagen ben ik verliefd op je geworden. Ik weet niet hoe het is gebeurd, maar het is gewoon niet anders. Toen je door die vogel was opgeslokt, dacht ik dat je dood was. Op dat moment had ik mijn leven willen geven om jou te redden. En toen wist ik niet eens dat ik van je hield. En toen ik je terug had en je niet ademde – ik was doodsbang – ik had het niet kunnen verdragen als ik je kwijt was geraakt–'

'Rick, alsjeblieft – niet nu–'

'Waarom heb je mij dan gered?'

'Omdat ik niet anders kon,' antwoordde ze met een klein stemmetje.

'Omdat je van me houdt,' vervolgde hij.

'Hoor eens, je moet echt–'

Hij was bang dat hij te ver was gegaan. Natuurlijk hield ze niet van hem – ze mócht hem waarschijnlijk niet eens. Hij kon beter zijn mond houden, maar dat lukte hem niet. 'Dan blijf ik bij je. We hebben allebei de caisson-ziekte. We slaan ons er wel doorheen. We hebben tenslotte ook al die andere dingen overleefd.'

'Rick, ik ben niet iemand bij wie je blijft. Ik ben gewoon altijd... alleen.'

Hij sloeg zijn armen om haar heen en voelde haar lichaam beven. Vervolgens schoof hij haar haar opzij, raakte met zijn vingertoppen haar wang aan en draaide teder haar hoofd naar hem toe. 'Je bent niet alleen.' Hij bracht haar mond naar de zijne en kuste haar, en ze deed geen poging hem tegen te houden. En plotseling kuste ze hem terug, en ze trok hem dicht tegen zich aan. Op dat moment merkte hij hoeveel pijn het deed om haar te kussen. Over zijn hele lichaam verspreid voelde hij een diepe, vage pijn in zijn gewrichten en zijn botten; een pijn die zich naar zijn hele lichaam leek uit te stralen, zoals gemorste vloeistof in een prop keukenpapier trok. Bloedde hij inwendig? Plotseling kromp ze ineen, en hij vroeg zich af of ze dezelfde pijn voelde als hij. 'Gaat het een beetje?'

Ze duwde hem weg zonder antwoord te geven. 'Je kunt niet blijven.'

'Hoezo niet? Geef me één reden.'

'Ik hou niet van je. Ik kan van niemand houden.'

'Karen–'

Hier stopte het gesprek omdat de verlichting uitging en er een vage schemering neerdaalde over het vertrek. Alleen het vuur gaf nog wat licht. Vrijwel op hetzelfde moment begon een vreemde lucht zich aan hen op te dringen. Het rook ineens naar een tankstation in de kamer. De geur werd steeds sterker.

Ben Rourke kwam aanrennen door de gang. 'Benzine!' riep hij. 'Naar buiten!'

46

TANTALUSKRATER
1 NOVEMBER, 01:20

In de tunnels zwol een rommelend geluid aan en de aarde begon te beven. Het volgende moment verscheen een gele lichtgloed in het rookgat boven de open haard. Rick en Karen sprongen op en gooiden de dekens van zich af terwijl Ben de kamer binnenstormde. 'Naar de hangar!' schreeuwde hij.

Ze renden de tunnel in, maar werden getroffen door een explosie van hete lucht die bezwangerd was met kwalijke dampen. Karen viel. Rick trok haar overeind en probeerde haar mee te sleuren, maar ze worstelde zich los, waarna ze op haar knieën viel en in elkaar zakte. Het leek alsof ze was flauwgevallen. Hij zag geen hand voor ogen omdat er plotseling rook de tunnels begon binnen te stromen. Hij tilde Karen op, gooide haar over zijn schouder en rende achter Ben aan. Hij voelde zich duizelig en had moeite met ademhalen, en hij besefte dat de zuurstof uit de tunnels werd weggezogen. Ben schreeuwde en hielp hem met Karen, maar hij struikelde en moest Karen laten vallen.

Ditmaal kwam Karen bij. Ze stond op, pakte hem vast en trok hem met zich mee. 'Kom op, Rick! Nou niet instorten!'

Hoestend, struikelend en happend naar lucht renden ze door de rook die langs het plafond wervelde.

'Onder de rook door!' schreeuwde Ben.

Ze lieten zich op de grond vallen en begonnen te kruipen om met hun hoofd onder de kolkende zwarte walm te blijven.

Een zwaar, huiveringwekkend gebrul deed de grond beven, maar ze hielden vol.

Ze slaagden erin de hangar te bereiken. Rick en Karen sprongen in de vliegtuigjes terwijl Rourke een van de deuren opentrok. Maar plotseling viel de deur uit de rails, wat een muur van vlammen onthulde die de mond van de grot versperde.

Rourke wankelde hoestend naar achteren.

'Ben!' schreeuwde Karen. Ze zag hem op zijn knieën vallen en weer opstaan. Hij gebaarde naar hen. 'Maak dat je wegkomt!'

Maar er waren maar twee vliegtuigen. Ben zou niet kunnen ontsnappen.

Karen riep naar hem: 'Ben! En jij dan?'

'Ga nou maar!' Hij strompelde achteruit in de richting van de tunnelopening, waaruit nu rook de hangar in golfde.

Duizelig en happend naar lucht startte Karen haar vliegtuig, en ze zwaaide naar Rick. 'De lucht in!' schreeuwde ze. Ze vertrokken op hetzelfde moment en vlogen naast elkaar door de grot terwijl Rourke zich omdraaide. Karen keek over haar schouder en zag hem op zijn knieën vallen. Hij kroop terug de redoute in. Maar er was daar geen lucht; hij zou het nooit redden.

Ze naderden de muur van vuur. Karen boog zich naar voren in de cockpit en het microvliegtuig brak door de vlammen de koele nachtlucht in. Ze keek opzij en zag dat Rick Hutter naast haar vloog. Hij leek oké.

Ze liet het vliegtuig voorzichtig iets hellen om de stuurknuppel te testen en wierp een blik achterom. Rourkes Redoute was een zee van vuur. De vlammen likten omhoog langs de Great Boulder en schilderden een oranje gloed op de rots. Tegen de vlammen verscheen het silhouet van een reus. De reus had een rode plastic jerrycan met benzine in zijn hand en goot hem leeg over basis Tantalus. Hij deed een stap naar achteren en gooide er een lucifer in. In een explosie van vuur was zijn gezicht te zien. Het was Vin Drake. Zijn gezicht straalde rust uit – alsof hij in een kampvuur staarde en vredige gedachten dacht. Hij kantelde zijn hoofd van links naar rechts, alsof hij water uit zijn oren proberen te krijgen of ergens naar luisterde.

Rick verloor de controle over zijn vliegtuig. Hij raakte in een kurkentrekker en klapte tegen de Great Boulder. Even vreesde hij dat dit het einde was, maar het toestel stuiterde weg van de rots en stabiliseerde zich om vervolgens netjes horizontaal zijn weg te vervolgen. Deze machines waren enorm sterk. Hij keek om zich heen; hij had Karen uit het oog verloren. De bomen reikten omhoog in een muur van takken en groen. Hij keek erin rond, maar zag nergens navigatielichten; niets wat aangaf waar Karen was gebleven. In de cockpit was een radio, en hij overwoog haar op te roepen. Op dat moment zag hij even verderop een paar lichtjes knipperen: groen, rood en wit. Karens navigatielichten.

Hij zette zijn eigen navigatielichten aan en wiebelde naar haar met zijn vleugeltips. Ze wiebelde terug. Mooi zo, ze konden elkaar zien. Ze vloog de kruin van een boom in, en Rick volgde haar lichten. De takken en de bladeren kon hij maar met moeite onderscheiden. Hij vloog door een duistere doolhof, Karen King achterna.

Rick voerde het vermogen op en ging naast haar vliegen terwijl ze rondjes om de boom draaiden. Hij zette zijn radio aan. Wat maakte het uit? Drake kon hen nu toch niks maken, zelfs niet als hij hen zou horen.

'Lukt het, Karen?'

'Ik denk het wel. En bij jou?'

'Alles goed,' antwoordde hij. Hij realiseerde zich plotseling dat ze nergens naartoe kon, afgezien van Nanigen. Ze kon niet naar de Tantalus terug, want er was niets meer van over. Hij besloot haar niet aan die realiteit te herinneren.

Tussen de takken door konden ze Drake zien. Hij liep de heuvel af terwijl achter hem de vlammen oplaaiden; hij had nog iets in brand gestoken. Wat het ook was, hij leek vastbesloten alle sporen te wissen. Aangezien het bos nat was, zou het vuur waarschijnlijk vanzelf doven zonder aandacht te trekken. Van Rourkes Redoute en basis Tantalus zouden alleen kale ruïnes overblijven.

Drake liep het bos in. De lichtbundel van zijn zaklamp danste tussen de bomen. Ze hoorden het geluid van een motor en zagen een pick-up over de onverharde weg op de kraterrand hobbelen. De lichten van het voertuig verdwenen aan de andere kant, en het werd donker. Maar de duisternis was niet compleet, want de lichtjes van Honolulu twinkelden tussen de takken door. Karen vloog via de top van de boom omhoog, de open lucht in.

'Vleermuizen. We moeten ergens landen,' zei Rick tegen haar.

'Waar? We kunnen niet op de grond landen.' Daar zouden ze een prooi vormen voor de roofdieren.

'Vlieg maar achter mij aan,' zei hij. Hij haalde haar in en nam de leiding. Karen volgde. Hij zag takken, bladeren en andere obstakels, maar hij vloog er probleemloos omheen, laveerde van links naar rechts en bleef tussen de kruinen van de bomen, waar geen vleermuizen waren. Soms, als hij een blik over zijn schouder wierp, zag hij Karens navigatielichten; ze zat altijd vlak achter hem. Het vuur achter hen vervaagde, en op een gegeven moment waren ze zo ver gedaald dat ze de brand helemaal niet meer konden zien. Ze bevonden zich in een zone waar de wind minder kracht had en werd tegengehouden door de rotswanden en de kraterhelling.

'Ik ga op zoek naar een plek om te landen,' zei Rick over de radio. Hij scheerde over een tak om hem inspecteren; het was een brede, schone tak, vrij van mos, met voldoende ruimte om te taxiën. Hij landde op de tak en kwam tot stilstand. Deze machines konden op een dubbeltje landen. Karen zette haar vliegtuigje ook aan de grond en liet het uitrollen totdat ze naast elkaar stonden.

De tak schommelde en slingerde; de wind speelde ermee en dreigde de vliegtuigjes mee te sleuren.

'We moeten de machines vastzetten,' zei Rick, en hij stapte uit. Hij vond ankerkabels in de neus en de staart; ongetwijfeld een vinding van Ben Rourke. Rick verankerde beide vliegtuigen.

Karen, die ineengedoken in haar cockpit zat, begon zachtjes te huilen.

'Wat is er aan de hand?'

'Ben. Hij zat als een rat in de val. Hij kan het onmogelijk hebben overleefd.'

Rick vond dat Ben nog wel een kans maakte. 'Ik zou hem niet zomaar afschrijven.' Maar er was geen enkele manier om erachter te komen of Ben was ontsnapt of was omgekomen in de vlammenzee.

Het wachten begon. De klok op het instrumentenpaneel gaf 1:34 aan. Het zou nog uren duren voordat het licht werd, maar 's nachts konden ze niet veilig vliegen.

De passaat ging tekeer, en de tak schommelde en slingerde als een schip in een storm. Karen bekeek de blauwe plekken op haar armen. Het waren donkere vlekken in het maanlicht, en ze werden steeds groter. Ze vroeg zich af hoe de rest van haar lichaam eruitzag.

Rick werd zeeziek door het dansen en deinen van de tak, en hij vroeg zich af of het een symptoom van de caissonziekte was. Of zou het de nawerking zijn van het spinnen- en wespengif? Hij dacht na over de afstand die ze de volgende ochtend nog moesten overbruggen. Een kleine vijfentwintig kilometer, inclusief een enorm stuk over Pearl Harbor – open water. Dat gaat nooit lukken, dacht hij. We kunnen het wel vergeten.

47

TANTALUS DRIVE
1 NOVEMBER, 1:40

Toen Eric Jansen de parkeerplaats bij de vuurtoren van Diamond Head opdraaide, was het terreintje verlaten. De auto van Vin Drake was nergens te zien. Hij was te laat. Of zou hij te vroeg zijn? Misschien was Drake nog niet gearriveerd. Hij zette zijn auto in de hoek van het parkeerterrein en dacht na over zijn volgende zet. Op Drake wachten? Maar Drake was hier misschien al geweest. Moest hij de politie waarschuwen? Dat zou de overlevenden de kop kosten omdat Drake wist waar ze waren. De kans was groot dat hij inmiddels op weg was naar de Tantalus om met ze af te rekenen.

Er zat niets anders op dan naar de Tantalus te gaan.

En zo reed hij even later omhoog via de Tantalus Drive, waar hij zich met loeiende motor een weg baande langs dure huizen aan haarspeldbochten. De weg kwam uit op een hek met daarachter een onverharde weg; het hek was niet op slot. Hij reed het pad op. Het kronkelde zich door guavebossen de steile berghelling op, kwam uit op de rand van de krater en ging omlaag door kuilen en greppels die op verschillende plaatsen door regenwater waren uitgespoeld. Dit pad was alleen geschikt voor auto's met vierwielaandrijving, en Eric was blij dat hij in een truck met brede banden reed. Ten slotte kwam hij bij een keerplaats; nog steeds geen teken van Drakes truck. De plek was verlaten.

Hij had geen een zaklamp; dat was een probleem. Hij stapte uit, liet de koplampen in de richting van de Great Boulder schijnen en bleef roerloos staan om te luisteren. Door de bomen was een rode gloed te zien – waarschijnlijk stond er iets in brand. Hij begon zich een weg door het kreupelhout te banen in de richting van het vuur.

Toen hij de Great Boulder bereikte, zag hij wat er was gebeurd. Smeulende sintels, rokende aarde en de grond stonk naar benzine.

Drake had iedereen vermoord.

Eric, die er spijt van had dat hij geen zaklamp had meegenomen, ging op zijn knieën zitten om de ingang van het rattenhol te zoeken: Rourkes schuilplaats. 'Is daar iemand?' riep hij.

Het was zinloos. Hij wachtte even en wroette met een vinger in de aarde om te kijken of er overlevenden waren. Maar het was te donker om iets te kunnen zien. Daarbij waren ze erg klein; het was niet ondenkbaar dat hij per ongeluk iemand zou verpletteren.

Maar er waren geen overlevenden; dat kon een kind zien.

Hij haastte zich door het bos naar de truck terug.

Rick en Karen, die hun vliegtuigjes op de tak hadden geparkeerd, zagen de koplampen van een ander voertuig traag over de rand van de krater hobbelen. Het was een pick-up.

Rick keek er een tijdje naar en zei tegen Karen: 'Ik ga even kijken.'

'Doe nou niet.'

Maar hij negeerde haar. Hij maakte de ankers los, startte zijn machine en taxiede weg. In het duister hoorde ze het janken van de motor verdwijnen in de richting van de kraterrand en de Great Boulder.

'Verdomme, Rick!' schreeuwde Karen. Ze was niet van plan om alleen achter te blijven. Ze startte haar vliegtuig en zette de achtervolging in.

Rick zag een man uit de truck stappen. Hij cirkelde tussen de takken door, luisterde naar vleermuizen, maar hoorde geen sonar. Hij vloog dichter naar de man toe, die naar de Great Boulder liep en in het donker op zijn knieën ging zitten. Zijn gezicht was niet te zien. Even later stond de man weer op, liep weg en begon zich een weg door het kreupelhout te banen. Terwijl hij zijn best deed om takken en stammen te ontwijken, volgde Rick het zwarte silhouet.

De man arriveerde bij het geparkeerde voertuig. Het was een vreemd uitziende truck met dikke banden en een in wilde kleuren beschilderde carrosserie. De man stapte in en de cabineverlichting ging aan. Het gezicht lichtte op.

Rick had de man eerder gezien, maar waar? Hij vloog langs de voorruit, en de motor van de truck kwam brullend tot leven.

'Karen!' riep hij via de radio. 'Wie is die kerel?'

Ze vloog langs Rick en maakte vlak voor de truck een scherpe draai. Ze begon het vliegen onder de knie te krijgen; eigenlijk stelde het weinig voor. 'Dat is Peters broer!'

'Ik dacht dat die dood was. Speelt hij soms met Drake onder één hoed-je?'

'Hoe moet ik dat weten?' antwoordde Karen korzelig.

De truck zette zich in beweging en reed ronkend weg over het onver-harde pad.

Karen voerde haar snelheid op tot aan het streepje met EMERGENCY MAXIMUM. Zelfs op vol vermogen konden hun vliegtuigjes de pick-up nau-welijks bijhouden, hoewel de truck met een slakkengang over het zandpad hobbelde. Op het moment dat de wagen een verharde weg zou bereiken, zou hij sneller gaan rijden en zouden ze hem niet meer bij kunnen houden. Ze moesten zo snel mogelijk Erics aandacht zien te trekken.

Hij reed met de ramen dicht. Karen ging naast het portierraam vliegen, vlak bij het gezicht van de man, en wiebelde met haar vleugels. Geen re-actie. Toen versnelde de truck, en ze bleven achter in een maalstroom van stof.

'Pak de slipstream!' zei Rick. Achter de truck bevond zich een luchtzone met een zuigende werking, en hij dook erin terwijl hij door het venster naar het achterhoofd van de man keek.

Plotseling kwam zijn machine in turbulentie terecht. Het vliegtuigje sloeg over de kop en crashte bijna in de laadbak.

De vrachtwagen bereikte een slechte plek in de weg waar door de regen flink wat aarde was weggespoeld en een geul was gevormd. Eric nam gas terug, rolde zijn raam omlaag en leunde naar buiten om beter te kunnen zien. Karen vloog door het open raam de cabine binnen. Ze draaide een rondje, en de man trok zijn hoofd weer naar binnen. Karen nam snelheid terug, vloog voor zijn ogen langs en knipperde met de navigatielichten.

Dat zag hij, en hij trapte op de rem.

'Hé!'

Zijn ogen volgden haar terwijl ze langzaam overhelde, een bocht maakte en vlak over het dashboard vloog. Hij stak zijn hand uit met de palm naar boven, en ze landde op zijn hand. Ze stapte uit en bleef staan terwijl hij naar haar keek.

Rick vloog naar binnen en landde op het dashboard. 'Wie – zijn – jullie?' vroeg Eric met een donderstem. Hij hield zijn hand zo stil mogelijk en pro-beerde tijdens het praten niet te veel lucht uit te ademen. Hij wilde haar niet van zijn hand blazen.

Karen stak haar radioheadset in de lucht en wees ernaar. Ze herinnerde zich dat de radio's volgens Jarel Kinsky konden worden gebruikt voor com-municatie met mensen van normale grootte. Misschien was het makkelij-ker om over de radio te praten.

'Goed – idee.'

Hij zette haar samen met haar vliegtuig op het dashboard, opende het handschoenenkastje en haalde er een headset uit. Die sloot hij aan op een ingewikkeld uitziend doosje vol elektronica dat op de passagiersstoel stond. 'Ga – naar – eenenzeventig – punt – twee – vijf – gigahertz,' zei hij.

Rick en Karen zetten hun headset op en stelden hun boordradio in.

Eric opende zijn mond en zei met donderende stem: 'Begrijpen – jullie – me – nu?' Een ogenblik later klonken dezelfde woorden met Erics normale stem in hun headsets: 'Begrijpen jullie me nu? Dit is een *squirt radio*. Hij pikt mijn stem op, versnelt hem en verstuurt dan het bericht pas. Hij vertraagt ook jullie stemmen zodat ik jullie kan begrijpen.'

Ze legden Eric uit wat er was gebeurd. 'We moeten zo snel mogelijk in de generator zien te komen,' zei Karen.

'Eerst wil ik weten wat er met... mijn broer is gebeurd.'

Ze vertelden hem het verhaal. Toen Karen Peters dood beschreef, sloeg Eric met zijn handpalmen op het stuur, waardoor de micromensen en de vliegtuigjes de lucht in schoten. Ze kwamen neer te midden van een wolk verstikkende stofdeeltjes en wachtten zwijgend totdat Eric zich had hersteld. Toen hij zijn ogen opende, had hij zijn gezicht weer in de plooi en keek hij ontspannen. 'Ik breng jullie eerst naar Nanigen. En dan ga ik Vincent Drake zoeken.'

48

CHINATOWN, HONOLULU
1 NOVEMBER, 2:30

Dan Watanabe werd wakker door het zoemen van zijn mobiele telefoon. Hij reikte ernaar in het donker, stootte hem van het nachtkastje en hoorde hem de vloer raken. Terwijl hij op de tast naar het licht zocht, bad hij dat er geen slecht nieuws van zijn familie was: zijn zeven jaar oude dochter woonde bij zijn ex-vrouw; zijn moeder...

Maar de beller was het hoofd van de beveiliging van Nanigen. 'Heeft u even, inspecteur?'

Watanabe likte met zijn tong langs zijn kleverige mond. 'Ja.'

'Er is vanavond brand geweest op de Tantalus.'

Watanabe gromde. 'Hè?'

'Het stelde niet veel voor, en het is waarschijnlijk niet eens gemeld. Maar er zijn mensen omgekomen.'

'Ik kan u even niet volgen.'

'Die studenten – ze zijn vermoord.'

Hij schoot overeind en was meteen klaarwakker. Neem die man in hechtenis, neem een verklaring op. 'Waar bent u? Dan laat ik een auto–'

'Nee, dat is niet nodig. Ik wil alleen even met u praten.'

'Ken je de Deluxe Plate?' Die was de hele nacht geopend.

Hij zat als enige klant in een rustig hoekje met een kop koffie in zijn handen toen Don Makele binnenkwam. De man zag er... gelaten uit.

Makele schoof in de zitbox.

Watanabe verspilde geen tijd met praatjes. 'Wat is er met die studenten gebeurd?'

'Ze zijn dood. Vin Drake heeft minstens acht mensen vermoord. Het waren kleine mensen.'

'Hoe klein?'

Makele hield zijn duim en wijsvinger ongeveer een centimeter van elkaar. 'Heel klein.'

'Weet u wat,' zei Watanabe. 'Laten we even net doen alsof ik u geloof.'

'Nanigen heeft een machine ontwikkeld die alles kan laten krimpen. Zelfs mensen.'

Er kwam een serveerster langs die vroeg of Makele wilde ontbijten. Hij schudde zijn hoofd en zweeg totdat de vrouw was vertrokken.

'Kan die machine een andere machine laten krimpen?' vroeg Watanabe.

'Ja – natuurlijk,' antwoordde Makele.

'Kan hij een schaar laten krimpen?'

Makele schonk hem een vragende blik. 'Waar wilt u naartoe?'

'Willy Fong. Marcos Rodriguez.'

Makele gaf geen antwoord.

Dan Watanabe vervolgde: 'Ik begrijp dat u me wilt vertellen wat er met de vermiste studenten is gebeurd. Maar ik wil ook weten hoe dat zit met die microbots die de kelen van Fong en Rodriguez van oor tot oor hebben doorgesneden.'

'Hoe weet u dat van die bots?' vroeg Makele.

'Dacht u soms dat de Honoluluaanse politie geen microscopen had?'

Makele zoog op zijn lippen. 'De bots zijn nooit gemaakt om wie dan ook te doden.'

'Dus er is iets misgegaan?'

'Iemand heeft de bots geherprogrammeerd. Om te doden.'

'Wie?'

'Ik denk Vin Drake.'

Watanabe dacht daar even over na. 'En wat is er dan met die studenten gebeurd?'

Makele vertelde het verhaal van de bevoorradingsstations in Manoa Valley en de basis op de Tantalus. 'De studenten zijn blijkbaar op belastende informatie over Drake gestuit, want hij heeft me de afgelopen dagen voortdurend gepusht om ze... uit de weg te ruimen.'

'Te vermoorden?'

'Ja. Ze zijn in Manoa Valley terechtgekomen. Drake wilde ervoor zorgen dat ze niet levend uit het dal zouden komen, maar ze hebben toch een ontsnappingspoging op touw gezet. Een klein aantal is op de Tantalus terechtgekomen.' Hij legde Watanabe uit wie Ben Rourke was en wat er met hem was gebeurd.

'Drake heeft de boel in brand gestoken. Ik ben er bijna zeker van dat hij ook onze financieel directeur en een adjunct-directeur heeft vermoord...'

Watanabes hoofd tolde. Vin Drake had volgens Makele misschien wel dertien mensen omgebracht. Als dat verhaal klopte, was Drake extreem gevaarlijk. 'Geef mij één goede reden om niet te denken dat u volledig de kluts kwijt bent,' zei hij tegen de veiligheidsman.

Makele boog zich naar hem toe. 'U mag denken wat u wilt. Ik moet u de waarheid vertellen.'

'Bent u bij deze sterfgevallen betrokken?'

'Voor zeven miljoen dollar.'

Gedurende zijn carrière als rechercheur had Dan Watanabe een groot aantal bekentenissen gehoord. Toch wist elke bekentenis hem weer te verrassen. Waarom besloten mensen de waarheid te vertellen? Het was nooit in hun belang. De waarheid werkte niet bevrijdend – je belandde erdoor in de gevangenis.

'De laatste keer dat we elkaar hebben gesproken, inspecteur,' vervolgde Don Makele, 'zei u iets over Moloka'i.'

Watanabe fronste zijn wenkbrauwen. Hij kon het zich niet herinneren... O, wacht – Makele gebruikte de traditionele Hawaïaanse uitspraak...

'U zei dat Moloka'i het beste eiland van Hawaï was,' vervolgde de beveiligingsman. 'Volgens mij bedoelde u de mensen van Moloka'i, niet het eiland zelf.'

'Ik weet niet wat ik bedoelde,' antwoordde Watanabe. Hij nam een slok koffie en leunde naar achteren terwijl hij zijn blik op Makele gericht hield.

'Ik ben geboren in Puko'o,' vervolgde Makele. 'Dat is een gehucht op Oost-Moloka'i. Alleen een paar huizen en de zee. Mijn oma heeft me opgevoed. Ze heeft me geleerd Hawaïaans te spreken – nou ja, dat heeft ze geprobeerd. Ze heeft me ook geleerd altijd het juiste te doen. Ik ben bij de mariniers gegaan en heb mijn land gediend, maar toen... Ik weet niet wat er met me is gebeurd. Ik begon dingen voor geld te doen. Die studenten hebben niet verdiend wat we met ze hebben gedaan. We hebben ze gewoon aan hun lot overgelaten. En toen ze na een tijdje nog in leven bleken te zijn, heeft Drake er een paar mannetjes op afgestuurd. Ik doe een heleboel voor zeven miljoen dollar, maar er zijn dingen die ik niet doe. Ik neem geen bevelen van Vin Drake meer aan. Het is *pau hana.*' Het zit erop.

'Waar is Drake nu?' vroeg Watanabe. De man was levensgevaarlijk.

'Nanigen, denk ik.'

Watanabe klapte zijn telefoon open. 'We krijgen hem wel te pakken.'

'Het is geen goed idee om daar zomaar naar binnen te lopen, inspecteur.'

'O?' zei Watanabe koeltjes. Hij haalde de telefoon van zijn oor; je kon hem horen overgaan. 'Ik heb anders de ervaring dat een tactisch team verrekte effectief is.'

'Niet tegen microbots. Ze kunnen indringers ruiken en ze kunnen vliegen. Het is daar een wespennest.'

'Oké. Hoe kom ik daar binnen?'

'Niet. Tenzij Vin Drake het toestaat. Hij bepaalt wat de bots doen. Met een handcontroller. Een soort afstandsbediening.'

Aan de andere kant van de lijn werd de telefoon opgenomen. 'Marty?' zei hij, en hij drukte de telefoon tegen zijn oor. 'We hebben een probleem bij Nanigen.'

Eric Jansen draaide de truck bedrijventerrein Kalikimaki op en reed langs het gebouw van Nanigen. Afgezien van een natriumlamp die de toegangsdeur verlichtte, leek alles donker en dood op deze vroege zondagochtend. Karen King en Rick Hutter stonden op het dashboard van de truck naast hun vliegtuigjes. Een stukje verderop danste een plastic hoelameisje in een rieten rokje. Het hoelameisje torende ver boven de micromensen uit.

Eric reed de truck een pand in aanbouw binnen dat naast Nanigen verrees. Het bestond slechts uit een stalen geraamte van een opslagloods en een aantal betonnen muren. Hij parkeerde achter een muur, uit het zicht. Vervolgens zette hij de motor af, stapte uit en luisterde even terwijl hij om zich heen keek. Tijd om naar Nanigen te gaan.

Hij zette zijn radioheadset op en sprak in het microfoontje. 'Start de vliegtuigen en volg mij.'

Karen en Rick klommen in hun machines en stegen op. Eric stak het terrein over en hoorde de propellers janken in de buurt van zijn oren. Hij realiseerde zich dat ze vlak achter zijn hoofd vlogen om uit de wind te blijven.

'Alles goed?' vroeg hij over de radio.

'Oké,' antwoordde Karen. Ze voelde zich helemaal niet oké; ze voelde zich vreselijk beroerd, alsof ze op het punt stond een zware griep te krijgen. Elk gewricht in haar lichaam deed pijn. Rick was er waarschijnlijk nog erger aan toe, overwoog ze, want hij had een hoop giftige stoffen in zijn bloedbaan. Dat zou er waarschijnlijk toe leiden dat de caissonziekte zich bij hem sneller zou ontwikkelen.

De voordeur zat op slot. Eric opende hem met een sleutel. Hij hield de deur even open om Karen en Rick door te laten. Vervolgens sloot hij de deur achter zich.

Hij liep de hoofdgang in en hoorde achter zich het muskietengezoem.

Hij wierp een blik over zijn schouders en zag de twee microvliegtuigjes met snorrende propellers onder de plafondtegels door vliegen, zachtjes dansend op de luchtstromen die door de luchtbehandelingsinstallatie van het gebouw werden opgewekt. Zijn hoofd veroorzaakte turbulentie, en ze stuiterden even rond in zijn kielzog. 'Pas op dat jullie niet in een ventilatierooster worden gezogen,' waarschuwde Eric.

'Kunnen we niet op je schouder landen? Dan liften we met je mee–' zei Karen tegen Eric.

'Jullie kunnen beter in de lucht blijven. Misschien moeten jullie er ineens vandoor als ik... in de problemen raak.' Eric wierp een blik op de vliegtuigjes om zich ervan te verzekeren dat ze zich nog steeds achter hem bevonden, bleef staan bij een zijgang en keek om de hoek. Hij inspecteerde een lange gang met vensters waarvoor zwarte rolgordijnen hingen. Er was niemand te bekennen. Hij stak de gang over, liep een andere gang in en begaf zich naar een deur. Hij opende hem en ging naar binnen. De vliegtuigjes volgden hem. 'Mijn kantoor,' zei hij over de radio.

Erics kantoor was geplunderd. Overal lagen papieren, en zijn computer was verdwenen. Eric trok een bureaulade open, rommelde er wat in en zei: 'Gelukkig. Hij is er nog.' Hij haalde een apparaat tevoorschijn dat op een gamecontroller leek. 'Dat is mijn botcontroller. Hiermee kan ik de bots deactiveren,' legde hij aan Rick en Karen uit.

Hij loodste hen terug naar de hoofdgang en ze vlogen achter hem aan langs de verduisterde ramen. Eric bleef staan voor de deur waarop TEN-SORKERN stond en duwde ertegen.

De deur ging niet open. Er was geen toetsenpaneeltje waarop een beveiligingscode kon worden ingegeven, maar alleen een gewoon slot. 'Shit,' zei Eric. 'Deze deur is vanbinnen vergrendeld. Dat betekent...'

'Zou er iemand binnen zijn?' vroeg Rick.

'Zou kunnen. Maar er is nog een andere manier om in de generatorruimte te komen. Via de Omicronzone.'

De bots in de Omicronzone waren mogelijk geprogrammeerd om indringers te doden. De enige manier om daar achter te komen, was de zone binnengaan en zien wat de bots deden. Eric hoopte maar dat zijn controller werkte. Hij loodste de vliegtuigen een hoek om, sloeg rechts af en bleef voor een onopvallende deur staan. Op de deur stond alleen een vreemd symbool met één woord: MICROHAZARD.

Rick vloog op een paar centimeter afstand langs het symbool en zei via de radio: 'Wat betekent dit?'

'Dat er bots aan de andere kant van de deur zijn die ernstig letsel en zelfs de dood kunnen veroorzaken als ze op die manier zijn geprogrammeerd.

Het zou daar wel eens heel vervelend kunnen worden.' Eric hield de controller omhoog zodat de piloten hem duidelijk konden zien. 'Laten we hopen dat ik ze hiermee de baas ben.' Eric probeerde de deurknop; de deur was niet afgesloten. Maar hij opende hem niet. In plaats daarvan toetste hij een aantal cijfers in op het toetsenbordje van de controller. 'Aangezien Drake denkt dat ik dood ben,' zei hij over de radio, 'neem ik aan dat hij geen moeite heeft gedaan om de pincode van mijn botcontroller te wissen. Hij gaat ervan uit dat ik het ding nooit meer gebruik.' Hij haalde zijn schouders op. 'Enfin. We zullen zien.' Hij bleef nog even staan om te overwegen of hij de juiste beslissing had genomen, duwde vervolgens de deur open en stapte naar binnen. Hij bleef staan en hield de deur zo open dat de microvliegtuigjes hem konden volgen.

Ze bevonden zich in het hoofdlab van Project Omicron. De verlichting was gedimd en de ruimte was grotendeels donker. Het was geen groot vertrek; het had een gewoon technisch lab kunnen zijn. Er stonden wat bureaus met werkstations en er waren laboratoriumtafels met vaste loepen. Op stalen schappen lagen ontelbare kleine onderdelen. Een venster van dik glas bood uitzicht op de tensorkern; naast het venster bevond zich een deur die vanuit Project Omicron rechtstreeks de kern binnenvoerde.

Eric stond in het midden van het Omicronlab met de botcontroller in zijn hand. Hij keek om zich heen en spitste zijn oren. Tot nu toe geen problemen. Hij kon de bots niet zien, maar hij wist dat ze er waren, vastgeklampt aan het plafond. Hij luisterde of hij misschien een zwak zoemen hoorde. Misschien zou hij hun turbines horen als ze hem opmerkten en zich van het plafond lieten vallen om zich in zijn vlees te boren. Als de bots niet waren gedeactiveerd, zou hij daar pas achter komen wanneer hij begon te bloeden. Maar hij hoorde niets, zag niets en voelde niets. Zijn controller werkte nog; hij had de bots gedeactiveerd. Hij slaakte een zucht van verlichting.

'Het is gelukt,' zei hij. Op de laboratoriumtafels stonden voorwerpen die waren afgedekt met zwarte doeken. In het schemerige licht was het moeilijk om te zien wat het waren.

'Ik zal jullie laten zien,' zei Eric over de radio tegen Rick en Karen, 'waarom Vin Drake me wilde vermoorden. En waarom hij jullie vrienden uit de weg heeft geruimd.' Eric stak zijn arm uit en boog hem in een hoek van negentig graden. 'Land maar op mijn arm,' zei hij, 'dan kunnen jullie het beter zien.'

Rick en Karen landden hun vliegtuigjes op Erics onderarm. Hij liep voorzichtig naar de dichtstbijzijnde labtafel en schermde de vliegtuigen af met zijn hand zodat ze niet weg werden geblazen door een verdwaalde luchtstroom. Vervolgens verwijderde hij het doek van een van de voorwerpen. Het was een klein, rank en gevaarlijk uitziend vliegtuigje. Het beschikte niet over een cockpit.

'Dit is een Hellstorm UAV,' zei Eric. 'Een onbemand vliegtuig.'

'Je bedoelt een drone?' vroeg Rick.

'Precies. Een drone. Zonder piloot.' De machine had een spanwijdte van vijfentwintig centimeter. Eric bracht zijn arm in de buurt van de drone zodat Rick en Karen zich er een goed beeld van konden vormen.

'Dit is een groot prototype van een Hellstorm,' zei hij. 'Als de machine live wordt getest, wordt ze gekrompen. De spanwijdte bedraagt dan iets meer dan een centimeter.'

In plaats van een landingsgestel had de Hellstorm vier gelede poten met een soort kleverige voetzolen – net als de hexapods. Onder de vleugels zaten raketten: twee glazen buizen met stabilisatievinnen, aan de voorkant lange stalen naalden en in de staart iets wat eruitzag als een raketmotor.

'Wat doet dat ding?' vroeg Rick.

'Precies, wat doet dat ding?' echode Eric. 'Het is een militaire drone ter grootte van een mot. Hij kan worden gebruikt voor bewakingsdoeleinden, maar hij kan ook mensen doden. Deze bot glipt door elk beveiligingssysteem dat op dit moment bestaat. Hij kan onder een deur door, of door een kier tussen een raam en een sponning. Hij kan zich vastklampen aan iemands huid of kleding. Hij kan ook kruipen door zijn poten te gebruiken. Hij kan door elektrische leidingen in een muur vliegen en tevoorschijn komen in een kamer om daar zijn taak uit te voeren. Hij kan zijn doelwit overal en altijd uitschakelen. Zie je die raketten onder de vleugels? Dat zijn microtoxincraketten. Ze zijn uitgerust met supertoxines die Nanigen heeft ontdekt en geëxtraheerd uit levensvormen in de microwereld – gif van wormen, spinnen, schimmels en bacteriën. De raket heeft een bereik van tien meter. Dat betekent dat de drone *standoff*-aanvalsmogelijkheden heeft: hij kan van een afstand raketten afvuren. Als een zo'n toxineraket in je huid terechtkomt, ben je voor je het weet de pijp uit. Een microdrone kan twee mensen doden omdat hij twee raketten bij zich heeft.'

'Wat zijn dat voor buizen langs de romp? Luchtinlaten voor de motoren?' vroeg Rick.

'Nee. Daar zitten samplers in. Ze worden gebruikt door de doelzoeker.'

'Hoe werkt dat dan?' vroeg Karen.

'De Hellstorm kan mensen ruiken. Ieder mens heeft een unieke geurafdruk. We ruiken allemaal een beetje anders dan een ander. Omdat ons DNA uniek is, geldt hetzelfde voor de combinatie van feromonen die ons lichaam afgeeft. Een microdrone kan worden geprogrammeerd om naar de geur van een bepaalde persoon te zoeken. Zelfs als je bij een rockconcert in een mensenmenigte staat, kan de drone je opsporen en je doden.'

'Dit is een nachtmerrie,' zei Karen.

'Een nachtmerrie zonder einde,' zei Eric Jansen. 'Denk eens aan een presidentiële inauguratie. Stel dat er duizend Hellstorms in de lucht zijn, stuk voor stuk geprogrammeerd om de president van de Verenigde Staten op te sporen. Zelfs als er maar één microdrone door de mazen van het net glipt, sterft de president. Microdrones zouden de regering van elk land uit kunnen schakelen – Japan, China, Groot-Brittannië, Duitsland – elke natie kan worden lamgelegd door een zwerm microdrones.' Hij draaide zich langzaam om terwijl Rick en Karen vanaf zijn arm de machine bestudeerden. 'Deze ruimte is de doos van Pandora.'

'Dus Nanigen houdt zich helemaal niet met geneeskunde bezig,' zei Karen.

'Nanigen houdt zich wel degelijk met geneeskunde bezig. Het bedrijf eet alleen van twee walletjes. Manieren om levens te redden en... manieren om levens te beëindigen. Deze Hellstorm,' hij tikte zachtjes op de machine, 'is een systeem voor geneesmiddeltoediening.'

'En jij kwam erachter zodat Drake je uit de weg moest ruimen.'

'Integendeel. Ik was al vanaf het begin van Project Omicron op de hoogte. Nanigen heeft een contract met het ministerie van Defensie voor de ontwikkeling van microdrones. Het onderzoek liep alleen veel beter dan de defensiemensen is verteld. Vin begon tegen de regering te liegen. Hij maakte ze wijs dat de microdrones een mislukking waren.'

'Hoezo?' vroeg Rick.

'Omdat Drake zijn eigen plannen had met de microdrones. We hadden een probleem met onze patenten op het systeem. Er zit een bedrijf in Silicon Valley – Rexatack – dat een deel van deze technologie heeft uitgevonden en gepatenteerd. Vin Drake is investeerder in Rexatack. Hij heeft de patenten gepikt en ze gebruikt om de Hellstorm te bouwen. Vervolgens wilde hij de technologie zo snel mogelijk verkopen omdat Rexatack van plan was Nanigen voor de rechter te dagen en naleving van het patent af te dwingen. Ik kreeg problemen met Vin toen ik ontdekte dat hij probeerde de microdronetechnologie aan de hoogste bieder te verkopen.'

'Niet aan de Amerikaanse regering?' zei Karen.

'Nee. Vin wilde snel geld hebben, en in het buitenland is veel meer te halen. Luister, er zijn regeringen die van gekkigheid niet weten wat ze met hun geld moeten doen – en dan hebben we het over dollars. Landen waarvan de economie sneller groeit dan de onze. Die zijn bereid om voor de microdronetechnologie elke prijs te betalen. Élke prijs. Ik zeg niet dat de Amerikaanse regering zulke gezellige dingen met microdrones zou doen, maar ik weet wel dat er regeringen zijn die er de gruwelijkste misdaden mee zouden begaan. Sommige van die regeringen hebben een bloedhekel aan de Verenigde Staten, ze verachten Europa, ze zijn als de dood voor hun buren en ze haten en vrezen zelfs hun eigen mensen. Dergelijke regeringen aarzelen geen moment om microdrones in te zetten als middel om hun doel te bereiken. En dan heb ik het nog niet eens over de internationale terreurgroepen – die zouden maar wat graag over microdrones beschikken. Enfin, ik kwam erachter dat Drake naar Dubai was gegaan om met vertegenwoordigers van diverse regeringen over de verkoop van de Hellstorm-technologie te praten. Ik heb tegen hem gezegd dat ik het er niet mee eens was. Dat het een schending van het Amerikaanse recht was. En dat de technologie een gevaar was voor de hele wereld. Maar ik aarzelde.'

'Waarom?' vroeg Rick.

Eric slaakte een zucht. 'Drake had me aandelen Nanigen gegeven die miljoenen waard waren. Als ik naar de politie zou stappen, zou Nanigen instorten en zouden mijn aandelen niks meer waard zijn. Dus ik aarzelde. Uit hebzucht. Ik ben ooit natuurkunde gaan studeren omdat ik de materie fantastisch vond; zeker niet omdat ik dacht dat ik er miljonair mee kon worden. Ik was bang dat ik al die miljoenen door mijn vingers zou laten glippen als ik Drake zou aangeven – en dat was een grote fout.

Vervolgens besloot Drake me uit de weg te ruimen. Ik wilde een proefvaart met mijn nieuwe boot maken, en dat had ik Alyson Bender verteld. We hadden afgesproken te gaan lunchen in Kaneohe, dat ligt aan de windkant van het eiland. Alyson – of Drake – heeft Hellstorms in mijn boot verborgen. Prototypes, maar ze waren geprogrammeerd om mij om zeep te helpen. Mijn motoren stopten ermee, en ineens zag ik een van die kleredingen uit de kajuit komen. Eerst dacht ik dat het gewoon een insect was. Maar toen ik de propellers en de naaldraketten zag, besefte ik dat het een Hellstorm was. Toen ik nog een Hellstorm uit de kajuit zag komen, heb ik mijn broer ge-sms't en ben overboord gesprongen. De branding was mijn redding. De microdrones konden me daar niet ruiken en hun raketten niet lanceren omdat ik onder water zwom. Ik ben naar Honolulu gegaan en daar ondergedoken. Als ik naar de politie was gegaan, zou Drake nog meer microdrones achter me aan hebben gestuurd. Die man is dronken van de macht die zijn bots hem geven.' Eric slaakte een zucht en zweeg.

In de stilte begon plotseling een andere stem te spreken.

'Dat was een uitstekende beschrijving van mij, Eric. Ik heb er enorm

van genoten.' Er ging een fel lampje branden, en Vincent Drake stond op
vanachter een rack met computers terwijl vóór hem een lichtbundel heen
en weer zwaaide.

49

**BEDRIJVENTERREIN KALIKIMAKI
1 NOVEMBER, 03:40**

D rake had de hele tijd op een stoel gezeten in een donker hoekje achter een rack met computers. Hij had een oordopje in, en zijn rechterhand omklemde een pistool. Het was een Belgische FN, halfautomatisch en met een wapenlamp onder de loop. De smalle lichtbundel bewoog zachtjes heen en weer. In zijn linkerhand had hij een botcontroller. Hij droeg een zwart shirt, een zwarte spijkerbroek en met modder besmeurde laarzen. Hij liep naar het midden van de ruimte en richtte het pistool op Erics ogen en vervolgens op zijn onderarm, waar de twee vliegtuigen in de lichtbundel werden gevangen.

'Kiekeboe,' zei Drake.

De twee micromensen konden hem horen via hun headsets; Drake gebruikte ook een squirt radio. 'De lucht in,' zei Rick tegen Karen.

Ze startten de vliegtuigen, stortten zich van Erics arm en doken omlaag terwijl de propellers op snelheid kwamen. Maar Drake leek zich niet te interesseren voor wat ze deden. Hij richtte het pistool en de wapenlamp op Erics ogen. Het schermpje van de bot controller deed zijn andere hand oplichten. Terwijl hij met zijn duim op een toets tikte, zei hij: 'Trouwens, je bot controller werkt niet, Eric. Alleen die van mij doet het.'

Rick liet ondertussen zijn microvliegtuigje overhellen en begon rondjes te draaien boven Erics hoofd. Karen was nergens te zien. Hij riep haar op via de radio: 'Blijf in de buurt.'

'Rick – kan Drake ons horen?'

'Natuurlijk kan ik jullie horen,' zei Drakes stem op spottende toon via de radio. Hij zwaaide met zijn pistool. De laserstraal danste over hun vliegtuigen en ze zagen zijn immense boosaardige gezicht. Rick was even bang dat Drake op hen zou vuren, maar toen besefte hij dat de kogel hun vliegtuigjes waarschijnlijk niet zou raken. Ze waren veel te klein en schoten als muggen heen en weer.

Drake hield het pistool op Erics hoofd gericht. Met zijn andere hand stak hij de botcontroller in de lucht en drukte op een knop. 'Zo,' zei hij.

'Wat was dat?' zei Eric terwijl hij een blik op het plafond wierp. Drake keek om zich heen en glimlachte. 'Ik heb de bots geactiveerd.' Hij deed een stap achteruit en wachtte af.

'Ze vallen jou ook aan,' zei Eric.

'Ik dacht het niet.' Drake deed plotseling een paar stappen naar voren en sloeg Eric in het gezicht met de kolf van zijn pistool. Eric kreunde en viel op zijn knieën.

'Wat is dat toch met die broertjes Jansen? Het lijkt wel alsof jullie zonder een pak slaag op zijn tijd niet normaal kunnen functioneren,' zei Drake. Hij trapte Eric in zijn ribben. Eric hapte naar lucht, ging onderuit en probeerde weg te kruipen.

'Waar ga je heen, Eric? Zoek je iets?'

'Krijg de klere!'

Drake gaf hem een harde trap tegen de zijkant van zijn hoofd. Eric kromp ineen en zakte op de grond. De lichtbundel van Drakes pistool danste over hem heen.

Eric worstelde om overeind te komen, maar slaagde daar niet in.

'Tja, Eric. Je schijnt iets niet te begrijpen. De bots negeren mijn lichaamsgeur. Ze pakken iedereen, behalve mij.' Hij grinnikte. 'Ze respecteren me.'

Eric drukte zijn hand tegen zijn gezicht en haalde hem weer weg. De hand zat vol met kleine bloedvlekjes. Een minuscuul mesje had een dunne snee in zijn voorhoofd gemaakt.

'Dat is pech, Eric. Het ziet ernaar uit dat een van mijn vriendjes je heeft gevonden.'

Eric probeerde in Drakes richting te kruipen, maar Drake deed een paar stappen naar achteren en glimlachte. Eric begon op zijn haar en zijn oren te meppen en schuddende bewegingen te maken met zijn lichaam.

'Probeer je de bots weg te jagen, Eric? Voel je ze over je gezicht kruipen? Door je haar? Voor je het weet zitten ze in je bloedbaan. Maar maak je geen zorgen – het doet geen pijn. Je ziet alleen jezelf leegbloeden.'

Terwijl Drake met Eric bezig was, vloog Rick naar de deur van de generatorkamer. Daar moesten Karen en hij naartoe. Hij draaide een rondje voor de deur en vloog er vervolgens op korte afstand langs. In de bovenkant van de deur zat een ventilatierooster. Misschien was er precies voldoende ruimte voor een microvliegtuig. Hij haastte zich terug naar Karen en ging vlak naast haar vliegen zodat hun vleugels elkaar bijna raakten. Hij zette de headset af en gebaarde naar Karen. Ze volgde zijn voorbeeld. 'Zo kan hij ons niet horen,' riep Rick. 'Er zit een ventilatierooster in de deur van de generatorruimte. Volgens mij kunnen we daar doorheen.'

Hij vloog terug naar het ventilatierooster, paste zorgvuldig zijn hoogte aan en dook vervolgens door de opening. Toen hij bijna aan de andere kant was, tikten zijn vleugels het metaal aan, waardoor de machine in een vrille de generatorkamer binnentolde. Maar Rick herstelde zich en wist zijn vliegtuig weer onder controle te krijgen. Karen volgde even later.

Rick was inmiddels over de hexagonen naar het midden van de generatorkamer gevlogen. Hij begon rondjes te draaien boven de centrale zeshoek en zag ver beneden zich een kleine witte cirkel: de cirkel die de locatie van het bedieningspaneel aangaf. Karen kwam aan stuurboordzijde naast hem vliegen. 'Ik ga landen bij de cirkel,' riep hij tegen haar in de hoop dat ze hem zou horen boven het ruisen van de wind. Op dat moment klonk Drakes stem kwam over de radio.

'Ik weet wat jullie van plan zijn,' zei hij. 'Ik zag jullie de generatorruimte binnenvliegen. Misschien is het goed om te weten dat de bots daar jullie kunnen zien. En ook ruiken.'

Aan de andere kant van het venster zagen ze Drakes gezicht. Zijn ogen volgden de vliegtuigjes. Hij hield de botcontroller omhoog zodat ze hem konden zien en toetste iets in. 'Ik heb de gevoeligheid aangepast. Nu kunnen ze jullie ook vinden,' zei hij. Zijn blik ging omhoog naar het plafond van de generatorruimte.

Karen volgde Drakes ogen. En nu zag ze het ook: glinsterende vlekjes verspreid over het plafond. De vlekjes bewogen. Ze vielen omlaag als druppels motregen. Terwijl ze vielen, zwermden ze uit. Ze vlogen op eigen kracht. Ze zag hoe een ervan op Rick afging en hem begon te volgen. Rick dook omlaag in de richting van de grond, en de bot schoot hem achterna. De machine werd aangedreven door een turbopropventilator in een metalen behuizing en had een slangachtige nek met messen aan het uiteinde. Terwijl het ding haar voorbijschoot, Rick achterna, zag ze de ogen; de bot had twee facetogen, net als een insect, maar de beeldtechnologie van een machine. Twee ogen betekende binoculair gezichtsvermogen en diepteperceptie, zo besefte ze.

'Rick,' schreeuwde ze. 'Achter je!'

Hij hoorde haar niet. Hij was op weg naar de vloer en de witte cirkel.

De bot kwam steeds dichter in zijn buurt; ze moest dat kreng zien tegen te houden. Omdat ze niet wist wat ze moest doen, dook ze omlaag, achter de bot en Rick aan. Uit een ooghoek zag ze nog meer vliegende voorwerpen naderen, en toen ze een blik over haar schouder wierp, besefte ze dat ze werd achtervolgd door tientallen bots, misschien wel meer. Ze leken zich allemaal op haar en Rick te richten. De bots glinsterden tijdens het vliegen. Soms bleven ze even hangen om te zoeken en vervolgens weer weg te schieten.

'Rick, achter je!' riep ze.

Hij draaide zich om en zag de bot achter zich. Hij maakte onmiddellijk een halve rol omhoog, ging schuin hangen en liet zich uit de looping vallen om vervolgens in een kurkentrekker omhoog te razen in de hoop de bot op die manier af te schudden. Maar het ding vloog minstens zo goed als Rick en kwam steeds dichterbij.

Karen voerde haar snelheid op en dook omlaag, achter de bot aan die Rick op de hielen zat. Misschien kon ze hem uit de lucht stoten met de neus van haar vliegtuig. De propeller bevond zich in de staart; dat betekende dat de neus van het vliegtuig als wapen kon worden gebruikt. Ze draaide haar machine in de richting van de bot en duwde de gashendel naar voren. Vlak voor de inslag boog ze zich naar voren in de cockpit en beschermde haar hoofd met haar handen. Het vliegtuig ramde de bot.

Er klonk een tinkelend geluid waarna het vliegtuigje een kant op schoot en de bot de andere kant op suisde. Geen van beide machines raakte beschadigd door de botsing; ze waren gewoon op elkaar geklapt en vervolgens weer weggekaatst. De bot tolde door de lucht, stopte plotseling en bleef even op zijn plaats hangen om zich te oriënteren. Vervolgens begon hij achter haar aan te vliegen. Karen, die inmiddels de controle over haar vliegtuig terug had, scheerde zich weg met één oog op de bot. Het robotinsect voerde zijn vermogen op, raasde op hoge snelheid in haar richting en ontvouwde vervolgens tot Karens verbazing twee scharnierarmen.

De bot zette zich op de vleugel van Karens vliegtuig vast met behulp van de kleverige voetzolen op de uiteinden van de poten. Ze probeerde het ding af te schudden door wild aan de stuurknuppel te rukken. Het vliegtuigje haalde levensgevaarlijke manoeuvres uit, maar de bot liet niet los. Het kreng begon met zijn messen in de vleugel te snijden.

Nog even en ze zou neerstorten.

Rick keerde onmiddellijk om toen hij zag dat de bot zich op Karens vliegtuig vastzette. Karen zat in de problemen. Terwijl hij naar haar toe vloog, vroeg hij zich af wat hij kon doen om haar vliegtuig uit de greep van de bot te bevrijden. Zijn vliegtuig was niet bewapend. Geen kanonnen, geen vuurknoppen, niets. Maar wacht eens – Rourke had de vliegtuigen met machetes uitgerust. Er moest er hier ergens een zijn. Hij tastte rond en voelde een handvat. Vervolgens dook hij omlaag in de richting van Karens vliegtuig met de machete in zijn hand als een cavalerist. 'Ayaaa!' schreeuwde hij, en hij hakte in het voorbijvliegen de nek van de bot. De nek met de messen stortte kronkelend in de diepte terwijl de onthoofde romp Karens vliegtuig losliet en schijnbaar gedesoriënteerd wegfladderde. Karen slaagde erin haar machine weer onder controle te krijgen.

Een enorme zwerm bots hing nu roerloos in de lucht – het waren er tientallen.

Rick boorde zich door de muur van bots. Een van de apparaten schoot op Ricks vliegtuig af, klampte zich eraan vast en begon aan de machine te rukken om hem te laten neerstorten. Toen dat niet lukte, verplaatste het ding zijn aandacht naar een vleugel, waar hij zijn scharende messen aan het werk zette. Rick haalde uit met de machete, maar de bot bevond zich buiten zijn bereik. Het vliegtuig dook omlaag in een spiraal. Een andere bot greep zijn vliegtuig en stopte zijn val. De bots hielden Ricks vliegtuig in de lucht alsof ze ruziemaakten over de buit. Ondertussen sneden hun messen erop los.

Rick hield het voor gezien en sprong uit het vliegtuig met zijn machete in de hand. Tijdens het vallen draaide hij zich op zijn rug. Karens vliegtuig bevond zich boven hem. Meerdere bots hadden zich erop vastgezet, en ze had de machine niet langer onder controle. Een van de bots hakte de propellers aan gort terwijl een ander exemplaar de zijkant van het vliegtuig bewerkte. Op dat moment belandde Rick op zijn rug op de grond. Hij was ongedeerd en had zijn machete nog in zijn hand.

Hij stond op. De generatorruimte leek immens. Hij had er geen idee van waar het microbedieningspaneel zich bevond omdat hij de witte cirkel niet kon zien. De plastic vloer, die van onderen werd verlicht, was bezaaid met stofjes ter grootte van een golfbal en andere vieze korreltjes. Hij keek om zich heen om te zien waar Karens vliegtuig was gebleven. Karen was nergens te bekennen. De vloer was een enorme puinhoop.

Plotseling hoorde hij een geluid. 'Oef!' Karen was ook uit haar vliegtuig gesprongen en landde ongeveer honderd meter verderop op handen en voeten – net als een kat. Ze had haar machete in haar hand en staarde naar de bots. Een stuk of tien exemplaren waren boven hun hoofden bezig om de vliegtuigen tot schroot te verwerken. Het regende onderdelen. Voorlopig leek het erop dat ze nog wel even bezig waren.

'Deze kant op!' riep Karen, en ze wees met haar machete.

Nu zag hij de witte cirkel ook. Het verbaasde hem hoe ver weg hij was. Ze begonnen te rennen. Daarbij sprongen ze over vliegtuigresten en laveerden rond stofjes en korrels alsof de vloer een hindernisbaan was. Rick struikelde toen hij over een mensenhaar wilde springen en kwam languit op de grond terecht.

Toen hij overeind krabbelde, was Karen verdwenen. 'Karen?' riep hij.

De bots boven zijn hoofd waren inmiddels klaar met het slopen van de vliegtuigjes. Ze vlogen nu alle kanten op en verspreidden zich door de ruimte alsof ze zich in zoekmodus bevonden. Rick vroeg zich af of de bots hen konden zien als ze renden. Opnieuw maakten tientallen bots zich los van de muren en het plafond, totdat er minstens honderd exemplaren in de generatorruimte rondvlogen die op jacht waren naar de indringers. Zouden ze met elkaar communiceren? Het was een kwestie van tijd voordat de bots hen zouden vinden.

50

TENSORKERN
1 NOVEMBER, 5:10

'Het is geen slechte manier om dood te gaan,' zei Drake. 'Je voelt nauwelijks iets.' Hij deed iets met de controller.

Eric lag met zijn rug tegen de muur van het Omicronlab, vlak bij de deur naar de generatorkamer. Hij voelde zich duizelig door de trap die Drake hem had gegeven. Drake hield het pistool vlak voor zijn gezicht en het licht scheen in zijn ogen. Eric voelde een van de bots in de huid van zijn voorhoofd snijden. Er begon bloed omlaag te sijpelen langs zijn gezicht en in zijn ogen. Overal om zich heen zag hij vlekjes zweven. Ze hadden jankende propellers en klonken als muskieten. Drake kon ze blijkbaar rechtstreeks besturen met de controller, want plotseling vlogen ze allemaal in de richting van zijn gezicht. Ze landden op zijn wangen en zijn hals en hij voelde hoe ze zijn oogleden verkenden. Een van de bots kroop in zijn hemd; hij kon het ding voelen en hoorde de motor gonzen.

'Zie je hoe ze me negeren?' zei Drake. 'Dat is omdat ik de controller heb.' Drake duwde met zijn duim tegen een joystick, en een van de bots kroop omhoog over Erics wang en stopte bij zijn ooghoek. 'Ik kan ze elke denkbare lichaamsopening in laten kruipen.'

'Waarom doe je dit in godsnaam?'

'Onderzoek, Eric.'

Eric voelde een lichte steek bij zijn ooghoek. De bot stak zijn schaar in de huid en maakte een gaatje. Vervolgens stak het ding zijn kop in het gat en begon zich met zijn messen een weg naar binnen te draaien en te knippen door de huidcellen. Er verscheen een bloedparel op zijn wang.

De politieauto's sloten de toegangsweg naar het bedrijvenpark af en omsingelden het gebouw van Nanigen. De busjes begaven zich in positie en het gijzelaarsreddingsteam was klaar om in actie te komen. De schijnwerpers op de politieauto's speelden over de metalen voorzijde van het gebouw. Dan Watanabe stond achter een van de auto's te wachten en keek naar de voordeur. Hij had de bal doorgespeeld aan de SWAT-unit, dus hij had hier in principe niets te zeggen, maar hij wilde wel dat de bevelvoerder van de operatie, Kevin Hope, zijn aanwijzingen opvolgde. 'Waar is Dorothy?' vroeg hij.

'Die is onderweg,' antwoordde Hope.

'Hoe zit het met de decontaminatie-unit van de brandweer?'

In antwoord op zijn vraag naderde een gele bestelwagen met brullende motor die met knerpende banden tot stilstand kwam. Er stroomde een groepje brandweermensen naar buiten die beschermende Tyvek-pakken aantrokken. Vervolgens begonnen ze met het opzetten van een decontaminatiecentrum met een tent, een wasinrichting en een administratieprocedure voor de slachtoffers.

'Wat zit er eigenlijk in dat gebouw, een virus?' vroeg commandant Hope aan Watanabe. Hij had pas twintig minuten geleden de oproep gekregen en hij wist nog niet wat het doel van de operatie was.

'Geen virus. Bots,' zei Watanabe.

'Hè?'

'Ontzettend kleine robotjes. En ze bijten.'

Commandant Hope schonk hem een verbaasde blik. 'Je gaat me toch niet vertellen dat we straks door robots beschoten gaan worden, Dan.'

'Weinig kans. Je kunt ze onmogelijk raken.'

'Zitten er gijzelaars binnen?'

'Niet dat ik weet, maar we kunnen niks uitsluiten,' antwoordde Watanabe. Iemand overhandigde hem een kogelvrij vest, en hij trok het aan. Iemand anders bracht hem een portofoon met meer kanalen. Hij pakte het toestel aan, schakelde het in en zei tegen commandant Hope: 'Zal ik bellen?'

Er verscheen een zure grijns op Hopes gezicht. 'Jij hebt ons deze klus in de maag gesplitst, Dan. Je mag ons er ook weer uit kletsen.'

Watanabe haalde zijn schouders op en keek op een stukje papier waarop hij een telefoonnummer had genoteerd. Hij toetste de cijfers in.

In het Omicronlab kon Eric aan de prikjes voelen hoe een vijftal bots zijn huid binnendrong en zich steeds dieper ingroef. Ondertussen hield Drake de wapenlamp van zijn pistool op zijn ogen gericht. Eric vroeg zich af hoe het zou aflopen: zou hij de situatie forceren zodat Drake hem in het hoofd moest schieten, of zou hij een paar minuten wachten totdat de bots zijn slagaders open zouden knippen.

Op dat moment klonk een zacht zoemen uit Drakes jasje. Hij haalde zijn telefoon tevoorschijn en keek naar het nummer. Geblokkeerd. Hij besloot het gesprek te beantwoorden. Hij haalde diep adem om zijn hartslag omlaag te brengen. 'Ja?'

'Vincent Drake?'

'Met wie spreek ik?'

'Dan Watanabe, meneer. Politie Honolulu. Is er iemand bij u in het gebouw?'

'Jezus, Dan. Ik zit hier alleen. Ik ben nog aan het werk. Waar gaat het over?'

'We hebben het gebouw omsingeld. Wilt u alstublieft langzaam en met uw handen op uw hoofd naar buiten lopen? Ik sta garant voor uw veiligheid.'

'Goeie genade, Dan! Dit moet een vergissing zijn. Maar ik kom eraan – geef me even een paar minuten om–'

'Meneer, u moet onmiddellijk naar buiten komen–'

'Oké. Ik kom al.' Drake beëindigde het gesprek met een van woede verwrongen gezicht en liep op Eric af. 'Je bent naar de politie gegaan.'

Eric schudde zijn hoofd. Hij had al veel bloed verloren. In zijn overhemd waren donkere strepen verschenen en hij voelde iets warms langs zijn nek lopen.

Drake boog zich naar voren en trok Eric overeind. 'Je bent net als die klotebroer van je – je neus in dingen steken die je niet aangaan.' Ze stonden oog in oog met elkaar. 'Oei,' zei Drake, en hij raakte Erics wang aan. 'Volgens mij zit er een in je oog.'

Pak de controller.

Eric had zijn linkerhand op de deurklink achter zich en drukte hem omlaag. De deur ging open en Eric viel achterover de generatorruimte in met Drake boven op zich. Eric stak zijn rechterhand uit, voelde met zijn vingers de controller en rukte het ding nog terwijl hij viel uit Drakes hand. Drake vloekte. Hij sloeg languit tegen de grond, voorbij Eric, en vuurde het pistool af. Eric voelde de inslag in zijn been. De kogel ging door zijn dij heen, maar hij voelde vreemd genoeg geen pijn. Hij verkeerde in een shock. Maar hij had de controller, en dat was het belangrijkst. Hij wist precies wat hij moest doen. Hij begon de controller tegen de grond te slaan, en nog een keer, steeds opnieuw totdat hij het ding in stukken voelde breken in zijn hand.

Nu kon niemand de bots meer besturen.

En toen, terwijl Drake bezig was overeind te krabbelen, zag hij tot zijn verbazing het pistool vlak voor zich op de grond liggen. Drake had het wapen laten vallen. Drake en Eric sprongen er gelijktijdig op af.

Vanaf de vloer zagen Karen en Rick de deur opengaan, en twee reusachtige menselijke gestalten vielen de ruimte binnen. Het pistool ging af, en de schokgolf van de explosie rolde over de micromensen. Het volgende moment stortten de twee mannen met een donderende klap op de grond, waardoor Rick en Karen de lucht in werden geslingerd. Vlak bij hen in de buurt kwam een druppel bloed neer die uiteenspatte in een fontein van veel kleinere druppeltjes. Ze krabbelden overeind en renden verder in de richting van de witte cirkel.

De man die op zijn rug terecht was gekomen, rolde zich op zijn buik. Hij had de botcontroller in zijn hand en begon ermee op de grond te slaan. Het ding spatte uit elkaar, en stukken plastic en printplaat vlogen over Karen heen, waardoor ze struikelde. Ze zag het pistool over de grond in haar richting schuiven en was ervan overtuigd dat het wapen haar zou verpletteren. Terwijl ze wegdook, begonnen de twee mannen om het pistool te vechten. En plotseling had Eric het wapen in zijn hand. Hij richtte het op Drake, die op zijn rug lag.

Eric krabbelde overeind terwijl het bloed uit zijn been stroomde. Ondertussen hield hij het pistool op Drake gericht. 'Als je ook maar een vin verroert... schiet ik je kop eraf.'

'Wacht even, Eric,' zei Drake. 'We kunnen hier levend uitkomen. Allebei.'

'Vergeet het maar. Je hebt mijn broertje vermoord.' Eric kromde zijn vinger om de trekker.

'Maar Eric... je zit er helemaal naast... Ik heb juist alles gedaan om hem te redden.'

'Je bent gestoord.'

Rick en Karen bereikten de cirkel. Overal rondom hen klonk het zware ronken van de robotpropellers. Ze konden niet goed meer zien wat de twee mannen aan het doen waren. In het centrum van de cirkel bevond zich een luik dat op een putdeksel leek en een verzonken handvat had. Karen en Rick bereikten het luik op hetzelfde moment.

Rick ging op zijn knieën zitten en trok aan het handvat.

Er gebeurde niets.

Het luik leek klem te zitten. Inmiddels was een aantal bots dichterbij gekomen. Ze vlogen agressief heen en weer. Een bot kwam op hen af en haalde met zijn messen uit naar Karen. Ze zwaaide met haar machete en – *kleng!* – mepte de bot een eind weg.

Karen stak haar machete in de lucht. 'Met de ruggen tegen elkaar!' schreeuwde ze.

Rick kwam overeind, trok zijn kapmes en ging met zijn rug naar Karen staan. De bots sloten hen in en vielen aan. Ze dansten en zweefden en knipten met hun stalen messen. Rick haalde uit met zijn machete en ontnam een bot zijn gezichtsvermogen door de facetogen van zijn kop te hakken. De bot sloeg tegen de grond met een kronkelende nek en vloog vervolgens slingerend weg.

Ze bleven op de bots inhakken, maar de bots kenden geen angst en hadden geen instinct tot zelfbehoud. Zwaaiend met haar machete zei Karen: 'Open het luik. Ik dek je wel.'

Rick boog zich vooorover en begon opnieuw aan het luik te trekken terwijl Karen tegen de bots vocht. Maar het luik wilde niet loskomen. Hij probeerde het open te wrikken met de punt van zijn machete en begon er vervolgens in te hakken. Als hij het niet open kon krijgen, sloeg hij het wel kapot. Maar de kling ketste terug van het plastic. 'Ik krijg het niet open!'

'Luister, Rick – au!' Ze schreeuwde het uit van de pijn. Een van de bots had haar gesneden. Ze zwaaide met haar machete boven haar hoofd. 'Nog een keer, Rick! Schiet op!' gilde ze.

Het lukte. Rick wierp zich op het luik en rukte het open. Het was een kleine ruimte met alleen een rode knop. Hij sprong met beide voeten op de knop.

De grond begon te beven en de hexagoon kwam omlaag in de richting van de vloer totdat ze werden opgeslokt door een zeshoekige ruimte.

Een van de bots was erin geslaagd om samen met hen de hexagoon binnen te komen. Het ding leek in de war. Rick haalde uit met zijn kapmes en mepte de bot tegen de wand.

Het licht veranderde van kleur en er volgde een zoemend geluid. Er daalde een dromerig gevoel over Rick neer totdat het leek alsof hij in de ruimte dreef en danste met de bot en met Karen King. Samen wervelden ze om elkaar heen in een krankzinnige wals.

De tensorgenerator werd geactiveerd. De velden kruisten elkaar en vormden poloïdale lussen. Even later kwamen de hexagonen omhoog totdat ze zich op hetzelfde niveau bevonden als de vloer. Rick Hutter, Karen King en een kolossale getransformeerde robot lagen op de grond. De mensen hadden hun normale grootte. De bot was opgeblazen tot het formaat van een koelkast.

Eric lag op de grond. Hij bloedde zwaar uit een wond in zijn been en uit verschillende sneetjes die door bots waren veroorzaakt, maar hij was bij bewustzijn en bleef het pistool gericht houden op Drake, die met een angstige blik op zijn gezicht in zijn richting probeerde te kruipen.

'Pak Eric op,' zei Rick tegen Karen. Ze namen Eric vast onder zijn armen en aan zijn voeten en droegen hem de generatorruimte uit. Het pistool gleed uit Erics handen en kletterde op de grond. Drake sprong op, maar maakte een fout. In plaats van naar de deur te rennen, koos hij voor het pistool.

Gedurende die ene seconde droegen Rick en Karen Eric Jansen de generatorkamer uit en smeten de deur dicht. Karen, die zag dat er een eenvoudig schuifslot op zat, schoof de grendel voor de deur.

Drake zat opgesloten in de generatorkamer in het gezelschap van honderd vliegende microbots alsmede een reusachtig exemplaar. De grote bot zat op de grond. Zijn facetogen draaiden naar links en naar rechts, zijn zwanenhals danste heen en weer en de bladen van zijn turbofan jankten – maar hij kon niet opstijgen. Hij was te zwaar geworden om te vliegen.

Drake keek naar de grote bot en stond op met het pistool in zijn hand. Rick en Karen zagen vanachter het kogelvrije venster hoe Drake de botcontroller oppakte van de vloer. Eric had hem grondig gesloopt, en Drake smeet het ding weg.

Ze zagen Drakes lippen bewegen en hoorden zijn stem zwakjes door het glas: Laat me eruit.

Rick schudde zijn hoofd.

Drake vuurde op het raam. De kogel maakte een ster in het glas, maar het brak niet.

Drake liep naar het raam totdat zijn gezicht nog een paar centimeter van het glas was verwijderd. Alsjeblieft, help me. Het spijt me vreselijk. Aan het puntje van zijn neus verscheen een parel van bloed. Hij deed een paar stappen naar achteren, keek woest om zich heen en sloeg naar een bot die rond zijn hoofd cirkelde. Hij vloekte, en zwaaide met zijn pistool. De lichtbundel van de wapenlamp danste kriskras door de ruimte. Hij ving een bot in het licht en vuurde op het monster. De lichtbundel schoot van links naar rechts, en hij vuurde opnieuw. Steeds weer vuurde Drake op de bots, en de tensorkamer vulde zich met een waas van cordietrook.

Plotseling nam hij zijn mobieltje uit zijn zak. Het was blijkbaar opnieuw overgegaan. 'Hallo, inspecteur. Wilt u me alstublieft komen halen? Ik zal u het hele verhaal vertellen. Ik sta momenteel in de generatorruimte en ik heb een probleem. De generatorruimte, ja. In het midden van het gebouw. Bots? Er zijn hier geen bots, Dan, het is volkomen veilig...' De telefoon gleed uit zijn bebloede vingers en kletterde op de grond. De voorkant van zijn shirt was doorweekt als gevolg van een bloedneus.

Drake hoestte, en er kwam een wolk van bloeddruppeltjes uit zijn mond. Hij wankelde naar voren, drukte zijn bovenlichaam tegen het raam en staarde naar Rick en Karen. 'Ik laat jullie afmaken! Ik zweer het!' Hij sperde zijn ogen open, en in zijn rechterooghoek verscheen een bloedparel. Door het wit van zijn oog kwam een microbot naar buiten die over zijn hoornvlies begon te kruipen en een flinterdunne voor van bloed trok. Drake leek ernaar te kijken terwijl de bot zich langzaam voortbewoog. 'Ga van me af,' fluisterde hij. Hij stak een vinger in zijn oog, staarde naar zijn bebloede vingertop en schreeuwde.

Vervolgens zette hij het pistool tegen zijn hoofd en haalde de trekker over.

Er gebeurde niets. Het magazijn was leeg omdat hij op de bots had geschoten.

Inmiddels had de reuzenrobot Drake in de gaten gekregen. De machine naderde hem van achteren met zijn armen slepend over de vloer. De zwanenhals haalde uit. De messen schoten van onderen omhoog door Drakes buikholte en scheurden aan de voorkant zijn borst open. Vervolgens tilde de bot hem op, schudde hem heen en weer op zijn zwanenhals en slingerde het lichaam naar de andere kant van de ruimte.

Rick en Karen verzorgden Eric Jansen. Rick trok zijn shirt uit en wikkelde het rond Erics been bij wijze van drukverband. Hij nam Eric onder zijn armen en hielp hem zo goed en zo kwaad als dat ging door het Omicronlab. Hij had veel bloed verloren en was nauwelijks meer bij bewustzijn.

Op dat moment hoorden ze het zoemende geluid van microbots. Karen voelde iets prikken in haar nek en sloeg ernaar. Toen ze naar haar hand keek, zat er bloed op.

'Deze ruimte is besmet! Wegwezen, Rick!' Zonder verder nog na te denken, pakte ze Eric met een hand vast om hem over haar schouder te gooien, maar dat lukte niet. Even dacht ze: Wat krijgen we nou? Haar superkrachten waren verdwenen.

Ze slaagden erin Eric de gang in te slepen, waar een klein leger politieagenten met kogelvrije vesten en wapens in de aanslag hen tegemoetkwam. Vlak daarachter liep een rechercheur met een buikje in burgerkleding. Hij droeg weliswaar een kogelvrij vest, maar hoorde duidelijk niet bij het SWAT-team.

'Wegwezen!' schreeuwde Rick naar hen. 'Bots!'

'Ik weet het,' zei de rechercheur kalm. Hij wendde zich tot de mannen.

'Haal ze hier weg. Meteen.' Tegen Karen en Rick zei hij: 'Zijn er nog anderen in het gebouw?'

'Alleen Drake. Maar die is dood.'

'Oké. Iedereen naar buiten,' zei de rechercheur. De agenten loodsten Rick en Karen in de richting van de uitgang en droegen Eric, die het bewustzijn had verloren, tussen zich in.

De laatste man die het gebouw verliet, was de rechercheur. Hij kwam naar buiten in het zwakke schijnsel van de dageraad. Er liep een straaltje bloed omlaag langs zijn voorhoofd. De bots hadden Dan Watanabe gevonden.

'Waar is Dorothy?' riep hij uit.

Dorothy Girt was inmiddels gearriveerd in haar Toyota. Ze kwam naar voren.

'Heb je de magneet bij je?'

'Wat dacht jij dan?' Ze stak de zware hoefijzermagneet in de lucht. Ze had hem op weg naar Nanigen in het forensisch lab opgehaald.

'Iedereen gaat door de decon, zowel de gijzelaars als de agenten,' zei Watanabe terwijl hij zijn vest uittrok. 'Dorothy regelt alles.' Een stel verpleegkundigen bracht Eric als eerste de tent in. Even later werd hij in een traumahelikopter gezet. Nadat iedereen aan de beurt was geweest, liep inspecteur Watanabe de witte tent in om Dorothy de bots uit zijn lichaam te laten halen.

51

DE PUT
1 NOVEMBER, 5:55

In de generatorkamer was het enige wat bewoog de reusachtige bot. Hij verkende de kamer en schoof Drakes lichaam opzij, op zoek naar een uitgang. Omdat hij geen uitgang kon vinden, ging het programma over naar de boorsequentie. De bot boog zijn hals naar de grond en begon met behulp van zijn messen door de plastic vloer te snijden. Toen er een gat was ontstaan, zakte hij door het kapotte plastic en stortte in een put vol met elektronische apparatuur. Daar ging de bot verder met snijden en hakken. Het was tenslotte zijn werk.

Onder de vloer van de generatorkamer waren kreunende, scheurende en krakende geluiden te horen die vergezeld gingen van blauwe en gele flitsen van elektrische vonken. Plotseling klonk er een hevig sissen, en door het gat in de vloer werd een wolk van stoom naar buiten gespuwd. Het waren het geluid en de energie van de supergeleidende magneten die het begaven. Het gebouw beefde terwijl de magnetische velden in de generator compleet in chaos raakten en weer tot rust kwamen. Toen de magneten bezweken, ging hun temperatuur plotseling omhoog waardoor het supergekoelde vloeibare helium rond de magneten ging koken. Er begon heliumdamp uit de put te stromen.

Plotseling ging de verlichting in het gebouw uit – de stroomonderbrekers waren geactiveerd. Ondertussen deed de reuzenbot gewoon zijn werk in het inwendige van Drakes machine.

Er was nog iemand in leven in het gebouw van Nanigen. Terwijl de reuzenbot in de put de machines aan stukken hakte, keek een slanke man toe. Hij bewoog zich langzaam en voorzichtig, zonder plotselinge bewegingen, om niet de aandacht van de bot te trekken. Hij verwijderde een harde schijf uit een rack en trok de datakabel uit de aansluitbus. Nadat hij de schijf in zijn jaszak had laten glijden, klom hij ijlings via een ladder uit de put om vervolgens de noodtunnel te betreden. Achter zich hoorde hij een doffe dreun, gevolgd door een loeiend geluid: de bot had brand gesticht. De noodtunnel, die vanbinnen met metalen golfplaten was bekleed, liep horizontaal en kwam uit bij een ladder. Dr. Edward Catel, de contactpersoon van het Davros Consortium, klom de ladder op. De harde schijf in zijn zak bevatte vijf terrabyte aan data – alle tensorgeneratorontwerpen van dr. Ben Rourke, inclusief technische informatie van onschatbare waarde over de tests die met de generator waren uitgevoerd. Toen hij één en één bij elkaar had opgeteld en had beseft dat Vin Drake waarschijnlijk zijn eigen medewerkers had laten vermoorden, had hij beseft dat Drake labiel was geworden en daarom niet langer effectief als algemeen directeur kon functioneren. Hij was met mensen in contact gekomen die al een tijdlang probeerden te achterhalen waar Nanigen mee bezig was, en hij had ze verteld dat hij hun voor een bepaalde prijs de ontwerpen van de generator kon leveren. Die avond was hij het gebouw binnengegaan. Hij had alleen niet beseft dat Drake er ook was.

Hij bleef boven aan de ladder staan, onder een luik, en luisterde. Wat was daarbuiten in vredesnaam aan de hand? Hij hoorde sirenes en het ronken van een helikopter. Misschien kon hij hier beter een paar uur wachten. Totdat alles weer rustig was.

Hij werd zich bewust van iets nats dat langs zijn wang liep en op zijn kraag druppelde, en hij reikte naar zijn gezicht. Ja, er zat een microbot in zijn wang. De ontsnappingstunnel was besmet. Hij voelde hoe de bot zich een weg baande door het weefsel van zijn wang. Het zou vervelend zijn als het ding in een groot bloedvat terecht zou komen; het zou naar zijn hersenen kunnen zwemmen en daar de boel kapot gaan snijden, met als gevolg een hersenbloeding. Hij moest hier weg en er het beste van hopen.

Hij duwde het luik open. Het kwam uit in een groepje acaciastruiken naast de parkeerplaats. In de hoek stond een brandweerwagen geparkeerd, maar de inzittenden keken naar de rook die uit het gebouw kwam. Hij liep haastig de struiken in en plukte met zijn vingertoppen aan zijn wang. Hij moest die bot eruit zien te krijgen. Hij stak twee vingers in zijn mond, trok het ding uit het weefsel van zijn wang en kneep het fijn tussen zijn vingernagels totdat hij het voelde kraken. Hij liep door. Doornen van acacia's bleven aan zijn kleren haken. Hij ging van het ene onbebouwde terreintje naar het volgende en liep achter een opslagloods langs. Hij verliet het bedrijvenpark en stapte op het trottoir totdat hij bij een bushalte kwam langs de Farrington Highway. Hij ging op het bankje in het bushokje zitten. De ochtendzon kuste het landschap met een gouden gloed. Het was zondag, dus de kans was groot dat er voorlopig nog geen bus kwam. Hij zou gewoon moeten wachten. Het gaf hem een gevoel van veiligheid dat hij een gescheurd jasje droeg met bloedvlekken erop. Hij glimlachte. Hij zou zomaar door kunnen gaan voor een dakloze met een ernstige ziekte, iemand waar geen mens een tweede keer naar kijkt. En hij had de harde schijf met daarop de enige complete versie van Ben Rourkes ontwerp voor de tensorgenerator. Het enige ontwerp.

Er begon zich een donkere vlek te verspreiden over zijn broekspijp. Het was bloed. Dat baarde hem zorgen. Hij deed zijn broek omlaag, zocht met zijn vingers op zijn dij en kreeg de bot te pakken. Hij hield hem tussen zijn vingertoppen en tuurde ernaar. Hij kon nog net de mesjes zien schitteren in het licht. 'Waarheen dwaalt gij?' mompelde hij tegen de bot. Prachtig, dacht hij. Hij zag eruit als een gek die tegen zijn vingers praatte. Hij was een vrij mens. Op dit moment vertegenwoordigde hij alleen zichzelf.

Catel plette de bot tussen zijn nagels en veegde zijn bebloede handen aan zijn broek af. Het was alsof je een teek doodkneep.

Even verderop reed een brandweerwagen voorbij met jankende sirenes.

Een week later paste inspecteur Dan Watanabe de kijkhoek aan van een laptop die op het nachtkastje van een ziekenhuisbed stond. De persoon in het bed was Eric Jansen en het scherm toonde een afbeelding van een bot die keurig in tweeën was gesneden zodat de binnenkant zichtbaar was.

'We hebben een ID van die Aziatische John Doe waarover ik het had. Hij heette Jason Chu.'

Eric knikte bedachtzaam. Zijn been zat in het verband en zijn gezicht was bleek en flets; anemie als gevolg van bloedverlies.

'Jason Chu,' zei Eric, 'werkte voor Rexatack, het bedrijf dat de octrooien bezat op de technologie van de Hellstorm drone.'

'Dus meneer Chu organiseerde de inbraak bij Nanigen om erachter te komen wat Nanigen met de patenten van zijn onderneming aan het doen was?'

'Precies,' antwoordde Eric.

'En u hebt die beveiligingsbots geprogrammeerd?'

'Niet om er mensen mee te doden, dat heeft Drake gedaan.' Hij sloot zijn ogen, hield ze een tijdje dicht en opende ze ten slotte weer.

'U mag mij arresteren. Mijn broer is dood en dat is mijn schuld. Het interesseert me niet wat er met mij gebeurt.'

'U wordt voorlopig niet gearresteerd,' antwoordde Watanabe zorgvuldig.

Er kwam een verpleegster binnen. 'Het bezoekuur is voorbij.' Ze keek op Erics monitors en zei tegen Watanabe: 'Is dat duidelijk, heren, of moet ik er een arts bij roepen?'

'Ik ben geen heer, mevrouw,' zei Dorothy Girt beleefd, en ze stond op. Watanabe kwam overeind en zei tegen Eric: 'Dorothy zou heel graag een werkende bot van Nanigen willen onderzoeken.'

Eric haalde zijn schouders op. 'Ze zitten allemaal in de generatorkamer.'

'Niet meer. De boel is afgefikt. Wat wil je, met al dat plastic? Het heeft twee dagen gekost om de brand te blussen. Er was niks meer over. Geen bots. We hebben waarschijnlijk Drakes resten gevonden. Dat zal een gebitsanalyse moeten uitwijzen. En die krimpmachine – die kun je alleen nog als briket in gebruiken in de barbecue.'

'Gaan jullie iemand in staat van beschuldiging stellen?' vroeg Eric toen Watanabe en Girt de kamer verlieten.

Watanabe bleef in de deuropening staan. 'De daders zijn dood. De officier van justitie is geadviseerd de zaak te laten rusten. Dat advies is afkomstig van – laten we zeggen een bepaalde groep binnen de overheid. Die niet wil dat er over deze robots wordt gesproken. Ik gok erop dat de hele zaak als bedrijfsongeval wordt afgedaan.' Zijn stem klonk bijna teleurgesteld. 'Maar je weet het natuurlijk nooit,' voegde hij eraan toe met een blik op de forensisch wetenschapster. 'Dit zijn van die raadsels waarover Dorothy en ik graag filosoferen, nietwaar?'

'Ik ben dol op raadsels,' zei Dorothy Girt nogal stijfjes. 'Kom mee, Dan. Die man heeft zijn rust nodig.'

52

MOLOKAI
18 NOVEMBER, 9:00

De regen boven West-Molokai was weer voorbij en de aanwakkerende passaat trok de palmbomen langs het strand scheef en plukte wolken van waterdruppels uit de branding. Op enige afstand van het water stond een groepje tenten, gemaakt van canvas en bamboe, te klapperen in de wind. Het Dixie Maru ecotentresort had betere dagen gekend.

Maar het was in elk geval te betalen van een studiebeurs.

Karen King zat op bed en rekte zich uit. De wind tilde een katoenen gordijn op in het raam van de tent en onthulde een strandpanorama met palmbomen en een uitgestrektheid van blauw water. In zee, niet ver van het strand, was een witte fontein te zien.

Karen pakte Rick Hutter bij de schouders en schudde hem heen en weer. 'Rick, een walvis!'

Rick draaide zich om en opende zijn ogen. 'Waar?' zei hij slaperig.

'Je bent niet geïnteresseerd.'

'Ik ben wel geïnteresseerd. Ik slaap alleen nog.' Hij kwam overeind en keek uit het raam.

Karen bewonderd Ricks rug- en schouderspieren. In het lab in Cambridge was het nooit in haar opgekomen dat Rick zo'n lekker lichaam kon hebben onder die versleten flanellen shirts die hij altijd droeg.

'Ik zie niks,' zei hij.

'Blijf dan even kijken. Misschien zien we er zo nog een.'

Ze observeerden in stilte de zee. In de verte, aan de andere kant van Molokai Channel, lagen de mistige contouren van de Ko'olau Pali van Oahu aan de horizon. De bergen waren bedekt met wattenbollenwolken. Het regende op de Pali. Rick schoof zijn arm rond Karens middel. Ze legde haar hand op de zijne en kneep erin.

Plotseling gebeurde het opnieuw. Eerst verscheen de kop van een bultrug, en toen het grootste deel van de rest van zijn lichaam. Het dier kwam druipend boven water, draaide zich om in de lucht en veroorzaakte een bomfontein bij zijn landing in de golven.

Ze bleven nog een tijdje naar de zee kijken, maar er gebeurde niets meer. Misschien was de walvis vertrokken.

Rick verbrak de stilte. 'Ik heb een telefoontje gehad van die politieman. Inspecteur Watanabe.'

'Hè? Dat heb je me niet verteld.'

'Hij zegt dat het ons vrij staat om Hawaï te verlaten.'

Karen snoof. 'Ze stoppen het in de doofpot.'

'Precies. En wij mogen weer terug naar ons saaie leventje in Cambridge–'

'Jij misschien,' zei Karen, en ze keek hem aan. 'Ik ga niet terug naar Cambridge. Nog niet meteen, in elk geval.'

'Waarom niet?'

'Omdat ik terug wil.'

'Naar de microwereld, bedoel je?'

Ze glimlachte, maar zei niets.

'Toe, Karen, dat is onmogelijk. En zelfs als het kon, zou je wel gek zijn om het te proberen.' Hij keek naar zijn armen. De blauwe plekken waren nog steeds niet helemaal verdwenen. 'De microwereld doodt mensen als vliegen.'

'Logisch – elke nieuwe wereld is gevaarlijk. Maar denk eens aan al die ontdekkingen...' Ze zuchtte. 'Rick, ik ben een wetenschapster. Ik móét terug. Sterker nog: ik kan me niet voorstellen dat ik nooit meer naar de microwereld zou gaan. De technologie bestaat, en met technologie is het nu eenmaal zo dat dingen die eenmaal zijn uitgevonden, nooit meer ont-uitgevonden worden.'

'Dat geldt ook voor de slechte dingen,' beaamde Rick.

'Precies. Killerbots en microdrones zijn niet meer weg te denken. Er zullen mensen op allerlei gruwelijke nieuwe manieren omkomen. En er zullen met deze technologie vreselijke oorlogen uitgevochten gaan worden. De wereld zal nooit meer hetzelfde zijn.'

Er rukte een windvlaag aan de tent, en het canvas flapte tegen hun plunjezakken in de hoek.

'En hoe zit het met ons?' vroeg Rick nadat de wind was gaan liggen.

'Ons?'

'Ja. Jij en ik. Ik bedoel...'

Hij probeerde haar naar zich toe te trekken op het bed.

Maar Karen was in gedachten verzonken. In haar hoofd zag ze het uitzicht vanaf hun kampeerplek op de steile wand van de Tantalus: een met mist gevuld dal, gehuld in groen, heldere watervallen... een vergeten dal, nog onbetreden of zelfs werkelijk gezien door mensenogen. 'Er moet–' begon ze.

Vanuit een ooghoek zag ze iets bewegen. Een metaalachtige schittering van iets wat uit een van de plunjezakken fladderde. Er liep een koude rilling over haar rug; een herinnering aan microbots die zich door de lucht verplaatsten als insecten...

Wat het ook was, het vloog weg door het raam. Het was zo klein dat het door de gaatjes van de hor paste. Het was niks, dacht ze.

Ze draaide zich om naar Rick. 'Er moet gewoon een weg terug zijn.'

Bibliografie

Agosta, William. *Bombardier Beetles and Fever Trees, A Close-up Look at Chemical Warfare and Signals in Animals and Plants*. Reading, Massachusetts: Addison-Wesley, 1995.

– *Thieves, Deceivers and Killers, Tales of Chemistry in Nature*. Princeton, New Jersey: Princeton University Press, 2001.

Arnold, Harry A. *Poisonous Plants of Hawaii*. Tokyo: Tuttle, 1968.

Attenborough, David. *Life on Earth*. Boston: Little, Brown, 1979.

– *The Private Life of Plants*. Princeton, New Jersey: Princeton University Press, 1995.

Ayres, Ian. *SuperCrunchers*. New York: Bantam, 2007.

Ball Jr., Stuart M. *Hiker's Guide to O'ahu*. Herziene editie. Honolulu: University of Hawai'i Press, 2000.

Baluska, Frantisek, Stefano Mancuso, en Dieter Volkmann, eds. *Communication in Plants: Neuronal Aspects of Plant Life*. Berlijn: Springer Verlag, 2006.

Beerling, David. *The Emerald Planet, How Plants Changed Earth's History*. New York: Oxford, 2007.

Belknap, Jody Perry, et al. *Majesty: The Exceptional Trees of Hawaii*. Honolulu: The Outdoor Circle, 1982.

Berenbaum, May R. *Bugs in the System: Insects and Their Impact on Human Affairs*. New York: Perseus, 1995.

Bier, James E., et al., en het Geografish instituut, University of Hawaii. *Atlas of Hawaii*. Honolulu: University of Hawaii Press, 1973.

Bodanis, David. *The Secret Garden*. New York: Simon & Schuster, 1992.

Bonner, John Tyler. *Why Size Matters: From Bacteria to Blue Whales*. Princeton, New Jersey: Princeton University Press, 2006.

– *Life Cycles: Reflections of an Evolutionary Biologist*. Princeton, New Jersey: Princeton University Press, 1993.

Bryan, William Alanson. *Natural History of Hawaii*. Honolulu: Hawaiian Gazette Co. Ltd., 1915. (Beschikbaar via Google Books.)

Buhner, Stephen Harrod. *The Lost Language of Plants: The Ecological Importance of Plant Medicines to Life on Earth*. White River Junction, Vermont: Chelsea Green Publishing, 2002.

Chippeaux, Jean-Philippe. *Snake Venoms and Envenomations* Malabar, Florida: Krieger Publishing, 2006.

Cox, George W. *Alien Species in North America and Hawaii, Impacts on Natural Ecosystems*. Washington, DC: Island Press, 1999.

Darwin, Charles. *The Power of Movement in Plants*. Londen: John Murray, 1880. (Online te lezen via http://darwin-online.org.uk/.)

Dicke, Marcel, en Willem Takken. *Chemical Ecology, From Gene to Ecosystem*. Dordrecht: Springer, 2006.

Eisner, Thomas. *Eisner's World: Life Through Many Lenses*. Sunderland, Massachusetts: Sinauer Associates, 2009.

– *For Love of Insects*. Cambridge, Massachusetts: The Belknap Press of Harvard University Press, 2003.

Eisner, Thomas, Maria Eisner, en Melody Siegler. *Secret Weapons: Defenses of Insects, Spiders, Scorpions, and Other Many-Legged Creatures*. Cambridge, Massachusetts: The Belknap Press of Harvard University Press, 2005.

Eisner, Thomas, en Jerrold Meinwald, eds. *Chemical Ecology: The Chemistry of Biotic Interaction*. Washington, DC: National Academy Press, 1995.

Fleming, Andrew J., ed. *Intercellular Communication in Plants, Annual Plant Reviews, Volume 16*. Oxford: Blackwell, 2005.

Foelix, Rainer D. *Biology of Spiders*. Tweede editie. New York: Oxford University Press – George Thieme Verlag, 1996.

Galston, Arthur W. *Life Processes of Plants*. New York: Scientific American, 1994.

Gotwald Jr., William H. *Army Ants: The Biology of Social Predation*. Ithaca, New York: Cornell University Press, 1995.

Gullan, Penny J., en Peter S. Cranston. *The Insects: An Outline of Entomology*. Vierde editie. Oxford: Wiley-Blackwell, 2010.

Hall, John B. *A Hiker's Guide to Trailside Plants in Hawai'i*. Honolulu: Mutual Publishing, 2004.

Hillyard, Paul. *The Private Life of Spiders*. Princeton, New Jersey: Princeton University Press, 2008.

Hölldobler, Bert, en Edward O. Wilson. *The Ants*. Cambridge, Massachusetts: The Belknap Press of Harvard University Press, 1990.

Homerus; Robert Fagles (vertaling). *The Odyssey*. New York: Viking, 1996.

Howarth, Francis G., en William P. Mull. *Hawaiian Insects and Their Kin*. Honolulu: University of Hawaii Press, 1992.

Jones, Richard. *Nano Nature: Nature's Spectacular Hidden World*. New York: Metro Books, 2008.

Kealey, Terence. *The Economic Laws of Scientific Research*. New York: St. Martin's Press, 1996.

Kepler, Angela Kay. *Trees of Hawai'i*. Honolulu: University of Hawai'i Press, 1990.

Krauss, Beatrice H. *Native Plants Used as Medicine in Hawaii*. Honolulu: Harold L. Lyon Arboretum, 1981.

Liebherr, James K., en Elwood C. Zimmerman. *Insects of Hawaii. Vol. 16: Hawaiian Carabidae (Coleoptera): Part 1: Introduction and Tribe Platynini*. Honolulu: University of Hawai'i Press, 2000.

Magnacca, Karl N. 'Conservation Status of the Endemic Bees of Hawai'i, Hylaeus (Nesoprosopis) (Hymenoptera: Colletidae).' *Pacific Science*. Vol. 61, no. 2, april 2007, pp. 173–190.

Marshall, Stephen A. *Insects: Their Natural History and Diversity*. Buffalo, New York: Firefly Books, 2006.

Martin, Gary J. *Ethnobotany: A Methods Manual*. Chapman & Hall, 1995; herdruk Londen: Earthscan, 2004.

McBride, L.R. *Practical Folk Medicine of Hawaii*. Hilo: Petroglyph Press, 1975.

McMonagle, Orin. *Giant Centipedes: The Enthusiast's Handbook*. Elytra & Antenna: ElytraandAntenna.com, 2003.

Meier, Jürg, en Julian White (red.). *Handbook of Clinical Toxicology of Animal Venoms and Poisons*. Boca Raton: Taylor & Francis, 1995.

Moffett, Mark W. *Adventures Among Ants*. Berkeley: University of California Press, 2010.

Palmer, Daniel D. *Hawai'i's Ferns and Fern Allies*. Honolulu: University of Hawaii Press, 2002.

Perkins, R.C.L. 'Insects of Tantalus.' *Proceedings of the Hawaiian Entomological Society*. Vol. 1, pt. 2, pp. 38–51. (Beschikbaar via Google Books.)

Perkins, Robert Cyril Layton. Auteur van diverse artikelen in *Fauna Hawaiiensis*, David Sharp (red.), Op. Cit.

Pukui, Mary Kawena, en Samuel H. Elbert. *Hawaiian Dictionary*. Herziene editie. Honolulu: University of Hawaii Press, 1986.

Scott, Susan, en Craig Thomas. *Poisonous Plants of Paradise: First Aid and Medical Treatment of Injuries from Hawaii's Plants*. Honolulu: University of Hawaii Press, 2000.

Serres, Michel, met Bruno Latour. *Conversations on Science, Culture, and Time*. Ann Arbor: University of Michigan, 1990.

Sharp, David, ed. *Fauna Hawaiiensis, or the Zoology of the Sandwich (Ha-*

waiian) Isles. Vols. 1–3. Cambridge: Cambridge University Press, 1899–1913. (De hoofdsamensteller en auteur van vele artikelen in deze serie was Robert Cyril Layton Perkins; op. cit. Pdf facsimile is te downloaden via Karl N. Magnacca's website:http://nature.berkeley.edu/~magnacca/fauna.html. Ook beschikbaar via Google Books.)

Simonson, Douglas, et al. *Pidgin to Da Max Hana Hou. [Pidgin Hawaiian dictionary.]* Honolulu: The Bess Press, 1992.

Sohmer, S.H., en R. Gustafson. *Plants and Flowers of Hawaii.* Honolulu: University of Hawaii Press, 1987.

Spradbery, J. Philip. *Wasps: An Account of the Biology and Natural History of Solitary and Social Wasps.* Seattle: University of Washington Press, 1973.

Stamets, Paul. *Mycelium Running.* Berkeley: Ten Speed Press, 2005.

Stone, Charles P., en Linda W. Pratt. *Hawaii's Plants and Animals: Biological Sketches of Hawaii Volcanoes National Park.* Honolulu: Hawai'i Natural History Association, 1994.

Swartz, Tim. *The Lost Journals of Nicola Tesla.* New Brunswick, New Jersey: Global Communications, n.d.

Swift, Sabina F., en M. Lee Goff. 'Mite (Acari) Communities Associated with 'Ohi'a...' *Pacific Science.* (2001), vol. 55, no. 1, pp. 23–55.

Walter, David Evans, en Heather Coreen Proctor. *Mites: Ecology, Evolution, and Behavior.* Sydney, Australia: University of New South Wales Press, 1999.

Ward, Peter D., en Donald Brownlee. *Rare Earth, Why Complex Life Is Uncommon in the Universe.* New York: Copernicus (Springer-Verlag), 2000.

Wilson, Edward O. *Naturalist.* New York: Warner Books, 1995.

Wolfe, David W. *Tales from the Underground: A Natural History of Subterranean Life.* New York: Basic Books, 2001.

Xenophon; Rex Warner (vertaling). *The Persian Expedition [The Anabasis].* 1949: heruitgave Londen: Penguin Books, 1972. (Pp. 140–147: de eerste redevoeringen van Xenophon tegen de troepen. Een voorbeeld van leiderschap tijdens een overlevingsstrijd. Dramatische leeservaring; diende als voorbeeld voor Peter Jansen om zijn medestudenten toe te spreken.)

Zimmer, Carl. *Parasite Rex: Inside the Bizarre World of Nature's Most Dangerous Creatures.* New York: Simon & Schuster Touchstone, 2000.

Zimmerman, Elwood C. *Insects of Hawaii.* Vol. 1. Honolulu: University of Hawaii Press, 2001. (Herdruk van de oorspronkelijke uitgave uit 1947, met een nieuw voorwoord.)

Over de schrijvers

Michael Crichton heeft meer dan 200 miljoen boeken verkocht, die in zesendertig talen zijn vertaald; dertien van zijn boeken zijn verfilmd. Tot zijn romans behoren *Next, Staat van Angst, Tijdlijn, Jurassic Park* en *De Andromeda crisis*. Crichton, die ook bekend was als filmmaker en bedenker van ER, blijft de enige schrijver die ooit gelijktijdig een boek, film en tv-serie op nummer één heeft gehad. Op het moment van Crichtons dood in 2008 bevond *Micro* zich al in een vergevorderd stadium. Richard Preston werd geselecteerd om de roman te voltooien.

www.michaelcrichton.net

Richard Preston is een bestsellerauteur die internationaal hoog aangeschreven staat. Hij heeft acht boeken gepubliceerd, waaronder *The Hot Zone* en *The Wild Trees*. Veel van Prestons boeken zijn verschenen in *The New Yorker*. Hij heeft tal van prijzen gewonnen, waaronder de American Institute of Physics Award en de National Magazine Award, en hij is de enige niet-arts die ooit de Centers for Disease Control's Champion of Prevention Award voor volksgezondheid heeft ontvangen. Preston woont met zijn vrouw en drie kinderen in de buurt van Princeton, New Jersey.

www.richardpreston.net